Histoire des sciences
au Québec

Luc Chartrand   Raymond Duchesne   Yves Gingras

HISTOIRE
DES SCIENCES
AU QUÉBEC

BORÉAL

Cet ouvrage a été publié grâce à une subvention de la Fédération canadienne des études humaines dont les fonds proviennent du Conseil de recherches en sciences humaines du Canada

Données de catalogage avant publication (Canada)

Chartrand, Luc
    Histoire des sciences au Québec
    Bibliographie
    Index
    ISBN: 2-89052-205-9

    1. Sciences — Québec (province) — Histoire. I. Duchesne, Raymond. II. Gingras, Yves, 1954-   . III. Titre.

Q127.C35C52 1987   509'.714   C87-096228-0

Production: Jean Yves Collette
Montage: Anne McIsaac

En couverture: Photo: IREQ.

Diffusion pour le Québec:
Dimédia, 539, boul. Lebeau
Saint-Laurent (Québec) H4N 1S2

© Les Éditions du Boréal
5450, ch. de la Côte-des-Neiges
Bureau 212, Montréal H3T 1Y6

DÉPÔT LÉGAL: QUATRIÈME TRIMESTRE 1987
BIBLIOTHÈQUE NATIONALE DU QUÉBEC

À Chantal, Marie et Sylvie

INTRODUCTION

Il y a un peu plus de cent ans, l'écrivain et homme politique P.-J.-O. Chauveau remarquait que, « sans doute par une de ces affinités naturelles », la population anglophone du Canada s'était portée davantage vers les sciences mathématiques, physiques et naturelles, alors que les intellectuels du Canada français avaient été attirés plutôt vers les sciences morales et politiques, l'histoire, la littérature et les beaux-arts[1]. Bien d'autres, avant comme après Chauveau, ont cru pouvoir relever le peu de goût ou d'aptitudes des Canadiens français pour les sciences et ont tiré de là une explication de leur retard économique sur le Canada anglais et le reste de l'Amérique du Nord. Pour les uns, ce manque d'intérêt pour les sciences tenait au tempérament latin des Canadiens français. D'autres l'attribuaient à la langue et à la culture françaises, qu'on croyait moins propices que la culture anglaise ou allemande aux études scientifiques. D'autres, enfin, soutenaient que l'Église catholique du Canada français, hostile au changement et soucieuse de préserver le dogme, avait fait longtemps obstacle au progrès des idées scientifiques.

On pourrait penser que la tâche première de l'historien des sciences au Québec doit être d'identifier le ou les obstacles qui ont ainsi pu retarder le progrès des idées et des institutions scientifiques. Pourtant, au lieu de concentrer notre attention sur ce qui ne s'est pas fait, nous avons pensé qu'il valait mieux commencer par rendre compte de ce qui s'est fait. Nous avons donc choisi de relater, en évitant le plus possible le parti pris ou le préjugé, les événements qui, depuis la Découverte, ont marqué le domaine des sciences au Québec, tant chez les francophones que chez les anglophones. Nous nous sommes donc concentrés sur la carrière et les travaux des naturalistes, des géologues, des chimistes et des physiciens, sur les controverses scientifiques qui ont animé les esprits, sur le long développement des institutions scientifiques et des disciplines, sur l'évolution de l'enseignement des sciences depuis le XVIIIᵉ siècle, sur les relations de plus en plus étroites entre la communauté scientifique et l'État au XXᵉ siècle et sur l'essor de la *Big Science*, principalement dans les sciences biomédicales et physiques. Le résultat de ces travaux indique les temps forts du développement scientifique du Québec et, surtout, met en évidence, pour chaque époque, une multiplicité de facteurs historiques, favorables ou contraires au progrès des sciences. Ce que révèle au premier chef l'ouvrage que nous présentons aujourd'hui, c'est à quel point l'histoire des sciences est liée à l'histoire de toute la société.

Un ouvrage de synthèse consacré à l'histoire des sciences au Québec faisait cruellement défaut. En effet, les sciences sont pratiquement absentes des ouvrages généraux d'histoire du Canada français publiés depuis le XIXᵉ siècle. Sans doute était-il normal que, chez Louis Jolliet, l'explorateur l'ait emporté sur l'hydrographe ou que l'on ait accordé plus d'importance à Louis Hébert comme premier colon que comme apothicaire et herboriste. Mais aujourd'hui, à cause de la place que les sciences et la technologie ont prise dans notre société, il devenait nécessaire de relire le passé pour y retrouver les aspects scientifiques de l'histoire du Québec.

Les synthèses voient normalement le jour après une moisson de monographies. Les travaux spécialisés consacrés à l'histoire des sciences au Québec étant peu nombreux, un ouvrage de synthèse n'était-il pas prématuré? Le paradoxe n'est qu'apparent. En histoire des sciences, les sources sont plus nombreuses qu'on ne le croit généralement, mais elles sont éparpillées dans des revues peu consultées par les historiens. Les travaux sont fréquemment l'œuvre d'amateurs. Il est d'ailleurs remarquable de constater à quel point, tout au long de l'histoire, les scientifiques et les médecins ont senti l'importance de rappeler les origines de leur art ou de leur discipline, d'honorer, parfois à l'excès, la mémoire de leurs devanciers et celle des bâtisseurs d'institutions. Plus récemment, quelques historiens et sociologues se sont à leur tour intéressés au rôle et à l'évolution des sciences dans la société québécoise. On doit aussi évoquer le travail de journalistes qui, parfois, ont empêché de «bonnes histoires» de sombrer dans l'oubli. Tous ces travaux, ajoutés à nos propres recherches en archives et à des interviews, ont fourni une matière première abondante à ce livre.

D'abord une histoire des sciences, l'ouvrage n'en déborde pas moins sur l'histoire de la médecine et l'histoire des techniques. En effet, nous avons tenté de retracer les progrès de la médecine scientifique et de la recherche biomédicale au Québec depuis le XIXe siècle, tout en laissant hors de notre propos l'histoire de la médecine proprement dite, qui relève plutôt de l'histoire sociale. Par ailleurs, certains aspects de l'histoire de techniques, comme l'enseignement du génie, devaient être abordés ici, même si leur histoire est inséparable de celle de l'industrialisation et demande à être étudiée plus en profondeur dans un contexte tout différent du nôtre.

Destinant cet ouvrage à un public plus large que celui des spécialistes — historiens, sociologues ou scientifiques —, nous avons cherché à écrire un texte accessible, bâti autour de questions historiques simples, et dépouillé, dans la mesure du possible, des termes connus des seuls spécialistes, scientifiques ou historiens. Nous croyons, en effet, qu'il faut répondre à la curiosité de tous ceux à qui la place grandissante des sciences et de la technologie dans le monde n'a pas échappé et qui s'interrogent sur l'origine de ce nouvel état de choses.

Nous espérons également avoir écrit un ouvrage utile aux professeurs d'histoire ou de science, qui pourraient tirer parti de cette synthèse pour illustrer ou compléter leur enseignement. Les controverses entourant le darwinisme au siècle dernier ne révèlent-elles pas aussi nettement que les controverses politiques les clivages idéologiques du Canada français? Et la découverte de la désintégration de l'atome par Rutherford, à l'Université McGill, ne constitue-t-elle pas un épisode classique et hautement significatif du développement de la physique? C'est avec l'espoir de répondre aux attentes de nos collègues de l'enseignement, historiens et scientifiques, que nous présentons ici le fruit de nos recherches et de nos réflexions sur l'histoire des sciences au Québec.

Remerciements

Cet ouvrage n'aurait pu voir le jour sans l'appui de nombreuses personnes et organismes auxquels nous exprimons notre reconnaissance. Le gouvernement du Québec, par le truchement de son secrétariat au Développement culturel et scientifique, a bien voulu appuyer financièrement le projet dès le début. MM. Camille Limoges et Jean-Marc Gagnon nous ont généreusement prodigué leurs conseils et leurs encouragements dans les premières phases du travail. Nous avons pu profiter également de l'aide de nombreux collègues qui ont accepté de se prêter à des entrevues ou de lire et commenter différentes parties de l'ouvrage. À ce titre, nous soulignons la collaboration exceptionnelle de M. Paul-André Linteau, qui a lu et relu, patiemment, les nombreuses versions du manuscrit. Nos remerciements s'adressent également à MM. René Durocher, Othmar Keel, John Dickinson, Claude Galarneau, Marcel Fournier, Jacques Beaulieu, Fernand Bonenfant, René Bureau, Pierre Dansereau, Bernard Goulard, Gilles Janson, Paul Lorrain, Claude Marcil, Pierre Morisset, Cyrias Ouellet, Daniel Paquette, Jean-Marie Perron, René Pomerleau et Fernand Seguin. Nous voulons également remercier le personnel des Archives publiques du Canada, des Archives du Séminaire de Québec, des Archives nationales du Québec, du Musée McCord, des Archives de l'Université McGill, de l'Université de Montréal et de l'École polytechnique, de l'Université du Québec à Montréal et de l'Université Laval, de la Literary and Historical Society of Quebec et du Séminaire de Chicoutimi. Nous désirons également remercier le personnel de la direction des communications de l'Université de Montréal qui nous a aidés dans nos recherches iconographiques.

Enfin, nous remercions Mme Sylvie Duchesne, qui a dactylographié la première version du manuscrit, ainsi que Mmes Marie O'Neill, Michèle Breton, Denise Leclerc et Line Pouliot pour le soin et la patience avec lesquels elles se sont occupées de la saisie et de la révision des versions ultérieures.

CHAPITRE 1

NOUVEAU MONDE, NOUVELLE VISION DU MONDE

Au XVe siècle, les Européens sont habitués depuis longtemps à vivre avec les épices venues d'Orient, essentielles à la pharmacopée et à l'art culinaire. Cependant, en fermant l'accès à l'Asie par la mer Noire, la chute de Constantinople, en 1453, entraîne une hausse considérable du coût de ces denrées. Il va s'ensuivre une sortie massive d'or, néfaste à l'économie des pays importateurs. Pour ceux qui ont une fenêtre sur l'Atlantique, la solution sera de chercher à atteindre l'Asie par la mer.

Or, l'idée de passer par l'Ouest pour atteindre les rivages de l'Asie suppose une cosmographie appropriée: la Terre doit être ronde et l'Asie n'être séparée de l'Europe que par une mer plus ou moins longue à traverser. Lorsqu'en 1492 Christophe Colomb entreprend son expédition au nom du roi d'Espagne, il a lu le livre du cardinal Pierre d'Ailly, *L'Ymago mundi*. Dans cet ouvrage, compilé entre 1410 et 1415, et imprimé en 1472, l'auteur, reprenant Aristote, déclare que «la mer est petite qui sépare l'extrémité occidentale de l'Espagne de la partie orientale de l'Inde[1]». En somme, la cosmographie rend possible le voyage. L'économie va le rendre nécessaire.

Au cours de la dernière décennie du XVe siècle, l'Espagne, le Portugal et l'Angleterre engagent des navigateurs pour partir à la recherche des côtes est de l'Inde. À cette époque, les navigateurs sont surtout des «agents libres» qui travaillent pour le plus offrant. Ainsi, en 1497, l'Italien Jean Cabot se met au service du roi d'Angleterre; en 1524, un autre Italien, Verrazano, s'engage au service du roi de France; le Portugais Magellan est, lui, aux ordres de l'Espagne depuis 1519.

Pour ces hommes, naviguer loin des côtes n'est pas chose facile, car il faut un repère pour déterminer la position du bateau. La redécouverte de l'œuvre de Ptolémée, au XVe siècle, et sa

Détermination de la position en mer grâce à une boussole surmontée d'un quart de cercle. (Musée du Séminaire de Québec, photo: Pierre Soulard)

diffusion, grâce à l'imprimerie, facilitent la détermination de la position sur une carte en généralisant l'emploi du système des longitudes et des latitudes, ainsi que l'usage du quadrant et de l'astrolabe comme instruments d'observation astronomique. Or, si ceux-ci permettent de déterminer la latitude avec assez de précision, il en va tout autrement pour la longitude, dont la détermination requiert des chronomètres précis qui n'apparaîtront qu'au XVIIIe siècle.

À défaut de chronomètres, on observe les éclipses de Lune (quand il y en a). Le procédé consiste à noter le temps du début ou de la fin de l'éclipse et à le comparer à celui obtenu à un autre endroit; la différence de temps donne la longitude, sachant qu'une heure équivaut à 15°. Il suffit donc au capitaine d'emporter des tables précisant l'heure à laquelle les éclipses se produisent en certaines localités d'Europe. Colomb utilisa probablement les tables de Régiomontanus lorsqu'il observa une éclipse de Lune lors de son voyage de 1494. Les tables étant toutefois assez imprécises, on ne pouvait pas trop se fier à la valeur obtenue, qui pouvait errer facilement de plusieurs centaines de kilomètres. Une bien meilleure précision pouvait être obtenue si, au lieu de se fier aux tables, on observait simultanément l'éclipse aux deux endroits pour ensuite comparer les résultats. Au XVIIe siècle, on déterminera ainsi la longitude de Québec.

En l'absence d'éclipse, les premiers navigateurs devaient se contenter d'une estimation encore plus grossière de la longitude d'après les distances parcourues. Le sablier servait à compter les heures. La vitesse du navire était mesurée à l'aide du loch. Cet instrument était formé d'une petite planche triangulaire (le « bateau de loch ») amarrée à une corde comportant des nœuds espacés convenablement. Largué à la mer, le « bateau » entraînait la corde à mesure qu'avançait le navire. Il suffisait alors de compter le nombre de nœuds qui filaient dans un intervalle donné pour pouvoir exprimer la vitesse en nœuds.

On présume qu'en 1534, lors de son premier voyage, Cartier avait en sa possession le manuel de Martin Hoyarsabal, *Régiment pour prendre l'alture du soleil et l'estoile du Nord pour les Terres-Neuves*, qui comportait des tables de déclinaison en fonction des lieux et des dates. Ses relevés astronomiques étaient pris à l'aide de l'astrolabe ou du bâton de Jacob et non pas avec un sextant, comme nous le montre parfois l'iconographie historique. Beaucoup plus précis, le sextant ne fera son apparition que deux siècles plus tard.

L'expérience de navigation accumulée tout au long du XVIe siècle et le perfectionnement des instruments de mesure rendent la traversée de l'Atlantique moins périlleuse. Au cours du XVIIe siècle, la fréquence des voyages et les guerres entre les diverses puissances maritimes exigent des cartes de plus en plus précises. De l'artiste qui prenait autant de soin, sinon plus, à dessiner des monstres marins qu'à reproduire fidèlement le tracé des régions côtières, on passe au technicien qui note la profondeur des eaux et mesure plus précisément la position des endroits stratégiques. Pour la Nouvelle-France, les travaux de Champlain — et surtout sa fameuse carte de 1632 — marquent en quelque sorte le passage « entre une forme de cartographie topographique plus ou moins conjecturale et la fabrication de cartes à partir de levés authentiques faits par les cartographes », selon les mots de l'historien D.W. Thomson[2].

Pour atteindre ce stade de développement et délaisser les formes plus fantaisistes de comptes rendus cartographiques, il a fallu accumuler une longue expérience des nouveaux territoires.

Chez les humanités monstrueuses

Aux débuts de l'exploration de l'Amérique, la géographie, la zoologie et la botanique ne se sont pas encore affranchies de la mythologie. Des licornes, des pygmées, des hommes sans tête, des orangers, de la cannelle et du girofle sont signalés au Canada, de la même façon que les Iroquois, les orignaux ou l'érable à sucre.

Si Jacques Cartier ne rencontre que des humains normalement constitués le long du Saint-Laurent, ces derniers lui parlent abondamment, eux, de pays où « les gens ne mangent point et n'ont point de fondement, et ne digèrent point; ainsi font seulement eau par la verge ». Le navigateur entend aussi

Monstres et peuples étranges sur une carte de Pierre Desceliers illustrant les découvertes de Cartier.

parler d'un peuple d'unijambistes et « autres merveilles longues à raconter[3] » auxquelles, comme tous les navigateurs de son temps, Cartier fait écho une fois rentré en Europe. François Ier se vantera d'ailleurs par la suite d'avoir pris possession du Saguenay « où abonde l'or, l'argent, le poivre et la muscade[4] ».

Pierre Desceliers, cartographe de Dieppe à qui l'on attribue la plupart des cartes dressées à partir des découvertes de Cartier, y alla aussi de sa plume. Une de ses cartes, datée de 1550, montre une licorne se baladant vers la baie James et une armée de pygmées en guerre contre des grues. En légende, on peut lire : « Ci-dessus, est la démonstration d'un peuple nommé pigméons, gens de petite stature comme d'une coudée ; au troisième an ils engendrent et au cinquième ils meurent, non ayant devant les yeux honte, justice ou honnêteté. Pour cette cause sont dits brutes, non hommes. On tient qu'ils ont guerre continuelle contre des oiseaux nommés grues. » Desceliers n'était pas seul parmi les cartographes de l'époque à orner ainsi ses œuvres. Une mappemonde française de la même époque, attribuée à Le Testu, fait voir des hommes à tête de chien dans la région de la baie d'Hudson.

Cartier pour sa part ne limite pas ses affabulations aux indigènes. Les animaux qu'il décrit trouvent parfois difficilement leur équivalent dans la faune connue d'Amérique du Nord. À la rivière Moisie, par exemple, il remarque qu'« il y a dedans ladite rivière plusieurs poissons qui ont forme de chevaux, lesquels vont à la terre de nuit, et de jours à la mer, ainsi qu'il nous fut dit par nos deux sauvages, et de cesdits poissons vismes grand nombre de dans la dite rivière[5] ».

Toujours sur la foi de récits d'Amérindiens, Cartier croit que le Richelieu peut le mener rapidement à la Floride. Sur sa carte marine, à cent lieues de la rivière, il note : « Ici, dans ce païs, se trouvent la Canelle et le Girofle que dans leur langue ils appellent Canodetta[6]. »

Tout dans ses récits trahit la course au trésor dans laquelle il s'est engagé pour son roi. Comme les Espagnols qui croiront en l'existence d'un Eldorado, Cartier parle de la « terre de Saguenay, où il y a infiny or, rubiz et autres richesses, et y sont les hommes blancs comme en France, et acoustrés de draps de laine[7] ».

Probablement influencé par ce témoignage, Jean Fonteneau, dit Alfonse le Saintongeois, pilote de l'expédition de Roberval au Canada en 1542, voit dans le Saguenay un bras de mer allant à «la mer du Pacifique ou bien à la mer du Cathay[8]». Ce pilote se signale en outre par la description d'une cité merveilleuse, du nom de Norembègue, où coulerait la fontaine de jouvence et où l'on trouverait un peuple cultivé, parlant une langue proche du latin. «Il y a une ville, écrit ce navigateur, qui s'appelle Norombegue et y a en elle de bonnes gens et y a force pelleteries de toutes bêtes. Les gens de la ville sont vêtus de pelleteries, portant manteaux de martres. Les gens parlent beaucoup de mots qui approchent du latin et adorent le soleil et sont belles gens et grands hommes. La terre de Norombegue est haute et bonne[9]. »

Jean Alfonse prend la peine de noter dans son livre, *Voyages avantureux du Capitaine Jan Alfonse*, qu'il ne rapporte que ce qu'il a lui-même observé. Toutefois, même ses contemporains ont dû parfois douter... Il prétend encore avoir découvert que le Brésil n'est qu'une île et que l'Amazone est un détroit qui permet d'en faire le tour. Il rappelle également à ses lecteurs qu'en Angola vivent des «gens sans têtes ou l'ayant en la poitrine, et plus en Orient, d'autres hommes qui n'ont qu'un œil au front, ou les pieds comme une chienne». Il ajoute qu'à Sumatra, «on voit des gens dont les oreilles sont si grandes qu'elles leur descendent quasy jusques sur les épaules[10]». Cette dernière fable apparaissait déjà sur une carte de Sébastien Cabot en 1544.

À la suite de Jean Alfonse, plusieurs cartographes situeront la cité utopique de Norembègue près de l'embouchure de la rivière Penobscot, dans le Maine. Certains auteurs parlent d'une ville fortifiée dont les murs sont en or et le sol couvert de pierres précieuses. Les habitants en auraient été beaux, blonds et parlant toujours le latin.

Il faut comprendre qu'à cette époque la demande d'une information objective est encore limitée, alors que le récit fantastique, lui, est assuré du succès. Les *Voyages avantureux du Capitaine Jan Alfonse* sont une sorte de *best-seller* dans le monde restreint des lettrés d'alors. On en fait sept réimpressions entre 1559 et 1605. Dans un ouvrage consacré au cartographe Desceliers, un historien du XXe siècle remarque: «Les cartographes du temps acceptaient des légendes qu'ils savaient fausses, afin de satisfaire les goûts de leurs contemporains[11]. »

Il ne faudrait pas croire que tous les gens du XVIe siècle étaient crédules. Rabelais, dans son *Pantagruel*, parodie abondamment le récit de Cartier. Suivant tous les « ouy dire » d'un capitaine de Saint-Malo, le héros de Rabelais refait le périple de Cartier, rencontrant des marchands de Cathay — on croyait encore le Canada relié à l'Asie — et leur achetant trois licornes et un orignal pour les offrir au roi.

À l'époque de Champlain, le mythe de Norembègue continue de préoccuper les esprits, quoique d'une façon différente. En 1604, Champlain se rend à la rivière Penobscot et note : « Je crois que cette rivière est celle que plusieurs pilotes et historiens appellent Norembegue. [...] On descrit aussi qu'il y a une grande ville fort peuplée de sauvages adroits et habillés, ayans du fil de cotton. Je m'assure que la plupart de ceux qui en font mention ne l'ont vue, et en parlent pour l'avoir ouy dire à gens qui n'en savaient pas plus qu'eux[12]. »

Marc Lescarbot, auteur, en 1609, de la première *Histoire de la Nouvelle-France*, se penche à son tour sur la question : « Si

La carte de Champlain de 1632. (Archives publiques du Canada)

cette belle ville a oncques été en nature, je voudrois bien savoir qui l'a démolie; car il n'y a que des cabanes par ci par là faites de perches et couvertes d'écorce d'arbres ou de peaux». Et il porte sur Alfonse un jugement sévère: «Je ne reconois rien ou bien peu de vérité en tous les discours de cet homme ici; et il peut bien appeler ses voyages aventureux, non pour lui, qui jamais ne fut en la centième partie des lieux qu'il décrit (au moins est-il aisé à le conjecturer), mais pour ceux qui voudront suivre les routes qu'il ordonne de suivre aux mariniers[13]. »

Avec Champlain, Lescarbot et la plupart de ceux qui les suivent dans la colonie, on assiste à un effort de rationalisation dans les descriptions du Canada. Qu'il s'agisse des *Relations* des Jésuites, de nouvelles cartes ou de notes sur la nature, tout témoigne désormais d'un esprit plus méthodique.

Arpenteurs et hydrographes au service de la colonie

Champlain fonde Québec en 1608. Neuf ans plus tard, le premier colon, Louis Hébert, débarque en Nouvelle-France. Il faut cependant attendre encore une vingtaine d'années avant de pouvoir parler de vie sociale ou de vie paroissiale. À la veille de la chute de Québec aux mains des Anglais en 1629, il n'y a qu'une trentaine d'habitants et seulement trois fiefs ont été concédés — deux à Louis Hébert et l'autre aux Jésuites —, les limites de ces concessions ayant été mesurées par Champlain lui-même.

Au moment de sa reprise par les Français, en 1632, le pays ne constitue en fait qu'un comptoir de traite. Le retour de Champlain, en 1633, et l'arrivée, un an plus tard, de Jean Bourdon, en qualité d'ingénieur de la compagnie des Cent-Associés, marquent le début véritable de la colonisation et l'émergence d'une société nouvelle dans ce territoire jusque-là réservé aux Indiens.

Champlain s'étant lui-même décerné le titre d'«ingénieur en chef de la colonie», Jean Bourdon, son rival potentiel, reste dans l'ombre jusqu'à la mort du grand explorateur, survenue le 25 décembre 1635. En fait, Bourdon arpente sa première concession trois semaines avant cette date et profite de cette occasion pour définir l'unité de mesure à utiliser en Nouvelle-

France: «Il est nécessaire d'avoir une mesure dans ledit pays pour arpenter; on a jugé à propos de prendre celle de Paris qui font dix-huit pieds pour perche et cent perches pour arpent, à ce que l'advenir toutes choses soient réglés également[14].» Muni de sa boussole, d'une roue pour mesurer les distances et, plus tard, d'une «lunette de Galilée où il y avait une boussole» — étrenne reçue des Jésuites au Nouvel An de 1646 —, Bourdon arpente les terres des nouveaux colons et dirige les principales constructions[15].

«Ingénieur de monsieur le Gouverneur», comme le désignent souvent les Jésuites, Bourdon est en charge de la transformation du fort Saint-Louis, résidence officielle du gouverneur, et plus tard de la construction du fort Richelieu. Il est aussi à l'origine de l'urbanisme en Nouvelle-France. En 1636, le père Le Jeune écrit dans les *Relations*: «On a tiré les alignements d'une ville, afin que tout ce qu'on bâtira dorénavant soit en bon ordre[16].» À l'hiver de 1642, il profite de son passage en France pour tracer une «carte Depuis Kebec jusques au Cap des Tourmentes», laquelle comprend l'île d'Orléans encore inhabitée. Réalisée à partir de levés faits lors de son voyage avec Montmagny, en 1636, c'est la première carte du pays depuis celle de Champlain. On peut y voir toutes les concessions territoriales de la côte de Beaupré, ainsi que le nom des propriétaires. Bourdon est bien considéré par les habitants qui l'élisent, en 1647, procureur-syndic de la ville de Québec, chargé de faire part de leurs griefs au gouverneur. D'ailleurs, on le prie toujours de régler les contestations au sujet des limites de terrain et, lorsqu'il est absent, on attend même son retour[17]!

Les disputes fréquentes entre les colons sur les limites de terrain poussent le Conseil souverain de la Nouvelle-France à établir un début de contrôle du travail des arpenteurs. À partir des années 1670, ceux-ci commencent à se faire plus nombreux en raison de l'augmentation rapide de la population, qui atteint alors environ 7000 âmes. Au début de 1674, le Conseil est saisi de ce que plusieurs contestations entre les propriétaires sont causées par des différences entre les boussoles et autres instruments utilisés par les arpenteurs. Jean Bourdon étant décédé depuis 1668, il est ordonné à tous les arpenteurs d'apporter leurs instruments à Martin Boutet, professeur de mathématiques au

Collège des Jésuites, pour qu'il les vérifie et les corrige au besoin. On stipule également que, pour être reçu arpenteur, il faudra dorénavant soumettre ses instruments à Boutet. Depuis quelques années déjà, ce dernier était consulté lors de la nomination des nouveaux arpenteurs. Ainsi, le 1er mai 1672, l'intendant Talon nomme Louis-Marin Boucher, dit Boisbuisson, mesureur et arpenteur, après que Boutet eut confirmé ses capacités.

Arrivé en Nouvelle-France peu avant 1645 avec sa femme et ses deux enfants, mais devenu veuf quelques années plus tard, Martin Boutet, également appelé sieur de Saint-Martin, s'engage auprès des Jésuites et s'occupe d'enseigner aux enfants le chant et les cérémonies d'église. Bon mathématicien, il semble qu'il ait commencé à enseigner cette matière et son application à l'arpentage et à la navigation vers 1661. Chose certaine, en 1665, on mentionne pour la première fois la présence au Collège d'un professeur laïque de mathématiques. Les cours de Boutet se donnent en marge de l'enseignement régulier du Collège et marquent le début officiel de la formation de pilotes au pays. Si l'on en croit le père Enjalran, qui écrit de Sillery en 1676, l'enseignement de Boutet est un succès car il « enseigne tout ce qu'il est nécessaire de sçavoir des mathématiques pour ce païs. Il a instruit la plupart des capitaines qui conduisent des vaisseaux en ce païs[18]. » Pourtant, ce n'est qu'en 1678 que Boutet reçoit un brevet d'ingénieur du roi qui le charge officiellement de « servir en qualité d'Ingénieur en Nouvelle-France, en cette qualité enseigner l'hydrographie, le pilotage, et autres parties de mathématiques et jouir des mesmes honneurs, privilèges, et exemptions, dont jouissent les autres pourveus de semblables charges, dans les ports du Royaume ». Avant cette nomination, Boutet avait enseigné sans rémunération pendant dix-sept ans.

En 1665, l'intendant Talon encourage les Jésuites à poursuivre leur enseignement de l'hydrographie et de la navigation, car la colonie manque de capitaines de vaisseaux. Une lettre de Talon au ministre de la Marine, le 2 novembre 1671, éclaire cet événement :

> Les jeunes gens du Canada se desvouent et se jettent dans les escholles pour les sciences, dans les arts et les métiers et surtout dans la marine, de sorte que si cette inclinaison se nourrit un peu, il y a lieu d'espérer que ce pays deviendra une pépinière de navigateurs, de pescheurs,

de matelots et d'ouvriers tous ayant naturellement de la disposition à ces emplois. Le sieur de Saint-Martin (qui est aux Pères Jésuites en qualité de Frère donné), assez savant en mathématiques, a bien voulu à ma prière se donner le soing d'enseigner la jeunesse[19].

L'intérêt de Talon pour l'hydrographie s'inscrit dans un plan plus large, comme l'indique une « Description du Canada », rédigée probablement par lui en 1671 :

Une académie de marine semblerait fort utile à Québec afin d'instruire les enfants du pays qui ne sont pas de condition à se mettre en autre mestier ; après quoi on les mettrait sur des barques pour qu'ils s'accoutumassent à la mer, et on leur ferait faire ensuite quelque chose de plus pour les rendre peu à peu tous pilotes et propres à faire des découvertes. Cela vaudrait bien mieux pour eux et pour le pays que le latin qu'on leur faict apprendre[20].

L'impulsion donnée par Talon à l'enseignement de l'hydrographie découle de la réorganisation de la marine française, entreprise par Colbert au cours des années 1660. S'intéressant de près à la navigation et à la cartographie, Colbert crée en 1666 l'Académie des sciences pour répondre notamment aux besoins d'amélioration des cartes, du développement de l'hydrographie et de la détermination des longitudes. Colbert presse aussi le ministre de la Marine de créer des cours d'hydrographie dans tous les ports de France. Ainsi, en 1671, le roi enjoint les Jésuites de Nantes « de faire des prières et d'enseigner l'hydrographie[21] ». Colbert avait compris l'importance des sciences pour le développement de l'industrie, du commerce et de la navigation. L'expansion coloniale devenait donc un facteur direct de l'organisation scientifique en France.

Au moment de l'arrivée de Talon, on connaissait mal les rives du Saint-Laurent faute de relevés hydrographiques. L'apprentissage du pilotage se faisait sur le tas, auprès du seul maître ou des vingt-deux marins présents en Nouvelle-France lors du premier recensement de la colonie en 1666. La création du cours d'hydrographie à Québec est donc liée au besoin que la colonie avait de pilotes et de navigateurs. Lorsqu'en 1686, trois ans après la mort de Boutet, le gouverneur Denonville demande un nouveau professeur, il insiste sur le fait qu'« il y a du temps que cet homme est mort », qu'il « a fait tout ce que nous avons eu de gens qui ont entendu la navigation et qui servent nos marchands» et que «nous manquons de pilotes, en étant mort cinq depuis trois ans, dont le pays souffre beaucoup[22]».

Jean-Baptiste-Louis Franquelin, hydrographe du roi

À Québec, il y avait deux candidats pour le poste de Boutet: Louis Jolliet, né à Québec, formé par les Jésuites et ayant probablement suivi les cours de Boutet, et Jean-Baptiste-Louis Franquelin arrivé au Canada en 1671. Franquelin est venu faire du commerce, mais, en 1674, le gouverneur Buade de Frontenac le persuade de se consacrer entièrement à la cartographie, parce qu'il est le seul de la colonie à être outillé pour ce travail et aussi parce que la France a de plus en plus besoin de cartes de la colonie[23].

Ce n'est toutefois que quatre ans après la mort de Boutet, survenue en 1683, que Franquelin obtient le titre officiel d'hydrographe du roi à Québec[24]. Quant à Jolliet, il devra patienter encore quelques années.

Au cours de son séjour au Canada, Franquelin dessine la plupart des cartes que gouverneurs et intendants font parvenir en France. Une vingtaine nous sont connues, parmi lesquelles figurent, selon l'historien Burke-Gaffney, «les plus belles du point de vue artistique qu'on ait faites au Canada au cours du XVIIe siècle[25]». En 1675, il dresse la «Carte de la découverte du Sr Jolliet», où est indiqué le chemin menant au Mississippi. Dix ans plus tard, il prépare une autre carte importante «du grand fleuve Saint-Laurent, dressée et dessinée sur les mémoires et observations que le Sr Jolliet a très exactement faits en barque et en canot en quarante six voyages pendant plusieurs années[26]».

Outre son travail de cartographe, Franquelin agit en qualité d'ingénieur. De 1689 à 1691, il s'occupe d'ériger des défenses de fortune contre les Anglais. Ceux-ci assiègent Québec sous les ordres de William Phips en octobre 1690. L'année suivante, il dresse des cartes de la côte de la Nouvelle-Angleterre en vue d'une éventuelle invasion par mer. En 1692, il s'embarque pour la France pour y présenter ses cartes. Sans que l'on sache trop pour quelles raisons, il ne reviendra jamais en Nouvelle-France.

Des difficultés d'argent y sont peut-être pour quelque chose. Criblé de dettes et harcelé par les huissiers, il demande deux fois au Conseil souverain de lui accorder des délais[27].

En somme, Franquelin était plus cartographe que pédagogue et ses multiples problèmes et activités semblent lui avoir laissé peu de temps pour enseigner. Denonville résume bien la situation lorsqu'il écrit à Seignelay, ministre de la Marine, en 1690, qu'« il valait mieux confier l'école d'hydrographie aux Jésuites que la laisser au Sr Franquelin qui ne se soucie guère de former les pilotes dont la colonie a grandement besoin[28] ».

Les derniers hydrographes laïques : Louis Jolliet et Jean Deshayes

Le poste de professeur d'hydrographie étant libre depuis le départ de Franquelin, en 1692, Louis Jolliet offre à nouveau ses services. Appuyé par Frontenac et ayant maintenant compris l'importance d'avoir des appuis à la cour, il passe en France à la fin de 1695. Lorsqu'il revient quelques mois plus tard, c'est avec le titre d'hydrographe du roi. Frontenac se réjouit tout autant que lui et écrit à Lagny, du département d'hydrographie, le 25 octobre 1696 : « Nous sommes dans un temps si peu propre à obtenir des grâces que c'est beaucoup que Jolliet ait eu l'emploi de maître d'hydrographie[29]. »

Seul Canadien à occuper ce poste, il a, si l'on en croit son biographe Ernest Gagnon, de grandes ambitions et désire contribuer à la formation d'une marine franco-canadienne[30]. Les Jésuites devaient être fiers de cette promotion obtenue par leur ancien élève, déjà célèbre pour sa découverte du Mississippi. Malheureusement, la nouvelle carrière de Jolliet est courte. Il meurt en 1700, sans avoir vu se développer la marine dont il rêvait.

Franquelin se voit confier de nouveau le poste d'hydrographe, mais ne vient jamais l'occuper. C'est Jean Deshayes qui, à partir de 1703, enseignera à Québec. Entre-temps, il semble que les Jésuites aient assuré l'intérim.

Astronome et membre correspondant de l'Académie des sciences, Jean Deshayes n'en est pas, en 1703, à son premier voyage dans la colonie. En 1685, il y était venu effectuer un relevé hydrographique du Saint-Laurent, le deuxième après celui de Jolliet. Les travaux de Deshayes ont été appréciés en France : la chronique de l'Académie des sciences pour l'année 1699 nous apprend que la carte de Deshayes, «qui comprend les cours de la rivière Saint-Laurent, depuis son embouchure jusqu'au lac Ontario», a été jugée «fort exacte» par l'Académie et «d'une grande utilité pour la navigation de la rivière Saint-Laurent[31]». Cette carte, rééditée en 1715, servira à la navigation jusqu'à la fin du Régime français. Elle était accompagnée d'un «Recueil de ce qui peut servir à la navigation particulièrement de la rivière Saint-Laurent et de ce qui peut contribuer à la méthode générale de lever et dresser des cartes».

L'Observatoire de Paris au XVIIIe siècle.

Astronome, Deshayes profite de l'éclipse de Lune du 10 décembre 1685 pour noter l'heure à laquelle la Lune quitte l'ombre de la Terre. Ses résultats permettent au célèbre astronome Jean-Dominique Cassini, de l'Académie des sciences, d'établir la longitude de Québec à 72°13′, soit 1°20′ de moins que la valeur réelle. Cette précision avait été rendue possible grâce à l'observation simultanée de l'éclipse à Paris et à Québec : connaissant ainsi la différence précise entre l'heure locale de Paris et celle de Québec, Cassini avait pu déterminer la longitude avec une précision supérieure à celle obtenue en utilisant les tables astronomiques.

De santé fragile, Deshayes n'enseigne que quelques années. Il s'éteint à l'Hôtel-Dieu de Québec le 18 décembre 1706, laissant derrière lui quelques instruments de mesure et une bonne bibliothèque. L'inventaire de ses biens permet aujourd'hui de se faire une idée de l'équipement utilisé par les professeurs d'hydrographie[32]. Les instruments comprenaient un niveau d'arpenteur avec trépied, un quadrant, trois boussoles, quelques lentilles, une règle, des compas, plusieurs pinceaux et de la couleur. Sa bibliothèque était bien garnie et, chose surprenante pour l'époque, ne comptait aucun livre pieux. On y trouvait une quinzaine de livres de mathématiques, dont l'*Analyse des infiniments petits pour l'intelligence des lignes courbes*, ouvrage montrant l'intérêt de son propriétaire pour les mathématiques avancées ; cinq d'astronomie, sept de pilotage et de navigation, dont *L'art de naviguer*, qui se retrouvait aussi dans la bibliothèque de Jean Nicolet, mort en 1642, et dans celle du chirurgien Louis Maheut, mort à Québec à la fin de 1683. Deshayes possédait aussi la *Théorie des manœuvres des vaisseaux* et onze autres volumes traitant de météorologie et des marées. Il avait aussi en sa possession plusieurs exemplaires de *La connaissance des temps*. Publié à partir de 1679 par les membres de l'Académie des sciences, ce nouveau type d'almanach ne confond plus les informations astronomiques et les informations astrologiques comme c'était le cas jusque-là. On y trouve des tables indiquant les levés et couchers de lune et de soleil, la longitude de certaines villes françaises, la position de la Lune tous les cinq jours, etc.

Deshayes était donc bien équipé pour enseigner l'hydrographie et la navigation. Avec ses connaissances scientifiques, il devait se sentir isolé dans un pays où les rares bibliothèques renfermaient surtout des œuvres de piété, de littérature et d'histoire. Pour parler de sciences, seuls quelques Jésuites, sans doute, pouvaient lui servir d'interlocuteurs.

Les Jésuites prennent la relève

En 1708, le gouverneur Vaudreuil et l'intendant Raudot obtiennent de la cour qu'elle confie l'enseignement de l'hydrographie aux Jésuites. « Les Jésuites, disent-ils, peuvent vous assurer qu'ils fourniront toujours un d'eux, capable de remplir cette place pour tenir école et prendront leur précaution pour que le pays n'en manque point et qu'ils rendront en cette occasion un service qui sera d'une grande utilité à la colonie[33]. »

La métropole finit donc, après une trentaine d'années d'insistantes demandes de la part des gouverneurs et intendants de la Nouvelle-France, par céder aux Jésuites le poste d'hydrographe du roi. Ce changement de politique s'était produit aussi en France ; en 1681, des chaires royales avaient été confiées aux Jésuites à Toulon, à Brest et à Rouen[34]. La chose ne s'était pas faite sans résistance. En 1669, Colbert estimait « qu'un religieux, astreint à l'obéissance… et qui d'ailleurs n'a jamais été à la mer » ne pouvait « bien enseigner publiquement » l'hydrographie et que l'école de Québec devait « être tenue par un séculier ». Pourtant, les Jésuites avaient déjà une longue expérience dans le domaine de l'hydrographie[35]. En France, le père Georges Fournier avait publié en 1643 un traité d'hydrographie et de navigation qui fit autorité et dont une nouvelle édition parut en 1667. Le Collège des Jésuites de Québec possédait les deux éditions de cet ouvrage. Un autre Jésuite, le père Milliet de Chales, avait publié aussi un ouvrage d'hydrographie en 1677 qui, selon le *Journal des sçavans*, passa pour un chef-d'œuvre de précision et de clarté[36].

En Nouvelle-France, les Jésuites tenaient également une école d'hydrographie à Montréal. En effet, on sait que le père Chauchetière se chargeait de cet enseignement. Il écrit, en 1694 : « J'enseigne les mathématiques à certains jeunes gens officiers des troupes… J'ai deux ou trois de mes disciples sur les vaisseaux et j'en ay un qui est sous pilote dans un navire du Roy[37]… » Malheureusement, on sait peu de choses de cette école qui ne semble pas avoir existé longtemps.

De 1708 à 1759, l'enseignement se fait donc au Collège des Jésuites, alors qu'auparavant les professeurs recevaient les

Le Collège des Jésuites de Québec vers 1761. (Archives publiques du Canada, C-354)

élèves chez eux. Neuf Jésuites occupent successivement ce poste d'hydrographe du roi, la plupart n'enseignant que quelques années[38]. On a peu de détails sur leur enseignement, mais on sait que l'hiver était consacré aux cours théoriques (géométrie, trigonométrie et physique). L'été, les étudiants s'exerçaient au métier de pilote sous les ordres de capitaines au port de Québec.

La carrière du père Joseph-Pierre de Bonnécamps, professeur de 1741 jusqu'à la fermeture du Collège en 1759, nous apprend que l'enseignement n'était pas la seule activité de l'hydrographe du roi: on faisait également appel à ses connaissances lors d'expéditions servant à la défense de la colonie. Ainsi, lorsque le gouverneur de La Galissonière ordonne, en 1749, à Céloron de Blainville d'organiser une expédition à la Belle-Rivière, dans l'Ohio, pour arrêter la marche des Anglais et prendre possession du territoire au nom de la France, il demande au père de Bonnécamps d'accompagner l'expédition afin de dresser une carte des endroits parcourus. L'expédition, qui comprend 180

Canadiens et une trentaine d'Iroquois et d'Abénakis, répartis dans vingt-trois canots, dure près de six mois. À son retour à Québec en novembre, après avoir préparé une carte indiquant la route suivie, Bonnécamps écrit à propos de la précision de sa carte à La Galissonière, qui est retourné entre temps en France :

> La longitude est partout estimée. Si j'avais eu une bonne montre, j'aurais pu en déterminer quelques points des observations ; mais pouvais-je et devais-je compter sur une montre d'une bonté médiocre et dont j'ai cent fois éprouvé l'irrégularité avant et après mon retour ? Oserais-je dire que mon estime est juste ? En vérité, ce serait être bien téméraire, surtout ayant été obligé de naviguer dans des courants sujets à mille alternatives. Dans l'eau morte même, quelle règle d'estime pourrait-on avoir dont la justesse ne serait pas déconcertée par la variation et les inégalités du vents ou des rameurs[39] ?

Incapable d'établir précisément les distances parcourues chaque jour et faute d'un chronomètre qui aurait permis de tirer parti d'observations astronomiques, un hydrographe en expédition doit être très conscient de l'imprécision de ses relevés. Quelques années plus tard, en octobre 1755, Bonnécamps décrit mieux, dans une lettre à l'astronome français Joseph-Nicolas Delisle, les problèmes auxquels il est confronté et qui limitent la précision de ses observations :

> Mais quand vous saurez la façon dont on voyage dans ce pays, vous n'aurez pas de peine à avouer que la chose est presque impossible : on a pour voiture un canot d'écorce, qui peut à peine contenir les choses les plus nécessaires à la vie ; d'ailleurs on part à une ou deux heures du matin, et l'on ne campe que longtemps après le coucher du soleil. Si l'on fait des stations, ce n'est que dans de mauvais temps, qui permettent aussi peu d'observer que de marcher. J'ai été même obligé, dans le lac Érié, de me séparer tout à fait du convoi pour prendre hauteur et environ de la baie de Sandouski. Pour avoir quelque chose de bien exact, il faudrait que le géographe fût maître de diriger sa route, et non pas obligé comme je l'ai été de suivre un détachement de troupes qui marchent au gré de l'officier qui les commande[40].

Pendant près d'un siècle, les hydrographes de la Nouvelle-France ne font pas que former des pilotes et décerner des brevets d'arpenteurs, ils contribuent au développement et à la défense de la colonie en dressant des cartes facilitant la marche des bateaux commerciaux dans le fleuve et celle des convois guerriers se dirigeant vers les colonies anglaises. On mesure toute l'importance de la cartographie quand on note que le Régime français à peine tombé, les cartographes anglais entreprennent à leur tour de tracer les cartes de leur nouvelle colonie.

La transition entre la magie et la science

Les Jésuites de la Nouvelle-France n'ont pas attendu d'obtenir le poste d'hydrographe du roi pour s'intéresser aux sciences. Au cours des deux derniers tiers du XVIIe siècle, des membres de la Compagnie de Jésus ont observé pas moins de dix éclipses lunaires et sept éclipses solaires. Certaines de ces observations, comme celle du père Bressani, faite à Québec le 19 novembre 1649, sont publiées dans les journaux savants de l'époque et utilisées par des astronomes européens comme Riccioli. On a aussi observé des comètes et le récollet Gabriel Sagard note dans son *Histoire du Canada*, en 1636, que son confrère Joseph Le Caron, qui passait l'hiver avec les Montagnais près de Tadoussac, a vu une comète le 30 novembre 1618. Il s'agissait probablement de l'une des deux comètes que Kepler observa le 29 novembre de la même année[41].

Bien sûr, l'intérêt pour les sciences varie. Pour certains, les phénomènes célestes sont synonymes de mauvais présages. À la vue d'une comète, le père Jérôme Lalemant écrit dans les *Relations* de 1660-1661: «La comète, qui s'est fait voir icy, depuis la fin janvier jusqu'au commencement de mars, a été bientôt suivie de malheurs, dont ces astres de mauvais augure sont les avant-coureurs.» Les habitants craignaient alors une invasion des Iroquois qui, de fait, parurent «de tous costés, comme un torrent impétueux» après le passage de la comète[42].

Dans la même veine, lorsque le père de Lamberville observe une comète le 25 août 1682, il s'empresse de noter: «Il paroit une comète à l'occident ce soir qui nous fait demander par les Iroquois d'où vient ce phénomène extraordinaire et ce qu'il peut indiquer. Il est bien à craindre que ce ne soit un pronostique de la guerre dont les Iroquois menacent les François, qui ne seront pas assurément en estat de leur résister sans de nouveaux secours. Nous avons grans besoing de celuy de vos prières[43]. » D'autres Jésuites avaient une attitude plus scientifique. Ayant observé deux comètes entre le 29 novembre 1664 et le 11 avril 1665, le père Le Mercier leur consacre un chapitre spécial des *Relations*, intitulé « Des comètes et signes extraordinaires qui ont paru à Québec et aux environs ». Ses notes indiquent jour après jour la position de la comète en degrés, minutes et parfois secondes d'arc, par rapport à diverses étoiles comme Arcturus et Sirius[44].

La coexistence de deux attitudes si différentes devant les phénomènes de la nature montre la transition en train de s'opérer dans les modes de pensée occidentaux. Au milieu du XVIIe siècle, la cartographie commence à se préciser pour devenir plus réaliste. Au même moment, les almanachs nautiques abandonnent l'astrologie pour se limiter à l'astronomie. L'observation des comètes offre un autre exemple du passage progressif d'une vision magique à une vision scientifique des phénomènes célestes. C'est d'ailleurs en 1632 que Galilée publie son célèbre *Dialogue sur deux systèmes du monde*, où il défend le système astronomique de Copernic contre celui de Ptolémée. Cinq ans plus tard, Descartes publie le *Discours de la méthode*.

Au tournant du XVIIIe siècle, le siècle des Lumières, la vision scientifique du monde s'est imposée. Au Canada, elle s'exprime, par exemple, à travers l'intendant Claude-Thomas Dupuy, en poste de 1725 à 1728, et du marquis Roland-Michel Barrin de La Galissonière, gouverneur de la colonie de 1747 à 1749. Lors de son séjour au Canada, Dupuy apporte un cabinet de physique comprenant plusieurs instruments et des modèles mécaniques de sa fabrication[45]. La Galissonière joue un rôle actif, même après son départ, encourageant le goût des sciences dans la colonie. Comme on le verra au chapitre suivant, ses intérêts se portent surtout vers les sciences naturelles. En homme éclairé, il suit aussi les progrès de l'astronomie et de l'art de l'ingénieur. Il s'intéresse notamment à la carrière du jeune ingénieur Michel Chartier de Lotbinière, beau-frère de l'ingénieur du roi Chaussegros de Léry. Peu avant de quitter le Canada, La Galissonière lui écrit: « En cas que je sois party je vous prie de repasser avec le R.P. Bonnecamp les diverses observations de latitude que vous aurés faites et de me les envoier. » Plus tard, en 1754, il lui promet d'obtenir du ministre de la Marine des instruments ainsi que des livres[46].

La Galissonière entretient aussi de bons rapports avec le père de Bonnécamps auquel il fait parvenir, en 1752, un exemplaire de la *Connaissance des temps*[47]. De Bonnécamps ne se contente pas d'enseigner l'hydrographie et s'efforce d'ériger un observatoire astronomique sur le toit du Collège de Québec, imitant les quelque 90 collèges des Jésuites de France qui possédaient pour la plupart un tel observatoire. S'adressant au ministre de la Marine en octobre 1744, l'intendant Hocquart écrit : « Le sieur Bonecan, professeur d'hydrographie, m'a représenté qu'il n'avait pu jusques à présent faire aucune observation astronomique, faute d'instruments nécessaires. Il aurait besoin d'une pendule à secondes et d'une lunette montée sur un quart de cercle. Il m'a prié de m'intéresser auprès de vous, monseigneur, pour avoir ces instruments[48]. »

N'ayant rien reçu quatre ans plus tard, Bonnécamps revient à la charge et c'est l'intendant Bigot qui écrit en sa faveur : « Le P. Bonnecan, jésuite, professeur de mathématiques, m'a représenté qu'il avait besoin, pour l'instruction des jeunes gens qui s'adonnent à la navigation, d'un pendule à secondes, d'une lunette d'observation, d'un quart de cercle de trois pieds de rayon garni d'une lunette au lieu de pinnules, et d'une pierre d'ayman, attendu que celle qu'il a est très faible[49]. » Le manque d'instruments ne diminue pas son intérêt pour les sciences. En mars 1747, il publie un article décrivant une aurore boréale dans les *Mémoires de Trévoux*, revue scientifique importante publiée par les Jésuites[50].

Bonnécamps s'efforce de suivre de près le mouvement scientifique de l'époque. Dans une lettre à l'astronome Delisle, que nous avons citée plus haut, il parle de la détermination de la longitude de Québec qu'il a faite avec Lotbinière et compare son résultat avec celui obtenu en 1685 par Deshayes : « Pour ce qui est de la longitude de cette même ville, je crois qu'il la fait trop petite de près de 2' : du moins, après plusieurs observations, nous l'avons trouvée, M. de Lotbinière et moi, de 4h.50' et quelque chose de plus. Ce surplus est encore indéterminé, attendu qu'il y a eu quelques variations dans le nombre des secondes;

mais j'espère, avant un an, n'avoir plus de scrupules sur cette matière[51]. » De Bonnécamps et Lotbinière obtiennent donc 72°30′, améliorant ainsi la valeur de Deshayes qui était de 72°13′. La valeur exacte est de 73°33′. Leur résultat sera d'ailleurs présenté par Delisle à l'Académie des sciences.

Bonnécamps a des relations avec un autre représentant des Lumières au Canada, Louis-Antoine de Bougainville, officier de Montcalm. Arrivé au pays en 1756, au moment où commence la guerre avec l'Angleterre, ce jeune intellectuel de 27 ans a fréquenté les cercles savants et encyclopédistes. En 1754, il a même publié un *Traité du calcul intégral pour servir de suite à l'analyse des infiniments-petits de M. le marquis de l'Hôpital*, dont la seconde partie paraît en 1756[52]. Deux ans plus tard, il se rend au fort Carillon et y rencontre de Lotbinière. Malheureusement, les deux hommes ne s'entendent pas. Bougainville aura de meilleures relations avec Bonnécamps. Lorsque ce dernier se rend en France en 1757, Bougainville lui donne une lettre d'introduction auprès d'une de ses amies où il note que Bonnécamps « est un Jésuite qui n'en a que la robe. Vous trouverez seulement qu'il parle un peu vite[53]. »

À la fin du Régime français, tous ces représentants des Lumières se dispersent. Avant de rentrer en France en 1760, Bougainville assiste à la défaite de Montcalm sur les plaines d'Abraham. Lotbinière s'exile en France, puis en Angleterre. Quant au père de Bonnécamps, il retourne en France. Les classes du Collège de Québec sont fermées depuis le début du siège, et les élèves enrôlés pour la défense des lieux.

Les sciences au Collège des Jésuites

Sous le Régime français, le Collège des Jésuites, fondé en 1635, fait une place importante aux sciences dans le cadre du programme de philosophie. En accord avec les règles pédagogiques du *ratio studiorum* en vigueur dans tous les collèges des Jésuites, le cours de philosophie est conçu comme une préparation à la théologie. À Québec, le cours complet se donne à partir de 1665. Le nombre d'élèves est faible, oscillant entre cinq et dix par année[54], mais il est comparable à celui observé dans plusieurs collèges français de l'époque. Entre 1730 et 1760, par exemple, les collèges de Marseille et de Clermont-Ferrand ne comptent en moyenne que dix et cinq étudiants en classe de physique. À Québec, le cours dure deux ans, au lieu de trois comme le prescrit le programme.

La première année, appelée « logique », est consacrée à l'étude de la philosophie proprement dite (logique, métaphysique, éthique). En deuxième année, on étudie la physique en s'appuyant sur les huit livres de la *Physique* d'Aristote, ainsi que sur son traité *Du Ciel*. Comme le rappelle Yvan Lamonde, « cet enseignement en classe de philosophie de la physique, des sciences participait au Moyen Âge à cette philosophie universelle qui comprenait quatre parties : logique, physique, métaphysique, éthique[55] ». C'est donc un enseignement lié à l'humanisme médiéval, où la physique est avant tout une philosophie de la nature. La forme même de l'enseignement est héritée du Moyen Âge : les cours sont dictés sous forme de thèses et, comme le note Noël Baillargeon, « chaque thèse donne lieu à des propositions, des questions, des interprétations et des objections, auxquelles répondent des syllogismes censément irréfutables, dont l'accumulation remplit des pages et des pages[56] ». Quant aux exercices, tout aussi scolastiques, ils prennent la forme de « disputes » ou soutenances de thèses. Selon le jésuite de Rochemonteix, ces disputes étaient « le grand, presque l'unique exercice de philosophie » et « avaient autant, peut-être plus d'importance que l'enseignement ». Comme l'écrit Baillargeon : « Ces exercices sont publics et se tiennent vers le milieu et à la fin de l'année académique. Selon la coutume, chaque soutenance met aux prises un défendant et un opposant. La lutte terminée, il est loisible aux assistants d'intervenir et d'argumenter avec les deux adversaires. Le professeur, qui d'ordinaire préside la séance, dissipe les malentendus et tire les conclusions[57]. » Ce type d'enseignement scolastique demeure essentiellement le même jusqu'au milieu du XIXe siècle, lorsque l'utilisation de manuels rend caduque la copie des notes de cours.

Les Jésuites et le système copernicien

Au milieu du XVIIᵉ siècle, le cours d'astronomie est le lieu par excellence où s'affrontent une nouvelle conception de l'univers et les Saintes Écritures.

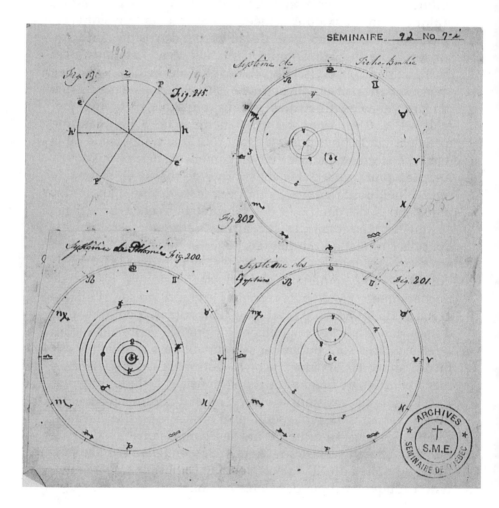

Systèmes astronomiques présentés aux étudiants du Séminaire de Québec au début du XIXᵉ siècle, d'après un manuscrit de l'abbé Antoine-Bernardin Robert. (Archives du Séminaire de Québec, photo: Pierre Soulard)

Selon un cours du Collège des Jésuites, daté de 1677 et conservé aujourd'hui au Séminaire de Québec, on tient le système de Copernic pour faux parce que contraire aux Saintes Écritures[58]. Rappelons que la condamnation officielle de ce système remontait à 1616 et qu'en 1633 Galilée avait été condamné par l'Église pour l'avoir défendu[59]. En Nouvelle-France, on enseigne donc le système de Riccioli, variante de celui de Ptolémée, où le Soleil et quelques planètes tournent autour de la Terre et les autres autour du Soleil. On sauve ainsi le dogme de l'immobilité de la Terre, cher aux Anciens. Cette position évolue lentement et, au moment de la Conquête, l'édifice deux fois millénaire de la cosmologie aristotélicienne s'écroule. Un cours daté de 1754 affirme en effet que le système de Ptolémée ne peut plus être accepté, alors que celui de Tycho Brahé, semblable à celui de Riccioli, peut l'être[60]. Quant au système de Copernic, on peut désormais le considérer à titre d'hypothèse et faire « comme si » la Terre tournait autour du Soleil, même si, « en réalité » et conformément à la Bible, la chose est fausse.

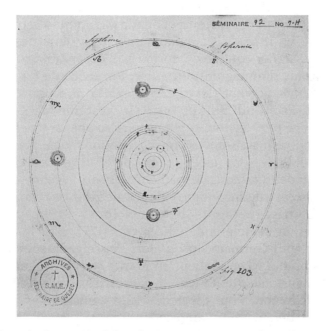

Le système de Copernic, où les planètes tracent un cercle parfait autour du soleil. (Archives du Séminaire de Québec, photo: Pierre Soulard)

Cette première brèche permet d'utiliser le système copernicien, en évitant toutefois de se prononcer sur l'adéquation de ce système avec la réalité. L'arrangement ne satisfait cependant pas tous les partisans de Copernic : un cours daté de 1751, signé par un certain Geret, affirme que seul le système de Copernic est valable, non seulement en astronomie, mais aussi en physique[61]. Avec la Conquête, le Collège des Jésuites ferme ses portes et l'enseignement régulier ne reprend qu'en 1765, au Séminaire de Québec. Comme il y a très peu de prêtres et de séminaristes, on ne fait qu'une classe sur deux chaque année. En 1771, on enseigne la physique. Au cours des séances publiques de fin d'année, les élèves du professeur Charles-François Lemaire Saint-Germain doivent soutenir la thèse que le système de Copernic est supérieur à ceux de Ptolémée et de Tycho Brahé, parce qu'il explique plus facilement les phénomènes célestes[62]. On évite maintenant de parler d'hypothèse en se référant directement au pouvoir explicatif de la théorie, ce qui reprend essentiellement l'idée de Geret.

L'évolution des sciences en Europe a donc eu ses répercussions dans la colonie et on n'a pas attendu la révocation par Rome, en 1822, de la condamnation du système de Copernic pour l'enseigner comme conforme aux observations. En 1790, il n'y a plus d'ambiguïté ; en guise d'exercice de fin d'année, les étudiants doivent démontrer, sous la direction du prêtre irlandais Edmund Burke, que « le système de Copernic, perfectionné par Newton, explique tous les phénomènes célestes, les directions, stations et rétrogradations des planètes, la différence des saisons, etc.[63] ». Cette défense de thèse comprend également des questions de mathématiques, d'algèbre (équations à une, deux et trois inconnues), de géométrie et de trigonométrie.

L'enseignement des principes de la physique newtonienne semble commencer vers 1771 avec le cours de Lemaire Saint-Germain. Jusqu'alors l'enseignement suivait de près les pratiques en vigueur en France, où, jusqu'aux années 1730, le « système du monde » de Descartes avait préséance sur celui de Newton. Pour plusieurs, le système de Newton avait surtout le défaut d'être anglais[64].

Mis à part l'enseignement technique destiné aux hydrographes et aux cartographes, l'enseignement des Jésuites ne visait nullement à former des savants. Les sciences étaient plutôt envisagées comme une branche de la philosophie et faisaient partie intégrante de la formation générale. Comme on le verra plus loin, ce type d'enseignement dominé par les humanités ne sera remis en question qu'à la suite de l'industrialisation du Québec, d'où émergera une vision plus instrumentale, plus utilitaire, de l'enseignement des sciences.

CHAPITRE 2

LES NATURALISTES AUX COLONIES

Comme toutes les nations colonisatrices, la France cherche à tirer parti des ressources naturelles de ses possessions d'Amérique du Nord. À l'activité des explorateurs et des cartographes s'ajoute celle des naturalistes. Dès le XVIIᵉ siècle et jusqu'à la Conquête, un flot continu de spécimens botaniques, zoologiques et minéralogiques parvient dans la métropole. Rats musqués, bêtes puantes et castors du Canada font l'objet de descriptions anatomiques devant l'Académie des sciences de Paris; de nombreux navires transportent dans leurs cargaisons des collections de plantes et de minéraux faites par des naturalistes de la Nouvelle-France.

Les rapports et les collections établies au Canada reçoivent l'attention des savants les plus réputés d'Europe. En botanique, par exemple, deux importantes figures du XVIIIᵉ siècle, le Suédois Carl von Linné et le Français Joseph Pitton de Tournefort, puisent largement dans les collections qu'ils ont fait rassembler en Nouvelle-France pour développer leurs systèmes respectifs de classification. D'autres savants, comme Buffon, Réaumur, Guettard et les frères Jussieu, sont au centre d'un réseau par lequel affluent en France les matériaux amassés dans les colonies. Les premiers naturalistes du Canada participent donc à un travail d'inventaire qui progresse à l'échelle de la planète.

La petite colonie, qui ne compte que 50 000 âmes vers 1750, est le théâtre d'une activité scientifique considérable. Cette effervescence frappe d'ailleurs le botaniste suédois Pehr Kalm, envoyé par Linné en Amérique en 1749. « Il se déploie ici, note-t-il, un grand zèle pour l'avancement de l'Histoire Naturelle. Il y a même peu de pays où l'on fasse d'aussi bons règlements dans le but de généraliser les observations[1]. »

Ces règlements existent bel et bien. Depuis 1726, une

ordonnance de Louis XV prescrit à tous les capitaines de vaisseau de «rapporter des pays étrangers et des colonies françaises les graines et les plantes nécessaires au Jardin des plantes médicinales établi à Nantes et aux apothicaires de cette ville d'en approvisionner constamment le Jardin Royal de Paris[2]». Kalm note également avec plaisir que le marquis de La Galissonière, gouverneur de la Nouvelle-France au moment de sa visite, a fait parvenir à chacun de ses commandants militaires un mémoire enjoignant aux troupes de participer à la collecte des plantes et indiquant la manière de préparer celles-ci pour les botanistes de France.

L'ordre de la nature

L'intérêt que porte La Galissonière à l'histoire naturelle de la colonie n'est pas nouveau. Dès le début de l'exploration de l'Amérique, l'Europe avait manifesté une vive curiosité pour

Un cabinet de curiosité au XVIIᵉ siècle.

toutes les singularités du nouveau continent, et d'abord pour les hommes qui le peuplaient. Christophe Colomb ramène en Europe sept Amérindiens qui font sensation lors de parades à Barcelone et à Séville. Par la suite, c'est par centaines que l'on ramène des «sauvages» pour les exhiber à travers l'Europe.

La curiosité s'étend rapidement à l'ensemble des nouveautés offertes par l'Amérique. La mode apparaît, parmi l'aristocratie, de collectionner des pièces originales d'histoire naturelle. Feuilles de bananier, crocodiles, fossiles, poteries et objets de toutes sortes s'entassent pêle-mêle dans les «cabinets de curiosités».

Cet intérêt, un peu désordonné au début, lié surtout à l'attrait du singulier et au goût de l'exotisme, se double rapidement d'un intérêt utilitaire. Au XVIe siècle, l'Europe importe d'Orient les épices, l'opium et le café. D'Amérique sont venus la pomme de terre, le tabac, le chocolat, le «blé d'Inde» et le quinquina, remède très utilisé contre les fièvres au XVIIIe siècle, aussi nommé «poudre des Jésuites». Ce ne sont là que les espèces les plus frappantes de tout un monde végétal nouveau, qui trouvent leur place dans la vie quotidienne des Européens. C'est dans ce contexte que la botanique va prendre son essor.

Jusqu'à la fin de la Renaissance, l'étude des sciences naturelles est principalement tournée vers des fins médicales. La dissection d'un animal sert à mieux connaître l'anatomie humaine. Quant à la botanique, elle trouve une bonne partie de sa raison d'être dans la recherche de nouveaux médicaments. Il ne faut donc pas se surprendre de trouver les premiers botanistes dans les corporations d'apothicaires ou dans les facultés de médecine. Celles-ci ont généralement à leur disposition des jardins de plantes médicinales où vont être acheminées les espèces végétales découvertes en Orient, en Afrique et en Amérique.

En France, la tradition des médecins-herboristes est déjà bien établie au moment de la découverte du Canada. La Faculté de médecine de Montpellier a une réputation dans ce domaine qui remonte au XVe siècle. En 1626, la création, à Paris, du Jardin royal des plantes médicinales marque le début de la grande tradition botanique française. C'est au Jardin que les naturalistes et les herboristes des colonies transmettent la quasi-totalité de leurs découvertes, depuis sa création jusqu'à la Révolution

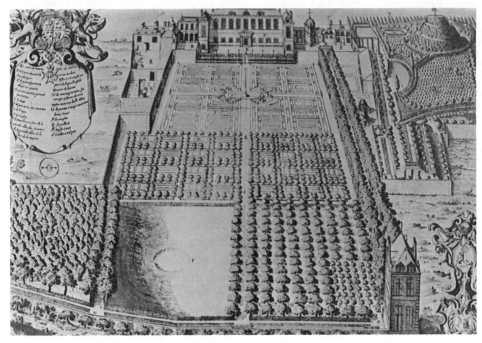

Le Jardin du roi à Paris au XVIIe siècle.

française, date où l'institution se fond dans le Muséum d'histoire naturelle.

L'abondance de spécimens pose rapidement des problèmes aux botanistes. Au IIIe siècle avant l'ère chrétienne, le philosophe grec Théophraste pouvait classer sans trop de mal les 500 plantes qu'il connaissait. À la Renaissance, les choses se sont suffisamment compliquées pour que l'Italien Césalpin sente le besoin d'établir une nouvelle classification pour ses 1500 spécimens. À peine cent ans après lui, c'est 18 699 plantes différentes que John Ray, en Angleterre, entreprend de classer. Au moment où les premiers naturalistes s'engagent dans l'exploration de la Nouvelle-France, la classification est devenue le problème majeur de l'histoire naturelle.

Quelques précurseurs

Les plantes canadiennes apparaissent en France avant même la fondation de Québec. On a retrouvé dans le catalogue de Jean Robin, daté de 1601, quelques spécimens canadiens, parmi lesquels figure le cèdre canadien (*Thuja occidentalis*). Robin avait la charge du jardin botanique de la Faculté de médecine de Paris. Les premiers spécimens de *Thuja* pourraient avoir traversé l'Atlantique sur la *Grande Hermine*. Certains croient que le *Thuja* a servi à guérir Jacques Cartier et ses hommes du scorbut lors du deuxième voyage au Canada.

Ce n'est toutefois qu'à partir de la fondation de Québec que les envois de plantes commencent à se faire de façon plus régulière. Champlain est le premier à se préoccuper de collectes et d'envois d'espèces nouvelles vers la mère patrie. Il est imité par Louis Hébert, qui, avant de devenir le premier colon de la Nouvelle-France, était apothicaire à Paris. Connaissant bien les plantes médicinales, il aurait fait parvenir de l'Acadie et du Canada des spécimens à plusieurs correspondants européens[3].

La contribution de ces deux précurseurs va servir à la

Solidago sempervirens L. d'après le *Canadensium plantarum historia* de Jacques Cornut. (Bibliothèque nationale du Canada, NL-15205)

publication du premier livre de botanique consacré à la flore du Canada. C'est Jacques Cornut, médecin parisien, qui rassemble le peu que l'on sait sur la flore nord-américaine dans un ouvrage intitulé *Canadensium plantarum historia*, publié en 1635 à Paris. Parmi la centaine de plantes décrites dans cet ouvrage, 43 se retrouvent sur le territoire actuel du Canada.

Le XVIIe siècle s'enrichit de quelques autres documents moins importants consacrés à l'histoire naturelle du Canada. En 1664, Pierre Boucher, gouverneur de Trois-Rivières, publie à Paris un ouvrage intitulé *Histoire véritable et naturelle des mœurs et production de la Nouvelle-France, vulgairement dite le Canada*. Les *Relations* des Jésuites, outre les observations astronomiques déjà mentionnées, renferment quelques indications sur l'histoire naturelle. Récemment, les recherches des historiens ont permis de découvrir l'auteur de deux manuscrits de la même époque restés longtemps anonymes : l'*Histoire naturelle des Indes occidentales* et un recueil d'illustrations, baptisé *Codex canadensis* par les historiens modernes[4]. L'auteur, le jésuite Louis Nicolas, missionnaire en Nouvelle-France de 1664 à 1675, mentionne ou décrit environ 200 plantes du Canada, complétant souvent ses descriptions de notes sur les vertus de ces plantes et l'usage qu'en font les Amérindiens.

Si les efforts déployés au XVIIe siècle pour connaître les « productions » de la nature canadienne sont considérables, ce travail d'exploration demeure néanmoins épisodique, soumis à la bonne volonté de collaborateurs dont ce n'est pas la première préoccupation. De toute évidence, l'entreprise n'est pas planifiée.

Cependant, au cours de la deuxième moitié du XVIIe siècle, l'organisation de plus en plus structurée de la science française facilite la coordination de ces activités. Créée en 1666, l'Académie des sciences se développe, et le Jardin du roi s'oriente de plus en plus vers l'étude de l'histoire naturelle.

Michel Sarrazin, médecin au service de l'Académie des sciences

C'est dans ce contexte que Michel Sarrazin, « médecin du Roy » et membre correspondant de l'Académie des sciences en

Nouvelle-France, débarque à Québec en 1697.

Sarrazin n'est pas un nouveau venu en Nouvelle-France. Il y a déjà séjourné longuement, de 1685 à 1694, à titre de chirurgien de la marine. À l'invitation des religieuses de l'Hôpital Général de Québec, institution fondée en 1692, il a également pratiqué la médecine mais sans avoir la formation requise. C'est pour compléter ses études qu'il est retourné en France en 1694. Au cours de cette période, il fait la connaissance de Joseph Pitton de Tournefort.

Michel Sarrazin, médecin et naturaliste. (Collection Musée David M. Stewart, Montréal)

Tournefort, professeur au Jardin royal des plantes médicinales de Paris de 1683 à 1708, est un des maîtres de la classification botanique. Sous son impulsion, le Jardin verra sa vocation transformée. L'institution, initialement établie comme une régie pharmaceutique chargée de contrôler le commerce et la distribution des médicaments, devient un centre scientifique de collection et d'étude de la botanique.

Figure dominante de la botanique française, Tournefort est l'auteur d'un ouvrage majeur, témoin de l'émergence d'une botanique « pure » : il s'agit des *Éléments de botanique*, parus en 1694. Dans cet ouvrage, Tournefort s'efforce de rompre avec les classifications artificielles, fondées sur des critères subjectifs tels la grandeur, l'utilité, etc., et propose un système basé sur la réalité objective des espèces, des genres, des classes. Précurseur de Linné, il met en avant la recherche d'un ordre intrinsèque à la nature qui se refléterait dans la classification naturelle. « La botanique, écrit-il, a deux parties qu'il faut distinguer avec soin ; la connaissance des plantes, et celle de leurs vertus. C'est à la première partie de la botanique qu'appartient le traité des genres des plantes et celui de leurs classes, dont j'ai dessein de donner l'essai au public[5]. » S'étant lié d'amitié avec Michel Sarrazin, Tournefort lui demande d'agir à titre de correspondant lorsqu'il retourne en Nouvelle-France en tant que médecin du roi.

À ce titre, Sarrazin doit soigner les troupes et les officiers du roi dans la colonie. Il doit également veiller sur la santé de la population, plus particulièrement quand les épidémies frappent. Médecin principal de l'Hôtel-Dieu de Québec, fondé en 1639, et qui compte alors une cinquantaine de lits, il visite aussi l'Hôpital Général de Québec, qui reçoit principalement les aliénés et les pauvres.

Sarrazin ne se contente pas d'exercer la médecine. Il se livre aussi à des observations et à des recherches dans plusieurs domaines de l'histoire naturelle. Ces recherches fournissent la matière à une abondante correspondance avec les savants français. L'étude de l'histoire naturelle, qui n'est sans doute qu'accessoire par rapport aux obligations médicales de Sarrazin, inquiète cependant ses collègues du Conseil souverain de Québec :

Comme il y a bien de l'apparence que le sieur Sarrazin a eu d'autres vues en revenant au Canada que celle de traiter seulement les malades, s'appliquant beaucoup aux dissections des animaux rares qui sont en ce pays, ou à la recherche de plantes inconnues, on a tout lieu de croire et de craindre qu'après qu'il sera pleinement satisfait là-dessus, ou plutôt quelques personnes de conséquence de sa profession, qui nous paraissent avoir bonne part à ces sortes de recherches, il ne s'en retourne en France flatté de leur protection et de son avancement par leur moyen[6]...

Sarrazin collectionne et décrit diverses espèces vivantes, dissèque et s'occupe même de l'expertise médicale des guérisons miraculeuses qui surviennent dans la colonie. En 1728, les *Mémoires de Trévoux* rapportent ses observations sur l'état de conservation extraordinaire des corps de trois religieuses enterrées en Nouvelle-France plus de vingt ans auparavant.

En 1699, grâce à l'influence de Tournefort, Sarrazin devient membre correspondant officiel de l'Académie des sciences en Nouvelle-France, chargé de recueillir des spécimens d'histoire naturelle. D'autres correspondants parcourent les colonies d'Amérique. Le chirurgien Dièreville sera mandaté de la sorte en Acadie, et Jean-François Gaultier, médecin du roi, prendra la relève de Sarrazin en 1742.

Ce système de correspondants attitrés permet aux institutions de la métropole, l'Académie des sciences et le Jardin du roi en particulier, de tirer profit de travaux effectués aux quatre coins du globe. Chacun des vingt pensionnaires — les véritables académiciens — a le privilège de se choisir un certain nombre de correspondants dont les travaux peuvent faire l'objet de publications dans les *Mémoires* de l'institution. À la mort de Tournefort, en 1708, c'est René-Antoine Ferchault de Réaumur qui devient le principal destinataire des travaux de Sarrazin. La monarchie française a eu soin, selon les mots du missionnaire jésuite Joseph-François Lafitau, « d'envoyer des ordres jusqu'aux extrémités de la terre, pour attirer de partout dans le cœur de la France, tout ce qui peut contribuer à la rendre florissante[7] ».

Les échanges se font à sens unique et obéissent à une division du travail bien établie. Les correspondants comme Sarrazin ou Dièreville chargent sur les navires des spécimens

La sarracénie pourpre, ici illustrée pour la première fois par le Hollandais Carolus Clusius en 1576. (J. Gerarde, *The Herbal or General History of Plants*, Londres, 1635)

et des notes de travail qui vont grossir les collections françaises. Les destinataires établissent les nouveaux genres et espèces, élaborent la classification et témoignent de leur reconnaissance en dédiant à l'occasion une plante au correspondant qui l'a envoyée. C'est ainsi qu'une des espèces végétales les plus originales décrites par Sarrazin, une plante carnivore des tourbières, est baptisée *Sarracenia* par Tournefort. Celui-ci honorera également son correspondant en Acadie en lui dédiant le genre *Diervilla*.

Cette reconnaissance ne facilite pas forcément la promotion des membres correspondants dans la hiérarchie de l'Académie. Lorsque Sarrazin demande à y accéder à part entière à la fin de sa vie, il se heurte à l'indifférence des membres. En 1726, il écrit une lettre à Réaumur pour lui faire part de sa frustration d'être tenu à l'écart de l'Académie : « Enfin, monsieur, écrit-il, il n'y a donc rien à faire pour avoir quelque espèce de place à l'Académie et vous avoue que n'en sachant le rite, je m'étais toujours flatté que j'y trouverais quelques coins avant que de mourir[8]. » Son vœu ne sera jamais exaucé, malgré cet autre plaidoyer, rédigé deux ans plus tard, pour défendre son travail : « Je ne sais si l'on croit qu'on herborise au Canada comme en France. Je parcourerais plus aisément toute l'Europe, et avec moins de danger que je ne ferais cent lieues en Canada[9]. »

Malgré les difficultés, Michel Sarrazin déploie un zèle certain dans l'accomplissement de ses responsabilités scientifiques. Le bilan de sa contribution à la connaissance de la faune et de la flore canadiennes laisse voir la multiplicité de ses intérêts ; plusieurs de ses travaux sont consignés dans les *Mémoires* de l'Académie des sciences ou trouvent un écho dans le *Journal des sçavans*, premier journal scientifique d'Europe.

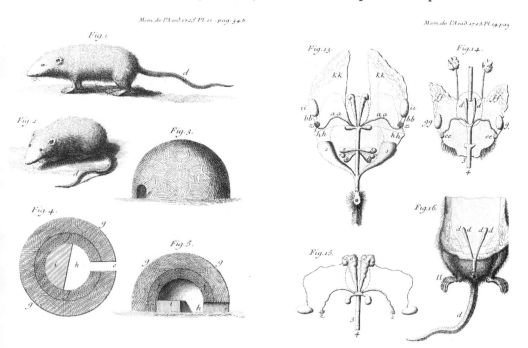

Planches anatomiques du rat musqué accompagnant le compte rendu des dissections de Sarrazin fait par Réaumur à l'Académie des sciences. (*Mémoires de l'Académie des sciences*, 1725)

L'Académie publie avec beaucoup d'éloges son « Histoire naturelle et anatomique du Castor », en 1704. On lui doit aussi des notes sur le carcajou, le porc-épic, le veau marin, de même qu'une « Monographie anatomique du siffleux », aujourd'hui perdue. Toujours devant l'Académie, Réaumur décrit ainsi une dissection de rat musqué faite par Sarrazin : « Il est peu de cerveaux qui fussent capables de soutenir l'action continue d'une aussi forte odeur de Musc que celle qu'il répand. M. Sarrazin a été par deux fois réduit à l'extrémité, par les impressions que cette pénétrante odeur avait faites sur le sien. Nous aurions peu d'Anatomistes et nous n'aurions pas à nous en plaindre s'il le fallait être à pareil prix[10]. »

En botanique, ses envois au Jardin du roi s'échelonnent sur près de vingt ans. Les premiers datent de 1698 et sont reçus par Tournefort qui utilise d'ailleurs directement ces toutes nouvelles observations dans l'*addenda* de la traduction latine de ses *Éléments de botanique*, publiée en 1700. Un manuscrit retrouvé au XXe siècle à Saint-Hyacinthe et attribué conjointement à Sarrazin et à Sébastien Vaillant, botaniste parisien, rend compte assez clairement des échanges entre les deux naturalistes. Sous le titre d'*Histoire des plantes de Canada*, on retrouve nommées et décrites 227 plantes[11]. Des notes accompagnent souvent les descriptions. D'un côté, Sarrazin cueillait les plantes, notait les principales observations relatives à l'habitat, à la répartition géographique et au folklore. Il en faisait une description détaillée et expédiait le tout en France. De son côté, le destinataire décidait de la position systématique qu'il convenait de donner à chaque spécimen. Il aurait été impossible à un naturaliste isolé comme Sarrazin d'effectuer cette partie du travail car il fallait, pour cela, disposer d'une collection d'envergure internationale. Peu nombreuses, ces collections devaient renfermer les spécimens d'espèces déjà décrites et provenant de toutes les parties du monde.

En 1734, Michel Sarrazin meurt lors de l'épidémie de fièvre maligne qui frappe Québec. Il faudra attendre sept ans avant qu'un nouveau médecin du roi soit nommé. Le jésuite Pierre-François-Xavier de Charlevoix publie, en 1744, une *Description des plantes principales de l'Amérique septentrionale*, où l'on retrouve plusieurs passages du manuscrit de Sarrazin et de Vaillant[12]. À la même époque, quelques botanistes amateurs et herborisateurs continuent d'alimenter de leurs envois les savants français. L'abbé Jean-Baptiste Gosselin, de Québec, et Joseph-Hubert de La Croix, médecin à Montmagny, acheminent des spécimens à Buffon, via l'intendant Hocquart. Ce dernier rapporte également l'intérêt de Catherine Jérémie, sage-femme et herborisatrice, pour les plantes médicinales des Indiens.

À la recherche du ginseng

Parmi les découvertes de plantes utilitaires, celle du ginseng a particulièrement marqué l'histoire de la Nouvelle-France.

L'histoire du ginseng canadien commence en Chine en 1709. Cette année-là, un père jésuite du nom de Jartoux décrit cette plante vertueuse que les Chinois importent à grands frais de Tartarie (Mandchourie). Il signale les bienfaits qu'on lui attribue : santé, longévité et, bien sûr, virilité. L'empereur de Chine, dit-on, va jusqu'à payer une racine de ginseng trois fois son poids d'argent.

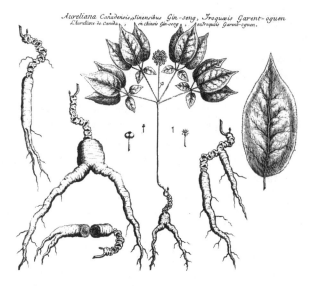

Le ginseng canadien, tel qu'il apparaît dans le *Mémoire* de Lafitau. (Bibliothèque nationale du Canada, NL-15208)

Dans ses notes, le père Jartoux remarque, de manière tout à fait hypothétique, que les bois et les montagnes de Tartarie où l'on cueille la plante ressemblent beaucoup à ce que l'on raconte des bois et montagnes du Canada. S'il se peut trouver du ginseng ailleurs qu'en Tartarie, cela doit être au Canada.

Émise par un autre qu'un Jésuite, cette hypothèse aurait eu peu de chances de susciter un intérêt en Amérique. Mais la Compagnie de Jésus possède un système de communication dont les ramifications s'étendent à travers le monde. Chaque année, les missions éloignées expédient en Europe des lettres relatant ce qui s'est passé de notable chez elles. Certaines de ces lettres sont publiées ou recopiées et retransmises aux autres branches de la Compagnie sous forme de recueil.

C'est en feuilletant à Québec, en 1715, la relation du père Jartoux qu'un autre membre de la Compagnie, Joseph-François Lafitau, s'intéresse pour la première fois au ginseng. Frappé par l'hypothèse de Jartoux, il se met en quête de la plante et s'informe auprès des Iroquois en leur montrant des illustrations de la plante chinoise. Ceux-ci lui indiquent facilement où la trouver.

Il s'agit de l'espèce connue aujourd'hui sous le nom de *Panax quinquefolium*. La classification moderne la distingue du ginseng asiatique (*Panax ginseng*), mais les deux espèces sont très proches. Toutes deux ont la réputation d'être des panacées, d'où leur appellation latine.

En 1718, Lafitau annonce sa découverte avec beaucoup d'enthousiasme dans son *Mémoire présenté à S.A. royale le duc d'Orléans concernant la précieuse plante du ginseng de Tartarie, découverte en Canada*. Aussitôt, la jeune colonie se passionne pour le ginseng. Les Indiens se mettent à en vendre au marché de Montréal et le père Lafitau reçoit d'un peu partout des témoignages faisant part de guérisons miraculeuses. La racine semble tout guérir: fièvre, asthme, rhumatismes, maux d'estomac, troubles rénaux, etc. Le Jésuite montre alors son esprit scientifique:

> Personne que je sache n'a encore fait l'analyse du ginseng. Le frère apothiquaire des Jésuites de Québec, très bon pharmacien, se propose de travailler l'an prochain à découvrir l'usage qu'on peut en faire par la chimie. J'en ai mis au feu, il n'y brûle point, ce qui me fait juger qu'il a peu de résine; il ne pétille point aussi, ce qui marque qu'il

a peu de sels fixes. Messieurs de l'Académie Royale des sciences, par les expériences qu'ils seront en état de faire, nous mettront en état de profiter encore mieux des vertus de cette plante[13].

On ne tardera pas à développer un commerce lucratif du ginseng canadien avec la Chine. Expédié d'abord de Montréal et Québec vers les ports français de l'Atlantique, le ginseng est ensuite racheté par la Compagnie des Indes qui se charge de l'acheminer en Chine sur ses vaisseaux. Les gains sont appréciables : une livre de racines achetée à Montréal sera revendue soixante fois son prix à Canton[14].

Après trente ans de ce commerce, le ginseng occupe une place importante dans l'économie de la Nouvelle-France. La valeur des cargaisons reçues à La Rochelle entre 1747 et 1752 équivaut à 19% de celle des peaux de castor déchargées au même port. Les exportations vont en progressant régulièrement jusqu'en 1751, lorsqu'une hausse soudaine de la demande provoque à la fois une augmentation des coûts et une cueillette déraisonnée du ginseng canadien. C'est une véritable ruée. Le prix d'une livre du produit décuple à Montréal. La plante devient introuvable et le commerce périclite.

Fin analyste, Lafitau avait prévu ce déclin dès 1718. « Ce qu'il y a de certain, écrivait-il, c'est que cette plante vient avec peine. J'en ai trouvé qui avaient près de cent ans [...]. Ainsi, la plante sera bientôt détruite auprès des habitations françaises, et il faudra aller la chercher au loin dans les bois, ce qui la rendra rare et d'un très grand prix [...]. On peut conjecturer avant l'événement qu'il en sera ainsi[15]. »

De fait, la valeur des exportations françaises pour cette denrée chute de 500 000 francs en 1752 à 33 000 francs en 1754. En plus d'être difficile à trouver, le ginseng canadien perd sa réputation sur le marché asiatique. Lors de la ruée de 1752, dans la hâte de faire fortune, on avait négligé de traiter la racine avec soin, la cueillant en mai, plutôt qu'en septembre, et la séchant au four pour accélérer le processus. En Chine, on ne s'y laisse pas prendre et on boude finalement ce produit de mauvaise qualité. Les marchands canadiens et français tenteront bien de rétablir les choses, mais la chute de la Nouvelle-France, en 1760, met fin à cette épopée commerciale. Le commerce du ginseng avec la Chine passera alors entièrement aux mains des Américains et des marchands de Londres.

Un nouveau correspondant de l'Académie, Jean-François Gaultier

Au printemps 1742, Jean-François Gaultier, médecin du roi, quitte la France à bord du *Rubis* qui appareille pour la Nouvelle-France. Dans ses bagages, il apporte le manuscrit de Sarrazin et Vaillant, *Histoire des plantes de Canada*, que lui a confié Bernard de Jussieu, du Jardin royal de Paris.

Comme Sarrazin, Gaultier entretient des relations avec plusieurs académiciens. En 1745, il est nommé correspondant de Henri-Louis Duhamel du Monceau. Réaumur garde aussi à travers Gaultier un lien scientifique avec l'Amérique. Jean-Étienne Guettard, de son côté, profite de ses envois minéralogiques.

Alors que les travaux de Sarrazin rejoignaient surtout les préoccupations théoriques de Tournefort et de Vaillant, ceux de Gaultier sont davantage liés à des préoccupations utilitaires.

Peu de temps après s'être installé à Québec, Gaultier établit à la demande de Duhamel du Monceau la première station météorologique au pays. Ce dernier s'intéresse à l'agronomie et nombre de ses travaux sont orientés vers l'analyse des rapports entre la croissance des espèces et le climat. Les efforts de son correspondant s'inscrivent dans cette voie. Pendant quatorze ans, de 1742 à 1755, Gaultier tient le journal quotidien des variations de température. Les *Mémoires* de l'Académie des sciences publient ses tables pour la période 1742-1749. Ce sont les premières mesures du climat canadien. Ses notes, à l'exemple de celles compilées par Duhamel du Monceau en France, tiennent compte de considérations agronomiques : commencement des labours, des semences, de la floraison, des récoltes, etc. Gaultier écrit : « Les habitants du Canada prétendent que les hivers ne sont plus si rigoureux qu'ils l'étaient anciennement[16] ! » Preuve que la perception populaire de l'hiver n'a guère évolué depuis deux cents ans...

On ignore de quels instruments au juste Gaultier dispose pour effectuer ses relevés météorologiques. Chose certaine, il éprouve beaucoup de difficultés à se procurer un thermomètre qui puisse rendre compte du froid hivernal de Québec. Le thermomètre au mercure perfectionné par Gabriel Fahrenheit est couramment utilisé depuis 1720, mais les premiers instruments de ce type ne permettent pas de mesurer exactement les basses températures. Ce n'est qu'en 1754 que Gaultier reçoit de Réaumur, lui-même auteur d'une nouvelle graduation thermométrique, un instrument permettant d'enregistrer les plus basses températures de l'hiver canadien. À Montréal, l'abbé Pontarion dispose d'un thermomètre de Réaumur à partir de 1748 et compile des données météorologiques.

La minéralogie retient aussi l'attention de Gaultier. On a pu retracer quatre envois de minéraux en France qui lui sont

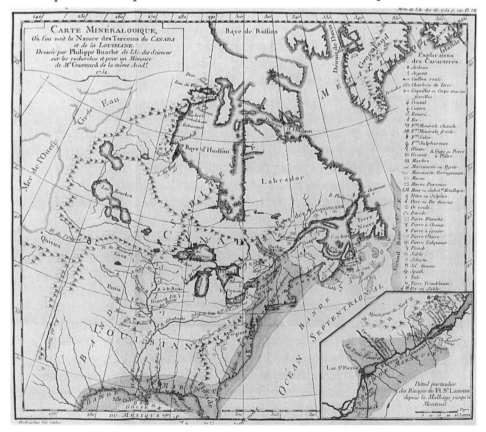

La carte de Guettard. (*Mémoires de l'Académie des sciences*, 1752)

attribués, mais sans doute en a-t-il fait davantage. Son intérêt pour cette matière coïncide avec le souci de l'administration de développer les ressources minières du pays. L'intendant Gilles Hocquart a déjà visité les mines de fer de la baie Saint-Paul en 1740 et Gaultier y est de nouveau envoyé en 1749. Il rédige alors un rapport officiel décrivant les affleurements de la rivière du Moulin, les sources sulfureuses et autres points d'intérêt de la région des Éboulements.

Ses envois minéralogiques en France se retrouvent entre bonnes mains. Le destinataire de Gaultier est le géologue Guettard, auteur d'une première théorie sur la distribution des minéraux et la structure des continents. En 1746, il se rend célèbre en publiant ses idées dans un ouvrage intitulé *Mémoire et carte minéralogique sur la nature et la situation des terrains qui traversent la France et l'Angleterre*. Après avoir reçu les échantillons et les notes de Gaultier, il étend sa théorie à l'Amérique du Nord. Toujours à partir de ce matériel, Guettard publie, en 1752, la première carte minéralogique du Canada, accompagnée de quelques dessins de fossiles.

C'est en botanique que Gaultier est le plus actif, comme en témoigne principalement sa correspondance avec Duhamel du Monceau. Poursuivant le travail de Sarrazin, il se tourne davantage vers les espèces utiles, tels les plantes médicinales et les arbres et arbustes, négligés jusque-là. Il rédige un manuscrit de 400 pages où sont compilées surtout des espèces non signalées par son prédécesseur. Il s'agit peut-être de l'ébauche d'un projet ambitieux caressé par Duhamel du Monceau et Bernard de Jussieu, consistant à préparer une flore illustrée en six volumes de l'Amérique boréale. Pour des raisons inconnues, ce projet ne se réalisera pas.

Gaultier prépare quelques mémoires sur certaines plantes économiques : thé des bois, érable à sucre, préparation du brai et de la résine utilisés dans la construction navale. Un autre indice des préoccupations économiques de ses herborisations se trouve dans la nature même des envois qu'il fait en France. À la différence de Sarrazin, Gaultier n'envoie pas d'herbiers en Europe, mais essentiellement des graines, des bulbes et des plants destinés au Jardin du roi et à la pépinière expérimentale de Duhamel du Monceau à son château de Denainvilliers.

Des naturalistes en uniforme

À compter de 1740, le médecin du roi n'est plus le naturaliste solitaire qu'il a été à l'époque de Michel Sarrazin. Jean-François Gaultier est un exécutant parmi d'autres. De 1747 à 1749, il se trouve en contact étroit avec deux personnages d'une grande importance scientifique : le gouverneur intérimaire de la colonie, Roland-Michel Barrin de La Galissonière, et le naturaliste suédois Pehr Kalm.

Pehr Kalm, en 1764, alors professeur à l'Université d'Abö (aujourd'hui Turku, en Finlande). (Musée national de Finlande)

Kalm est venu explorer les colonies anglaises et la Nouvelle-France à la demande de Linné, le père de la nomenclature latine binômiale que les botanistes utilisent encore aujourd'hui. Kalm s'étonne de la qualité de la vie scientifique qu'il découvre au Canada, comme l'atteste souvent son journal de voyage. Par exemple, il constate que le jardin de l'intendance à Québec a été aménagé en pépinière de transit — en attendant l'embarquement pour Nantes — et que Gaultier y a développé un embryon de collection. Il s'agit d'un véritable centre de tri et de classement.

Le zèle que le Suédois remarquait en Nouvelle-France, il l'attribuait «au moins en grande partie, à l'initiative et aux soins d'un seul homme[17]». Cet homme, c'est le gouverneur. Ami de Duhamel du Monceau, La Galissonière ne néglige aucun effort pour venir en aide au savant français, allant même jusqu'à recourir aux services de la garnison pour ramasser graines, plants et autres spécimens.

Kalm rapporte à ce propos que lors de son passage au fort Saint-Frédéric, le commandant lui a montré le long mémoire que lui avait fait parvenir le gouverneur, indiquant la manière de reconnaître les plantes, de les cueillir, de les conserver et de les faire parvenir à Québec. Ce mémoire a été préparé par Gaultier à la demande du gouverneur et envoyé à plusieurs commandants militaires. Le gouverneur promet en outre de l'avancement aux soldats qui feront preuve du plus grand zèle pour ces activités, peu communes dans l'armée. Du fort Niagara, le commandant de Beaujeu écrit à La Galissonière pour faire montre de ses bonnes intentions: «Je parcourerai tous vos mémoires pour faire ramasser à propos les plantes et les graines de nos quartiers. Vous pouvez conter que je ne me rebuterai point[18].»

Au moment de la visite de Kalm, la colonie est en paix. Aussi peut-on se permettre de charger les garnisons de se livrer à la cueillette de spécimens de la flore et de la faune du Canada. Commandant en chef des troupes de la colonie, La Galissonière profite de la paix pour réorganiser les postes de défense éloignés. Lorsqu'il envoie quelqu'un en mission, il ne manque jamais de lui donner aussi des instructions d'ordre scientifique. Les ingénieurs Chaussegros de Léry, en expédition à Detroit, et de Lotbinière, en voyage à Michilimakinac, reçoivent des ordres précis à cet égard: «Si chemin faisant il (l'officier) peut ramasser quelques unes des graines et des plantes contenues dans le mémoire qui lui sera remis avec ceci, il les apportera, mais cela ne doit point le détourner des objets plus intéressans pour le service[19]. »

Le castor, d'après *Les Voyages* de Lahontan, 1705. (Bibliothèque nationale du Canada, NL-5307)

La contribution des officiers du roi à l'histoire naturelle n'est pas négligeable. Il y a tout lieu de croire que ce sont leurs récoltes qui alimentent le centre de tri de Gaultier à Québec. Parmi les trouvailles attribuables aux expéditions militaires, on doit noter celle de l'« éléphant de l'Ohio », un mastodonte fossile, découvert par un détachement commandé par le sieur de Longueuil. En 1740, celui-ci emporte quelques os et les expédie depuis la Nouvelle-Orléans au Cabinet du roi. Buffon, dans son *Histoire naturelle*, compare le mastodonte au mammouth sibérien, déjà connu. Il note également qu'un capitaine d'artillerie, M. de Montbelliard, lui a fait parvenir un castor d'Amérique.

Cette participation des militaires n'est pas exceptionnelle. Kalm s'étonne d'ailleurs de ce qu'il observe: « J'ai trouvé que les gens de distinction, en général ici, ont bien plus de goût pour l'histoire naturelle et les lettres que dans les colonies anglaises, où l'unique préoccupation de chacun semble être de faire une fortune rapide, tandis que les sciences sont tenues dans un mépris universel[20]. » Le jugement est sans doute sévère pour les colonies anglaises, où l'on retrouve à cette époque des savants aussi remarquables que Benjamin Franklin en physique, Benjamin Rush en médecine et John Bartram en botanique — «le plus grand botaniste au monde», selon Linné. Kalm a pourtant rencontré Franklin et Bartram; son jugement s'explique-t-il sans doute par le fait que la science en Nouvelle-France bénéficie de l'appui de l'administration de la colonie. Chose certaine, les mots de Kalm ont irrité les scientifiques américains et fait dire à Franklin « qu'il est dangereux de converser avec des étrangers qui tiennent un journal[21] ».

Roland-Michel Barrin de La Galissonière. (Archives publiques du Canada, C-6408)

La Galissonière est un ami des sciences, un organisateur de premier plan et un érudit. « Son savoir est vraiment étonnant, écrit Kalm, et s'étend à toutes les branches de la Science, surtout à l'Histoire Naturelle, dans laquelle il est si bien versé que, quand il commença à discourir sur cette matière, je crus entendre un autre Linné[22]. » Il appartient à la nouvelle aristocratie du siècle des Lumières, passionnée de sciences. Au moment où il prend poste à Québec, Diderot en France entreprend la publication de l'*Encyclopédie*. La noblesse européenne fait preuve d'un engouement considérable pour les sciences de la nature et nombreux sont ceux qui s'enorgueillissent de leur jardin botanique personnel ou de leur cabinet de physique. La reine de Suède elle-même s'est constitué un « cabinet » où elle accumule des collections, notamment de plantes canadiennes rapportées par Kalm[23].

La Galissonière possède lui aussi un jardin bien garni à son château de Monnières, près de Nantes. « Quand je verrai jour à aller faire un tour chez moi, écrit-il à Duhamel du Monceau, je vous demanderai aussi du plant ou des greffes de quelques espèces d'arbres fruitiers que vous avés et qui me manquent. » Et dans une autre lettre : « Toutes ces absences ont sans doute beaucoup gâté mon jardin et peut-être mon jardinier. C'est ce qui fait que de tant de choses que vous avés envoyées ou que j'ai envoyées de mon côté, il en a si peu conservé[24]. »

À son retour en France, La Galissonière sera admis à l'Académie des sciences comme « associé libre », titre prestigieux, mais sans obligation propre. On honorait de cette façon les amis politiques de l'institution et les savants étrangers de grande réputation, comme Isaac Newton.

La production scientifique publiée de La Galissonière se limite cependant à un manuel d'instruction, rédigé avec Duhamel du Monceau, et qui porte la marque de son expérience pratique : *Avis pour le transport par mer des arbres, des plantes vivaces, des semences, des animaux et de différents autres morceaux d'Histoire Naturelle*. De France, il en expédie une copie à Gaspard Chaussegros de Léry en l'encourageant : « Vous faittes très bien de rammasser les plantes, noiaux et autres semences qui pourront être utiles au Canada. Je vous envoie un livret qui vous enseignera les moyens de les conserver[25]. »

Naturalistes de tous les pays...

Rentré en Europe, Pehr Kalm garde un très bon souvenir de son passage au Canada. Il y a été traité avec distinction, le gouvernement français assumant entièrement les frais de son séjour dans la colonie et La Galissonière lui affectant Jean-François Gaultier comme guide. Un guide agréable, semble-t-il, puisque Kalm lui dédie le genre *Gaultheria* (dont le thé des bois est l'espèce la mieux connue) et le dépeint comme un « homme de grand savoir en physique et en botanique ».

Cette « fraternisation » entre naturalistes de pays et d'écoles différentes est une attitude assez fréquente au XVIIIe siècle. De plus en plus, on reconnaît à la science une place à part, au-dessus des rivalités politiques internationales. Dans cet esprit, Kalm peut circuler librement entre la Nouvelle-Angleterre et la Nouvelle-France, en dépit des tensions opposant les deux colonies. Au cours des guerres entre la France et l'Angleterre, les savants s'entendent pour remettre au pays concerné les spécimens scientifiques trouvés à bord des vaisseaux capturés[26]. Entre scientifiques, les échanges internationaux se multiplient. De Paris, des plantes cueillies par Michel Sarrazin sont envoyées à l'Université Oxford. Avec l'accession de Philippe V au trône d'Espagne, les Français étendent également leurs explorations scientifiques à l'Amérique du Sud, souvent de concert avec des savants espagnols.

Kalm et Linné profitent donc de ce nouveau climat scientifique. Linné, comme les grands classificateurs de son époque, possède un réseau international d'« agents » (comme il les appelle lui-même) qui lui acheminent des matériaux en quantité considérable. C'est à partir de ces collections, dont les pièces proviennent aussi bien de Chine que de la vallée du Saint-Laurent, qu'il va publier, en 1753, les volumes de son monumental *Species plantarum*. Dans cet ouvrage, il développe une classification des espèces fondée sur la sexualité des plantes. Des quelque 700 espèces nord-américaines qui y sont décrites, 90 lui ont été communiquées par Kalm.

Au cours de ses excursions dans la vallée du Saint-Laurent, ce dernier avait accumulé « deux charretées » de matériaux. Il avait également monté un herbier en trois exemplaires : un pour lui-même, un pour Linné et l'autre pour le cabinet de la reine. Kalm avait aussi compilé, à partir des 325 espèces de ces herbiers, une *Flora canadensis* manuscrite, aujourd'hui perdue.

Face au savoir autochtone

Compte tenu de l'ampleur des recherches qui ont occupé les naturalistes pendant le Régime français, on peut se demander de quelle façon le savoir indigène a été exploité. Ce savoir, accumulé notamment par la médecine indienne, aurait dû attirer l'attention des savants. On sait que, dès le deuxième voyage de Cartier, la valeur d'un remède iroquois contre le scorbut — l'annedda ou cèdre blanc — avait pu être appréciée. Cette thérapeutique indigène avait assuré la survie de l'équipage décimé par le « mal de terre » au cours de l'hiver 1536. Malheureusement, ce remède fut oublié : Champlain et ses hommes, atteints du même mal trois quarts de siècle plus tard, ignorent comment s'en guérir[27].

Dans l'ensemble, les connaissances autochtones semblent avoir été sous-estimées. « On regrette cependant ici, note Kalm en 1749, que ceux qui approfondissent l'Histoire naturelle négligent passablement de s'informer de l'usage médical des plantes canadiennes, tel qu'il est connu des indigènes[28]. » Aucune entreprise vraiment systématique de cueillette d'information auprès des autochtones n'est tentée. Plusieurs facteurs expliquent cette négligence. Il faut d'abord noter une certaine réticence des premiers intéressés à transmettre leurs connaissances. Il existe, en effet, un principe commun à beaucoup de médecines traditionnelles selon lequel la valeur thérapeutique d'une plante s'appauvrit chaque fois que son usage est enseigné. Les plantes les plus efficaces sont donc connues d'un cercle très restreint d'initiés.

Il semble aussi que certains autochtones aient eux-mêmes déprécié leurs connaissances médicales face à la médecine européenne. Le jésuite Lafitau remarque à ce sujet en 1724 :

> En Amérique comme ici [en France], on fait plus de cas des remèdes venus de loin que de ceux qu'on a à la main... C'est la même chose

du Médecin que du remède; l'étranger a toujours la préférence... C'est sur ce principe que les sauvages préfèrent un remède qui a la grâce de la nouveauté, à un remède usité; et qu'ils emploient préférablement les Médecins d'une autre Nation que ceux de la leur. Ils se mettent volontiers entre les mains des Européens; ils se font soigner même sans besoin et par compagnie: ils prennent par estime nos vomitifs et nos purgatifs; mais ils s'évanouissent presque en voyant le terrible appareil de ferrements dont on se sert en Europe pour nous déchiqueter[29].

Le Père J.-F. Lafitau. (Bibliothèque nationale du Canada, NL-15204)

Cette attitude n'est sûrement pas étrangère à l'évolution rapide de la médecine autochtone qui se modifie en intégrant un bon nombre de recettes de la médecine européenne. Ce fait complique aujourd'hui les efforts de l'ethnobotaniste qui cherche à reconstituer le savoir amérindien précolombien. Dans une étude sur le folklore botanique de Kanawake, publiée en 1945, Jacques Rousseau remarque que sur 87 plantes dont l'usage médical lui a été signalé, 18 seulement ont à peu près les propriétés que la tradition leur attribue et que de ce nombre, huit sont des plantes introduites au pays par les Européens[30].

Un autre frein à l'assimilation par la science des Blancs du savoir indigène est la barrière ethnique, renforcée par les préjugés qui accompagnent toutes les aventures coloniales. Les missionnaires, qui les premiers auraient été en mesure de recueillir ce type d'information — ils parlaient les langues autochtones et leur érudition s'étendait souvent à l'histoire naturelle — étaient réticents à le faire. Opposés aux guérisseurs, auxquels ils disputent l'influence sur les tribus, les missionnaires font aussi preuve parfois d'un fort scepticisme à l'endroit des remèdes indiens. Dans les *Relations* des Jésuites de 1676, le père de Lamberville souligne : « Nous avons toujours eu à combattre les jongleurs qui nous sont très opposés, parce que nous les discréditons faisant voir que toutes les jongleries dont ils se servent pour guérir les malades ne sont que des sottises et des impertinences[31]... » Un demi-siècle plus tard, le jésuite Lafitau décrit la même attitude à l'égard des connaissances médicales autochtones : « Un missionnaire n'a guère le temps de s'appliquer à cette recherche, et il craint même de le faire, de peur de paraître approuver les superstitions et les sottes imaginations des Sauvages sur leurs remèdes les plus simples[32]. »

Il y a toutefois des exceptions. Michel Sarrazin, par exemple, indique souvent dans ses notes floristiques divers usages médicinaux amérindiens. Il cite notamment le cas d'un abbé Gendron qui aurait traité avec succès certains cancers à partir d'un usage indien de l'écorce du dirca des marais. Marc Lescarbot, le père Sagard, le père Louis Nicolas, Catherine Jérémie et plusieurs autres ont noté de telles informations.

Les connaissances botaniques autochtones étant généralement utilitaires, leur acquisition par les Blancs donne parfois lieu à des développements d'ordre économique. À l'Hôtel-Dieu de Québec, les sœurs Augustines ont enrichi leur pharmacopée de nombreux apports amérindiens. Elles ont, par exemple, développé le commerce du capillaire avec l'Europe après en avoir appris des indigènes l'usage contre les affections pulmonaires.

Kalm, de son côté, va déployer beaucoup d'efforts pour soutirer aux Indiens le secret d'un remède que ceux-ci utilisent contre les maladies vénériennes : « Lors de ma visite au Canada, écrit-il, j'ai remarqué que la plupart des gens habitués à voyager parmi les Indiens savaient que cette maladie se guérissait facilement avec l'usage de certaines plantes. Il est impossible de savoir des Indiens leur remède. Ils en gardent le secret en regard à leur superstition, qu'un remède révélé à un européen, avec le temps perdra de son efficacité[33]... »

Grâce à ses relations des colonies anglaises, le Suédois réussit tout de même à acheter ce renseignement. La plante est identifiée comme étant une lobélie. Il communiquera plus tard cette nouvelle en Europe. À la fin du XVIIIe siècle, le médecin américain Benjamin Rush enquêtera sur cette question, pour conclure à l'inefficacité de la lobélie.

Aux sources de l'anthropologie

De tous les esprits savants qui se sont occupés de science en Nouvelle-France, Joseph-François Lafitau est sans doute l'un des plus originaux. Outre la découverte du ginseng, on lui doit une étude audacieuse et approfondie de la société iroquoise.

Dès les premières missions d'évangélisation du XVIIe siècle, les Jésuites avaient multiplié les notes ethnographiques sur les Amérindiens, la plupart de leurs observations se trouvant consignées dans les *Relations* des Jésuites. D'autres missionnaires, comme le récollet Gabriel Sagard, ont laissé des récits ethnographiques ou des études linguistiques importants. Lafitau cependant est le seul à qui l'on doive un essai d'interprétation théorique qui va au-delà de l'observation. Il est le premier savant à parler d'une « science des mœurs et des coutumes des différents peuples » et à donner à cette entreprise un sens à peu près

Aux sources de l'anthropologie nord-américaine : une cérémonie funèbre d'après Lafitau. (Bibliothèque nationale du Canada, C-92241)

équivalent à celui des anthropologues du XXᵉ siècle.

En 1724, à une époque où la classe instruite de France se passionne pour l'étude du monde « sauvage », Lafitau publie ses *Mœurs des Sauvages amériquains comparées aux mœurs des premiers temps*. Selon l'anthropologue Alfred Métraux, qui n'est d'ailleurs pas le seul à voir en Lafitau un précurseur de l'anthropologie, le contenu et l'ordre des sujets traités sont déjà ceux d'un manuel de notre temps[34].

Lafitau arrive en Nouvelle-France en 1712 et passe six ans à la mission du Sault-Saint-Louis, aujourd'hui Kanawake. C'est chez les Iroquois qu'il fait toutes les observations nécessaires à la préparation de son traité. Il a lu au préalable les *Relations* de ses prédécesseurs, mais affirme préférer se fier aux faits.

Concrètement, on lui doit plusieurs découvertes, notamment d'avoir saisi l'importance du Conseil des anciens dans l'organisation politique iroquoise et d'avoir rattaché le mode de résidence — la maison longue — à la structure sociale. Il a aussi été le premier à décrire les règles complexes de parenté des Iroquois.

Sur le plan théorique, il affirme que les coutumes sont façonnées par l'histoire naturelle. C'est ainsi qu'il explique la spécialisation des Algonquins dans la fabrication des canots d'écorce et la navigation par le fait qu'ils vivent dans des régions où abonde le bouleau. Inversement, les Iroquois, qui ne disposent que d'écorce d'orme pour faire des canots, sont beaucoup moins versés en la matière.

Lafitau est aussi le premier à proclamer l'universalité du mariage et celle du tabou de l'inceste. Il développe également la thèse de l'origine asiatique des Amérindiens, soupçonnant qu'ils sont venus de Tartarie via le détroit de Béring. Son livre est accompagné d'une carte illustrant à la place dudit détroit une continuité terrestre avec la mention: « Terres inconnues qu'on suppose joindre l'Asie et l'Amérique ».

D'autres que lui, à cette époque, ont avancé cette idée. En France, c'est le cas notamment de Bernard de Fontenelle, secrétaire perpétuel de l'Académie des sciences. Lafitau reprend et développe la thèse, allant jusqu'à construire un édifice théorique très compliqué pour retracer, depuis la Grèce antique, l'évolution du peuplement du monde à travers l'Asie jusqu'en

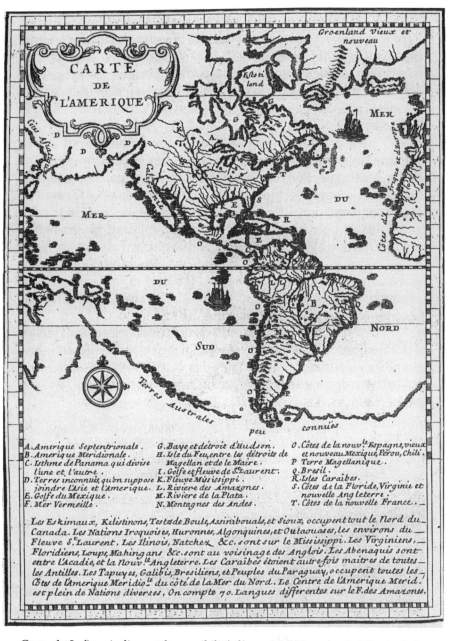

Carte de Lafitau indiquant la possibilité d'une migration des habitants de la Sibérie vers l'Amérique. (Bibliothèque nationale du Canada, NL-15207)

Amérique. Comparant les Iroquois et les Grecs, notamment au chapitre de la dénomination des constellations et des planètes, il conclut à une filiation culturelle. « De la comparaison des Mœurs des Amériquains avec celles des Asiatiques et des nations comprises sous les noms de peuples de la Thrace et de la Scythie, écrit le Jésuite, il résultera comme une espèce d'évidence, que l'Amérique a été peuplée par les terres les plus orientales de la Tartarie[35]. »

Son analyse s'appuie sur une érudition tout à fait remarquable. Tous les indices d'une parenté des Amérindiens et des Asiatiques sont mis à contribution. Il compare par exemple les termes employés pour nommer le ginseng : « Par là, écrit-il, je fus confirmé dans l'opinion que j'avais déjà et qui est fondée sur d'autres préjugés, que l'Amérique ne faisait qu'un même continent avec l'Asie, à qui elle s'unit par la Tartarie au Nord de la Chine […]. Il y a sans doute plus qu'une simple consonnance entre l'Iroquois orenta (cuisses ou jambes) et les mots orhota, orkhoda, employés, le premier par les Tartares, le second par les Mantchoux pour désigner le ginseng[36]. »

Au-delà des spéculations souvent audacieuses auxquelles il donne libre cours, Lafitau est visiblement en train d'établir une nouvelle « science des mœurs et des coutumes ». Pour ce faire, il doit lui-même prendre ses distances vis-à-vis de ses prédécesseurs, les auteurs des *Relations* des Jésuites.

> J'ai vu avec une extrême peine, dans la plupart des Relations, que ceux qui ont écrit des Mœurs des Peuples barbares, nous les ont peint comme des gens qui n'avaient aucun sentiment de Religion, aucune connaissance de la Divinité, aucun objet auquel ils rendissent quelque culte : comme des gens qui n'avaient ni loix, ni police extérieure, ni forme de gouvernement ; en un mot, comme des gens qui n'avaient presque de l'Homme que la figure… il en résulte qu'on s'accoûtume à se former une idée des Sauvages et des Barbares qui ne les distingue guère des bêtes[37].

Lafitau tient donc un discours nouveau, empreint d'une ouverture intellectuelle de plus en plus répandue, surtout parmi les Jésuites. C'est l'époque où ses confrères des missions d'Extrême-Orient sont engagés dans la « querelle des rites » avec le Vatican parce qu'ils préconisent le respect des religions asiatiques.

À Paris, les *Mémoires de Trévoux*, journal des Jésuites, font un bon accueil à l'ouvrage de Lafitau et lui assurent une certaine diffusion dans les milieux lettrés. Le livre paraîtra en allemand, en 1731, puis en hollandais, en 1751. Malgré l'importance de l'ouvrage, les articles sur les « Canadiens » et les « Sauvages » dans l'*Encyclopédie* de Diderot et d'Alembert puisent plutôt leurs informations dans les récits du père Charlevoix, parus en 1744, et ceux du baron de Lahontan, publiés en 1703[38]. Ce dernier est à l'origine du thème du « bon sauvage » qui se retrouvera plus tard sous la plume de Jean-Jacques Rousseau.

Sous le Régime français, les réalités naturelles, géographiques et humaines, découvertes en Amérique auront donc été intégrées aux connaissances des savants européens, en particulier ceux liés à l'Académie des sciences et au Jardin du roi. Au contact du Nouveau Monde, botanistes, astronomes, cartographes et même philosophes, auront ainsi considérablement modifié leur vision du monde.

CHAPITRE 3

LE GOÛT DES ARTS ET DES SCIENCES AU BAS-CANADA

La guerre de Sept Ans et le passage du Canada sous l'autorité de la couronne d'Angleterre ne modifient pas la nature des activités scientifiques dans la colonie. Au lendemain de la victoire de Wolfe, les nouveaux maîtres prennent tout simplement la relève des administrateurs du Régime français et s'efforcent de mieux connaître la géographie et l'histoire naturelle du pays.

Les explorateurs et les cartographes de la Nouvelle-France ont de dignes successeurs parmi les ingénieurs de l'armée britannique et les officiers de la marine royale. L'ingénieur hollandais Samuel Holland, après avoir assisté à la chute de Louisbourg et pris part au siège de Québec, est nommé en 1764 premier arpenteur général du Canada. Holland peut compter sur les services de quelques arpenteurs et cartographes compétents, généralement recrutés dans les rangs de l'armée britannique et, plus particulièrement, dans le corps des Royal Engineers. Le lieutenant Joseph F.W. DesBarres, réputé pour ses cartes du golfe du Saint-Laurent et de la côte de la Nouvelle-Angleterre, et le capitaine James Cook, que ses explorations dans les mers du Sud vont bientôt rendre célèbre, font progresser rapidement la cartographie de l'Est du Canada, depuis Terre-Neuve jusqu'aux Grands Lacs.

La rébellion des treize colonies américaines, en 1775, accroît l'importance stratégique du Canada et rend plus nécessaire encore la cartographie de la vallée du Saint-Laurent, principale voie de pénétration du continent. La métropole envoie au Canada un nombre toujours plus important d'ingénieurs militaires chargés de construire les fortifications et les ouvrages d'art, canaux, routes et ponts, indispensables à la défense de la colonie. La paix revenue, le commerce croissant et l'arpentage des nouveaux territoires agricoles destinés à accueillir les Loyalistes

Télescope à réflexion de Gregory du cabinet de physique du Séminaire de Québec. Lemaire Saint-Germain utilisa un appareil de ce type pour observer le transit de Vénus en 1769. (Photo: P. Cayer, Université Laval)

continuent d'aiguillonner le travail des hydrographes et des cartographes. Ainsi, outre les ecclésiastiques qui enseignent à Québec et à Montréal, on voit se maintenir dans la colonie pendant la dernière moitié du XVIIIe siècle un petit noyau de marins, d'ingénieurs et de médecins militaires, auxquels les sciences ne sont pas étrangères.

Holland se livre à des observations astronomiques qui dépassent les besoins de l'arpentage et de la cartographie. En 1769, il observe à Québec le transit de Vénus, phénomène astronomique qui fait grand bruit à l'époque car les observations recueillies en divers points du globe doivent permettre aux savants européens de calculer la distance séparant la Terre du Soleil[1]. L'événement est si important que la Société royale de Londres envoie l'astronome William Wales à la baie d'Hudson. Holland n'est pas le seul à observer le phénomène à Québec : utilisant un téléscope à réflexion de deux pieds, Lemaire Saint-Germain, professeur de physique au Séminaire, relève aussi les différentes étapes du passage de la planète devant le Soleil. Grâce aux mesures recueillies par plus de 150 observateurs répartis à travers le monde, les savants peuvent enfin établir la parallaxe solaire et déterminer avec précision la distance moyenne séparant la Terre du Soleil.

Nommé gouverneur général du Canada en 1777, Frederick Haldimand s'intéresse également aux sciences et échange à l'occasion sur des questions d'astronomie et d'histoire naturelle avec le capitaine Twiss, ingénieur militaire en chef de la colonie[2], et des correspondants européens. C'est par eux qu'il apprend, par exemple, la découverte d'une nouvelle planète, Uranus, observée par Herschel en 1781, et les premiers vols des frères Montgolfier en 1783. Son successeur, lord Dorchester, fonde la Société d'agriculture en 1789, qui publie dès l'année suivante un volume de *Papers and Letters* chez l'imprimeur John Neilson. Il y a des amateurs de science parmi les médecins également. Le docteur John Mervin Nooth, médecin éminent de la colonie, accueille le botaniste français André Michaux lors de son passage à Québec, en 1792, et lui fait les honneurs de son jardin. Rentré en Angleterre en 1799, Nooth continue d'échanger sur des sujets scientifiques avec quelques correspondants canadiens, notamment l'abbé Jean-Baptiste Lahaille, du Séminaire de Québec. Enfin, les recherches du docteur Philippe-Louis-François Badelard et du docteur Charles Blake sur la mystérieuse maladie de la baie Saint-Paul — il s'agissait vraisemblablement de la syphilis — donnent lieu aux premières publications médicales du pays[3].

La plupart des travaux scientifiques de cette époque ont une origine et des buts pratiques. Les observations astronomiques servent généralement au travail des cartographes et des arpenteurs, et l'histoire naturelle est liée à la médecine ou à l'agriculture. Ce n'est qu'au tournant du XIXe siècle que les sciences se dégagent plus nettement de ces préoccupations utilitaires.

L'évolution démographique et sociale de la colonie n'est pas étrangère à ce changement. Avec la croissance des villes et du commerce, on voit apparaître au Bas-Canada une bourgeoisie de marchands et de professions libérales, qui prend sa place aux côtés des officiers de l'administration coloniale et des anciennes familles seigneuriales. Peu à peu, le climat culturel et intellectuel du Bas-Canada va se ressentir de ce gonflement des classes aisées. Reflétant une curiosité nouvelle pour les idées, près de 125 journaux apparaissent entre 1800 et 1840. Cette véritable explosion de la presse, qui favorise les idées nouvelles et ouvre aux habitants du Bas-Canada une fenêtre sur le monde et sur le siècle, s'accompagne d'une multiplication des librairies et des bibliothèques publiques. Les premiers romanciers, les premiers poètes, les premiers historiens apparaissent également à cette époque fertile, tout comme les premiers peintres et les premiers sculpteurs.

Cet intérêt nouveau des classes aisées pour la culture fait naître les premières sociétés savantes du Bas-Canada tout comme il y en a à Boston, à Lyon ou à Manchester. La taille ou le prestige de ces sociétés varient, mais les objectifs sont les mêmes. Refuges des oisifs et des pédants, lieux de divertissement et d'échanges culturels en bonne compagnie, institutions véritablement vouées à l'avancement des connaissances, les sociétés savantes du XIXe siècle sont un peu tout ça et, chose certaine, doivent accommoder des curiosités fort diverses.

Avec leurs bibliothèques, leurs musées, leurs journaux et les conférences qu'elles organisent régulièrement, les sociétés savantes constituent, au Québec comme ailleurs, un puissant instrument d'avancement et de diffusion des connaissances. Leur succès témoigne d'abord de la place qu'occupe la science dans la culture encyclopédique de la bonne société du temps : la science comme divertissement et comme spectacle se mêle librement aux arts, à la littérature et à la philosophie. À l'occasion, on ne dédaigne pas de mêler aussi l'histoire naturelle à la théologie naturelle, à la morale et à l'apologétique. Cependant, au milieu de ces assemblées de bourgeois oisifs et de dilettantes, les savants professionnels — l'Anglais Whewell forge le mot « scientifique » pour les désigner en 1834 — font peu à peu leur place. Appuyées sur ce milieu favorable, les institutions savantes offrent aux chimistes, aux physiciens et aux naturalistes les moyens techniques, financiers et institutionnels indispensables à la poursuite de leurs recherches. La spécialisation, la rigueur expérimentale, la mathématisation et la conceptualisation poussées des observations et des hypothèses, la critique systématique des résultats, bref, les traits actuels de la science apparaissent progressivement.

Les sociétés savantes à Montréal et à Québec

Bibliothèque de la Literary and Historical Society of Quebec. (Photo: Robert Dooley)

Vers 1820, si Montréal et Québec comptent à peu près le même nombre d'habitants, la vieille ville de Champlain conserve encore l'avantage sur sa rivale : siège du gouvernement et résidence du gouverneur, Québec abrite une importante garnison militaire et l'administration de la colonie. À chaque printemps, dès que les glaces libèrent le Saint-Laurent, son port s'emplit des navires qui viennent y débarquer les marchandises ou les immigrants venus d'Europe, et charger des cargaisons de bois ou de blé. Les clochers du Séminaire, de la cathédrale et de quelques églises protestantes qui se dressent dans le ciel de la Haute-Ville rappellent que Québec n'est pas seulement la capitale politique et commerciale du Bas-Canada, mais également sa capitale religieuse. Aussi est-ce dans ses murs que va s'amorcer la renaissance culturelle du Bas-Canada.

Depuis 1800, des citoyens en vue de la ville avaient à plusieurs reprises tenté de former des sociétés scientifiques ou des cercles littéraires. À la fin de 1823, c'est le gouverneur lui-même, lord Dalhousie, qui prend les choses en mains et invite quelques citoyens à fonder la Literary and Historical Society of Quebec.

Grand seigneur et vétéran des guerres napoléoniennes, lord Dalhousie n'a accepté ce poste au Bas-Canada que pour rétablir sa fortune, sérieusement compromise par la restauration de son château d'Écosse. La vie coloniale lui pèse, surtout l'hiver, quand les nouvelles et les visiteurs d'Angleterre ne parviennent plus à Québec et que ses seules distractions sont le *backgammon* ou les soirées données par lady Dalhousie. Dans son esprit, une société savante relèverait le niveau culturel de la colonie et fournirait un peu de divertissement à la bonne société. À la meilleure société, faudrait-il plutôt dire, car lord Dalhousie entend bien réserver l'accès de l'institution à ses courtisans et aux dignitaires de l'administration coloniale, en fixant par exemple à cinq livres — le prix d'un bon microscope — le droit d'entrée. Le 6 janvier 1824, lorsqu'une quarantaine de personnes se réunissent au Château Saint-Louis, résidence officielle du gouverneur, pour fonder la LHSQ, le président élu est nul autre que sir Francis Burton, le premier adjoint de lord Dalhousie. Les vice-présidents sont Rémi Vallières de Saint-Réal, *speaker* de l'Assemblée, et le juge en chef Jonathan Sewell. Le docteur Fisher, praticien éminent de la ville, est élu secrétaire-trésorier. Les dirigeants choisis, on fixe les buts et les règlements de la société :

> Les premiers et principaux objets de la Société seront donc naturellement de découvrir et de soustraire à la main destructive du temps les fastes qui peuvent encore exister de l'histoire des premiers temps du Canada, de préserver, tandis que c'est encore en notre pouvoir, tous les documents qui peuvent se trouver dans la poussière de dépôts qui n'ont pas encore été visités [...]. Les objets qui paraissent devoir ensuite attirer l'attention de la Société sont d'encourager par tous les moyens possibles la découverte, la collection et l'acquisition de toutes les informations tendant à répandre du jour sur l'histoire naturelle, civile et littéraire de l'origine des Provinces britanniques dans l'Amérique septentrionale[4].

Pour réaliser un si vaste programme, les membres de la LHSQ peuvent compter sur la souscription annuelle de £ 100 qu'offre lord Dalhousie, afin d'acheter des instruments et des livres, et sur l'exemple de lady Dalhousie qui présente à la nouvelle société une collection de plantes canadiennes.

L'apparition de la LHSQ ne satisfait pas tout le monde. Les Montréalais, notamment, qui se sentent un peu exclus, fondent, en 1827, la Natural History Society of Montreal. Comme le rapporte le journal de Michel Bibaud, la *Bibliothèque canadienne*, en août de la même année, cette association « a pour but d'explorer les différentes productions que fournit ce pays dans les trois règnes ; de former un Cabinet ou Musée d'Histoire Naturelle et de procurer par là au public, et particulièrement, sans doute, à la jeunesse studieuse, un moyen plus facile de s'instruire dans les différentes branches d'une science si agréable et si utile en même temps ».

À Québec même, beaucoup n'ont pas apprécié le caractère aristocratique et les allures trop britanniques de la LHSQ. Au printemps de 1827, quelques jeunes Canadiens et une poignée de Britanniques, aux opinions trop libérales au goût du gouverneur, fondent la Société pour l'encouragement des sciences et des arts au Canada. Rapidement, la nouvelle société compte plus de membres que sa rivale ; parmi eux, on remarque l'arpenteur général du Bas-Canada, Joseph Bouchette, les médecins François Blanchet et François-Xavier Tessier, William Sheppard, marchand de bois prospère et naturaliste fervent, les avocats Louis Plamondon et Andrew Stuart. Tous les citoyens du Bas-Canada sont admissibles, mais les députés, les membres du clergé et les dames le sont sur simple demande. Point important, il n'en coûte qu'une guinée par année pour appartenir à la Société — vingt fois moins que ce qu'exigeait la LHSQ!

La Société pour l'encouragement des sciences et des arts est elle aussi ouverte à tous les courants et à tous les sujets. Au cours d'une même réunion, il peut être question de problèmes scientifiques, historiques, philosophiques ou artistiques. Un soir de mars 1829, par exemple, on se réunit pour récompenser les auteurs de travaux scientifiques, entendre une conférence sur la « Philosophie du Goût », donnée par le révérend George Bourne — plus connu pour son livre, *The Picture of Quebec,* un des premiers guides touristiques consacrés à la ville, que pour ses idées philosophiques —, et enfin admirer quelques tableaux de Joseph Légaré, maître de la peinture canadienne de l'époque[5].

Deux sociétés rivales, c'est sans doute beaucoup pour une seule ville. Aussi, le successeur de lord Dalhousie, sir James Kempt, s'efforce-t-il, dès son arrivée, de raccommoder les choses. Il y parvient à l'été de 1829, quand les membres des deux sociétés acceptent de se regrouper au sein de la plus ancienne. À compter de ce moment, le développement de la LHSQ s'accélère; en 1831, la société reçoit une charte royale et une subvention de £ 250 de l'Assemblée du Bas-Canada. Dans ses registres, 121 membres sont dûment inscrits et les volumes de ses *Transactions* semblent devoir paraître régulièrement.

Si elle est sans contredit la société savante la plus importante de Québec vers 1830, la LHSQ n'est pas la seule. La vieille Société d'agriculture du Canada, fondée en 1789, existe toujours. Les marchands anglophones et les seigneurs canadiens qui en font partie continuent de promouvoir les techniques modernes de culture et d'élevage et publient, à cette fin, quelques brochures. Ils encouragent même, à l'occasion, les auteurs de traités d'agriculture. L'agriculture dite « moderne » ou « scientifique » est un sujet à la mode : parmi les ouvrages les plus discutés à cette époque, on peut retenir la *Traduction libre et abrégée des leçons de chimie de H. Davy* (traduction des *Elements of Agricultural Chemistry* du savant anglais) que fait paraître A. G. Douglas à Montréal en 1820. Citons également le « Petit système d'agriculture » du notaire Valère Guillet, paru en feuilleton dans la *Bibliothèque canadienne* en 1829, et le *Traité d'agriculture pratique* de Joseph-François Perrault, publié à Québec en 1831. Les médecins ont également leur association, la Société médicale de Québec, où ils se réunissent depuis 1826 pour discuter des derniers progrès de leur art. Enfin, le mouvement des Mechanics' Institutes fait son apparition à Québec en 1830. Voué à la diffusion des connaissances scientifiques et techniques parmi les ouvriers, il était né en Angleterre quelques années plus tôt et avait essaimé dans toutes les villes industrielles de l'Empire. Deux ans après sa fondation, le Mechanics' Institute de Québec compte 150 membres et possède déjà une modeste bibliothèque. Montréal a le sien depuis 1828.

Qu'elles soient spécialisées, comme les Mechanics' Institutes et la Société médicale de Québec, ou plus encyclopédiques dans leurs intérêts, comme la LHSQ ou la Société pour l'encouragement des sciences et des arts, les sociétés savantes de cette époque sont pour la plupart des institutions culturelles que la bonne société fréquente pour se divertir. Les mondains, les snobs, les « précieuses ridicules » n'y manquent pas, mais on y trouve aussi des gens sans prétention qui désirent simplement passer d'agréables soirées à se cultiver. Dans son journal, lord Dalhousie a laissé la description d'une soirée de la LHSQ :

> La semaine dernière, nous avons assisté à une réunion fort intéressante de notre société littéraire. Ses progrès sont terriblement lents ; l'absence de talent, d'éducation et de lumière dans ce pays catholique retarde toute tentative de cette sorte. Malgré tout, la société existe toujours et peut encore croître. Quelques conférences sur la minéralogie, accompagnées de spécimens, ont été présentées par le lieutenant Baddeley, des Royal Engineers, et par monsieur William Green, le secrétaire [...]. Celui-ci nous a présenté divers pigments, ou colorants, extraits de légumes, de plantes et de la terre, un joli brun et un magnifique vermillon produits par la même racine d'une plante (*Galleum tinctorium*). [...]
>
> Monsieur Green nous a montré également un instrument très ingénieux que les Esquimaux du Labrador utilisent comme des lunettes afin de protéger leurs yeux des reflets du soleil sur la neige [...]. Dans l'ensemble, ce fut une réunion fort amusante et fort instructive[6]...

À ces réunions, la science occupe la première place: au moins les deux tiers des conférences prononcées devant la LHSQ entre 1833 et 1843 portent sur des questions de mathématique, de physique ou d'histoire naturelle. Cette proportion est encore plus élevée à la Natural History Society of Montreal ou à la Société médicale de Québec, où les sujets littéraires ou historiques ne sont pratiquement jamais abordés par les conférenciers. Cependant, dans l'ensemble, le niveau scientifique des communications présentées devant toutes ces sociétés savantes ne dépasse guère celui de la vulgarisation. Par exemple, lorsque John Hale, membre du Conseil législatif, présente à la LHSQ ses «Observations sur les criquets du Canada», l'honorable gentleman n'en dit pas plus que ce qu'un «honnête homme» ou une «lady» du temps peuvent désirer apprendre au sujet de ces insectes[7]...

L'amiral Henry W. Bayfield. (Archives publiques du Canada, C-1228)

Ce serait une erreur de penser, cependant, que ces sociétés savantes ne servent qu'à organiser des réunions mondaines pour des gens qui s'ennuient l'hiver ; elles contribuent également à l'avancement et à la diffusion des connaissances. Elles disposent, pour cela, de divers moyens. En premier lieu, elles fournissent aux chercheurs l'occasion de faire connaître leurs découvertes. Si certaines conférences de la LHSQ et de la NHSM ne sont que d'aimables divertissements, plusieurs font connaître des aspects jusqu'alors inconnus de la géologie ou de l'histoire naturelle du Canada. Les travaux de William Green sur les plantes du Canada et les pigments qu'on peut en extraire lui valent, en 1829, la médaille Isis de la Royal Society of Arts de Londres. Un hydrographe de la Royal Navy, le capitaine Henry Bayfield, présente à la LHSQ des cartes des Grands Lacs, du fleuve et du golfe du Saint-Laurent qui serviront longtemps de référence pour la navigation dans ces eaux. Le chirurgien William Kelly, également de la Royal Navy, compile pour la LHSQ ses observations sur le climat du Bas-Canada. Enfin, le lieutenant Frederick Baddeley compte parmi les premiers géologues à avoir étudié le Bouclier canadien.

Les sociétés savantes ne se contentent pas d'offrir aux naturalistes une tribune et un auditoire : pour fouetter le zèle des chercheurs, plusieurs organisent des concours et offrent des récompenses. En octobre 1827, la Société pour l'encouragement des sciences et des arts annonce dans la *Bibliothèque canadienne* la tenue d'un concours et invite tous les résidents du Bas et du Haut-Canada à soumettre leurs essais dans l'une ou l'autre des trois classes ouvertes : la littérature, la philosophie et le commerce. Les sujets mis au concours dans la classe de philosophie sont décrits comme suit :

1° Une description des animaux du pays, ou d'une partie d'entre eux ; indiquant surtout leurs caractères, leurs habitudes et leur utilité domestique ou générale.
2° Une dissertation sur la minéralogie et la géologie du pays ou sur les moyens d'en faciliter l'étude à la jeunesse canadienne, et d'en faire une partie de son éducation.
3° Une description scientifique ou populaire de nos plantes indigènes ; indiquant leurs caractères, leur situation, et leurs propriétés médicinales.

Comme le note le docteur François-Xavier Tessier, secrétaire de la Société, on a voulu, en organisant ce concours, avoir recours « à une méthode consacrée par l'expérience des nations éclairées, celle de faire naître une émulation louable parmi la jeunesse studieuse et instruite, en couronnant les efforts du génie et en appréciant les talents utiles ». On ne sait si le « génie » et les « talents utiles » se manifestèrent en foule, mais le concours de la Société remporta assez de succès pour être repris les années suivantes.

Les bibliothèques

Les bibliothèques font également partie des moyens dont disposent les sociétés savantes du temps pour encourager les arts et les sciences. Dans la première moitié du XIXe siècle, les livres sont rares et chers. Quelques libraires, comme les Fabre à Montréal, John Neilson et Octave Crémazie à Québec, s'efforcent de répondre à la demande en important quantité de livres religieux, de romans, de traités et d'ouvrages savants d'Europe. Néanmoins, ceux qui veulent se cultiver par les livres doivent d'abord compter sur les bibliothèques publiques.

À Québec, les lecteurs peuvent s'adresser à la Quebec Library Association ou à la bibliothèque de la garnison de la Citadelle, qui possèdent un vaste choix de titres populaires. Pour les ouvrages plus sérieux, de science, de droit ou d'histoire, il faut plutôt consulter la bibliothèque de l'Assemblée législative, une des plus importantes du Bas-Canada. En 1835, le *Catalogue des livres appartenant à la Bibliothèque de la Chambre d'Assemblée* comprend plus de 5000 titres, parmi lesquels on recense 1000 livres consacrés aux sciences, aux techniques et à la médecine. Plus récente, la bibliothèque de la LHSQ s'enrichit cependant rapidement et sa collection d'ouvrages scientifiques, notamment de traités de minéralogie, est considérable.

Le public de Montréal n'a rien à envier à celui de Québec pour le nombre de bibliothèques publiques. Dès sa fondation, la Natural History Society s'occupe activement d'enrichir sa bibliothèque : en 1840, celle-ci compte plus de 1000 volumes scientifiques où des auteurs français comme Lavoisier, Buffon et Cuvier apparaissent aux côtés d'auteurs anglais. Les Mont-réalais peuvent également s'adresser à la Montreal Library, dont le catalogue comprend 8000 titres en 1839, à la bibliothèque du Mechanics' Institute ou à la Mercantile Library, fondée en 1840 par les marchands de la ville. Enfin, naissent en 1844, à quelques mois d'intervalle, l'Institut canadien de Montréal et l'Œuvre des bons livres, qui deviendra par la suite le Cabinet de lecture paroissial. L'Œuvre est une créature des Sulpiciens et de l'évêque de Montréal qui veulent offrir de « saines » lectures à la jeunesse de la ville et assurer au clergé la direction de la vie littéraire et intellectuelle. Elle trouvera un concurrent farouche dans l'Institut canadien, foyer du libéralisme et de l'anticléricalisme, qui, au moyen de sa bibliothèque, de son musée et de ses conférences, devient rapidement un centre culturel important du Canada français[8].

Musées d'histoire naturelle et cabinets de curiosités

Mais les sciences naturelles ne s'apprennent pas que dans les livres : les philosophes et les naturalistes ont également besoin de spécimens et d'instruments ; les sociétés savantes vont donc ajouter à leurs bibliothèques des musées et des cabinets de physique. Dès sa fondation, la LHSQ entreprend de rassembler une collection d'histoire naturelle et emploie les £ 100 données par lord Dalhousie à l'achat d'instruments. Le musée de la LHSQ n'est cependant pas le premier du Bas-Canada car, déjà, un modeste artisan de Québec, du nom de Pierre Chasseur, avait rassemblé une collection d'histoire naturelle que le public pouvait admirer.

Sculpteur et doreur de son état, Chasseur avait littéralement rempli sa maison de la Haute-Ville d'animaux empaillés et d'« objets de curiosité ». Louis-Joseph Papineau écrit à sa femme, en 1826, qu'il a profité des vacances de Pâques pour visiter le musée de Chasseur et qu'il y a trouvé « une belle collection de plus de cinq cents espèces d'oiseaux du pays empaillés avec beaucoup de soin et d'habileté par un Canadien[9] ».

Le musée vaut à Chasseur les félicitations de plusieurs

journaux, mais, hélas, ne lui apporte pas la richesse. Dès 1826, le naturaliste se voit réduit à solliciter une subvention de l'Assemblée et du gouverneur afin de sauver sa collection des griffes des créanciers. Émus sans doute par sa pétition, les députés lui accordent d'abord 350 puis encore £ 400 en 1830. Rien n'y fait. En 1836, le pauvre Chasseur n'a d'autre choix que de remettre sa collection entre les mains de l'Assemblée pour le montant de sa dette. L'Assemblée charge alors le docteur Jean-Baptiste Meilleur, député de L'Assomption, de dresser l'inventaire du musée de Chasseur et de veiller à son installation dans le nouvel édifice du Parlement.

Le docteur Meilleur est sans doute l'un des personnages les plus intéressants de l'époque. Diplômé du Collège de Montréal, il a fait ses études médicales aux États-Unis, où il a eu pour maîtres le géologue Amos Eaton et le minéralogiste Frederick Hall. Revenu au Canada en 1826, il pratique un temps la médecine dans son village natal de L'Assomption, mais s'intéresse de plus en plus aux sciences et aux questions d'éducation. Collaborateur de la *Bibliothèque canadienne* et du *Journal de médecine de Québec*, il publie en 1833 un manuel de chimie, intitulé *Cours abrégé de leçons de Chymie*. L'année suivante, il participe à la fondation du Collège de L'Assomption et est élu à l'Assemblée au côté de Papineau et de ses patriotes. En 1842, après l'union des deux Canadas, Meilleur devient surintendant de l'éducation pour la province du Bas-Canada, poste qu'il occupe jusqu'en 1855. Au cours de la dernière période de sa vie — il meurt en 1878 —, Meilleur continue de s'intéresser aux sciences: en 1870, *Le Naturaliste canadien* publiera les dernières notes de botanique du vieux savant[10].

En 1836, Meilleur est donc l'homme tout désigné pour faire l'inventaire du musée de Chasseur et c'est grâce à son travail que nous en connaissons la richesse. Plus de trente ans après, Meilleur se souviendra encore de quoi se composait le musée, et la description qu'il en fait, dans une lettre à l'abbé Léon Provancher, est assez précise:

> En vous parlant du cabinet de Chasseur acheté pour faire un commencement de musée provincial, j'aurais dû vous dire que cette collection d'objets de l'histoire naturelle se bornait presque au règne

animal. Ces objets appartenaient plus spécialement à la zoologie, à l'ornithologie et à l'ichtyologie. À peine l'entomologie, la Botanique et la Minéralogie y étaient-elles représentées. Cependant, telle que cette collection était, c'était encore une bonne acquisition, propre à faire un bon commencement de musée[11].

Jean-Baptiste Meilleur. (Archives de l'Université de Montréal)

L'inventaire préparé par Meilleur nous apprend que le musée de Chasseur renfermait « soixante-et-quinze Quadrupèdes, quarante Reptiles, et environ cinq cents Oiseaux[12] ». On y trouvait également des fossiles, quelques scorpions, un *horseshoe crab* — une «espèce de homard», précisait Meilleur — et des ammonites en quantité. Pour attirer tous les publics, Chasseur avait également inclus dans ses collections des « objets de curiosité de l'Art», tels une gaine et un parapluie chinois, un canon de bronze ayant appartenu à Cartier ou à Verrazano, le buste du juge Pierre Bédard, gloire du Barreau canadien et grand patriote, et diverses pièces de l'artisanat amérindien. Enfin, Chasseur exhibait dans son musée l'arme d'un meurtrier fameux de l'époque, pièce soigneusement identifiée par une étiquette où l'on pouvait lire : «Hache que Dewey a tué sa femme avec».

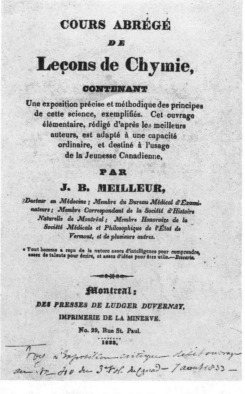

Page titre du manuel de chimie de J.-B. Meilleur. (Bibliothèque nationale du Canada, NL-15203)

Jusqu'en 1841, la collection d'histoire naturelle de Chasseur et tout le bric-à-brac qui l'accompagne sont conservés au Parlement du Bas-Canada. Cette année-là, le gouvernement des deux Canadas s'installe à Kingston et c'est la LHSQ qui se voit offrir la garde du musée Chasseur, en même temps que les salles vides du Parlement où elle pourra installer sa bibliothèque et son propre musée. Avec les années, celui-ci a pris de l'ampleur et compte désormais parmi les plus intéressants du pays. Joseph Bouchette note en 1832 que le musée de la LHSQ renferme une importante collection de spécimens géologiques et minéralogiques du Canada, rassemblés pour la plupart par le capitaine Bayfield au cours de ses explorations topographiques et hydro-graphiques[13]. On peut y admirer également un herbier, des collections de coquillages, des mammifères et des oiseaux empaillés, une collection de bois canadiens, des instruments de physique et de mathématique, etc. Le musée de la LHSQ, sans doute le plus beau de la ville après celui du Séminaire de Québec, sera malheureusement perdu, avec les collections de Pierre Chasseur, dans l'incendie qui détruit le vieux Parlement en 1854.

Pour les musées comme pour le reste, Montréal n'est pas loin derrière la vieille capitale. En 1824, l'aubergiste Tommaso Delvecchio transforme la maison qu'il possède sur la place du Vieux-Marché pour accueillir le « Cabinet de Curiosités Naturelles et Artificielles ». Selon le goût de l'époque, Delvecchio a mêlé les « curiosités artificielles » aux spécimens d'histoire naturelle : l'ours blanc de six pieds, la panthère, le crocodile du Nil sont exhibés avec l'« Agneau à huit jambes » et le « Bélier à quatre cornes ». La maison offre également un « grand Concert mécanique d'Automates » et des figures de cire « qui représentent une famille Péruvienne, et les Beautés de Philadelphie, de Boston et de Mont-réal[14] ».

L'existence du musée italien, comme on l'avait appelé en hommage à l'origine de son fondateur, est de courte durée car Delvecchio meurt en 1826. C'est la Natural History Society of Montreal qui prend alors la relève. Peut-être a-t-elle pu recueillir certains spécimens du cabinet de Delvecchio. Quoi qu'il en soit, dès 1828, soit un an à peine après sa fondation, la NHSM annonce dans son premier rapport que le musée est ouvert au public. Avec les années, le musée de la NHSM s'enrichit considérablement,

Le Musée Redpath de l'Université McGill. (Archives photographiques Notman)

grâce aux dons des membres de la Société et des professeurs de science de l'Université McGill. Ceux-ci vont utiliser les collections et les salles de la NHSM pendant des années pour l'enseignement de la géologie, de la minéralogie, de la botanique et de la zoologie. Ce n'est qu'en 1882 que l'Université McGill aura son propre musée d'histoire naturelle, le Redpath Museum, cadeau de l'industriel montréalais Peter Redpath.

La presse scientifique et la science dans la presse

Si les conférences, les bibliothèques et les musées des sociétés savantes de Montréal et de Québec favorisent la diffusion des connaissances, le rôle des journaux dans ce domaine tend à prendre de plus en plus d'importance à mesure que l'on avance dans le XIXe siècle. Beaucoup de sociétés savantes du siècle dernier ne paraissent avoir eu d'autre fin que de donner naissance à une revue scientifique ou littéraire. Nos bibliothèques d'aujourd'hui sont encore remplies des gros volumes des *Transactions*, *Actes* et *Proceedings* des sociétés, grandes et petites, d'autrefois. Tout comme leurs collègues d'Europe et d'Amérique, les savants et les écrivains du Bas-Canada s'en sont remis à l'imprimé pour conserver et diffuser leurs idées. Dès 1829 paraît le premier volume de *Transactions* de la LHSQ. Sur les seize articles qu'il contient, douze portent sur des sujets scientifiques et quatre sont des « morceaux » d'histoire ou de littérature. Cette proportion restera sensiblement la même dans les volumes suivants, faisant des *Transactions* le plus important périodique scientifique du Canada à cette époque.

À Québec, cependant, les *Transactions* ne sont pas le seul périodique où l'on trouve des articles scientifiques. Le *Journal de médecine de Québec*, étroitement associé à la Société médicale de la ville, publie, outre des textes traitant de sujets médicaux, des articles consacrés à l'anatomie, à la chimie, à l'histoire naturelle, à la botanique, etc. Quand le *Journal* disparaît, un de ses rédacteurs, le docteur François-Xavier Tessier, annonce dans *La Minerve* du 20 mars 1828 qu'une nouvelle publication va prendre la relève. Le *Journal des sciences naturelles de l'Amérique du Nord* sera ouvert à toutes les sciences : « la botanique, l'histoire naturelle, la chimie, la minéralogie, la médecine, la chirurgie, l'anatomie et la physiologie, la matière médicale et toutes les connaissances qui entrent dans le domaine de chacune d'elles » y trouveront leur place et, précise Tessier, « on donnera aussi une analyse complète de tous les ouvrages sur les sciences naturelles, publiés soit en Europe soit en Amérique ». Détail intéressant, le *Journal* sera publié entièrement en français car, soutient Tessier, « cette langue est la seule parmi les langues modernes qui soit appropriée à toutes les sciences ». Enfin, pour contenir toute cette science, le rédacteur s'engage à livrer au public un volume de trois cents pages tous les trois mois… Un projet d'une telle envergure, on s'en doute, était condamné à l'échec, même dans une ville aussi « éclairée » que l'était Québec en ce temps-là : le *Journal* de Tessier ne verra même pas le jour.

D'autres revues, moins ambitieuses, durent plus longtemps. La NHSM publie d'abord un *Annual Report*, auquel on ajoutera à l'occasion quelques articles scientifiques, résultat des recherches de l'un ou l'autre de ses membres. Ce mode de publication se maintiendra pendant près de trente ans : ce n'est qu'en 1857 que la NHSM se dote d'une véritable revue scientifique, le *Canadian Naturalist and Geologist*. Ce journal avait été fondé peu de temps auparavant par Elkanah Billings, un jeune naturaliste amateur d'Ottawa qui allait devenir le premier paléontologiste de la Commission géologique du Canada.

Les articles scientifiques et les controverses débordent dans la presse. Par exemple, on trouve souvent dans la *Bibliothèque canadienne* de Michel Bibaud des notes faisant écho aux recherches et aux découvertes qui se font en Europe et en Amérique. Journaliste, mais aussi poète, historien et professeur, Bibaud enrichit son journal en puisant dans la presse scientifique du monde entier des morceaux choisis. Bien sûr, la *Bibliothèque canadienne* accueille également les contributions des naturalistes du Bas-Canada car le rédacteur en chef veut que le journal, ainsi qu'il le déclare dans son tout premier numéro, en juin 1825, « inspire à nos jeunes compatriotes le goût de l'étude et de l'instruction » et qu'il contribue à « faire connaître toute l'étendue de pays qu'on appelle Canada mieux et plus avantageusement qu'il ne l'est même de ses propres habitants ». Meilleur est de ceux qui répondent à l'appel : en 1826, il fait paraître un texte intitulé « Analyse de l'eau saline de l'Assomption ». Suivent, en 1827 et en 1828, une note sur la géologie du Canada et un texte intitulé « Agriculture et chimie ».

Les articles comme ceux de Meilleur donnent parfois lieu à d'âpres controverses qui, pour un temps, animent les journaux. Une des plus célèbres de l'époque oppose quelques savants amateurs sur la nature d'un phénomène astronomique qui se produit dans la nuit du 25 janvier 1837. Dès le lendemain, *La Gazette de Québec* décrit le phénomène comme une aurore boréale, mais quelques jours plus tard, Amable-Daniel Duchaîne fait paraître dans *La Minerve* et *Le Canadien* une note où il affirme qu'il s'agit plutôt de la lumière zodiacale, bande lumineuse qui traverse le ciel et qu'on peut apercevoir certaines nuits, par temps clair[15]. L'«abbé» Duchaîne, comme les contemporains le désignent parce qu'il a fait des études théologiques, est un instituteur privé de Montréal, inventeur à ses heures, qui alimente régulièrement la presse d'articles sur des sujets scientifiques ou des questions d'éducation. Sa note déclenche la controverse. Dès le 13 février, Pierre-Joseph-Olivier Chauveau, futur premier ministre de la province de Québec, mais qui n'est alors qu'un jeune étudiant en droit, contredit Duchaîne dans *Le Canadien* de Québec, affirmant qu'il s'agit bien d'une aurore boréale. Quelques jours plus tard, c'est au tour de l'abbé Isaac Désaulniers, professeur de physique et de philosophie au Séminaire de Saint-Hyacinthe, de prendre à partie le pauvre Duchaîne, auteurs à l'appui[16]. Ainsi attaqué, ce dernier se défend dans une longue suite de notes et de lettres, dont les lecteurs de *La Minerve* et du *Canadien* apprécient sans doute autant le ton polémique et les effets rhétoriques que le contenu scientifique, lequel diminue d'une fois à l'autre.

Si elle est une des plus fameuses de l'époque, cette controverse est loin d'être la seule. Par exemple, Meilleur, Désaulniers et Duchaîne croisent à nouveau le fer, en 1841, dans les *Mélanges religieux*, au sujet des paratonnerres. Comme les querelles religieuses et politiques, ces controverses savantes fascinent visiblement les gens de l'époque. Les talents littéraires des protagonistes comptent sans doute pour beaucoup dans l'intérêt que leur accorde le public ou dans le succès de leur cause, mais les théories scientifiques de l'heure sont ainsi diffusées et discutées par la grande presse.

Quelques savants étrangers de marque

Dans la première moitié du XIXe siècle, la société du Bas-Canada reçoit la visite de quelques savants de marque, qui contribuent à entretenir le goût des arts et des sciences.

Sur les traces des botanistes du Régime français, le Français André Michaux arrive à Montréal en 1792. Grand voyageur, il a été chargé par le Jardin des plantes de Paris d'explorer la flore

Dessin de Pierre-Joseph Redouté pour la *Flora boreali-americana* de Michaux. (Musée du Séminaire de Québec, photo: Pierre Soulard)

de l'Amérique du Nord. En quelques mois, il visite la vallée du Richelieu et les alentours de Montréal, Québec, le Saguenay et le lac Saint-Jean. Avec quelques guides indiens, il se rend jusqu'au lac Mistassini, où il découvre et nomme une plante nouvelle, la *Primula mistassinia*, et tente même d'atteindre la baie d'Hudson par la rivière Rupert. L'hiver le contraint à rebrousser chemin. Ces recherches permettent à son fils, François-André Michaux, lui-même botaniste remarquable, de faire paraître à Paris, en 1803, la *Flora boreali-americana*, illustrée par le célèbre Pierre-Joseph Redouté, et où l'on peut trouver la description de 1700 espèces.

La flore de Michaux est sans rivale jusqu'en 1814, année où l'Allemand Frederick Pursh publie à Londres sa *Flora Americæ Septentrionalis*. Pour cet ouvrage, Pursh a pu tirer profit des récoltes faites au cours des grandes explorations de George Vancouver et des Américains Lewis et Clark, en plus de nombreuses autres sources. De 1816 à sa mort, survenue en 1820, Pursh vit à Montréal, où il travaille à rassembler les matériaux pour une flore du Canada. Malheureusement, il perd une bonne partie de ses collections dans un incendie en 1819. Pauvre et découragé, il meurt avant d'avoir pu compléter son œuvre.

Les travaux de Michaux et de Pursh ouvrent la voie aux botanistes américains. Entre 1820 et le milieu du siècle, Thomas Nuttall, Jacob Bigelow, Amos Eaton, John Torrey et de nombreux autres naturalistes font avancer peu à peu l'inventaire de la flore nord-américaine. Leurs travaux permettent à Asa Gray de publier en 1848 la première édition de son *Manual of the Botany of the Northern United States*, un classique souvent réédité et encore en usage de nos jours. Au Canada à la même époque, personne ne tente de rivaliser avec les savants américains. Tout au plus trouve-t-on quelques amateurs tel William Sheppard, riche marchand de bois de Québec, qui herborise dans les environs de la ville, parfois en compagnie de sa femme, naturaliste elle aussi, et de lady Dalhousie. Leurs travaux sont habituellement destinés à la LHSQ. On peut rappeler aussi William Green, qui appartient également à la LHSQ et qui publie à Montréal, en 1823, un petit ouvrage de botanique intitulé *Lower Canadian Plants: Outlined and Drawn in Black and White*.

En 1819, le célèbre Benjamin Silliman père, professeur de chimie à Yale, visite le Canada[17]. Le passage du savant américain n'a guère d'effet d'entraînement visible, mais quelques amateurs de science de Québec en garderont toutefois le souvenir; en 1827, par exemple, le *Journal de médecine de Québec* rappelle le fait[18]. En outre, on peut trouver à la librairie de John Neilson, à Québec, les numéros courants de l'*American Journal of Science*, fondé en 1818 par Silliman et devenue l'une des plus importantes revues scientifiques de l'époque. En 1833, un autre savant américain visite le Canada. Il s'agit de l'ornithologiste John James Audubon, déjà célèbre pour son monumental ouvrage, *Birds of America*, dont la publication avait commencé en 1827. Pour

Fous de Bassan, d'après une esquisse de Audubon réalisée lors de son expédition de 1833 dans le golfe du Saint-Laurent. (*Birds of America*, Musée du Séminaire de Québec, photo: Pierre Soulard)

compléter son inventaire des oiseaux du nord-est de l'Amérique, Audubon avait affrété un schooner à Boston et entrepris d'explorer le golfe du Saint-Laurent. Au cours de l'été 1833, il visite de nombreux points des Provinces maritimes, les îles de la Madeleine et la Côte-Nord du Québec, de Sept-Iles au détroit de Belle-Isle. À Natashquan, il rencontre l'expédition du capitaine Bayfield, chargé de dresser la carte hydrographique du Saint-Laurent et de faire un inventaire sommaire de la faune et de la flore de ces régions[19]. Nombre des renseignements rassemblés par Audubon au cours de son exploration du golfe trouveront le chemin des derniers volumes des *Birds of America*.

À la même époque, un obscur immigrant britannique, qui s'efforce en vain de faire fructifier une ferme des environs de Compton, profite de ses rares loisirs pour se livrer à l'histoire naturelle et échanger avec ses collègues de la Natural History Society de Montréal et de la LHSQ. En 1838, Philip Henry Gosse, dégoûté de la vie de défricheur, vend sa ferme et rentre en Angleterre. Sur le bateau qui le ramène, il rassemble ses souvenirs et ses observations dans un ouvrage qu'un éditeur de Londres acceptera de publier en 1840 sous le titre de *The Canadian Naturalist*. Sous la forme d'un dialogue entre un père et son fils, le livre contient de nombreuses observations sur les insectes et la flore du Canada, agrémentées de considérations sur la divine Providence. Un honnête succès récompense les efforts de Gosse et, surtout, lui ouvre les portes d'une carrière comme naturaliste et vulgarisateur scientifique. Auteur prolifique, Gosse deviendra l'un des vulgarisateurs les plus réputés du XIXe siècle.

En octobre 1840, un personnage extraordinaire apparaît sur la scène montréalaise : il s'agit du Français Nicolas-Marie-Alexandre Vattemare, ventriloque et philanthrope. Déjà célèbre en Europe et aux États-Unis pour ses dons d'artiste et comme promoteur des échanges culturels entre les pays, Vattemare est accueilli avec bienveillance, autant par le public que par les autorités religieuses et politiques. Il en profite pour proposer la création d'une institution qui regrouperait les principaux organismes culturels de Montréal, parmi lesquels on compte la Natural History Society. Le projet semblant en bonne voie d'être réalisé, Vattemare se rend à Québec poursuivre sa campagne. Le journaliste suisse Napoléon Aubin, du journal *Le Fantasque*, se fait le propagateur des idées de Vattemare et propose de regrouper les institutions culturelles de la ville dans les bâtiments désaffectés de l'ancien collège des Jésuites. Il est alors question d'y installer un musée d'histoire naturelle, une bibliothèque, des salles de cours et d'exposition, etc. Malheureusement, les projets à Montréal comme à Québec ne survivent pas au départ de Vattemare qui retourne aux États-Unis au printemps de 1841. L'influence de ses idées se serait toutefois fait sentir dans la création des Instituts canadiens de Montréal et de Québec à partir de 1844.

Le gouvernement du Bas-Canada, protecteur des sciences

Tout comme les membres de la famille royale d'Angleterre et

autres têtes couronnées, le gouverneur se doit d'accorder son patronage aux différentes sociétés savantes qui en font la demande. L'exemple de lord Dalhousie, fondateur et protecteur de la LHSQ, sera suivi par tous ses successeurs. Beaucoup plus tard, le marquis de Lorne, gouverneur général du Canada, sera à l'origine de la création de la Société royale du Canada, en 1882.

S'il n'y a rien d'étonnant à ce que le représentant de la couronne accorde sa protection aux arts et aux sciences dans le Bas-Canada, la politique n'est pas absente de cette pratique. La vieille querelle entre le gouverneur et les députés patriotes de l'Assemblée s'étend au patronage des institutions scientifiques et des cercles littéraires, les seconds s'efforçant de paraître plus éclairés et plus généreux encore que le premier. En 1828 paraît dans le *Journal de la Chambre d'Assemblée du Bas-Canada* le texte d'une «pétition» que la NHSM a adressée aux députés afin d'obtenir leur appui[20]. Habilement, les auteurs de la «pétition» font d'abord appel aux sympathies démocratiques de plusieurs députés en rappelant que leur société «a été fondée sur des principes les plus libéraux, toutes les classes de la société y étant admises, le désir d'avancer les sciences dans le pays étant la seule qualification requise». Cela constitue, bien sûr, une critique indirecte des prétentions aristocratiques du gouverneur et de la LHSQ. Ensuite, on précise à quoi devrait servir la somme demandée : achat de spécimens d'histoire naturelle et de vitrines ; achat de livres savants, sans lesquels «les sujets ne peuvent être regardés que comme des curiosités, tandis que réunis ils s'assistent et servent à s'expliquer l'un par l'autre» ; salaires des empailleurs et des gardiens, et enfin, achat de «Pluviomètres, Baromètres, Thermomètres, Hygromètres et autres instruments propres à découvrir et analyser les minéraux et les eaux minérales». Ce programme doit sembler bon aux députés puisqu'ils s'entendent sur une subvention de £ 200 à la société de Montréal, afin, précisent-ils, de l'aider «dans ses recherches utiles et scientifiques». Ce geste se répétera régulièrement, non seulement au profit de la NHSM, mais aussi de la LHSQ, des Mechanics' Institutes, des bibliothèques publiques, etc.

C'est également pour rivaliser de générosité avec le gouverneur que les députés favorisent à deux reprises, en 1828 et en 1830, le Musée d'histoire naturelle de Pierre Chasseur et

Joseph Bouchette, arpenteur général du Bas-Canada. (Archives publiques du Canada, C-10868)

qu'ils prennent ses collections sous leur garde en 1836. Ces mesures ont dû leur sembler d'autant plus agréables que Chasseur est un fervent patriote et un admirateur inconditionnel de Louis-Joseph Papineau — il sera d'ailleurs emprisonné pour ses activités politiques en 1837 et en 1838. Enfin, l'Assemblée encourage de temps à autre la publication d'ouvrages de science, de médecine ou d'agriculture, soit en accordant une subvention aux auteurs, soit en achetant à l'éditeur un grand nombre d'exemplaires. Ainsi, les ouvrages de Bouchette, *A Topographical Description of the Province of Lower Canada*, paru à Londres en 1815, et *The British Dominions in North America*, peuvent être publiés grâce à l'appui de l'Assemblée.

En dépit de l'importance que le gouverneur et les députés paraissent accorder au patronage des auteurs et des sociétés savantes, la véritable impulsion que donne le gouvernement colonial à l'avancement des sciences a sa source dans les transformations économiques que connaît le Bas-Canada à cette époque. L'industrialisation n'est pas encore à l'ordre du jour, mais le Bas-Canada est déjà intégré à l'économie du monde : fournisseur de blé pour l'alimentation des ouvriers anglais, fournisseur de bois et bientôt de navires pour le commerce transatlantique, le pays doit accueillir en échange les marchandises des manufactures de Manchester ou de Birmingham. Il doit accueillir également des milliers de fermiers et de petits artisans irlandais, anglais ou écossais que la Révolution industrielle a réduits à la misère et forcés à l'émigration.

Les explorations sont une des grandes passions du XIXᵉ siècle. Les explorateurs, qui précèdent toujours les missionnaires et les militaires, font figure de héros nationaux et l'on s'arrache leurs relations de voyages. Le gouvernement et la société du Bas-Canada restent d'autant moins insensibles à cette vogue des explorations que la pression démographique, sous l'effet composé de la forte natalité canadienne-française et de l'immigration britannique, commence à augmenter dangereusement dans la colonie : il faut découvrir de nouveaux territoires propices à l'agriculture ou à l'exploitation forestière pour répondre aux arrivants.

En 1827, le Bas-Canada reçoit un visiteur de marque : le capitaine John Franklin, distingué officier de la Royal Navy, qui revient de sa deuxième expédition dans les Territoires du Nord-Ouest et le delta du fleuve Mackenzie. Comme William Edward Parry et John Ross, Franklin est au nombre de ces marins et de ces explorateurs que l'amirauté britannique envoie à la découverte du fameux « passage du Nord-Ouest » dans la première partie du XIXᵉ siècle. Déjà célèbre pour son expédition de 1819, Franklin rapporte, en 1827, une nouvelle moisson de renseignements sur la géographie et l'histoire naturelle de ces régions désertiques. Ces renseignements seront portés à la connaissance du public dans le *Narrative of a Second Expedition to the Shore of the Polar Sea*, que publie Franklin en 1828, et surtout, dans les différents volumes de la *Fauna boreali-americana; or the Zoology of the Northern Parts of British America* qui paraissent à Londres à partir de 1831 et qui deviendront rapidement des classiques de l'histoire naturelle. Dans son journal personnel, lord Dalhousie note les détails d'une rencontre au cours de laquelle l'explorateur exhibe quelques cartes et raconte ses voyages :

> Le capitaine Franklin a parcouru ces cartes qui indiquent clairement la position des rivières MacKenzie et Coppermine, ainsi que celle des Rocheuses et de plusieurs tribus indiennes et esquimaudes. Tout cela était également représenté dans une collection de dessins exécutés par monsieur Kendall et le capitaine Back, dessins splendides et d'un style si vif qu'ils nous font sentir le caractère sauvage de ces régions. Grâce à ces cartes et à ces dessins, Franklin nous a fait suivre ses voyages, relatant si fidèlement chaque instant de ses aventures que j'avais l'impression d'avoir lu son livre... même s'il n'en a pas encore écrit une seule ligne[21].

Il est difficile de savoir si le capitaine Franklin a fait une aussi forte impression sur tout le public du Bas-Canada et, en particulier, sur les députés de l'Assemblée. Chose certaine, sa visite coïncide avec l'intérêt que portent tout à coup ceux-ci aux explorations. En 1828, Andrew et David Stuart sont chargés par le gouvernement du Bas-Canada d'explorer le Saguenay et la région du lac Saint-Jean. Leur rapport, publié dans le *Journal de l'Assemblée* l'année suivante, contient de nombreuses indications sur le potentiel agricole de ces régions, de même que sur leur géologie et leur histoire naturelle. En 1830, une nouvelle expédition, sous la conduite de Toussaint Pothier et du lieutenant F.L. Ingall, explore le territoire compris entre le Saint-Maurice et l'Outaouais. Rendu public en 1830, le rapport de cette expédition comprend la liste des minéraux recueillis, le « catalogue des plantes, arbustes et arbres de haute futaie » de la région, la « liste des poissons vus » et celle « des animaux, oiseaux et poissons pris et tués dans l'exploration[22] ». D'autres explorateurs, mandatés soit par le gouvernement colonial, soit par la Royal Navy ou les Royal Engineers, seront envoyés à la même époque dans la péninsule de Gaspé, les Cantons de l'Est et les « pays d'en Haut ». Ce sont les résultats de leurs travaux que l'arpenteur général du Bas-Canada rassemble, en 1832, dans *The British Dominions in North America*, afin de faire mieux connaître les ressources naturelles du pays et favoriser l'immigration.

À la même époque, les entrepreneurs et tous ceux qui rêvent de voir le Haut et le Bas-Canada s'industrialiser grâce au fer, au charbon ou à d'autres types de gisements miniers, commencent également à réclamer du gouvernement qu'il mette sur pied un Geological Survey, c'est-à-dire un organisme responsable de l'inventaire des ressources minéralogiques. De tels services existent déjà en Angleterre depuis 1835 et dans quelques États américains. Le projet trouve un accueil favorable auprès des députés, mais les événements politiques de 1837 et de 1838 se produisent avant qu'il ne soit mené à terme. La Commission géologique du Canada ne verra le jour qu'en 1842.

Des savants dans la tourmente politique

Précipité par les mauvaises récoltes et les épidémies de choléra qui frappent le Bas-Canada en 1832 et en 1834, l'orage politique éclate en 1837.

Le climat de ces années troublées n'est guère propice aux études; les activités des sociétés savantes vont en être considérablement touchées. À compter de 1832, l'Assemblée, dont c'est le principal moyen de pression, refuse régulièrement de voter les crédits demandés par le gouverneur. Cette mesure prive automatiquement les sociétés savantes des subsides sur lesquels elles devaient compter pour enrichir leurs bibliothèques et leurs musées. Plus grave encore, l'agitation politique avive les dissensions de « races » au sein de ces institutions et draine l'énergie des membres qui étaient parfois les plus actifs. En 1837 et en 1838, nombre de ceux qui s'étaient distingués dans le mouvement scientifique se retrouvent au premier rang des affrontements politiques. On sait déjà que Pierre Chasseur est emprisonné pour ses liens avec les insurgés. Le journaliste Napoléon Aubin, un Suisse qui a donné à quelques reprises des cours publics de science à Québec, est arrêté à la même époque pour avoir critiqué un peu trop vertement la politique du gouverneur. Plus sérieusement compromis, Robert-Shore Milnes Bouchette, fils de Joseph Bouchette et arpenteur comme son père, membre éminent de la Société pour l'encouragement des sciences et des arts et de la LHSQ, est exilé aux Bermudes. Autre exemple, Amury Girod, qui avait fondé une école d'agriculture avec Perrault et traduit quelques traités d'agriculture à l'intention des habitants du Bas-Canada, commande les patriotes à Saint-Eustache aux côtés du docteur Chénier.

À Québec, la LHSQ est particulièrement éprouvée par

la crise de 1837 et de 1838. Le climat de collaboration et de tolérance qui avait permis le rapprochement des Canadiens anglais et des Canadiens français, unis par le même intérêt pour les arts et les sciences, disparaît soudainement. Lord Durham exagère à peine lorsqu'il écrit, dans son fameux *Rapport*, que les deux groupes ont rompu toute attache et que rien ne semble pouvoir les rapprocher désormais. De fait, les Canadiens français quittent en nombre la LHSQ au cours de cette époque et vont tenter, dans les années qui suivent, de former de nouvelles sociétés savantes. En 1840, l'historien François-Xavier Garneau et le juge Louis-David Roy, qui est aussi botaniste à ses heures, lancent l'*Institut ou Journal des étudiants*, petite revue savante qui n'aura qu'une courte existence. La Société canadienne d'études littéraires et scientifiques que fondent Chauveau, Aubin, le docteur Joseph-Charles Taché et une poignée d'autres jeunes Canadiens français, ne dure guère plus longtemps : née en octobre 1843, elle disparaît en 1848, après quelques années d'une existence sans histoire, pour faire place à l'Institut canadien de Québec. Moins radical, politiquement, que l'Institut de Montréal, et, par conséquent, moins célèbre, l'Institut canadien de Québec n'en deviendra pas moins un intense foyer de vie culturelle dans cette ville, offrant à plusieurs jeunes intellectuels canadiens-français la chance de développer leurs goûts pour les lettres ou les sciences.

Néanmoins, c'est davantage le départ de la législature et de l'administration gouvernementale pour Kingston que la désaffection des Canadiens français qui cause le déclin de la LHSQ à partir de 1841. La société perd alors l'envergure nationale qu'elle avait eue quelques années plus tôt, sous lord Dalhousie, et devient une institution locale, au service de la minorité anglophone de la ville de Québec.

Le déclin de la LHSQ ne signifie pas le déclin de l'intérêt pour les arts et les sciences. Les événements politiques, pour dramatiques qu'ils soient, n'ont qu'un effet passager sur les institutions et les habitudes culturelles de la bourgeoisie du Bas-Canada. À peine sorti de prison, Napoléon Aubin reprend ses cours populaires de chimie et de physique. Le journal *Le Canadien* cite à plusieurs reprises, au cours du mois d'avril 1839, le succès que remportent les séances au cours desquelles Aubin réalise « des expériences relatives aux machines à vapeur, décomposition et formation de l'eau, expériences sur le gaz hydrogène et oxygène, éclairage au gaz, fusion du platine et combustion de l'antimoine, gaz hilarant, mélanges détonnants et galvanisme[23]», etc. Comme on l'a vu, de nouvelles sociétés se forment à Québec et, à Montréal, on continue de se presser aux réunions de la NHSM et de l'Institut canadien. Le Cabinet de lecture paroissial des Sulpiciens a également son public fidèle et la lutte farouche qu'il mène contre l'influence de l'Institut canadien et des Rouges anime la scène intellectuelle montréalaise. En 1857, le Cabinet inaugure une série de conférences consacrées à des sujets littéraires, théologiques ou historiques. Peut-être pour répondre aux accusations selon lesquelles l'Église serait opposée à la science, on fera également place, à l'occasion, à des sujets scientifiques : en avril 1857, par exemple, l'abbé Louis Billion, professeur au Collège de Montréal, fera une conférence sur l'histoire de l'électricité. En 1859, ce sera au tour de Thomas Sterry Hunt, savant professeur de minéralogie à l'Université Laval et chimiste de la Commission géologique, de faire un tableau de la géologie canadienne.

Si, après 1840, les sociétés savantes du Bas-Canada continuent de prospérer et de faire sentir leur influence dans la circulation des idées scientifiques, elles n'en sont pas moins reléguées au second rang par la croissance des services techniques de l'État et, surtout, par le développement de l'enseignement. Un moment troublées par la crise politique, les institutions d'enseignement ont vite retrouvé leur calme et repris leur croissance : les collèges et les séminaires se multiplient, l'Université Laval ouvre ses portes en 1852 et, à peu près au même moment, l'arrivée de William Dawson va permettre à l'Université McGill d'organiser sur une base solide son enseignement des sciences. Parallèlement, la fusion des deux Canadas s'accompagne d'une réforme des services gouvernementaux, dont l'élément scientifique principal est sans contredit la création de la Commission géologique du Canada.

Autre signe des temps, Montréal sera désormais, en même temps que le centre économique et culturel du pays, son centre scientifique.

CHAPITRE 4

VERS LA MÉDECINE MODERNE

L'évolution des institutions médicales, institutions d'enseignement et institutions professionnelles, révèle l'émergence
progressive, depuis l'aube du XIXe siècle jusqu'au tournant de
1900, d'une médecine de plus en plus dissociée des savoirs
populaires et de plus en plus proche des sciences de laboratoire
modernes comme la biologie et la chimie. Depuis les
commencements anarchiques de la médecine au Bas-Canada, où
chacun, à peu de chose près, peut installer son cabinet comme
il l'entend, jusqu'à la réglementation très stricte prévalant à la
fin du XIXe siècle, en passant par les multiples restrictions
successives du droit d'exercer imposées par l'État et par le Collège
des médecins à partir de 1847, on assiste non pas simplement
à un phénomène d'accaparement d'une pratique fort lucrative
par une élite, mais aussi à l'extension continue du savoir médical
savant aux dépens des savoirs populaires ou empiriques.

Médecine savante contre savoir populaire

La lutte entre la médecine savante et les pratiques populaires
durait depuis toujours. Déjà du temps de la Nouvelle-France,
l'intendant Bigot avait dû émettre une ordonnance enjoignant
à « plusieurs personnes inconnues venant d'Europe et d'ailleurs
qui s'ingéroient d'exercer la chirurgie, tant dans les villes que
dans les campagnes de cette colonie, sans aucune permission »
de mettre fin à leurs activités préjudiciables « à la conservation
des sujets du Roy[1] ». La Conquête ne modifie guère cette
réglementation: la « conservation » de ses sujets important tout
autant au roi d'Angleterre qu'au roi de France, les gouverneurs
britanniques doivent eux aussi intervenir à quelques reprises afin

de réprimer les abus des charlatans. En 1788, répondant aux vœux de quelques médecins, le gouverneur du Bas-Canada, lord Dorchester, promulgue une nouvelle ordonnance selon laquelle il est désormais interdit de pratiquer la médecine sans un certificat de compétence émis par le Bureau de médecins désigné à cette fin. Tous les candidats à la pratique de la médecine doivent par conséquent passer un examen devant le Bureau; seuls les médecins diplômés d'une université reconnue et les médecins militaires en poste dans les garnisons de l'armée britannique au Canada en sont dispensés.

L'ordonnance de lord Dorchester représente une étape importante dans l'histoire de la profession au Canada: pour la première fois, les médecins se trouvent officiellement associés au pouvoir politique dans la gouverne de leurs affaires professionnelles. Cependant, en tant que mesure destinée à restreindre le charlatanisme et les pratiques populaires, l'ordonnance de 1788 n'a qu'un effet limité. Les médecins réguliers sont trop peu nombreux dans le Bas-Canada pour répondre à tous les malades; la population des campagnes et le petit peuple des villes surtout doivent continuer de s'en remettre à l'art des guérisseurs et aux bons vieux remèdes de «bonne femme». La médecine savante est un luxe rare: en 1792, il n'y a que 49 médecins «certifiés» pour toute la province du Bas-Canada, qui compte alors plus de 100 000 âmes! Bien sûr, le nombre des médecins augmentera plus rapidement que la population au cours des années suivantes, mais en 1838, ils ne sont encore que 239 pour tout le Bas-Canada[2].

Dans ces conditions, on comprend que la médecine populaire ait pu survivre si longtemps. Le médecin, quand il y en a un dans le canton, représente l'ultime recours. Pour les maladies et les blessures, des gens comme des bêtes, on s'en remet d'abord aux médecines des «Sauvages» et des grand-mères, ou encore aux bons soins du rebouteux ou du ramancheur local. Les accouchements sont affaire de voisines et il s'en trouve toujours une dans la paroisse à avoir mérité le titre de sage-femme par son talent ou son expérience en la matière. Le petit commerce des colporteurs dans les campagnes et celui des épiciers dans les villes fournissent quelques remèdes éprouvés, tels le brandy (comme stimulant cardiaque), les sirops opiacés (souverains contre la toux), les pastilles de camphre (contre l'arthrite ou les rhumes), l'huile de castor, la réglisse, la salsepareille (indiquée « pour les maux de femmes »), sans oublier ce grand classique de la médecine populaire nord-américaine, le *painkiller*. La posologie de cette potion miracle donne à rêver : une cueillère à thé pour les enfants, une cuillère à soupe pour les adultes... et une demi-bouteille pour les chevaux !

Éclectiques et homéopathes

Les Québécois de l'époque peuvent également puiser directement dans la nature nombre de produits capables de soulager leurs maux. Nous connaissons aujourd'hui plus de 800 espèces de plantes de l'Amérique du Nord dont les Amérindiens et les premiers colons faisaient un usage thérapeutique. Parmi ces espèces, on trouve par exemple le sapin baumier (*Abies balsamea*), dont la gomme a des propriétés antiseptiques et cicatrisantes, la caulophylle (*Caulophyllum thalictroides*), que les Amérindiens appelaient *squaw root* parce qu'elle peut faciliter les accouchements ; la sanguinaire (*Sanguinaria canadensis*), réputée comme vomitif et laxatif ; le thé des bois (*Gaultheria procumbens*), recommandé contre les excès de table ; et bien sûr le célèbre ginseng (*Panax quinquefolium*), herbe à tout faire de la pharmacopée populaire depuis le XVIIIe siècle. La médecine des plantes, mélange de recettes apprises des Amérindiens, de secrets apportés d'Europe par les vagues successives d'immigrants et de découvertes empiriques faites par ceux qui ont défriché le pays, est à ce point développée qu'elle donne naissance, au milieu du siècle dernier en Amérique du Nord, à une classe de médecins populaires : les éclectiques. Généralement issus des classes populaires, sans diplôme et parfois même illettrés, les éclectiques ne s'en réclament pas moins d'une doctrine médicale assez complexe, fondée essentiellement sur l'usage des plantes et sur le respect des « voies de la nature ». On dirait aujourd'hui des médecins éclectiques qu'ils pratiquaient une médecine « douce ».

On pourrait faire la même remarque au sujet d'une autre école de médecins populaires, les homéopathes, qui admettent cependant dans le traitement de la maladie d'autres substances que les substances végétales. Leur premier principe consiste à opposer à la maladie de petites doses d'une substance qui, dans un organisme sain, ferait apparaître les symptômes de la maladie. Cette idée de combattre le feu par le feu est fondée sur de nombreuses observations : la quinine, par exemple, peut provoquer des effets semblables à la malaria chez une personne en santé, alors qu'elle permet de contrôler les accès de la maladie chez un sujet atteint. L'homéopathie donne parfois des résultats aussi satisfaisants que ceux de la médecine officielle.

Aussi, la médecine des éclectiques et des homéopathes, plus proche des traditions populaires, plus près du sens commun et, surtout, pratiquée par des gens issus du milieu, connaît-elle une grande vogue dans les campagnes et dans les quartiers populaires des villes au XIXe siècle. Menacée par ces succès et par toutes les autres formes de médecine irrégulière, la médecine officielle se défend, bien sûr, avec vigueur. D'un bout à l'autre du siècle, on voit les médecins « certifiés » s'insurger contre ce qu'ils nomment les abus du charlatanisme, rangeant dans une même catégorie homéopathes, éclectiques, rebouteux, sages-femmes, marchands de potions miracles et authentiques *quack doctors*.

Il faut dire que les prétentions de plusieurs médecins irréguliers rendaient la partie plus facile à la médecine officielle. En 1854, alors qu'une nouvelle épidémie de choléra menace le Canada, un certain docteur Bardy, homéopathe de renom de Québec, fait paraître dans les journaux l'annonce suivante : « Le docteur soussigné, guidé par l'expérience, offre des Globules Homéopathiques, comme remèdes prophylactiques (préservatifs), préparés à l'usage des familles, que l'on doit prendre durant la durée de l'épidémie. Il faut se suspendre un sou au creux de l'estomac, vis-à-vis le plexus coronaire et la transpiration agissant sur le cuivre y produit le vert-de-gris, et concourt avec le remède pris intérieurement à neutraliser le virus cholérique[3]. » Cette suggestion expose le malheureux docteur Bardy à la risée de tous les médecins réguliers et probablement aussi d'une bonne partie du public du temps. Cependant, les charlatans et les inventeurs de remèdes ne sont pas toujours aussi comiques, ni aussi inoffensifs. La presse médicale du siècle dernier est pleine d'histoires d'horreur relatant les méfaits de quelque rebouteux de campagne ou de quelque sage-femme improvisée. À tort ou à raison, on attribuait à l'intervention des charlatans dans les cas d'accouchements difficiles le grand nombre d'infirmes dans les paroisses rurales et les régions de colonisation. Plusieurs praticiens se plaignaient d'être appelés trop souvent en dernière extrémité, quand leurs rivaux sans diplôme avaient eu tout loisir d'aggraver la maladie ou la blessure.

Les jeunes médecins, forcés de s'établir dans les campagnes et les cantons les plus reculés à mesure que les rangs de la profession se gonflent, sont tout particulièrement éprouvés par la concurrence des guérisseurs populaires qui les contraignent à baisser leurs prix. Dans le village de Sainte-Julienne, en 1885, les habitants ont eux-mêmes fixé le tarif médical : 1,50 $ pour un accouchement, 0,25 $ pour une visite de jour, 0,50 $ pour une visite de nuit, 0,10 $ pour l'extraction d'un pois du nez d'un enfant, 0,15 $ pour l'extraction d'une dent, et ainsi de suite[4]. Le médecin qui n'est pas satisfait de ces honoraires n'a qu'à s'en aller, laissant la place aux guérisseurs !

Face à la médecine officielle et à la profession, la médecine populaire ne recule que pas à pas. Encore en 1885, un député, prenant la parole à l'Assemblée législative pour défendre les médecins sans diplôme, affirme que l'État n'a pas à favoriser une caste de charlatans plutôt qu'une autre et que le public a tout intérêt à ce que personne ne puisse se réserver un monopole aussi lucratif que l'exercice de la médecine. Peu impressionnés, semble-t-il, par les instruments et les discours de la médecine savante, les Québécois des classes populaires continuent longtemps à s'en remettre à leurs propres connaissances médicales et aux talents des guérisseurs.

Ce n'est qu'à la toute fin du XIXe siècle que l'on voit cette attitude changer dans les campagnes et les quartiers pauvres, non que la bonne parole prêchée par le Collège des médecins y soit enfin entendue mais parce que de nouvelles découvertes scientifiques et médicales donnent à la médecine moderne un avantage décisif sur la médecine populaire. La découverte du chloroforme, premier anesthésiant sûr et efficace, puis la mise au point des techniques aseptiques et antiseptiques permettent à la chirurgie de sortir de son « âge terrible » : enfin la médecine peut intervenir à l'intérieur du corps tout en assurant au malade de bonnes chances de s'en rétablir.

Les mesures d'hygiène publique et la vaccination permettent d'enrayer peu à peu les épidémies de choléra, de typhus et de variole qui ont frappé le Bas-Canada avec régularité tout au long du siècle. La chose ne va pas sans résistances dans la population et le corps médical lui-même. L'opposition à la vaccination obligatoire, à la mise en quarantaine des malades et au placardage des maisons frappées est particulièrement vive, allant jusqu'à provoquer des émeutes à Montréal en 1885[5]. Dans le dernier quart du siècle, la vaccination est sans aucun doute une « cause célèbre » de la médecine moderne au Québec, où celle-ci affronte — à son avantage bien sûr — les croyances populaires et les derniers représentants de la tradition médicale prépasteurienne.

Les rayons röntgens, ou rayons X, permettent au médecin de localiser les fractures plus facilement et de les soigner plus sûrement que ne pouvaient le faire les rebouteux. Les hôpitaux, depuis toujours des « mouroirs » où seuls les déshérités et les sans-famille se résignaient à aller finir leurs jours, se transforment : on y installe des salles de chirurgie et d'accouchement, des laboratoires de bactériologie et d'histopathologie, des cliniques spécialisées de neurologie, de médecine interne, d'ophtalmologie, etc., qui donnent aux médecins et aux jeunes internes l'occasion de parfaire leur formation auprès des maîtres du domaine. Enfin, l'industrie pharmaceutique se développe, s'appuyant à la fois sur les découvertes de la chimie et de la physiologie et sur les connaissances traditionnelles des propriétés médicinales des plantes. Les usages populaires des plantes sont systématiquement recensés, puis le chimiste isole la substance active. Une fois les dosages établis, le médicament est introduit sur le marché, d'où il déloge généralement le produit original.

Ce sont ces progrès et ces réformes de la médecine savante, davantage que la propagande des corporations contre le charlatanisme et les pratiques populaires, qui sonnent le glas de celles-ci au tournant du XXe siècle.

Vers l'autonomie de la profession médicale

Unis dans leur lutte contre les charlatans, les médecins « certifiés » n'en sont pas moins divisés sur nombre de questions. Constamment dressés les uns contre les autres, médecins francophones et médecins anglophones, catholiques et protestants, diplômés des universités d'Europe et d'Amérique et praticiens formés par l'apprentissage, tous luttent pour le contrôle des institutions d'enseignement et des bureaux d'examinateurs qui délivrent les certificats de pratique.

Au début du siècle, il existe au Bas-Canada trois catégories de médecins réguliers, c'est-à-dire de médecins qui peuvent prétendre obtenir un certificat du Bureau établi en 1788 par le gouverneur. Les premiers, et les mieux considérés, sont les médecins diplômés des universités de la Grande-Bretagne et, plus spécialement, des universités d'Écosse. Ces dernières jouissent d'une réputation mondiale, ayant été les premières à suivre l'exemple de l'Italie et de la Hollande en instituant, de pair avec l'enseignement traditionnel des différentes branches de la médecine dispensé par le professeur du haut de sa chaire, un enseignement clinique, dispensé par un « patron » dans les salles d'hôpital, directement au contact des malades. Une deuxième catégorie est formée par les médecins ayant fait leurs études dans d'autres universités, habituellement dans les universités des États américains proches de la frontière canadienne. Ces écoles de médecine sont d'inégale valeur. Bien peu peuvent offrir aux étudiants l'occasion de parfaire leur formation dans les salles d'un hôpital. Viennent enfin les médecins ayant appris leur art auprès d'un praticien établi et s'étant fait la main aux risques de ses clients.

Les premiers, habituellement d'origine britannique, dominent sans contredit la scène médicale dès 1800 et vont s'efforcer de maintenir leur ascendant sur la profession jusqu'au milieu du siècle. Ils peuvent d'ailleurs compter sur la faveur des autorités coloniales qui font en sorte que les médecins diplômés des universités britanniques soient toujours bien représentés au Bureau des examinateurs, ce qui leur permet d'interdire l'entrée de la profession aux candidats des factions rivales, souvent des Canadiens français ou des Américains. En 1823, le groupe des médecins britanniques marque un point important dans la lutte pour la suprématie : la première école de médecine au Canada s'ouvre sous le nom de Montreal Medical Institution. L'école, qui deviendra en 1829 la Faculté de médecine de l'Université McGill, est établie sur le modèle des universités écossaises : les cours de matière médicale ont pour complément des séances de dissection et des cours de cliniques dans les salles du Montreal General Hospital. La même année, le gouverneur du Bas-Canada, lord Dalhousie, nomme l'ensemble des professeurs de la nouvelle école au Bureau des examinateurs du district de Montréal, leur accordant du même coup le monopole de l'enseignement et le contrôle de la pratique.

Peu disposés à subir sans résister l'ascendant et les abus des médecins britanniques, les autres groupes multiplient les assauts pour obtenir une plus large participation à la gouverne de la profession médicale. Chaque fois qu'un candidat est refusé par le Bureau de Montréal, et tout spécialement lorsqu'il s'agit d'un Canadien français, les confrères font un tollé dans la presse et devant les tribunaux. Plusieurs candidats éconduits vont jusqu'à porter leur affaire devant le Conseil législatif et le gouverneur, habituellement avec succès.

À Québec, soucieux de montrer qu'on peut ne pas avoir de diplôme d'Édimbourg ou de Glasgow et être fort savant, un groupe de jeunes médecins, où dominent quelques Canadiens français, fonde en 1826 la Société médicale de Québec, « dans l'unique but, maintenant et pour toujours de promouvoir la diffusion et le perfectionnement des diverses branches de la science médicale, savoir : l'histoire naturelle, la botanique, la physique, la chirurgie, l'anatomie, la physiologie, la jurisprudence médicale, la police médicale et l'art obstétrique[6] ».

Les docteurs François-Xavier Tessier et François Blanchet, qui ont tous deux fait des études médicales à New York et qui sont des figures centrales dans le groupe de Québec, joignent leurs efforts pour créer, la même année, le *Journal de médecine de Québec*. Celui-ci, comme son titre l'indique, a pour but la diffusion du savoir médical parmi les praticiens du Bas-Canada. Les médecins peuvent y lire le compte rendu des dernières découvertes de la médecine européenne et américaine, de même que le fruit des recherches originales de leurs confrères canadiens.

Le *Journal de médecine de Québec*, comme on peut s'en douter, se fait également l'avocat de tous les médecins opposés à la suprématie des médecins britanniques, tout en ouvrant ses pages à ceux-ci, de même qu'aux médecins étrangers.

Le *Journal* disparaît un an après sa création, mais la lutte ne cesse pas pour autant. Au contraire, la Société médicale de Québec fait tant et si bien qu'en 1831 les députés du Bas-Canada votent une nouvelle loi devant pourvoir « d'une manière plus efficace à des Règlements concernant la pratique de la Médecine, la Chirurgie et la Profession d'Accoucheur[7] ». La loi améliore nettement la situation des médecins canadiens-français. Au lieu d'être nommés par le gouverneur, les membres des bureaux d'examinateurs de Québec et de Montréal sont désormais élus par les médecins eux-mêmes. Les candidats à la pratique doivent avoir 21 ans, connaître le latin, avoir été pendant cinq ans au moins l'apprenti d'un médecin « certifié » ou avoir étudié dans une université reconnue.

Avec la loi de 1831, la profession passe d'un gouvernement directorial à un gouvernement collégial : désormais, les médecins doivent administrer eux-mêmes les affaires de leur profession et, tout particulièrement, l'admission des nouveaux membres. Les médecins britanniques font obstacle à cette réforme du mieux qu'ils peuvent. La période, d'ailleurs, favorise les affrontements entre les groupes ethniques. En 1832 et en 1834, deux terribles épidémies de choléra frappent le Bas-Canada. La maladie arrive chaque fois au printemps, avec les immigrants irlandais et britanniques, ce qui n'adoucit pas l'humeur de la population canadienne-française envers l'Angleterre et les autorités coloniales. De leur côté, les médecins sont sans réponse devant les ravages de la maladie, ce qui n'est pas pour rehausser leur image auprès de la population, et quelques-uns profitent de la situation pour mettre sur le marché toutes sortes de remèdes miracles.

Sur la scène politique, les patriotes, menés par Louis-Joseph Papineau, affrontent les représentants de l'oligarchie britannique et le gouverneur. Comme on le sait, les luttes constitutionnelles vont conduire aux affrontements de 1837 et de 1838. Nombreux sont les médecins au premier rang de la bataille. Dans le camp des patriotes, on compte les docteurs Robert et Wolfred Nelson, tous deux praticiens en vue de Montréal, le docteur Côté et le docteur O'Callaghan, lieutenants de Papineau, et surtout le docteur Jean-Olivier Chénier, héros de la bataille de Saint-Eustache.

Un vent de mesmérisme

Lorsque lord Durham débarque à Québec, les médecins du Bas-Canada ne sont pas les derniers à vouloir porter leurs doléances à l'oreille du nouveau gouverneur. Celui-ci a d'ailleurs amené son médecin personnel, sir John Doratt, qu'il institue « Inspecteur des Hôpitaux » du Bas-Canada et qu'il charge de faire enquête sur la situation de la médecine. Le célèbre *Rapport* que lord Durham adresse à Londres au terme de sa mission comporte des appendices qui indiquent que sir John n'a pas chômé : on y traite de l'« état des hôpitaux, des prisons, des institutions de charité, etc., du Bas-Canada », de la station de quarantaine établie à la Grosse-Île pour prévenir les épidémies, de l'état des études médicales dans la province et surtout de la nécessité d'établir une seconde école, en plus de celle qui existe déjà à Montréal.

Le séjour de lord Durham dans la colonie est trop bref pour qu'il puisse faire appliquer ces recommandations. Quand il s'embarque pour l'Angleterre, en novembre 1838, il ne laisse derrière lui, parmi les médecins du Bas-Canada, qu'un curieux intérêt pour un phénomène qui passionne alors l'Europe, le mesmérisme, ou, si l'on préfère, l'hypnotisme. En effet, lord Durham comptait dans sa suite un certain Edmund Gibbon Wakefield, aventurier de grand style et « magnétiseur » célèbre en Angleterre. Dans sa jeunesse, il avait passé trois ans à la prison de Newgate pour avoir « magnétisé » avec un peu trop de succès une jeune fille de bonne famille...

Quoi qu'il en soit, Wakefield est reçu avec bonne grâce par les médecins du Bas-Canada et tient de nombreuses séances de mesmérisation à leur intention. Ces séances ont lieu soit au château du gouverneur, soit dans la demeure d'un médecin en vue, ou encore au *mess* des officiers de la garnison de Québec. Les sujets de ces expériences sont parfois des membres de la bonne société, mais le plus souvent on expérimente sur des prisonniers ou sur quelques pauvres hères, attirés par la promesse d'un écu ou de la guérison de leurs infirmités. Il faut dire que l'expérience pouvait être assez douloureuse : afin de vérifier l'état d'engourdissement et de sujétion des victimes, les spectateurs ne se privent pas de les pincer, de leur tirer les cheveux, de les piquer avec des épingles ou encore de leur faire avaler toutes sortes de choses.

L'hypnotisme est davantage un sujet d'amusement pour les médecins du temps qu'un moyen de soigner. Cependant, quelques expériences sont faites dans ce sens. Le docteur E.D. Worthington rapporte qu'à l'époque où il était l'élève du docteur James Douglas, praticien célèbre de Québec, il assista à une opération au cours de laquelle un patient « magnétisé » subit l'ablation d'une section de côte[8]. Un autre médecin de Québec, le docteur Olivier Robitaille, raconte dans ses *Mémoires* comment il s'inspira de l'exemple de Wakefield et de la lecture d'un traité sur le magnétisme de Mesmer pour hypnotiser quelques-uns de ses patients[9]. À sa grande surprise, il obtint quelques guérisons et aussitôt « une légion d'aveugles, de sourds, de boiteux venus de toutes les paroisses à vingt lieues à la ronde » se mit à défiler dans son cabinet.

Malgré des succès de ce genre, le mesmérisme ne connaît qu'une vogue éphémère parmi les médecins du Bas-Canada. Après quelque temps, on cesse de s'en amuser et l'Église, qui d'ailleurs n'a jamais beaucoup aimé ces phénomènes trop proches de la sorcellerie et des cas de possession démoniaque, finit par interdire les séances de magnétisme.

L'évolution de la formation des médecins

Lord Durham rentré en Angleterre et la mode du magnétisme apaisée, les médecins du Bas-Canada retournent à leurs anciennes querelles. Ceux de l'Université McGill détiennent encore un monopole de fait sur l'enseignement de la médecine même si, à Québec, le docteur Douglas et le docteur Joseph Painchaud, qui a, dit-on, la plus vaste clientèle de la ville, se sont associés pour donner des cours de matière médicale et d'anatomie à l'hôpital de Marine à partir de 1837. Quelle que puisse être la

L'École de médecine et de chirurgie de Montréal et ses professeurs vers 1884.
(Archives de l'Université de Montréal)

valeur de leur enseignement, les docteurs Douglas et Painchaud n'ont pas le pouvoir de décerner des diplômes universitaires à leurs étudiants. Par ailleurs, les bureaux d'examinateurs de Montréal et de Québec continuent de s'opposer. Il suffit presque qu'un candidat soit refusé par l'un pour être reçu avec mention par l'autre.

Néanmoins, le temps et l'évolution de la société canadienne-française jouent contre le monopole des médecins de McGill. En 1843, un groupe de médecins montréalais opposés à ceux de l'université anglaise réussit à créer l'École de médecine et de chirurgie de Montréal. Les cours sont donnés en anglais et en français dans les amphithéâtres de la nouvelle institution et l'Hôtel-Dieu de Montréal accepte de recevoir les professeurs et les étudiants dans ses salles. Deux ans plus tard, c'est au tour de Québec de voir apparaître une véritable école de médecine, où vont enseigner les plus fameux médecins de la ville. Napoléon Aubin y donne, vers 1847, un cours de chimie[10]. En 1854, l'École de médecine de Québec devient la Faculté de médecine de la toute récente Université Laval.

Voyant leur monopole battu en brèche à Québec et à Montréal, les professeurs de McGill se résignent en 1847 à la création du Collège des médecins et chirurgiens du Québec, chargé désormais de représenter l'ensemble des médecins et de régler les affaires de la profession, tout spécialement les questions d'admission à la pratique, d'études médicales et de discipline. Après cinquante années de luttes, les médecins obtiennent enfin le plein contrôle de leurs affaires professionnelles.

Outre l'incorporation du Collège des médecins et chirurgiens, la multiplication des écoles de médecine fait disparaître peu à peu l'apprentissage comme voie d'accession à la pratique de la médecine. Alors qu'en 1820, un médecin sur quatre environ a été formé par l'apprentissage, cette proportion tombe à presque rien après 1847. Pourtant, à en croire de nombreux témoignages de l'époque, la formation de jeunes médecins au contact de leurs aînés et des malades avait de multiples avantages.

Dans les villes, presque tous les médecins bien en vue ont des apprentis. Certains, comme le docteur Fisher, le docteur Douglas ou le docteur Painchaud, tous trois de Québec, en ont même plusieurs et se sont faits pour ainsi dire une spécialité de former les jeunes médecins. Au cours de son apprentissage, qui dure généralement cinq ans, le jeune homme habite avec la famille de son patron qu'il assiste dans le traitement des malades. Ce système favorise l'apparition de véritables dynasties de praticiens, les secrets de l'art se transmettant de père en fils, ou de frère en frère. Les exemples de telles dynasties abondent : on peut citer les trois frères Nelson à Montréal, les deux frères Douglas à Québec, les Painchaud, père et fils, les Blanchet, oncle et neveu, etc.

À travers les mémoires de quelques praticiens du siècle dernier qui ont connu l'apprentissage, on peut saisir ce qu'étaient les étapes de la formation du jeune médecin. De toutes les branches de la science médicale, l'anatomie est sans aucun doute la plus négligée. Non seulement les chambres de dissection sont-elles aussi rares que les professeurs compétents, mais les beaux « sujets » ne se trouvent pas aisément, à cause des préjugés de l'époque contre la curiosité morbide des médecins. Le jeune docteur Painchaud achève ses études auprès du docteur Fisher, désespérant de ne jamais rien apprendre de l'anatomie humaine ailleurs que dans les livres, quand, chance inespérée, les autorités décident de remettre aux médecins de Québec le corps d'un pendu. Deux sommités médicales de la ville, les docteurs Blanchet et Laterrière, s'offrent alors pour donner à tour de rôle un cours improvisé d'anatomie qui durera quelques jours. C'est à cela que se résumera la formation de Painchaud en anatomie humaine.

D'autres sont plus fortunés dans leurs études. Le docteur Worthington a la chance de faire son apprentissage auprès du docteur Douglas, célèbre pour ses connaissances anatomiques et dont la chambre de dissection est réputée à Québec. Bien des années plus tard, Worthington se souviendra encore de cette chambre de dissection, installée au sommet de la maison du docteur.

> La pièce avait une grande fenêtre donnant sur le fleuve Saint-Laurent et quand la lune se levait au-dessus des eaux, sa lumière brillante se répandait sur la figure des pauvres « sujets ». La table de dissection était surélevée de manière à ce qu'aucun rayon de lumière ne soit perdu. Les crânes d'éléphants, de lions, de tigres et de crocodiles reposaient sur le plancher. Ceux des humains, hommes, femmes et

enfants, étaient disposés sur des tablettes tout autour de la pièce. On y trouvait toutes sortes de squelettes, depuis celui de l'homme jusqu'à celui du rat. On y trouvait également des «préparations sèches» en abondance : des bras, des jambes et même des corps entiers étaient rangés dans la pièce en ordre de parade, au garde-à-vous. Tout cela formait un tableau charmant, mais il fallait un peu d'habitude pour s'y sentir à l'aise, surtout au beau milieu de la nuit[11].

Au terme de leur contrat, les apprentis peuvent soit aller parfaire leurs études à l'étranger et tâcher d'y obtenir un diplôme reconnu, soit se présenter devant le Bureau des examinateurs.

Le développement de l'enseignement médical dans le Bas-Canada élimine l'apprentissage et élève considérablement le niveau des études et de la pratique. Le docteur Edmond Grignon, qui pratiqua plus de trente ans dans les cantons des Laurentides ouverts à la colonisation par son ami le curé Labelle, avait fait ses études à l'École de médecine et de chirurgie de Montréal vers 1880. Dans ses mémoires, publiés en 1930 et intitulés *En guettant les ours* — un classique de la littérature paramédicale québécoise — il raconte les journées des jeunes étudiants en médecine. Ses souvenirs nous font voir la progression de l'enseignement médical depuis l'époque des apprentis.

Tout le jour, les étudiants voient défiler à la chaire les professeurs de chimie, de matière médicale, de pathologie interne et externe, de botanique, etc.

> Ce n'était pas tout. De midi à deux heures, après avoir pris une bouchée à la hâte, nous courions à l'Hôtel-Dieu pour y suivre les cliniques des docteurs Hingston, Brunelle, Beausoleil, Guerin, Merril, Demers, Ed. Desjardins, Mignault et autres, qui nous amenaient visiter leurs patients dans les salles publiques. [...]
>
> Puis, nous grimpions dans l'amphithéâtre de la salle d'opération pour assister aux cliniques des chirurgiens Hingston et Brunelle. Le docteur Hingston, surtout, jouissait d'une réputation universelle, et de partout on recourait à ses lumières.
>
> Assis sur les gradins et observant le plus insolite et respectueux des silences, nous regardions et écoutions attentivement les deux savants professeurs. [...]
>
> Nous finissions nos journées par d'autres distractions. Presque tous les soirs, en dernière année surtout, nous passions deux heures à la salle de dissection, au milieu de dix ou douze cadavres étendus sur des tables, la poitrine et le ventre ouverts, le crâne scié près des

deux yeux. Ce n'était agréable ni à la vue ni à l'odorat. Les mains surtout restaient empestées longtemps. L'arôme *sui generis* persistait dans les narines et nous suivait aux repas, au point que nous perdions l'appétit. Mais nous étions convaincus que l'importance de ces études sur le cadavre ne se suppléait point par les illustrations des traités d'anatomie[12].

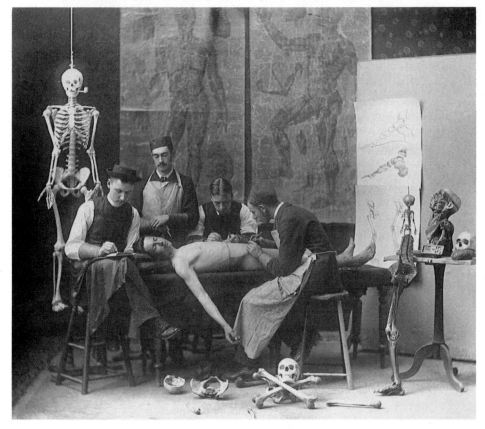

Parodie de dissection à McGill en 1884. (Archives photographiques Notman)

À l'époque où Edmond Grignon fait de si plaisantes études, le Québec ne compte pas moins de quatre écoles de médecine. La vieille capitale peut s'enorgueillir de la Faculté de médecine de l'Université Laval, où l'enseignement s'inspire essentiellement de la science médicale française, alors que Montréal abrite dans ses murs, outre la Faculté de médecine de l'Université McGill, deux écoles francophones et catholiques.

Après la fusion de l'École de médecine et de la succursale de l'Université Laval à Montréal, les professeurs titulaires de la nouvelle faculté entourent le doyen Durocher en 1892. (Archives de l'Université de Montréal)

Un conflit entre les autorités civiles et religieuses de Québec et celles de Montréal est à l'origine de cette abondance[13]. En 1876, une décision du Saint-Siège avait permis à l'Université Laval de fonder une « Succursale » à Montréal et cette nouvelle école faisait, bien sûr, une concurrence acharnée à l'École de médecine et de chirurgie créée en 1843. La querelle a de nombreux rebondissements. En 1883, par exemple, les professeurs et les étudiants de l'École se voient interdire l'entrée des salles de l'Hôtel-Dieu par les autorités religieuses. Cela ne suffisant pas à les amener à composition, ils sont excommuniés l'année suivante! Un appel de l'École à Rome entraîne l'envoi d'un délégué apostolique chargé de faire cesser le conflit entre Montréal et Québec qui passionne l'époque et que les historiens ont appelé la «querelle universitaire». En 1890, après quelques nouvelles péripéties ecclésiastiques, juridiques et romaines, les professeurs de l'École acceptent de se rallier à la Faculté de médecine de la succursale.

William Osler et la recherche médicale

De toutes ces écoles de médecine, la mieux dotée et la plus réputée est celle de McGill. On y a établi sur un grand pied, non seulement l'enseignement de l'anatomie et l'enseignement clinique, mais aussi les cours de botanique, de zoologie et de chimie appliquée à la médecine. C'est la réputation de l'école qui attire, en 1870, un jeune Ontarien du nom de William Osler.

Celui qui est appelé à devenir un des médecins les plus célèbres de son époque, en Europe comme en Amérique du Nord, se distingue dès son arrivée à Montréal. Après de brillantes études à McGill, il se rend en Europe compléter sa formation. Il séjourne d'abord à Londres, afin d'étudier l'histologie et la physiologie sous la direction des maîtres du University College. C'est d'ailleurs dans cette institution qu'il fait sa découverte scientifique la plus importante, celle des plaquettes du sang. Il visite ensuite Paris, Vienne et Berlin. C'est dans cette dernière capitale qu'il rencontre celui qui deviendra son modèle, Rudolf Virchow, le grand maître de l'anatomie et de la pathologie. Son tour d'Europe complété, Osler rentre à Montréal où il se voit offrir, en 1874, la chaire des «Institutions de la Médecine», c'est-à-dire la physiologie, la pathologie et l'histologie, et le poste de pathologiste du Montreal General Hospital.

Les dix années qui suivent comptent parmi les plus brillantes de l'histoire de la Faculté de médecine de l'Université McGill. Sous la direction de William Osler, l'enseignement et la recherche en pathologie font de grands progrès. Considérant la dissection comme la partie la plus importante de la formation des jeunes médecins, Osler met un soin particulier à préparer ses leçons. Chaque année, il pratique près d'une centaine d'autopsies au Montreal General Hospital, opérations auxquelles sont conviés ses étudiants. Ces leçons sont si appréciées que c'est un honneur pour un étudiant d'être invité à assister le maître en ces occasions. Les notes prises par Osler au cours des quelque 787 *post mortem* qu'il fait entre 1874 et 1884 remplissent cinq gros volumes et lui fournissent la matière de nombreuses communications à la presse médicale[14]. Ces autopsies lui permettent également de rassembler à l'Université McGill des collections qui, avec le temps, donneront naissance au musée de pathologie de l'institution.

Les intérêts scientifiques et professionnels d'Osler sont fort nombreux et divers. En charge de la salle des varioleux au Montreal General Hospital, Olser se distingue dans la campagne en faveur de la vaccination obligatoire dans la province de Québec. Il est également un professeur de médecine clinique fort populaire et le principal animateur de la Medico-Chirurgical Society de Montréal. En outre, une bonne partie de sa réputation dans le monde médical tient à l'importance de ses idées sur l'enseignement. À travers de nombreuses conférences et une œuvre écrite abondante, qui comprend notamment *The Principles and Practice of Medicine* (1892), sans doute le manuel le plus célèbre et le plus réédité du siècle dernier, Osler a beaucoup contribué à créer l'image du médecin moderne, personnage d'une large culture scientifique et d'une haute vertu morale.

Un maître d'une telle envergure ne peut rester à McGill indéfiniment. En 1884, il est appelé à la chaire de médecine clinique de l'Université de Pennsylvanie, à Philadelphie. Quelques années plus tard, c'est à l'Université Johns Hopkins de Baltimore qu'il poursuit sa carrière. Enfin, suprême consécration, l'Université Oxford l'appelle à l'une de ses chaires en 1905 et lui confère le titre de *Regius Professor*. Il meurt en Angleterre en 1919, au comble de la gloire.

L'influence d'Osler sur son *alma mater* reste fort vivace, même longtemps après son départ. Plusieurs des élèves qu'il avait formés lui succèdent dans l'enseignement de la médecine.

Sir William Osler s'adressant aux étudiants de McGill en 1905. (Archives de l'Université McGill)

De plus, les jeunes médecins canadiens qui veulent parfaire leur formation continuent d'aller suivre ses cours, quelle que soit la ville où il enseigne. Aussi un historien a-t-il pu dire qu'au siècle dernier, la capitale de la médecine canadienne se trouvait là où était Osler[15].

Ajoutons simplement qu'au moment où Osler enseigne à McGill, Montréal peut certainement prétendre compter parmi les grands centres de la science médicale, réputation qui se maintiendra au XXe siècle.

CHAPITRE 5

ÉCONOMIE ET GÉOLOGIE AU CANADA

Au début du XIXe siècle, la géologie du Canada est encore pratiquement inconnue, même si la présence de fer dans la vallée de la Saint-Maurice, de cuivre sur les rives du lac Supérieur, de plomb en Gaspésie et de charbon au Cap-Breton est connue depuis l'époque de la Nouvelle-France, et même si certains gisements ont fait l'objet d'un commencement d'exploitation. Les entrepreneurs et les marchands canadiens déplorent régulièrement cet état de choses, en particulier les années où le prix des fourrures, du bois ou du blé, leurs principales marchandises, faiblissent sur les marchés d'Europe. Dans les cercles d'affaires de Montréal et de Toronto, on se met alors à rêver d'exporter vers l'Angleterre des richesses extraites du sous-sol canadien et même de créer sur les rives du Saint-Laurent de véritables industries modernes, comme celles qu'on peut alors admirer dans les villes anglaises de Birmingham ou de Manchester. La révolution industrielle, personne ne l'ignore, a radicalement transformé l'Angleterre et l'Écosse en moins de deux générations, faisant de celles-ci « l'atelier du monde entier ». Qu'est-ce qui pourrait empêcher les colonies britanniques d'Amérique du Nord d'en faire autant?

La recette du développement industriel est relativement simple : l'immigration peut fournir la main-d'œuvre indispensable, les nouvelles terres agricoles permettront de nourrir à bas prix la population ouvrière des villes — et donc de maintenir les salaires à leur plus bas niveau — et les capitalistes de Londres fourniront les capitaux et les techniques. Reste à trouver sur place le fer, le cuivre, le plomb, le zinc et, surtout, le charbon, élément clé de tout essor industriel dans la vallée du Saint-Laurent. Pour cela, les géologues deviennent indispensables.

Les débuts de la géologie canadienne

La géologie n'est pas née, à proprement parler, de la révolution industrielle, mais peu de sciences ont eu des relations plus étroites avec elle. En même temps que les connaissances géologiques et paléontologiques progressaient, grâce aux observations que les savants pouvaient faire dans les mines anglaises et sur les chantiers où l'on aménageait des routes, des canaux ou des chemins de fer, la géologie devenait de plus en plus utile aux entrepreneurs, leur permettant de localiser et d'exploiter plus facilement les gisements et les dépôts intéressants. Aussi, n'est-il pas surprenant que dans la première moitié du XIXe siècle, l'Angleterre, berceau de la révolution industrielle, ait montré la voie au reste du monde dans le domaine de la géologie.

Les colonies britanniques d'Amérique du Nord ne sont pas les dernières à profiter de cette prééminence scientifique de l'Angleterre. Plusieurs officiers des Royal Engineers et plusieurs chirurgiens attachés aux régiments anglais en garnison dans les deux Canadas ont eu l'occasion d'étudier la géologie dans les universités anglaises et écossaises, et peuvent ainsi mettre à profit leurs connaissances.

Arrivé au Canada en 1818, en qualité de médecin de l'armée britannique, John Jeremiah Bigsby avait fait ses études à l'Université d'Édimbourg, où enseignaient certains des géologues les plus réputés de l'époque. En 1819, ses supérieurs le chargent de faire quelques relevés géologiques dans le Haut et le Bas-Canada. Ces explorations lui permettent de publier en 1822, dans l'*American Journal of Science*, un premier article consacré à la géologie de la région de La Malbaie[1]. De 1820 à 1823, il accompagne, à titre de médecin, la commission chargée d'établir la frontière entre le Canada et les États-Unis, ce qui lui permet d'observer à son aise les formations géologiques de la région des Grands Lacs. En 1823, Bigsby a l'honneur de voir ses « Notes on the Geography and Geology of Lake Huron » publiées dans les *Transactions* de la très prestigieuse Geological Society of London. La géologie du Canada fait son entrée dans les cercles scientifiques d'Europe.

Bientôt, Bigsby n'est plus seul à étudier la géologie de la vallée du Saint-Laurent. Parmi les nombreux officiers du corps des Royal Engineers qui se livrent à l'étude de la nature canadienne à cette époque, on remarque le lieutenant Frederick Henry Baddeley, de la garnison de Québec. En 1829, cet ingénieur militaire présente devant la Literary and Historical Society de la ville une première conférence sur la géologie de la région du Saguenay, dont le texte sera publié dans le tout premier volume des *Transactions* de la société[2]. Au cours des années qui suivent, Baddeley explore la côte du Labrador, la région de Charlevoix, les Cantons de l'Est et même les îles de la Madeleine. C'est lui qui, en 1835, fait connaître aux géologues européens et américains les détails de la découverte d'or au Bas-Canada, en publiant des notes à ce sujet dans le *Bulletin de la Société géologique de France* et dans l'*American Journal of Science*[3].

De 1827 à 1841, Québec accueille dans ses murs un autre officier britannique de grande valeur, le lieutenant Henry Wolsey Bayfield. À son arrivée, il est déjà réputé pour les cartes des Grands Lacs qu'il a dressées après dix années de recherches. L'amirauté le charge alors de poursuivre ses recherches hydrographiques en les étendant au fleuve et au golfe du Saint-Laurent, c'est-à-dire à toute la région comprise entre Québec et Halifax. Hydrographe et cartographe accompli, Bayfield ajoute à ses relevés des fonds marins et des côtes de nombreuses observations sur la géologie des rives du fleuve et du golfe, observations qu'il communiquera régulièrement à la LHSQ et à la Geological Society of London.

Avec les observations de quelques voyageurs qui parcourent le Canada au début du XIXe siècle, les recherches de Bigsby, de Baddeley, de Bayfield et de quelques autres officiers de Sa Majesté sont les premières à lever le voile sur la géologie du territoire depuis la fin du Régime français. Remarquées et discutées par les savants d'Europe, ces recherches trouvent également un écho dans la presse canadienne, où des journaux comme la *Montreal Gazette* et la *Bibliothèque canadienne* ne manquent pas de saluer le progrès des sciences dans la colonie.

Cependant, les observations géologiques de Baddeley ou de Bayfield sont trop liées aux préoccupations de cartographes et d'hydrographes de leurs auteurs pour être d'une grande utilité aux entrepreneurs et à tous ceux qui souhaitent le développement d'une industrie minière au Canada. À compter de 1830, la presse rapporte de plus en plus fréquemment les paroles et les gestes de ceux qui voudraient voir l'exploration géologique du Haut et du Bas-Canada conduite de manière à la fois plus systématique et plus utilitaire. En 1836, par exemple, William Lyon Mackenzie, le chef des réformistes du Haut-Canada, introduit en Chambre une résolution visant à la création d'un *geological survey*, c'est-à-dire d'un service des levés géologiques, sur le modèle d'organismes qui existent déjà en Grande-Bretagne et dans plusieurs États américains. Au Bas-Canada, c'est la Natural History Society of Montreal qui presse le gouvernement d'agir. Dans le rapport de la société pour l'année 1836, on peut lire :

> Les découvertes récentes, dans plusieurs endroits du Canada, de minéraux intéressants et parfois même inconnus auparavant, permettent d'espérer beaucoup de la richesse de notre sous-sol lorsqu'il aura été exploré. Il faut souhaiter que le geste de plusieurs États américains qui ont créé des commissions géologiques récemment incitera les législateurs canadiens à consacrer aux mêmes fins une petite portion du budget, peu de mesures étant susceptibles d'avoir plus d'effets bénéfiques[4].

Malheureusement, les troubles politiques de 1837 et de 1838 éclatent avant que les Assemblées du Haut et du Bas-Canada aient pu donner suite au projet.

Les partisans d'une commission géologique reprennent vite courage avec l'arrivée de John George Lambton, lord Durham. Celui-ci n'a pas besoin d'être convaincu de l'importance des sciences, ni des services qu'elles peuvent rendre à l'exploitation des mines en particulier. Héritier de vastes domaines au cœur de l'une des principales régions houillères de l'Angleterre, lord Durham est à la tête de ce que l'on a décrit comme un « petit empire minier ». Élève du chimiste Thomas Beddoes, il a étudié l'histoire naturelle, la chimie et la physique. Il s'est également pénétré, sous l'influence de Beddoes, d'une philosophie de la science qui fait de celle-ci non seulement une forme élevée de la pensée, mais aussi le moteur du progrès économique et social. C'est sans doute cette perception du rôle de la science qui a conduit lord Durham à participer aux recherches qui ont permis à Humphrey Davy — un autre élève de Beddoes — de mettre au point sa célèbre lampe de sûreté pour les mineurs. En 1838, il est question de porter lord Durham à la présidence du prochain congrès de la British Association for the Advancement of Science, quand il est nommé gouverneur général du Canada.

À peine lord Durham est-il débarqué à Québec que la Literary and Historical Society et la Natural History Society se disputent son patronage, sans doute avec l'espoir qu'un personnage si éclairé et si progressiste ne manquera pas d'encourager l'essor des sciences dans la colonie. Ces espoirs sont de courte durée, car lord Durham met abruptement fin à sa mission et rentre en Angleterre en novembre 1838, cinq mois à peine après son arrivée. C'est à travers son fameux *Report on the Affairs of British North America* qu'il laissera sa marque sur les institutions et l'histoire du Canada.

Son successeur, lord Sydenham, se montre bien disposé envers le projet d'une commission géologique. Il faut souligner que la LHSQ et la NHSM se sont assuré des appuis de taille dans la presse et au sein du nouveau Parlement du Canada-Uni. De plus, le hasard veut que le lieutenant Baddeley présente en 1840 une conférence très remarquée sur la géologie du Canada devant la British Association for the Advancement of Science, réunie à Glasgow. À cette occasion, William Buckland, un éminent professeur de géologie d'Oxford, exhorte le gouvernement de Londres et les autorités coloniales à entreprendre l'exploration géologique du Canada avant que le tracé définitif des frontières avec les États-Unis ne soit établi au désavantage des intérêts britanniques. Enfin, Charles Lyell, le géologue le plus célèbre de l'époque, fait, en 1841 et 1842, une tournée remarquée aux États-Unis, dans les deux Canadas et dans les Maritimes[5].

La création de la Commission géologique

Ces circonstances ont sans doute leur effet sur les milieux d'affaires et auprès des sociétés savantes du Haut et du Bas-Canada. Dès la première session de la Chambre d'assemblée du Canada-Uni, en juillet 1841, la NHSM et la LHSQ joignent leurs efforts pour demander la création d'une commission géologique. Sous la pression de plusieurs députés, parmi lesquels on remarque Benjamin Holmes, directeur de la Banque de Montréal, William

H. Merritt, le constructeur du canal Welland, et John Neilson, rédacteur de la *Gazette* de Québec, la Chambre accepte, en septembre 1841, de créer la Commission géologique du Canada.

Au printemps de l'année suivante, le gouverneur Bagot, qui a succédé à Sydenham, nomme William Edmond Logan à la direction de la Commission géologique. D'ascendance écossaise, Logan est né à Montréal, où sa famille possède des intérêts commerciaux considérables. Après des études à l'Université d'Édimbourg, il entre au service d'un oncle qui le charge de veiller sur ses intérêts dans des entreprises minières en Angleterre. Ce travail permet au jeune homme de se familiariser à la fois avec la géologie particulière des terrains carbonifères et avec les problèmes d'exploitation. Quelques travaux de cartographie et de stratigraphie, d'une précision peu commune à l'époque, et un article sur l'origine des couches carbonifères attirent sur lui l'attention de la communauté scientifique[6]. Aussi, en 1842, peut-il réunir à l'appui de sa candidature au poste de directeur de la Commission géologique un nombre impressionnant de témoignages de savants anglais et américains, parmi lesquels pèse d'un poids particulier celui de sir Henry De la Beche, directeur du Geological Survey de Grande-Bretagne. Facteur déterminant, Logan a également les suffrages des hommes d'affaires de Montréal, grâce à ses liens avec la famille Molson et à son frère James, marchand en vue de la ville. À l'automne de 1842, Logan prend officiellement sa charge de directeur de la Commission géologique, poste qu'il occupera jusqu'en 1869.

Les débuts de la Commission géologique sont modestes. Le personnel se réduit à deux personnes, Logan compris, et le budget initial s'élève à £ 1 500 , à peine de quoi couvrir les dépenses d'installation à Montréal. Dès cette époque, Logan prend l'habitude de suppléer de sa propre poche aux insuffisances du budget consenti par la législature. À sa mort, la Commission sera encore débitrice de 8000 $ envers ses héritiers.

La modicité des ressources n'empêche pas Logan de se lancer avec énergie dans l'exploration de la géologie du Canada. Au terme d'une première saison, Logan et son adjoint, Alexander Murray, rapportent quelque 70 caisses de spécimens minéralogiques et paléontologiques qui, faute de place, sont d'abord entreposées dans un immeuble que possède James Logan au centre de Montréal. Cependant, le besoin de présenter au public et aux membres de la législature les résultats concrets du travail de la Commission force Logan à organiser rapidement une exposition des spécimens les plus intéressants. Dès le 7 mars 1844, il écrit à Murray :

> Dans le but de produire de l'effet sur les membres de l'Assemblée, je dois trouver une salle ou un ensemble de locaux pour notre collection. Dans l'organisation de celle-ci, il faut mettre en évidence nos spécimens économiques ; et il me semble que de grandes masses feront une plus forte impression que de petits échantillons. On dirait qu'une espèce de règle de trois agit dans l'esprit du profane qui observe des minéraux. Celui-ci semble juger de la valeur de l'échantillon en fonction de ses dimensions.
>
> Cela m'amène à vous prier d'acheminer à Montréal, aussitôt que le dégel du printemps permettra la navigation, un énorme morceau de gypse. Qu'il soit aussi blanc que possible, et placez-le dans une caisse solide, semblable à celles que je vous ai fait parvenir. Si vous pouvez trouver de la pierre lithographique, expédiez-en une énorme dalle, de six à huit pouces d'épaisseur[7].

Avant que l'été ne soit passé, le musée de la Commission géologique est installé, au moins temporairement, dans un immeuble de la rue Saint-Jacques. En 1845, la NHSM offre de louer à la Commission une partie de l'édifice qu'elle occupe. La Commission y installe ses bureaux, ses laboratoires et ses collections jusqu'en 1852, date où le gouvernement met à sa disposition un vaste immeuble de trois étages, rue Saint-Gabriel. Cet immeuble abritera les géologues jusqu'au moment où le Parlement fédéral décidera de transférer à Ottawa le quartier général de la Commission, en 1881.

Avec les années, et à mesure que le nombre des géologues et des explorateurs sous les ordres de Logan s'accroît, les explorations se multiplient et les collections de la Commission prennent de l'ampleur. Les *field-geologists* ne reculent pas devant les distances et parcourent le territoire dans les grands canots des voyageurs, conduits par des Canadiens français et des Indiens. Entre 1843 et 1852, Logan explore presque la totalité du territoire du Bas-Canada. Il procède au premier relevé topographique et géologique de la péninsule gaspésienne à l'été de 1844.

Dessin de Logan lors de l'exploration de la Gaspésie en 1844. (Archives publiques du Canada, C-102974)

Les Gaspésiens, qui n'ont pas eu souvent l'occasion de voir un géologue à l'oeuvre, s'inquiètent beaucoup du comportement de ce personnage qui parcourt le pays en tous sens en cassant des pierres avec un petit marteau. À plusieurs reprises, Logan vient à deux doigts d'être arrêté et expédié à l'asile des aliénés de Québec. Les réactions des habitants sont moins vives dans les régions plus proches des centres, comme l'Outaouais, explorée en 1846, l'Estrie, en 1847 et 1848, Charlevoix, en 1849, les bassins de la rivière Chaudière et du Témiscouata, en 1850, et la rive nord du Saint-Laurent, de Montréal jusqu'au cap Tourmente, que Logan explore en 1852. Ces explorations permettent à Logan et à ses collaborateurs de reconnaître les grandes divisions de la géologie de l'Est du Canada, de distinguer notamment les systèmes Laurentien et Huronien, et enfin, de faire connaître au monde savant des particularités locales comme les séries de Grenville, le Groupe géologique de Québec et le fabuleux *Eozoön canadense*, particularités qui feront couler beaucoup d'encre au XIXe siècle parmi les savants.

En peu de temps, Logan rassemble autour de lui une petite équipe scientifique, sans doute la première de l'histoire des sciences au Canada. À partir de 1847, la Commission peut compter sur les services de Thomas Sterry Hunt, chimiste et minéralogiste formé à l'Université Yale auprès du célèbre Benjamin Silliman

Thomas Sterry Hunt, minéralogiste de la Commission géologique. (Archives du Séminaire de Québec, photo reproduite par Pierre Soulard)

fils et qui a collaboré aux travaux du Geological Survey du Vermont. Dans son laboratoire de Montréal, Hunt s'occupe de déterminer la composition des minéraux rapportés des différents points de la colonie par Logan lui-même et les autres *field-geologists* qui se joignent à la Commission. Pour l'identification des fossiles, Logan, dont la compétence est limitée dans ce domaine, doit faire d'abord appel à James Hall, paléontologiste du Geological Survey de l'État de New York. Mais le quartier général de Hall se trouve à Albany, à deux jours de voyage de Montréal, ce qui ne facilite pas les échanges. Cette collaboration avec le savant américain se relâche un peu lorsqu'en 1857 Elkanah Billings accepte le poste de paléontologiste de la Commission. Jeune avocat d'Ottawa, Billings s'est initié de lui-même à l'histoire naturelle et il a fondé en 1856 le *Canadian Naturalist and Geologist*, un mensuel qui, grâce au zèle de son fondateur et à l'appui des savants canadiens, deviendra la principale revue scientifique du Canada au XIXe siècle. Dès son entrée en fonction, Billings prend charge du musée de la Commission.

Le musée de la Commission

Ces collections minéralogiques et paléontologiques ont pour première fonction, bien sûr, de servir de points de référence au travail des chercheurs de la Commission. Cependant, l'utilité du musée ne s'arrête pas là: les prospecteurs, les ingénieurs miniers, les entrepreneurs viennent y chercher des renseignements sur les minéraux qui peuvent présenter un intérêt économique. Logan veille à ce qu'ils soient bien accueillis. Il veille également à ce que les collections soient mises à la disposition des savants canadiens et étrangers. Dans l'introduction de son ouvrage majeur, *La géologie du Canada*[8], publié en 1863, Logan peut citer avec fierté les recherches que les paléontologistes ont pu faire grâce aux spécimens recueillis par la Commission: celles de John William Dawson, sur les fossiles trouvés dans les grès de Gaspé, celles de J.W. Slater, paléontologiste du Geological Survey de Grande-Bretagne, celles de James Hall, etc. À compter de 1859, les travaux paléontologiques de la Commission vont alimenter les nombreux volumes de la série *Decades of Canadian Organic Remains*.

Le musée sert également à faire connaître au grand public et aux politiciens les recherches pratiques et scientifiques de la Commission. L'idée d'utiliser les spécimens minéralogiques et les fossiles à des fins « publicitaires » reste bien présente à l'esprit de Logan. Ce n'est pas une précaution superflue car, jusqu'en 1877, la Commission n'a pas de statut permanent. Son existence et son budget sont périodiquement remis en cause, d'abord tous les deux ans, puis tous les cinq ans, par le Parlement canadien. En période de crise économique ou quand les tensions sont vives entre les partis politiques, Logan et ses collègues doivent souvent justifier l'existence de la Commission et sa mission scientifique. En 1854, par exemple, devant un comité spécial du Parlement qui scrute les activités de la Commission, Logan doit défendre sa conception du travail du géologue et, en particulier, l'étude des fossiles :

> L'économie mène à la science, et la science à l'économie. J'ai entendu dire que certaines personnes, devant mon intérêt pour la distribution des fossiles parmi les strates, ont pris le moyen pour la fin et, tout en reconnaissant — à tort — en moi une autorité en la matière, ont supposé que je sacrifiais l'économie à la science. Je ne suis pas un naturaliste. Je n'étudie pas les fossiles pour eux-mêmes, mais je m'en sers. Ce sont des amis qui conduisent le géologue aux richesses de la terre[9].

L'éloquence de Logan persuade sans doute les parlementaires car, en 1856, le gouvernement vote une augmentation substantielle du budget de la Commission.

Les expositions universelles et la géologie canadienne

Peut-être les députés ont-ils également été convaincus de l'utilité de la Commission géologique par l'intérêt que celle-ci a fait naître en Europe et aux États-Unis pour l'exploitation du sous-sol canadien.

En 1850, Logan est prié de préparer une collection de minéraux du Canada pour la Great Exhibition of the Works of Industry of All Nations, gigantesque foire scientifique, commerciale et industrielle qui doit avoir lieu à Londres l'année suivante, sous le patronage du prince Albert, époux de la reine Victoria. La collection remporte un tel succès auprès du public et des juges de l'exposition que Logan devient presque un héros national au Canada.

Ce succès à Londres contribue à persuader les membres du Parlement que la participation de la Commission géologique aux manifestations internationales constitue à la fois un moyen idéal d'attirer sur les richesses naturelles du pays l'attention des investisseurs étrangers et de faire savoir au monde entier ce qu'un gouvernement « éclairé et progressiste » fait en faveur des sciences. Lors des grandes expositions internationales qui suivent celle de 1851, les minéraux et les fossiles de la Commission forment chaque fois le noyau de la participation du Canada.

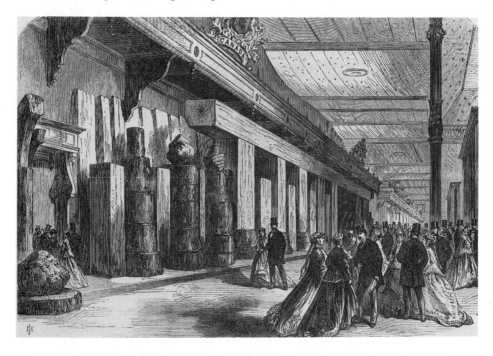

Le Canada à l'Exposition de Paris en 1867. (*Illustrated London News*, 25 mai 1867, Archives publiques du Canada, C-10980)

À Paris, à l'occasion de l'Exposition universelle de 1855, Logan et Hunt doivent non seulement présenter les collections de la Commission, mais veiller en outre sur l'ensemble de la collection canadienne. Ensemble, ils rédigent un court essai, *Esquisse géologique du Canada*, qui paraît à Paris et qui contribue beaucoup au succès de leur collection géologique. Hunt profite également de son séjour pour présenter un mémoire devant la Société géologique de France. Cette participation à l'exposition de Paris leur mérite à chacun la légion d'honneur et, pour couronner le tout, Logan est anobli par la reine Victoria. Cette fois, « sir » William Logan devient sans conteste un héros canadien.

L'International Exhibition de Londres, en 1862, ramène Logan une nouvelle fois en Europe, à titre de commissaire du Canada. Cette nomination n'ajoute que peu de chose à sa célébrité, mais elle lui permet d'attirer une fois de plus l'attention du monde sur la géologie du pays et de préparer le public à la parution de son grand ouvrage, *La géologie du Canada*. Fruit des recherches réalisées par la Commission géologique de 1843 à 1863, le livre est très bien reçu par les savants et par le public. Les députés canadiens ne sont probablement pas insensibles à ce passage d'un compte rendu du livre qui paraît en avril 1864 dans la *London Saturday Review* :

> Les effets de l'appui que reçoit la science dans un pays jeune méritent d'être remarqués. La création d'une Commission géologique est aussi remarquable que la fondation de ces nobles universités dans la colonie, élevant le niveau de la société par la diffusion des idées et de la connaissance scientifique, forçant le respect de la population locale, des habitants de la mère patrie et des savants de toute l'Europe. La sagesse d'un gouvernement qui sait entreprendre un tel effort mérite le respect.

Sans doute pour que ces louanges en provenance de la métropole à l'adresse des membres du Parlement n'échappent pas au public canadien, le semi-officiel *Journal of Education* les reprend dans son numéro du même mois.

Des succès semblables se renouvellent à l'Exposition universelle de Paris, en 1867, à la Centennial International Exhibition de Philadelphie, en 1876, à l'Indian and Colonial Exhibition de Londres, en 1886, à la World's Columbian Exposition de Chicago, en 1893, et ainsi de suite.

La controverse de l'Eozoön canadense

Les collections que la Commission expose ainsi aux quatre coins du monde sont destinées à intéresser surtout le grand public et les investisseurs. Cependant, la Commission envoie aussi en Europe ou aux États-Unis des spécimens qui intéressent d'abord les scientifiques. C'est le cas de ces curieuses pierres trouvées dans les formations précambriennes de Grenville et de Côte-Saint-Pierre au Québec, qui, sous le nom d'*Eozoön canadense*, vont être au centre d'une des plus vives controverses scientifiques du XIXe siècle.

L'histoire de cette controverse commence en 1858, quand un géologue de la Commission recueille dans les rapides du Grand Calumet, sur l'Outaouais, des pierres présentant des stries assez régulières de calcite. En examinant ces échantillons, Logan émet immédiatement l'hypothèse qu'il pourrait s'agir des restes fossilisés d'un animal microscopique. Cependant, les savants américains à qui il présente sa découverte, lors du congrès de l'American Association for the Advancement of Science à Springfield, en 1859, restent sceptiques. L'opinion généralement partagée par les géologues et les paléontologues du temps est que le Précambrien appartient à l'époque azoïque, c'est-à-dire sans vie.

Les choses auraient pu en rester là si, en 1863, un autre employé de la Commission géologique n'avait découvert de nouveaux spécimens près de Côte-Saint-Pierre. John William Dawson, principal de McGill et distingué paléontologiste, invité par Logan à se prononcer, déclare en 1864 qu'il s'agit des restes de foraminifères, petits animaux marins dont le corps est protégé par une carapace. S'agglutinant les uns aux autres, ils auraient graduellement formé des amas importants, comparables aux récifs coralliens. À cet être extrêmement primitif et ancien, Dawson donne le nom d'*Eozoön canadense*, « animal du commencement ».

En 1865, afin d'annoncer dignement au monde scientifique que le Canada a l'honneur d'abriter les restes de l'animal le plus ancien de la création, Dawson, Logan, Hunt et le docteur William B. Carpenter signent chacun un article sur l'*Eozoön canadense* dans le prestigieux *Quarterly Journal of the Geological Society of London*. Malheureusement pour eux, les savants canadiens ne réussissent pas à convaincre tout le monde de l'origine organique de l'*Eozoön*. L'année suivante, deux minéralogistes de l'Université Queen's de Dublin, William King et Thomas H. Rowney, soulèvent des objections et affirment que l'*Eozoön* a une origine purement inorganique[10]. Ainsi commence une controverse qui va durer près d'un demi-siècle.

La vraie nature, organique ou inorganique, de l'*Eozoön* est à la racine du débat, mais, bien vite, plusieurs protagonistes se trouvent entraînés dans une autre controverse célèbre de l'époque; celle du transformisme. Dans *L'origine des espèces*, publié en 1859, Darwin avait soutenu que sous l'effet de la sélection naturelle, la vie avait évolué graduellement d'une forme primordiale rudimentaire à une multitude de formes plus organisées et plus complexes. Pour beaucoup d'évolutionnistes, l'*Eozoön canadense* pouvait représenter cette forme primordiale de la vie, ancêtre de toutes les espèces connues. En outre, comme Darwin lui-même le fit remarquer dans la quatrième édition de *L'origine des espèces*, publiée en 1866, la présence de fossiles dans des formations aussi anciennes que le Précambrien du Canada indiquait que la vie avait pu évoluer au cours d'une période beaucoup plus longue qu'on ne l'avait supposé auparavant.

Farouchement opposé aux idées transformistes, Dawson n'entend pas laisser Darwin et ses partisans tirer parti de la découverte de l'*Eozoön*. Dénonçant tous ceux qui se servent de l'*Eozoön* comme d'un fait en leur faveur, le savant canadien insiste sur le fossé immense et inexplicable qui sépare l'«animal du commencement» des formes subséquentes de la vie; les paléontologistes n'ont découvert aucune des formes intermédiaires qui, dans l'hypothèse transformiste, auraient marqué le passage progressif du simple au très complexe[11].

Plus grave encore pour les darwinistes, l'*Eozoön canadense*, sous le microscope de Dawson, se révèle un organisme relativement plus complexe que certaines espèces plus récentes de foraminifères. Cela contredit donc la thèse selon laquelle l'évolution aurait donné naissance à des êtres de plus en plus organisés et permet à Dawson d'affirmer que Dieu, selon son bon plaisir ou pour respecter l'économie générale de la nature, a pu faire apparaître des espèces hautement organisées à des époques reculées de l'histoire du monde. Aux yeux de Dawson

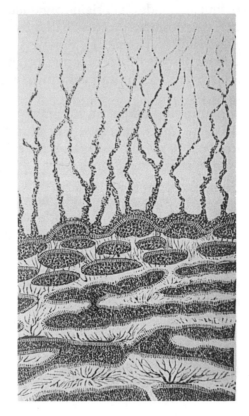

L'*Eozoön canadense*, tel qu'il apparaît au microscope, d'après un dessin de J.W. Dawson.

et de beaucoup de partisans de la fixité des espèces, l'*Eozoön*, comme toutes les autres espèces fossiles éteintes, montre que la Providence a procédé à des « créations » successives, les espèces nouvelles remplaçant soudainement celles disparues.

Pour que l'*Eozoön* puisse fournir un argument solide aux transformistes autant qu'aux créationnistes, il faut que son origine organique soit clairement démontrée. Malgré l'obstination et les efforts de Dawson, qui semble avoir développé un attachement presque mystique pour l'*Eozoön*, le débat n'évolue guère en ce sens. Si, à la suite de la description de l'*Eozoön* dans le *Quarterly Journal of the Geological Society of London* en 1865, plusieurs géologues découvrent des spécimens semblables, non seulement en Amérique du Nord, mais jusqu'en Europe, où le Tchèque A.J. Fritsch exhume *Eozoön bohemicum* en 1869, le nombre des sceptiques ne diminue pas, bien au contraire. En 1875, Dawson tente d'emporter la décision en publiant simultanément à Londres et à Montréal *The Dawn of Life*, ouvrage où il rassemble ses observations sur l'*Eozoön*. Cela ne suffit pas à désarmer ses opposants. Les Allemands en particulier multiplient les attaques. En 1876, Otto Hahn critique Dawson dans un article ironiquement intitulé « Gibt es ein *Eozoön canadense*? » (« L'*Eozoön canadense* existe-t-il? »)[12]. L'attaque la plus sérieuse, cependant, vient de Karl Möbius, professeur de zoologie à Kiel et spécialiste des foraminifères. Après avoir examiné soigneusement tous les spécimens d'*Eozoön* alors découverts, dans la plus pure tradition académique allemande du XIXe siècle, le professeur Möbius publie dans la revue *Paleontographica* de 1879 un long mémoire où il conclut que l'*Eozoön* ne présente pas les vrais caractères d'un fossile et que, par conséquent, il doit s'agir d'un phénomène purement minéralogique[13].

William Dawson et ses étudiants en 1895. (Archives photographiques Notman)

Même si Dawson ne s'avoue pas encore vaincu et publie dans l'*American Journal of Science* de 1879 quelques commentaires peu courtois à l'adresse du savant allemand[14], le mémoire de Möbius constitue un tournant dans le débat. À partir de ce moment, les partisans de l'origine organique de l'*Eozoön* sont nettement sur la défensive. En 1888, un épisode curieux de l'histoire des sciences montre quel tour les choses ont pris. À l'occasion du Congrès international de géologie, qui se déroule à Londres, les membres d'un comité sont invités à trancher par un vote le sort de l'«animal du commencement»! Quatre se prononcent en faveur de l'origine organique et neuf contre. Dawson, bien sûr, a voté pour, de même que Hunt, C.D. Walcott et A. Winchel. Parmi ceux qui ont voté contre, on retrouve des savants de premier plan, tels les Américains James Dana et Joseph LeConte. Ce procédé, tout «démocratique» qu'il soit, ne met pas fin au débat, mais la défaite des partisans de l'origine organique se transforme en déroute quand, en 1894, deux savants irlandais découvrent des spécimens apparentés à l'*Eozoön* dans des blocs de calcaire rejetés par le Vésuve. Cette découverte indique que les stries plus ou moins régulières de la pierre ne sont pas le fait d'un fossile du Précambrien, mais le résultat probable d'un phénomène géothermique. Les derniers partisans d'*Eozoön* sont alors forcés de s'incliner: 1894 marque la fin de l'«animal du commencement». Seul Dawson, obstinément, refusera jusqu'à la fin d'abandonner «son» fossile.

Heureusement pour la réputation scientifique de la Commission géologique, Logan et ses collaborateurs ont abandonné la thèse de l'origine organique de l'*Eozoön* beaucoup plus tôt et se sont retirés de la controverse. Logan, qui est pourtant à l'origine du débat, publie son dernier article sur l'*Eozoön* en 1867. Le paléontologiste de la Commission, Billings, refuse de se prononcer et concentre tous ses efforts sur les fossiles du Silurien, période géologique plus récente que celle de l'*Eozoön*. Enfin, si Hunt vote avec Dawson en 1888, c'est sans doute davantage par considération pour son vieil ami que par conviction: en effet, Hunt s'est bien gardé de publier quoi que ce soit sur l'*Eozoön* depuis 1871, laissant le principal de McGill mener seul la bataille.

Les géologues de Montréal sur la scène internationale

Les savants du siècle dernier ont d'autres occasions d'examiner de près le travail de la Commission géologique lorsque les grandes associations savantes, l'AAAS et la BAAS, se réunissent au Canada. Comme l'ont compris les hommes de science canadiens de l'époque, le congrès de l'AAAS à Montréal en 1857 leur permet de se lancer sur la scène scientifique internationale. En prévision de l'événement, Logan, Billings et Hunt passent une bonne partie de 1856 et de 1857 à mettre en ordre le musée de la Commission. Non en vain, car l'*American Journal of Science* note: « Un des principaux points d'intérêt à Montréal est le musée de la Commission géologique, qui contient les collections rassemblées par les savants de cette organisation. Le musée est remarquable par le nombre et la variété des spécimens minéralogiques et par la beauté des fossiles. Aucune exploration géologique, sur ce continent ni sur aucun autre, n'a été poursuivie avec plus d'énergie et de compétence[15]. »

Le musée que les savants américains peuvent admirer en 1857 reflète, dans l'organisation générale de ses collections, la double nature des activités de la Commission: la recherche appliquée, au service de l'exploitation des ressources naturelles du Canada, et la recherche scientifique. Pour classer la première section du musée, on a adopté l'ordre technologique, qui dispose les spécimens selon l'usage qu'on peut en faire. Dans la seconde section prévaut l'ordre naturel, tel que reconstitué par les géologues et les paléontologistes.

Cette fusion du pratique et du scientifique se retrouve dans plusieurs des recherches de la Commission géologique. En marge de ses analyses visant à déterminer la composition chimique des minéraux qui peuvent présenter un intérêt économique, Hunt se fait connaître dans les cercles scientifiques par ses théories sur l'origine des gisements et sur les processus de transformation de l'écorce terrestre. En 1867, il publie un article remarqué, intitulé « The Chemistry of the Primeval Earth[16] », dans lequel il développe ses thèses sur le rôle de l'eau et des réactions chimiques dans la formation des roches métamorphiques. Les théories de Hunt, assimilées à un neptunisme modifié, ne sont pas très bien accueillies par les géologues. Les critiques qu'elles attirent à leur auteur de la part de savants tels que James Dana, David Forbes et William Logan lui-même, donneront lieu à de longues controverses.

Le pratique et le scientifique se retrouvent également dans les œuvres de Logan et de Billings. Le premier est surtout un spécialiste de la stratigraphie, c'est-à-dire de l'étude de la succession des couches géologiques. Comme il le reconnaît lui-même, Logan abandonne volontiers le terrain des théories à d'autres, se satisfaisant, dans la plus pure tradition baconienne, d'observer soigneusement les faits géologiques. La géologie canadienne lui doit principalement une première classification des systèmes Huronien et Laurentien. Par ailleurs, la recherche paléontologique, sur le terrain comme au musée, est subordonnée aux besoins de la stratigraphie et peut être utile autant à l'étude des formations géologiques pour elle-même qu'à la prospection ou à l'exploitation. Comme on l'a vu, le directeur de la Commission ne manque jamais, quand il s'adresse à des hommes politiques et au grand public, d'insister sur l'utilité pratique de la géologie et de la paléontologie.

Cependant, plusieurs des recherches de Logan et de ses collaborateurs intéressent surtout les savants. Leurs travaux sur l'*Eozoön canadense* en sont un exemple. On peut rappeler également les longues études que consacrent Logan et les autres géologues de la Commission au Groupe de Québec, ensemble de formations géologiques particulièrement embrouillées qui s'étendent sous la ville de Québec et ses alentours. Vers 1860, Billings, étudiant des fossiles recueillis dans ces formations, établit quelques concordances entre la faune préhistorique de l'Amérique du Nord et celle de l'Europe, concordances qui indiqueraient des correspondances possibles entre les classifications géologiques des deux continents. Acceptées par les uns, farouchement contestées par les autres, les thèses de Logan et de Billings vont alimenter une controverse qui se poursuivra jusqu'au XXe siècle parmi les géologues d'Amérique et d'Europe[17].

Quelques géologues au Canada français

Au Canada français, aucun naturaliste n'atteint la réputation de

Hunt, de Logan ou de Dawson. Cependant, la géologie, la paléontologie et la minéralogie ne sont pas totalement négligées. Entre 1826 et 1829, le docteur Jean-Baptiste Meilleur a fait paraître quelques articles de chimie minérale et de géologie dans la *Bibliothèque canadienne* et le *Journal de médecine de Québec*.

Un autre médecin, le docteur Joseph-Alexandre Crevier, publie quelques travaux scientifiques entre 1860 et 1889, mais son œuvre n'est guère plus substantielle que celle de Meilleur. Véritable touche-à-tout, Crevier s'intéresse autant à la microbiologie qu'à l'astronomie, à l'entomologie et à la géologie. Il se fait également connaître en tant que l'un des chefs de file du mouvement antivaccinateur et comme l'inventeur de remèdes miracles, pour lesquels les journaux du temps font une abondante publicité. Pour compléter le tout, Crevier est membre de l'Institut canadien de Montréal, bastion des Rouges, et ne craint pas de passer pour un savant matérialiste. Le naturaliste, qui possède une collection importante d'insectes, de minéraux et de fossiles, fait parvenir à plusieurs reprises des spécimens d'espèces nouvelles à Billings et à l'abbé Léon Provancher. En 1870, il fait paraître dans *Le Naturaliste canadien* une longue étude sur le venin de crapaud, étude dont la précision expérimentale s'inspire des célèbres travaux de Claude Bernard[18]. Cet article donnera lieu à une vive controverse avec l'abbé Provancher et les docteurs Meilleur et J. Ahern. À Montréal, en 1876, il publie avec le journaliste Auguste Achintre une étude intitulée *L'île Sainte-Hélène: passé, présent et avenir; géologie, paléontologie, flore et faune*. Fort du crédit que lui valent cette courte étude et quelques conférences sur la géologie, il tente de succéder à Billings au poste de paléontologiste de la Commission géologique en 1876, mais sans succès. L'échec ne décourage pas le docteur Crevier, qui entreprend l'année suivante de faire paraître dans *Le Naturaliste canadien*, publié par l'abbé Provancher, une description complète des minéraux du Canada[19]. L'œuvre n'est pas terminée à sa mort, survenue en 1889.

L'abbé J.-C.-K. Laflamme, géologue et vulgarisateur

En comparaison d'amateurs tels Meilleur ou Crevier, l'abbé

Laflamme apparaît comme le premier véritable géologue du Canada français. Né en 1849, Joseph-Clovis-Kemner Laflamme fait ses études classiques au Séminaire de Québec, où il est l'élève de l'abbé Thomas-Étienne Hamel, en mathématiques et en géologie, et de l'abbé Ovide Brunet, en zoologie et en botanique. Dès 1870, alors qu'il est encore séminariste, Laflamme est chargé des cours de géologie et de minéralogie à la Faculté des arts de l'Université Laval. Avec les années, ses charges augmentent : au moins pour de courtes périodes, on lui confiera également l'enseignement de la botanique et de la physique. Titulaire de la chaire de géologie et minéralogie à compter de 1875, doyen de la Faculté des arts de 1891 à 1909, Laflamme sera finalement élevé au titre de recteur en 1893.

Joseph-Clovis-Kemner Laflamme, alors séminariste. (Archives du Séminaire de Québec, photo reproduite par Pierre Soulard)

Le jeune professeur de géologie, dont toute la formation se résume aux leçons de l'abbé Hamel, qui les avait lui-même apprises de Thomas Sterry Hunt, met quelques années à percer dans le domaine. En 1877, l'Université Laval lui permet de s'inscrire à la Summer School of Geology de l'Université Harvard. Ces cours d'été destinés aux professeurs des *colleges* américains sont alors dirigés par Nathaniel S. Shaler et William M. Davis, tous deux professeurs à Harvard. Les exposés théoriques de géologie et de géographie physique sont complétés par des excursions à travers le Massachusetts et l'État de New York.

Ce séjour à Harvard aide sans aucun doute Laflamme à parfaire ses connaissances, mais, comme il le confie lui-même dans une lettre au recteur de l'Université Laval, sa formation laisse encore beaucoup à désirer :

> J'aurai appris à observer et à reconnaître les différentes dispositions des formations géologiques. Je ne sais pas plus distinguer les terrains les uns des autres que je ne le savais avant mon départ : ceci exigerait une connaissance de la paléontologie que je ne possède pas. Il y a un point sur lequel je crois être très bien renseigné. C'est le grand nombre d'hypothèses plus ou moins hardies, plus ou moins solides sur lesquelles reposent les connaissances géologiques. Toutes ces théories sonnent presque toujours le creux[20].

L'année 1881 est marquée par la parution des *Éléments de minéralogie et de géologie*, petit ouvrage que Laflamme destine à ses étudiants de l'Université Laval et à ceux des collèges classiques. Le livre va connaître de nombreuses rééditions, notamment en 1885, 1898, 1907 et 1912. Sous une forme à peine modifiée, il restera en usage dans certains collèges classiques du Québec jusqu'en 1930.

Le véritable tournant dans la carrière scientifique de Laflamme se produit en 1882. Élu à la section scientifique de la Société royale du Canada, le professeur de l'Université Laval se rapproche ainsi des géologues et des naturalistes du Canada anglais. Peu après, Selwyn, directeur de la Commission géologique, lui offre de faire pour le compte de son organisation quelques relevés dans la région du Saguenay. Ainsi commence entre Laflamme et la Commission géologique une longue collaboration : presque chaque été, de 1883 à 1893, puis, à nouveau en 1901, lors d'un voyage à l'île d'Anticosti, Laflamme est chargé, à titre de géologue adjoint, d'explorer le Québec, principalement la rive nord du Saint-Laurent et le bassin du Saguenay. Les résultats de ces explorations paraissent sous sa signature dans les rapports annuels de la Commission géologique ou dans les *Proceedings and Transactions* de la Société royale.

Laflamme est plus à l'aise en géographie physique, c'est-à-dire dans l'observation et l'interprétation du paysage et du relief, que sur le terrain de la stratigraphie. Ses travaux les plus remarqués portent d'ailleurs sur des sujets géographiques et des curiosités du relief québécois. On peut citer, à cet égard, *Le Saguenay, essai de géographie physique*, mémoire qui paraît également sous forme d'article dans *Le Naturaliste canadien* en 1886, et ses observations sur les glissements de terrain de Saint-Alban et de Saint-Luc-de-Vincennes[21]. Le professeur de l'Université Laval fait également des observations sur des sujets d'intérêt économique, tels les dépôts aurifères de la Beauce, la découverte de gaz naturel à Louiseville ou les mines de titane. Ces observations lui fournissent la matière de nombreuses conférences publiques et d'articles publiés dans la presse du temps.

Quand il travaille en géologie, Laflamme doit généralement agir sous la direction de gens plus compétents. Au début de chaque saison d'exploration, Selwyn et son successeur, George Mercer Dawson, adressent au géologue adjoint des instructions précises sur le travail qu'il doit accomplir. Il manque à Laflamme une bonne connaissance de la paléontologie pour pouvoir être plus autonome sur le terrain. En 1886, le géologue américain d'origine suisse Jules Marcou lui écrit : « Votre Mémoire sur le Saguenay et le lac Saint-Jean est très bon, mais il y manque les noms des fossiles recueillis. Faites, mon cher confrère, de la paléontologie : soyez en état vous-même de reconnaître et de nommer la plupart des fossiles[22]. »

Faute de ressources ou d'intérêt, c'est un conseil que Laflamme ne suivra pas. Aussi, quand éclate parmi les géologues américains et canadiens la controverse entourant le système Taconique et le Groupe de Québec, épisode célèbre dans l'histoire de la géologie nord-américaine et où Jules Marcou est justement l'un des principaux protagonistes, le professeur de Laval n'est guère en mesure de s'illustrer. Même s'il a littéralement sous les yeux l'objet du litige, les formations géologiques des alentours de Québec, Laflamme, incapable d'identifier de manière sûre les fossiles, ne peut prendre part au débat qu'en communiquant ses observations brutes et des spécimens recueillis sur le terrain aux adversaires qui s'affrontent dans *Science*, l'*American Journal of Science*, les *Proceedings of the Boston Natural History Society*, le *Bulletin of the Geological Society of America*, etc. Laflamme doit se contenter de faire paraître en 1891 dans *Le Canada français*, revue de l'Université Laval, un résumé des travaux des savants étrangers sur la géologie de Québec[23].

Cependant, s'il n'œuvre pas à l'avant-scène de la géologie de son époque, Laflamme mérite d'être retenu pour la part qu'il prend à la diffusion des idées scientifiques et au progrès des institutions savantes au Canada français. Plus que tout autre naturaliste du Canada français au XIXe siècle, l'abbé Laflamme, qui devient monseigneur Laflamme en 1894, participe à la vie des institutions scientifiques au Canada et à l'étranger. Il est au nombre des fondateurs de la Société royale du Canada en 1882, société dont il deviendra président en 1891. Il prend part également à plusieurs congrès scientifiques, notamment à ceux de la British Association for the Advancement of Science, tenus à Montréal en 1884 et à Toronto en 1897. En 1891, il est à Washington pour le Congrès international de géologie et, en 1897, le gouvernement du Canada le désigne comme son représentant officiel au congrès de géographie de Saint-Pétersbourg.

Représentant officieux du Canada français dans les cercles scientifiques, Laflamme se fait aussi le porte-parole de la science et de la technologie modernes dans son milieu. Son œuvre d'éducateur et de vulgarisateur est considérable : c'est à lui que revient, par exemple, l'honneur d'avoir fait connaître à ses compatriotes des nouveautés techniques comme le téléphone, l'éclairage électrique et les rayons X.

L'émergence d'une communauté scientifique

Tout en aiguillant le développement de l'exploitation minière au Canada et en contribuant au progrès des connaissances scientifiques, la Commission géologique participe activement au

Mgr J.-C.-K. Laflamme, entouré des membres du conseil de la Corporation des arpenteurs-géomètres du Québec en 1897. Assis au centre, l'architecte Charles Baillairgé et le directeur de l'Observatoire de Québec, W.A. Ashe. (Corporation des arpenteurs-géomètres du Québec)

développement de la communauté scientifique canadienne.

Montréal profite beaucoup, à cet égard, de la présence de la Commission. Logan et Alfred R.C. Selwyn, qui dirige la Commission de 1869 à 1895, veillent à entretenir avec les collèges et les universités du Canada des relations étroites. En tout temps, le musée est ouvert aux savants des universités. De son côté, la Commission fait fréquemment appel à leur expertise pour l'identification de spécimens ou pour des analyses chimiques. Dans la préface de la *Géologie du Canada*, en 1863, Logan dresse la liste de tous ceux qui ont prêté leur concours aux travaux de la Commission depuis sa création; y figurent les noms de Dawson et du docteur A.F. Holmes, tous deux de l'Université McGill; de Robert Bell, qui partagera pendant quelques années son temps entre la Commission et l'Université Queen's de Kingston; du professeur E.J. Chapman et du professeur Henry Croft, de l'Université de Toronto; et celui du professeur Henry Y. Hind, du Trinity College de Toronto. Succédant à Logan en 1869, Selwyn maintient la tradition de confier à des professeurs des universités du Canada le soin de réaliser certaines recherches en laboratoire ou des explorations sur le terrain pendant la belle saison.

Les relations entre la Commission et l'Université McGill sont particulièrement étroites et fructueuses. La collaboration entre les deux institutions, surtout à compter de 1855, date où Dawson devient principal de McGill et entreprend d'y développer les études scientifiques, est un élément déterminant de la croissance de chacune et du développement des sciences à Montréal à cette époque. Les ressources, bibliothèques et musées de la Commission, de McGill et de la NHSM se complètent mutuellement. Si Dawson peut utiliser les collections de la Commission pour son enseignement et ses recherches, en échange, Billings et son successeur, J.F. Whiteaves, trouvent à leur disposition celles — beaucoup moins considérables cependant — de l'université. Hunt, qui devient professeur de chimie et de minéralogie à McGill en 1862, tout en conservant son poste à la Commission, peut se servir indifféremment des collections des deux institutions. Un étudiant de Dawson, Henri-Marc Ami, rédige sa thèse de fin d'études grâce aux collections paléontologiques rassemblées par Billings et Whiteaves, avant d'entreprendre, en 1882, une longue carrière au service de la Commission. En outre, les trois institutions se complètent dans leur façon de servir la science: l'université forme quelques géologues, des ingénieurs et des chimistes qui entreront éventuellement au service de la Commission; en retour, celle-ci permet aux universitaires de réaliser des recherches sur le terrain; enfin, la NHSM donne l'occasion aux savants de l'université et de la Commission de maintenir un contact étroit avec le public des amateurs.

Ce dernier point n'est pas sans importance car la NHSM regroupe les citoyens les plus influents de la ville, y compris des hommes d'affaires puissants, comme les Molson, les Redpath, les Macdonald, qui contribuent de leur fortune au développement de l'Université McGill. Dawson, Hunt, Billings et Logan dominent la scène scientifique canadienne au milieu du XIXe siècle. Les institutions qu'ils dirigent et animent, l'Université McGill, la Commission géologique, la NHSM et le journal savant que celle-ci publie, le *Canadian Naturalist and Geologist*, constituent le cadre où prend forme la communauté scientifique canadienne.

Le musée minéralogique et géologique de l'Université Laval profite également, à quelques reprises, de l'appui de la Commission géologique. Titulaire de la chaire d'histoire naturelle à l'Université Laval de 1856 à 1862, Hunt consacre une partie de son temps, chaque semestre, à mettre en ordre le petit musée de l'institution. Ce musée a été rassemblé depuis le début du XIXe siècle par le Séminaire de Québec et considérablement enrichi, vers 1858, par des dons de Logan. En 1864 et en 1865, Hunt est invité par les prêtres du Séminaire et de l'Université

Le Musée de minéralogie du Séminaire de Québec. (Archives du Séminaire de Québec, photo reproduite par Pierre Soulard)

Laval à refaire de fond en comble l'arrangement des collections minéralogiques, géologiques et paléontologiques, réforme qui précède l'envoi par Billings d'une vaste collection de fossiles canadiens. La Commission continue par la suite de favoriser le progrès des sciences à l'Université Laval : entre 1890 et 1900, par exemple, Henri-M. Ami est libéré à plusieurs reprises de son service à la Commission afin de procéder au classement des fossiles et autres spécimens du musée de Laval, tâche dont Mgr Laflamme ne peut venir à bout seul.

Les dons de collections minéralogiques et paléontologiques de la Commission à l'Université Laval n'ont rien de singulier. De nombreuses institutions d'enseignement du Canada profitent de telles largesses à cette époque. La pratique est courante dès 1850 et elle ne fait que prendre un tour plus officiel lorsqu'en 1875 un employé du musée de la Commission est spécialement chargé de préparer et d'expédier des séries de minéraux et de fossiles aux maisons d'éducation. Au Québec français, le Collège de Lévis, l'École normale Jacques-Cartier, l'École polytechnique de Montréal, le Séminaire de Sherbrooke figurent parmi les nombreuses institutions qui reçoivent de tels cadeaux. Souvent, les collections de la Commission servent de point de départ à un musée d'histoire naturelle dans les collèges ou les séminaires qui les reçoivent.

Ainsi, la Commission géologique, en marge de ses activités techniques et scientifiques, prête-t-elle activement son concours au développement des institutions savantes et des maisons d'enseignement du Québec, à Montréal en particulier. On imagine le tollé que soulève, en 1877, une décision du Parlement fédéral obligeant la Commission géologique à transférer à Ottawa, nouvelle capitale de la fédération, ses bureaux, ses laboratoires et son musée.

La décision du Parlement rencontre une vigoureuse opposition de la part des Montréalais. Une campagne de protestation est lancée, à la tête de laquelle on retrouve les députés de la ville aux Communes, les hommes d'affaires du Board of Trade et les représentants des institutions culturelles. La NHSM et l'Université McGill, derrière lesquelles agit, bien sûr, Dawson, se prononcent publiquement contre le déménagement de la Commission. Malheureusement, rien ne réussit à ébranler Ottawa et, au printemps de 1881, la Commission géologique quitte Montréal avec armes et bagages, après presque quarante ans de présence dans la ville.

Le congrès de l'AAAS à Montréal : une réception au Musée Redpath. (*Canadian Illustrated News*, 2 sept. 1882, Archives publiques du Canada, C-77324)

Énergique comme toujours, le principal Dawson compense la perte des collections de la Commission en obtenant du « roi du sucre », Peter Redpath, les sommes nécessaires à la création d'un nouveau musée d'histoire naturelle. Le Redpath Museum est inauguré en grande pompe en août 1882, juste à temps pour la seconde visite de l'American Association for the Advancement of Science. Deux ans plus tard, c'est au tour de la British Association for the Advancement of Science d'accepter l'invitation de Dawson et de se réunir à Montréal. À chaque occasion, les Montréalais font un accueil grandiose aux savants étrangers : aux conférences scientifiques succèdent les banquets officiels, les bals, les *garden-parties*, les événements sportifs et les excursions à Québec ou au lac Memphrémagog.

Ces grands événements scientifiques et mondains mettent Montréal sur la carte du monde scientifique et persuadent ceux qui pouvaient encore en douter que le Canada a désormais une communauté scientifique. Les années 1880, ainsi marquées par les congrès de l'AAAS et de la BAAS, constituent un sommet pour Montréal en tant que capitale scientifique du Canada.

CHAPITRE 6

LES NATURALISTES À L'HEURE DE DARWIN

Au XIXe siècle, aucune science n'est plus populaire que l'histoire naturelle. C'est dans l'Angleterre victorienne que cette passion culmine ; d'innombrables cercles et clubs apparaissent aux quatre coins du pays afin d'encadrer les recherches et les activités des naturalistes amateurs : chasseurs de papillons, collectionneurs de coquilles, d'orchidées ou de fougères, etc. Une abondante presse de vulgarisation répond à la curiosité du public et permet de suivre de près les événements scientifiques de l'heure, comme les explorations océanographiques du *H.M.S. Challenger* ou le débat que déclenche, en 1859, la publication de *L'origine des espèces*, dont la première édition est enlevée en quelques heures. Cette passion pour l'histoire naturelle se retrouve dans l'ensemble de l'Europe et en Amérique du Nord. Portées par cet intérêt presque universel, les principales branches de l'histoire naturelle, la géologie, la botanique, l'entomologie, l'ornithologie et la zoologie des mammifères, vont faire des progrès considérables.

Le coup de tonnerre que Charles Darwin fait éclater en 1859, loin de diminuer la popularité de l'histoire naturelle, ébranle les assises intellectuelles de son époque et déclenche une controverse historique. Contrairement au récit de la Genèse, selon lequel les espèces seraient sorties des mains du Créateur telles que nous les connaissons, la nature elle-même, prétend le naturaliste anglais, en sélectionnant les forts et en éliminant les faibles dans la lutte pour la survie, donne naissance à des êtres toujours plus perfectionnés et mieux adaptés à leur milieu.

Même si Darwin se fait discret sur ce point, aucun de ses lecteurs ne peut manquer de voir que cette description de la vie, évoluant depuis ses formes les plus simples jusqu'à l'*Homo sapiens*, sous l'action de la sélection naturelle, constitue une menace formidable pour la religion et les perceptions traditionnelles de la Providence et de l'Homme. Dès son origine, le débat du transformisme est en même temps un débat scientifique et un débat philosophique, où le zèle des défenseurs de la religion ne le cède en rien au zèle de ceux qui, comme Huxley et Spencer, veulent fonder sur la science une nouvelle morale séculière. Mais si beaucoup de naturalistes mêlent les arguments scientifiques et religieux, plus nombreux encore sont ceux qui choisissent de rester sur le terrain de la science, là où va se jouer en définitive le sort de l'hypothèse évolutionniste.

Au Canada anglais comme au Canada français, les géologues et les naturalistes, encouragés par la popularité des sciences naturelles, apportent eux aussi leur contribution à la science du XIXe siècle. Ils doivent également prendre position à l'endroit des thèses transformistes. Les idées de Darwin vont rencontrer une résistance farouche chez certains savants canadiens de premier plan, même si, dans l'ensemble, la communauté scientifique canadienne est encore trop réduite et dispersée pour soutenir un débat d'envergure.

Dawson: un savant canadien contre Darwin

Le premier savant canadien à se prononcer contre les idées de Darwin est nul autre que William Dawson, principal de l'Université McGill.

Né à Pictou en 1820, dans une solide famille écossaise et presbytérienne, Dawson manifeste assez tôt des dispositions pour l'étude de la nature. Il ne fait qu'un court séjour à l'Université d'Édimbourg, mais son intérêt pour la géologie lui permet d'être remarqué par Lyell quand celui-ci visite la Nouvelle-Écosse en 1841. Encouragé par le savant anglais, le jeune homme poursuit ses recherches et ses observations, tout en enseignant dans divers établissements de sa province. En 1850, il devient le premier surintendant de l'Éducation de la Nouvelle-Écosse. Il participe, en 1854, à la réforme de l'Université du Nouveau-Brunswick. L'année suivante, il rassemble le fruit de ses recherches géologiques dans *Acadian Geology*, son premier ouvrage scientifique important. Sa réputation d'éducateur et de savant pousse les gouverneurs de McGill à lui offrir le poste de principal en 1855.

John William Dawson vers 1860. (Archives de l'Université McGill)

Les responsabilités académiques n'empêchent pas Dawson de publier abondamment: il a à son crédit plus de six cents articles sur des sujets scientifiques, religieux ou philosophiques, et une vingtaine de livres. Ce nombre comprend des ouvrages visant à réconcilier les sciences et la religion, tels *Archaia* (1857) ou *The Origin of the World According to Religion and Science* (1877), des ouvrages de vulgarisation, tels *The Dawn of Life* (1875) et *Modern Ideas of Evolution* (1890), et des manuels et monographies scientifiques. Plusieurs de ses ouvrages connaissent de nombreuses rééditions.

Les travaux scientifiques de Dawson couvrent à peu près tous les domaines de l'histoire naturelle. Cependant, sa réputation est fondée surtout sur ses recherches en paléobotanique et en paléozoologie. Au Canada, Dawson peut étudier l'une des plus anciennes flores fossiles du monde. Dans ce domaine, encore vierge à l'époque, ses recherches sont celles d'un pionnier; ses analyses et ses descriptions des espèces du Dévonien, du Crétacé et du Tertiaire vont faire longtemps autorité. En paléozoologie, Dawson se distingue par ses travaux sur la faune amphibie et reptile de l'Est du Canada, et même sur la préhistoire humaine. Malheureusement, son obstination à soutenir la thèse de l'origine organique de l'*Eozoön canadense* de même que son opposition farouche aux idées évolutionnistes ternissent un peu sa réputation scientifique à la fin de sa carrière.

En effet, le principal de McGill est, avec Louis Agassiz, le grand zoologiste de Harvard, un des plus célèbres adversaires de Darwin en Amérique du Nord. Pour les deux naturalistes, l'idée que la nature puisse être abandonnée à elle-même, évoluant sous l'effet d'une sélection naturelle aveugle, est également insoutenable. Agassiz, sous l'influence de la *Naturphilosophie* allemande, croit pouvoir découvrir dans la nature les desseins du Créateur et affirme que l'histoire naturelle n'est «rien d'autre que l'étude de la pensée de l'Être suprême, telle qu'elle se manifeste dans le règne animal et le règne végétal[1]». Dawson, plus simplement, voit dans l'économie générale de la nature et, plus particulièrement, dans l'adaptation de chaque être à son milieu, la main de la divine Providence. Profondément religieux, formé dans une tradition intellectuelle où la théologie naturelle et la théologie révélée s'appuient réciproquement, Dawson appartient à la grande famille des savants qui, au siècle dernier, vont s'efforcer de réconcilier la science et la religion. Un des maîtres à penser de sa jeunesse avait été l'Écossais Hugh Miller qui, dans un ouvrage célèbre, *The Footprints of the Creator* (1847), avait établi des concordances entre les six jours de la Création et les époques géologiques connues. La mort d'Agassiz, en 1873, fait de Dawson le principal ténor du combat contre l'évolutionnisme en Amérique du Nord. Cependant, au cours des vingt-cinq années qui suivent, son attitude se modifiera profondément.

Dawson entre en guerre très tôt contre l'évolutionnisme. Il a lu le résumé de la communication sur la sélection naturelle que Darwin a présentée à la Linnean Society de Londres en 1858 et, dès la parution de *L'origine des espèces*, il en fait un compte rendu sévère dans le *Canadian Naturalist*. Cette première attaque sera suivie de beaucoup d'autres. Au cours de sa carrière, Dawson consacre des centaines d'articles et au moins six livres au problème de l'évolution, attaquant ses adversaires de tous les angles possibles.

Très à l'aise sur le terrain de la paléontologie, il ne manque pas d'insister, dans beaucoup de ses attaques, sur le fait que l'absence de formes intermédiaires entre des fossiles très anciens et des fossiles modernes met sérieusement en doute la thèse d'un lien évolutif. Dawson insiste également sur le fait que des espèces très anciennes, l'*Eozoön canadense* par exemple, sont plus organisées que certaines espèces récentes, ce qui contredirait la thèse de Darwin selon laquelle les êtres, en s'adaptant, iraient du plus simple au plus complexe. Enfin, puisant dans ses propres recherches sur les plantes fossiles du Dévonien, il peut faire valoir que certaines espèces sont disparues, alors que d'autres espèces étroitement apparentées proliféraient dans les mêmes conditions. Comment expliquer de telles choses si la sélection naturelle est à l'œuvre?

Ces critiques de Dawson sont typiques de celles que beaucoup de paléontologistes de l'époque adressent à Darwin et à ses partisans. À cela, ceux-ci répondent invariablement que la faune et la flore fossiles sont encore trop mal connues pour corroborer l'hypothèse évolutionniste. Mais cette réponse ne satisfait pas tous les naturalistes: Darwin lui-même, dans une

Gravure d'un ouvrage de J.W. Dawson, *The Story of the Earth and Man.*
(Bibliothèque nationale du Canada, NL-15206)

lettre à Agassiz, reconnaissait que «les arguments tirés de la géologie ont toujours paru très forts contre moi[2]».

Outre les arguments de la paléontologie, Dawson a une raison plus profonde de rejeter le darwinisme : dans son esprit, l'idée d'une évolution guidée par la sélection naturelle est incompatible avec l'adaptation parfaite des êtres à leur milieu, adaptation qui, selon lui, prouve que la nature suit un plan, le «plan de la création». En 1872, dans la première édition de son ouvrage le plus populaire, *The Story of the Earth and Man*, il écrit : «L'évolution enlève à l'étude de la nature toute idée de cause finale ou de but. L'évolutionniste, au lieu de considérer le monde comme l'achèvement d'un plan majestueux, auquel l'artisan aurait consacré toute son habileté, voit la nature comme les amoncellements désordonnés de pierres, qui peuvent présenter l'apparence d'un château ou les figures grossières d'hommes ou d'animaux, mais ne sont que le résultat du hasard et restent dépourvues de sens véritable[3]. »

L'opposition de Dawson devient véhémente quand les évolutionnistes prétendent étendre à l'espèce humaine l'effet de la sélection naturelle et du *struggle for life*. Dawson ne peut parler sans dégoût de ce « pedigree sans fin d'ancêtres bestiaux, sans lueur de grandeur ou de sainteté[4] » que les darwinistes proposent, et revendique pour l'homme un ordre distinct. Cet ordre distinct se justifie, selon Dawson, non seulement par les Saintes Écritures, mais par les capacités intellectuelles incomparables de l'*Homo sapiens*.

Comme beaucoup de ses contemporains, Dawson a confondu l'évolutionnisme, le darwinisme — qui en est une version particulière — et les implications philosophiques ou religieuses de ces doctrines scientifiques. Mais la controverse générale qu'a déclenchée *L'origine des espèces* permet aux naturalistes de distinguer progressivement l'effet, l'évolution, de ses causes possibles. Si, pour les darwinistes, la sélection naturelle est le principal mécanisme de l'évolution des formes vivantes, plusieurs naturalistes soutiennent que d'autres facteurs sont à l'œuvre, comme l'influence du milieu et la transmission des caractères acquis, ou encore le « désir » qu'auraient certains êtres d'évoluer afin de réaliser pleinement le dessein de leur Créateur. Fondé sur cette dernière hypothèse, l'« évolutionnisme théiste » tente de concilier le fait que les formes vivantes évoluent et l'idée que cette évolution aurait été planifiée par la Providence pour conduire le monde et l'homme à leur fin.

Avec les années, Dawson abandonne peu à peu son opposition rigide au transformisme et se rapproche de ceux qui tentent ainsi de raccommoder la révélation et les faits scientifiques. Un des plus éminents défenseurs de l'« évolutionnisme théiste » est le philosophe James McCosh, président de l'Université Princeton. En 1878, McCosh offre à Dawson la chaire de géologie et la direction de la nouvelle School of Science de Princeton, ajoutant que, des États-Unis, il sera plus en mesure « de guider les esprits dans ces temps critiques[5] ». Prétextant son attachement à McGill et la nécessité d'aider « une poignée de protestants menacés à porter le flambeau de la science moderne au milieu de l'ultramontanisme et de la papolâtrie du Canada français[6] », Dawson décline l'offre de l'Américain, mais accepte d'écrire quelques essais sur le transformisme pour la *Princeton Review*. En 1890, ces travaux serviront de base à son ouvrage le plus important sur cette question, *Modern Ideas of Evolution*. Toujours farouchement opposé à la thèse de la sélection naturelle ou à tout autre facteur de l'évolution qui serait purement naturel, le savant canadien reconnaît cependant que la modification des espèces n'est pas incompatible avec l'idée d'un « plan divin de la création ». « Il est vrai, écrit-il, qu'on peut envisager une forme d'évolutionnisme qui tiendrait compte de Dieu. Cependant, cet évolutionnisme est radicalement distinct du darwinisme et du néo-lamarckisme. Il pose l'existence d'un Créateur et considère le développement de l'univers comme la réalisation de son plan, selon des causes par lui déterminées. Cet évolutionnisme admet l'existence d'un plan de la création et d'une finalité[7]. »

Dans les toutes dernières années de sa vie, ses idées se modifient encore. Ses derniers travaux parlent d'une « loi de la Création » selon laquelle les êtres vivants, sortis de la main de Dieu à différentes époques de l'histoire géologique, auraient eu la liberté d'évoluer à l'intérieur de limites préétablies. Dawson affirme que sa théorie s'accorde mieux que le darwinisme avec les faits scientifiques, mais ses plus forts arguments sont essentiellement philosophiques et religieux. Cette vision de l'évolution guidée par le Créateur rassure sans doute les esprits religieux et fait de Dawson un auteur très populaire. Cependant, les cercles scientifiques de la fin du siècle accueillent assez froidement les thèses de Dawson. À l'Université McGill même, le botaniste D.P. Penhallow et le minéralogiste Thomas Sterry Hunt, deux de ses proches collaborateurs, professent des opinions évolutionnistes. Dès 1875, le naturaliste William Couper présente l'évolution par voie de sélection naturelle comme un fait scientifique établi dans un discours à l'Entomological Society of Montreal, discours que la presse montréalaise diffuse sans faire scandale[8]. Le géologue Frank D. Adams, qui signe une notice nécrologique sur Dawson dans *Science* en 1899, exprime sans doute le sentiment de beaucoup de naturalistes quand il écrit que le savant canadien était « trop profondément religieux pour pouvoir abandonner le récit de la Genèse » et que son irréductible opposition au darwinisme était « la faiblesse d'un grand homme[9] ».

Dans l'histoire des sciences au Canada, Dawson est certainement le premier savant à atteindre une réputation internationale. Il entretient une correspondance abondante avec le monde savant de son époque et il peut se flatter d'avoir des relations suivies avec les naturalistes les plus réputés, tels Lyell, le botaniste américain Asa Gray, William Hooker, et son fils Joseph, des Royal Botanical Gardens de Kew, en Angleterre, etc. Élu *fellow* de la Geological Society de Londres, en 1854, et de la très prestigieuse Royal Society of London, en 1862, Dawson accumule les honneurs tout au long de sa carrière. En 1881, la Geological Society lui décerne la médaille Lyell et il est anobli par la reine Victoria en 1884. Président de l'AAAS en 1882 et de la BAAS en 1886, il est le seul savant à avoir cumulé ces deux titres. En 1882, il est également désigné comme le premier président de la Société royale du Canada. Enfin, en 1893, il est élu président de la Geological Society of America. Ce dernier honneur représente le couronnement de sa longue carrière : la même année, Dawson abandonne sa charge à l'Université McGill. Il meurt en 1899.

L'Université Laval et le darwinisme

À l'Université Laval, foyer de la vie intellectuelle au Canada français, ni la parution de *L'origine des espèces* ni la controverse qui s'ensuit ne semblent avoir créé d'émoi extraordinaire. L'abbé Louis-Ovide Brunet, qui enseigne la botanique et la zoologie au Séminaire de Québec et à l'Université Laval de 1858 à 1870, reste muet sur ce sujet, au moins dans son œuvre publiée. En 1865, à la demande du botaniste américain Asa Gray, le plus célèbre défenseur de Darwin en Amérique du Nord, il explore l'île d'Anticosti. Les résultats de ses recherches vont fournir des arguments à Gray, dans la discussion entourant les rapports entre l'isolement géographique et le développement de nouvelles espèces. Rien, cependant, n'indique que Brunet en soit conscient.

De son côté, Thomas Sterry Hunt, qui enseigne la géologie et la minéralogie à l'Université Laval de 1858 à 1862, ne se gêne pas pour évoquer favorablement les hypothèses transformistes devant ses étudiants. Son successeur, l'abbé Thomas-Étienne

Hamel, n'éprouve sans doute pas autant de sympathie pour les idées évolutionnistes, mais il aborde assez librement le sujet dans son cours de 1867, en présentant le pour et le contre de la thèse transformiste, sans toutefois se prononcer lui-même[10].

Cependant cette attitude relativement ouverte à l'égard du transformisme ne dure pas. En 1871, le cours de géologie de l'abbé Laflamme, qui a pris la relève de Hamel, ne contient aucune référence directe aux thèses évolutionnistes et expédie en un paragraphe, sous le titre de « développement de la vie », le fait que la nature ait donné naissance à des êtres de plus en plus organisés, depuis l'*Eozoön canadense* jusqu'à l'apparition de l'homme au Tertiaire[11].

En 1864, Pie IX a publié la terrible encyclique *Quanta cura*, accompagnée du *Syllabus* ou *Catalogue des principales erreurs de notre temps*, où se trouvent condamnés le socialisme, le matérialisme, le rationalisme et le libéralisme au titre des « erreurs du temps »[12]. Pour les ultramontains du Canada français, menés par Mgr Bourget, évêque de Montréal, le *Syllabus* constitue à la fois une victoire et une arme efficace contre toutes les idées modernes, assimilées à des hérésies virtuelles. La première victime de l'irascible évêque de Montréal sera l'Institut canadien, dont les membres sont excommuniés en 1869. Louis-Antoine Dessaulles, un des chefs de file de l'Institut, s'était d'ailleurs publiquement exposé aux foudres des ultramontains en prenant parti pour la thèse évolutionniste dans une conférence sur le progrès, prononcée en 1866[13]. La chose lui avait valu d'être furieusement attaqué dans *La Minerve* et *Le Courrier de Saint-Hyacinthe* par l'abbé Isaac Désaulniers et le supérieur du Séminaire de Saint-Hyacinthe, l'abbé Joseph-Sabin Raymond, qui, tout en affirmant que l'Église n'avait « rien à appréhender de la science en elle-même », condamnaient la conférence de Dessaulles comme « un acte antichrétien, antisocial et antipatriotique[14] ».

L'Université Laval est également suspecte aux yeux des ultramontains, qui y voient un foyer du libéralisme catholique. Cette accusation peut faire sourire aujourd'hui, mais les professeurs de l'institution, ceux qui enseignent les sciences surtout, ne peuvent se permettre de prendre à la légère la vigilance des ultramontains. C'est dans ce climat, bientôt aggravé par la querelle entre le clergé de Montréal, qui veut obtenir une université, et l'archevêque de Québec, qui protège l'Université Laval, que Hamel et Laflamme doivent aborder la question de l'évolution.

Le Musée de zoologie du Séminaire de Québec. (Archives du Séminaire de Québec, photo reproduite par Pierre Soulard)

En 1877, l'abbé Laflamme prononce devant l'Institut canadien de Québec une conférence sur «les tendances de la science moderne manifestées par la théorie de l'évolution». *Le Journal de Québec*, qui rapporte l'événement dans son édition du 26 mars, précise que «M. Laflamme [...] a surtout réfuté les théories absurdes soutenues par Huxley, Darwin et autres qui prétendent à la transformation des êtres; et par son impitoyable logique, il a facilement démontré qu'elles reposaient seulement sur des hypothèses et s'écartaient de la véritable science.» À la même époque, *L'Abeille*, journal officiel du Séminaire de Québec, précise ce qu'il faut penser des thèses transformistes en annonçant à ses lecteurs que l'Université de Cambridge vient de décerner un doctorat *honoris causa* à Charles Darwin. Le ton badin de l'entrefilet, où l'on évoque la parenté possible de l'homme avec le singe et la recherche du *missing link,* ne laisse cependant planer aucun doute sur l'éventualité d'une telle découverte: «Cette trouvaille ne se fera sans doute jamais, et les savants devront toujours se contenter à ce sujet d'hypothèse plus ou moins ridicules. Le Darwinisme en effet n'a jamais été et ne sera jamais qu'un rêve[15]. »

On trouve la même condamnation sans appel dans la première édition des *Éléments de minéralogie et de géologie* de Laflamme, en 1881. Répondant aux thèses avancées par Darwin dans *The Descent of Man* en 1871, Laflamme affirme que l'homme n'est pas un singe perfectionné: au contraire, ce « roi de la création a été créé directement par Dieu. Quand même l'Écriture Sainte ne nous le dirait pas, la science suffirait pour l'affirmer hautement. » Quant au reste de la création, le transformisme n'est, pour Laflamme, qu'une hypothèse « hasardée »: « S'il y a un fait certain en histoire naturelle, c'est *la fixité complète* des espèces vivantes. Et nous sommes en droit de rejeter toute théorie basée sur la variabilité des espèces, tant qu'on ne nous en aura pas donné un exemple évident[16]. » Les transformistes étant bien incapables de produire cette preuve « évidente » de l'évolution des espèces, la cause paraît entendue pour Laflamme.

En 1887, Hamel reprend essentiellement les mêmes arguments devant les membres de la Société royale du Canada[17]. Après avoir présenté la thèse darwinienne, il conclut que « la seule opinion vraiment scientifique, en tant qu'appuyée sur les faits et sur l'expérience, est celle de la fixité des espèces. Le darwinisme ne saurait donc être classé que parmi les théories anti-scientifiques. »

L'opposition des professeurs de l'Université Laval aux thèses darwiniennes ne s'explique pas uniquement par leurs croyances religieuses. En effet, Hamel insiste sur le fait que, mis à part l'homme, pour qui il réclame une création spéciale, ses convictions religieuses ne lui défendent pas de « croire à l'origine purement chimique et physique de la vie organique, soit végétale, soit animale ». Quelques années plus tard, en 1891, il revient sur le sujet, reprenant les arguments connus et ajoutant même que « la Bible favorise plutôt la théorie de la transformation des espèces lorsqu'elle nous rapporte, pour la production des animaux et des plantes, non pas que Dieu les fit de toutes pièces, mais qu'il est dit : 'que les eaux produisent les reptiles et les oiseaux, que la terre produise les animaux et les plantes'[18] ». Cette concession faite, il ajoute : « Et cependant, je n'hésite pas à le dire, la théorie de Darwin n'est pas scientifique ; pourquoi ? parce qu'elle ne s'appuie pas sur les faits. » Seule la fixité des espèces, selon Hamel, peut être appuyée par « l'observation universelle ».

Tout comme Dawson et beaucoup d'autres scientifiques de l'époque, Hamel et Laflamme fondent l'essentiel de leurs critiques sur une conception inductiviste et empiriste de la méthode scientifique. Selon Francis Bacon, qui avait donné à cette conception de la science sa première formulation au XVIIe siècle, les théories et les lois devaient être induites à partir de l'accumulation des observations. Autrement dit, le savant devait se laisser guider, non pas par l'hypothèse, mais par les faits eux-mêmes. Or, cette approche se trouve justement remise en question à l'époque de Darwin, par les partisans de la méthode hypothético-déductive, qui imbrique faits et hypothèses de façon complexe. Darwin est lui-même conscient de s'être éloigné de la tradition scientifique. En 1863, il conseille un correspondant : « que la théorie guide vos observations ; mais en attendant que votre réputation soit bien établie, faites bien attention à ne pas trop publier de théorie, car cela fait douter les gens de vos observations[19] ». Cette différence radicale dans la conception de la méthode scientifique ne pouvait engendrer qu'un dialogue de sourds entre partisans et opposants de la théorie de Darwin. En particulier, les preuves « évidentes » que ces derniers réclament continuellement n'existent tout simplement pas. L'interprétation des fossiles est un exercice complexe, qui se fait toujours en fonction d'hypothèses précises.

Avec le temps, cependant, la force des arguments évolutionnistes gagne la majorité des naturalistes et la thèse de la fixité des espèces devient de plus en plus difficile à soutenir. Témoin de cette évolution de la pensée scientifique, Laflamme reconnaît dans l'édition de 1907 de ses *Éléments de minéralogie et de géologie* — cinquante ans après la parution de *L'origine des espèces* — qu'«une grande loi du perfectionnement» pourrait régir toute la création animée, comme le prétendent les transformistes[20]. Toutefois, il ajoute que ses convictions religieuses l'obligent à affirmer que l'homme est sorti «en état de civilisation» des mains du Créateur, c'est-à-dire pleinement développé et doué d'une âme. La lente évolution de la pensée de Laflamme à l'égard de la théorie transformiste a pu être facilitée par l'exemple de certains savants catholiques français de l'époque. Depuis son premier voyage en Europe, en 1881, Laflamme est en contact avec des savants de l'Institut catholique de Paris, qui se sont donnés pour mission de rapprocher la science et la foi. Le géologue Albert de Lapparent en particulier, avec qui Laflamme correspond, est un de ceux qui tentent de concilier l'évolutionnisme avec les enseignements de l'Église[21].

Des ultramontains dans la controverse transformiste

Si des professeurs de l'Université Laval comme Hamel et Laflamme adoptent une attitude somme toute modérée face au darwinisme, il en va tout autrement d'ultramontains farouches comme l'abbé Léon Provancher et l'abbé François-Xavier Burque.

En 1872, Provancher commence à publier un cours de géologie en feuilleton dans *Le Naturaliste canadien*[22]. S'appuyant sur les travaux de Lyell, de Conybeare, de d'Orbigny et de Cuvier, pour les fondements de cette science, et sur ceux de Dawson et de Logan, pour la partie canadienne, le naturaliste passe en revue les roches volcaniques et les roches métamorphiques, l'apparition des premières formes de vie sur terre, puis les grandes époques géologiques, du Cambrien au Quaternaire. Mais Provancher ne se contente pas de faire un exposé scientifique : son ambition profonde est de «descendre dans l'arène avec le matérialiste, afin d'étudier la nature avec lui, pour faire ressortir l'énormité de ses systèmes et démontrer *à science égale* l'absurdité et l'impiété de ses théories». Dès la première leçon, Provancher précise son intention apologétique : «Partout où elle est entendue, la science n'est en désaccord nulle part avec la Révélation. Tout au contraire, les arguments qu'on avait cru trouver contre les vérités révélées, dans des découvertes et des observations

L'abbé Léon Provancher. (Archives de la collection Provancher, Université Laval)

imparfaites, sont venus, après de nouvelles études, à confirmer précisément le récit des livres saints ou du moins à demeurer en tous points en accord avec lui. C'est cet accord de la Géologie avec la Révélation que nous nous efforcerons de mettre en relief[23] ». Fidèle à sa promesse, Provancher termine le cours par une très longue discussion du déluge mosaïque, événement biblique dont la géologie conteste qu'il se soit produit sur la Terre entière.

Le cours de géologie, dont *Le Naturaliste canadien* achève la publication en 1875, ne crée aucun remous, mais quand Provancher en présente un résumé, sous forme de conférence au Cercle catholique de Québec en janvier 1879, une polémique s'élève tout à coup. Provancher s'étant écarté du récit biblique au sujet du déluge, suivant en cela la majorité des géologues et même des théologiens de l'époque, il est violemment pris à parti par Jules-Paul Tardivel, membre éminent du Cercle catholique, où se regroupent les ultramontains de Québec. Invoquant la Bible et l'autorité de saint Thomas d'Aquin, Tardivel accuse Provancher de flirter dangereusement avec l'hérésie au nom de la science[24]. Le rédacteur du *Naturaliste canadien* n'étant pas homme à reculer devant la perspective d'une bonne polémique, on assiste à un affrontement scientifico-théologique en règle[25]. Provancher, appuyé par l'abbé François-Xavier Burque, un jeune professeur du Séminaire de Saint-Hyacinthe qui s'est jeté dans la mêlée avec enthousiasme, a rapidement le dessus car, pour montrer l'accord de la Bible et de la géologie, il peut citer non seulement les travaux de Hugh Miller — le géologue écossais qui avait inspiré Dawson dans sa jeunesse —, mais aussi ceux d'auteurs catholiques, comme les abbés Lambert et Reusch, qui ont procédé à la mise à jour de la doctrine de l'Église sur cette question. En février 1881, l'Université Laval et l'archevêché de Québec viendront appuyer Provancher et, surtout, calmer les ardeurs des ultramontains en autorisant Mgr Thomas-Étienne Hamel à prononcer à son tour une conférence sur la géologie et le récit biblique, où l'on affirme clairement que les catholiques ne sont pas tenus à une interprétation littérale du récit mosaïque et peuvent donc accepter les enseignements de la géologie[26].

En dépit des passions qu'elle soulève, la question du déluge reste secondaire dans le vaste débat entre la science et la religion au XIXᵉ siècle. Bien plus importante est la question de l'évolution. Provancher ne s'y trompe pas, et c'est sur ce terrain qu'il va livrer ses attaques les plus farouches.

C'est cependant à l'abbé Burque que revient l'honneur d'ouvrir les hostilités contre le transformisme. En 1876, il fait paraître dans *Le Naturaliste canadien*, sous le titre inusité de « Le premier et le plus profond des savants : Adam, notre premier père », une charge violente contre le transformisme en général et contre les thèses de Darwin sur l'origine de l'homme en particulier[27]. Pour Burque, le premier homme n'était pas une brute, rappelant encore, par beaucoup de ses traits, son origine simiesque, mais, comme le dit la Genèse, Adam lui-même, le plus savant des hommes car il avait accès à l'« arbre de la connaissance ». Cette « réfutation du darwinisme », comme Burque se plaît à désigner son travail, repose bien plus, on s'en doute, sur le dogme et des effets rhétoriques que sur des arguments scientifiques. Une citation suffira à donner une idée du ton sur lequel l'auteur s'en prend à Darwin : « Avec l'orang-outang, les évolutionnistes descendent plus bas. Ils descendent jusqu'aux marsupiaux, jusqu'aux oiseaux, jusqu'aux reptiles ; plus bas encore, jusqu'aux poissons, jusqu'aux vers, jusqu'aux limaçons, jusqu'aux éponges ; plus bas, plus bas encore : jusqu'à l'herbe des champs, jusqu'à la matière brute, jusqu'à la fange, à l'ordure, à la boue ! Eh bien ! qu'ils sympathisent fraternellement avec la boue ! »

Le ton et la substance de l'argument restent les mêmes quand Burque revient à la charge, toujours dans *Le Naturaliste canadien*, en 1878. Il fait alors paraître les premières livraisons d'un article sur « Le chien et ses principales races », feuilleton interminable qui durera — heureusement avec de longues pauses — jusqu'en 1921[28] ! Ce n'est pas, à proprement parler, d'élevage canin dont il est question : Burque se sert de l'expérience des éleveurs qui, à travers l'histoire, ont réussi à produire une foule de variétés et de races de chiens sans sortir des limites de l'espèce pour attaquer Darwin. Si la sélection artificielle exercée par les éleveurs n'a pas réussi à modifier l'espèce, comment la sélection naturelle, entièrement livrée au hasard, aurait-elle pu y réussir ? Cette difficulté soulevée, Burque se sent autorisé à revenir sur le terrain de la doctrine et à condamner sans appel le transformisme.

Quelques années plus tard, l'abbé Burque trouvera une nouvelle occasion de condamner l'évolutionnisme et le matérialisme sous toutes ses formes dans un ouvrage fort étrange sur la vie extraterrestre, intitulé *La pluralité des mondes habités considérée au point de vue négatif*. En s'en prenant aux thèses sur la vie extraterrestre, Burque cherche à discréditer toute idée venant appuyer «l'éternité de la matière et des forces immanentes de la matière». Il s'attaque explicitement à Camille Flammarion, qu'il qualifie de «grand chef actuel des matérialistes». Astronome et vulgarisateur français de renom, Flammarion s'est signalé notamment par son intérêt pour la question des possibilités de vie ailleurs dans l'univers. Burque y voit une autre manifestation de la science matérialiste, dont le darwinisme n'est qu'une des formes. Sur un ton tout aussi théâtral que dans ses premiers travaux, il glisse dans son ouvrage un poème antitransformiste où il donne la parole aux atomes:

> Atomes, est-il vrai que toutes ces espèces
> Viennent d'un germe seul par transformation?
> Animaux, végétaux, lentement et par pièces
> Sont-ils le simple fruit d'une évolution?

Et les atomes de répondre:

> Tout vivant sur la terre est parfait dans son type
> On en voit nulle part la monstruosité;
> Preuve que chaque espèce a son propre principe,
> Et que Dieu la doua d'immutabilité[29].

Malgré ces retours incessants à la révélation et les accents d'intolérance doctrinaire qui caractérisent ses travaux, Burque semble avoir une idée assez nette du défi que pose l'évolutionnisme, sur le terrain scientifique même, à l'apologétique et aux savants catholiques. En 1875, par exemple, il écrit à l'abbé Provancher: «Les raisons purement philosophiques ne suffisent plus dans le débat; c'est du *positivisme* qu'il faut, et l'apologétique chrétienne doit suivre ses ennemis partout, dans l'immensité des espaces et dans les entrailles du globe, et connaître comme eux ce qui s'obtient avec la lunette ou avec le pic, avec la loupe et avec le scalpel[30].» Naturaliste médiocre,

Burque peut difficilement contribuer à cette modernisation de la théologie naturelle et à la lutte scientifique contre le transformisme, lutte où s'illustre par exemple Dawson. Provancher, par contre, pourrait se lancer dans l'arène.

Ce n'est pourtant qu'en 1877 que le naturaliste de Cap-Rouge lâche une première salve contre les thèses évolutionnistes. Et encore, il ne s'agit que d'une salve rhétorique. Dans l'introduction de sa *Faune entomologique du Canada*, au moment de définir ce qu'est une espèce, Provancher ne peut s'empêcher de stigmatiser « les matérialistes, les athées, les prétendus génies, les cerveaux creux » qui, « marchant sur les traces des philosophes du siècle dernier », ont voulu « se débarrasser de Dieu et le remplacer par des causes purement naturelles[31] ». Or, soutient Provancher, l'espèce, définie par la possibilité de se reproduire qu'ont les êtres qui partagent les mêmes propriétés essentielles, est immuable. Le naturaliste en donne pour preuve que les momies rapportées d'Égypte — le Séminaire de Québec en a acquis une en 1868 — sont tout à fait semblables à l'homme moderne, même si elles ont 3000 ans. « L'espèce n'a donc pu venir d'une autre espèce, conclut-il, comme le veut Darwin, ni de la génération spontanée, comme le voulaient Buffon, Lamarck, Geoffroy Saint-Hilaire, etc. Car si la nature des matérialistes avait la puissance de faire naître spontanément des êtres, qui mettrait des bornes à sa fécondité? Qui déterminerait leurs modifications? Il n'y aurait dès lors plus de classification possible[32]. »

La disparition de la classification est sans doute une perspective terrifiante pour un taxonomiste comme Provancher, mais son opposition au transformisme est d'abord religieuse. Cela transparaît nettement quand, en 1887 enfin, le rédacteur du *Naturaliste canadien* entreprend la réfutation systématique du darwinisme. S'expliquant d'avoir tant tardé à aborder le sujet, Provancher déclare que les idées de Darwin lui ont toujours paru si folles qu'il n'a pas senti nécessaire de prendre la plume pour les combattre. « Dans notre pays de foi, note-t-il, nous en sommes encore à ce temps béni où tout ce qui sent l'irréligion, le rationalisme, la libre-pensée, le scepticisme, est rejeté sans discussion. » Mais, devant l'insistance de plusieurs correspondants, et parce qu'il vaut mieux prévenir que guérir en matière de doctrine, le naturaliste accepte de régler son compte au darwinisme en une série d'une dizaine d'articles[33].

Provancher est assez peu intéressé par les problèmes théoriques de la taxonomie et, hors de la botanique et de l'entomologie, son œuvre est surtout celle d'un vulgarisateur. Sa réaction au darwinisme est davantage celle d'un vulgarisateur qui voit d'abord les implications religieuses de la nouvelle théorie et son impact possible sur les idées, que celle d'un savant soucieux de peser le pour et le contre des hypothèses avancées. Quand il intervient dans la question du transformisme, son attitude est bien différente de celle de Laflamme et de Hamel. La prudence et l'esprit de conciliation ne sont pas le fort du rédacteur du *Naturaliste canadien* qui, en franc ultramontain, s'estime tenu de faire échec au matérialisme qu'il croit voir percer sous les arguments des évolutionnistes. « On ne peut être catholique sans être ultramontain, déclare-t-il sans ambages à ses lecteurs, et si vous êtes catholiques, il faut l'être avec Pie IX et suivant le *Syllabus*; sinon, rejetez ce nom qui ne vous convient pas, et marchez hardiment sur les traces de Renan, Littré, Sainte-Beuve et des autres chefs libres-penseurs[34]. » Avec de tels principes, Provancher sera le critique le plus virulent du transformisme au Canada français.

Après avoir rappelé à ses lecteurs que le transformisme n'est rien d'autre qu'une théorie « au service de l'orgueil des politiciens matérialistes français, les Bert, les Hugo, les Ferry, les Goblet, les Clémenceau », Provancher ajoute : « Le transformisme est inséparable de la religion, puisqu'il sape la base de toute religiosité quelconque[35] ». Provancher ne cite pas les travaux de Darwin lui-même, mais la version vulgarisée qu'en a donnée un darwiniste français, Henri Gadeau de Kerville, dans ses *Causeries sur le transformisme*, publiées à Paris en 1887. Après avoir résumé et présenté les idées de Darwin et de Lamarck sous leur plus mauvais jour, le rédacteur du *Naturaliste canadien* contre-attaque en affirmant que la sélection artificielle n'a jamais permis de créer autre chose que des variétés, preuve que les espèces sont fixes. Les différences entre l'instinct des animaux et l'intelligence de l'homme sont également invoquées contre les thèses transformistes. Mais ces quelques critiques scientifiques formulées, Provancher retourne vite au dogme pour condamner le darwinisme : « Avant un quart de siècle, cette absurde théorie aura fait son temps et ne sera plus le partage que de ces rares dévoyés qui, dans leurs appétits et leurs aspirations, n'ont pas honte de s'assimiler à la brute. »

Cette malédiction proférée, le naturaliste ne reviendra plus sur le sujet de l'évolution qu'en de très rares occasions, et toujours avec la même intolérance doctrinaire.

Vers l'acceptation de l'évolution

Ce qui frappe le plus chez Burque ou Provancher, ce n'est pas leur antitransformisme même — après tout, c'est aussi la position de Dawson, de Laflamme et de nombreux autres naturalistes du temps —, mais la fougue et l'intransigeance religieuse avec lesquelles ils attaquent les idées évolutionnistes. La chose est d'autant plus surprenante que l'évolutionnisme n'a pour ainsi dire pas de partisan connu au Canada français à cette époque. Les charges de Burque ou de Provancher, dans *Le Naturaliste canadien*, ne répondent à aucune provocation évolutionniste et restent d'ailleurs sans réplique.

En fait, la violence des deux naturalistes semble assez peu refléter le sentiment réel de l'Église et des milieux intellectuels du Canada français à l'égard de l'évolution. Après 1870, l'Institut canadien de Montréal étant disparu et les Rouges en déroute, personne au Canada français n'ose plus s'emparer du transformisme pour en faire une machine de guerre contre la religion ou l'ordre établi. Dans ces conditions, l'évolutionnisme ne constitue guère une menace pour l'Église catholique du Québec, qui, dans son ensemble, affecte de n'y voir qu'une question scientifique. Les prises de position modérées de Laflamme et de Hamel sur le sujet traduisent bien l'attitude générale du clergé. Seuls quelques ultramontains en mal de controverse, tels Burque et Provancher, tenteront vainement d'agiter le débat.

Les années passant, les idées évolutionnistes gagnent peu à peu du terrain au Canada français. L'attitude de Mgr Laflamme, on l'a vu, se modifie sur cette question entre 1880 et 1910. Autre exemple, Charles Baillairgé, l'architecte et ingénieur en vue de Québec, présente en 1899 devant la Société royale du Canada

Portrait de Darwin accompagnant une notice nécrologique dans le *Canadian Illustrated News* du 6 mai 1882. (Archives publiques du Canada, C-77134)

un long mémoire consacré à l'évolution[36]. Tout en reconnaissant que « la paléontologie est loin de fournir aux évolutionnistes » toutes les preuves désirées, l'auteur se déclare d'avis « que croire à l'Évolution des êtres animés [...] ne comporte aucunement un danger, une tendance même au matérialisme ». Au contraire, poursuit-il, « plus on étudie cette théorie de l'évolution des corps, plus on est porté, forcé même à admettre une intervention toute-puissante et par conséquent divine ou de la part d'un Dieu créateur ». Et Baillairgé conclut son exposé devant les membres de la Société royale — parmi lesquels se trouvent, rappelons-le, Mgr Hamel et Mgr Laflamme — en décochant quelques flèches à ceux qui pourraient croire « que la seule lecture d'un traité sur l'Évolution soit un danger pour notre foi ».

Si Baillairgé peut ainsi, sans faire scandale, se déclarer partisan de la théorie de l'évolution, c'est en bonne partie parce que commence à se faire sentir dans le clergé et les milieux intellectuels du Canada français l'influence des apologistes européens qui ont entrepris de réconcilier la science et la foi.

L'apologétique, dont l'enseignement se renouvelle dans les séminaires et les collèges après 1890[37] — grâce aux travaux et aux thèses de savants catholiques comme le géologue Albert de Lapparent —, reconnaît progressivement que la foi peut s'accommoder des propositions évolutionnistes, y compris de celles qui se rapportent à l'homme lui-même. Dès 1890, l'abbé Louis-Adolphe Paquet, professeur de théologie dogmatique à l'Université Laval, passant en revue les rapports entre la foi et la raison, ne condamne pas le transformisme, mais réitère la thèse d'une concordance entre le récit de la création et les époques géologiques, et conclut en affirmant : « La Bible, ce grand livre de la parole divine, renferme encore une foule de vérités, également contenues dans le livre de la nature, par exemple celles qui regardent les commencements du monde, les origines de l'homme et de la vie sur la terre. Or ces questions d'ordre naturel et physique, relèvent, on le comprend, dans une large mesure, des sciences expérimentales si ardemment cultivées de nos jours[38]. »

L'Église adoucissant sa position après 1900, on voit quelques laïcs suivre l'exemple de Baillairgé et se déclarer favorables à la thèse de l'évolution. Un médecin de Saint-Gabriel-de-Brandon, Albert Laurendeau — oncle d'André Laurendeau — fait paraître en 1911 un petit ouvrage favorable à l'évolutionnisme[39]. Cependant, comme l'auteur s'est également permis d'attaquer ce qu'il appelle l'ignorance des médecins et des évêques, de même que l'enseignement des collèges classiques, le livre est mis à l'index par l'évêque de Joliette. L'évolution reste tout de même un sujet délicat...

Elle se gagne néanmoins des partisans même dans les rangs des frères enseignants. En 1913, un jeune frère des Écoles chrétiennes, le frère Marie-Victorin, refuse poliment de préparer un compte rendu d'un manuel antitransformiste, l'*Abrégé de géologie*[40], que l'abbé Victor-Alphonse Huard vient de faire paraître. Dans une lettre à l'auteur, Marie-Victorin le félicite d'avoir combattu la théorie biogénétique de Haeckel, un point mineur et sans avenir des thèses évolutionnistes, tout en lui recommandant chaudement la lecture des tout derniers ouvrages d'apologistes français, ceux d'Élie de Cyon en particulier, qui ouvrent des perspectives nouvelles à la réconciliation de la foi et de l'évolutionnisme[41].

À la découverte de la flore canadienne

Si les débats entourant le déluge et l'évolution attirent beaucoup d'attention, la vaste majorité des naturalistes du siècle dernier ne quitte cependant pas les eaux plus tranquilles de la collection de spécimens et de la taxonomie. En effet, en botanique, en zoologie, en géologie, en minéralogie, etc., la principale occupation est la collecte des spécimens et la constitution de musées et de cabinets, lesquels, à leur tour, servent à élucider les problèmes de classifications des espèces et des genres. Mais toutes les disciplines n'ont pas autant de popularité.

L'étude de la flore, peut-être parce qu'elle a des liens plus étroits avec les arts et la littérature que la géologie ou la minéralogie, compte beaucoup d'amateurs dans la deuxième moitié du XIXᵉ siècle.

Au Québec anglais, James Barnston est un pionnier en botanique. Fils d'un trafiquant de la Hudson's Bay Company, Barnston est né en 1831 dans un territoire qui deviendra plus tard partie du Manitoba. L'aisance et les relations de son père lui permettent de faire des études de médecine à l'Université d'Édimbourg, où il s'initie également à la botanique. Établi à Montréal en 1853, il y pratique la médecine tout en herborisant autour de la ville et en se distinguant au sein de la Natural History Society. Il est également membre du comité de rédaction du *Canadian Naturalist and Geologist*. En 1857, grâce à Dawson, il devient le premier professeur de botanique de l'Université McGill. Malheureusement, il meurt l'année suivante, sans avoir pu publier davantage que quelques notes.

Le Canada français compte aussi ses amateurs, parmi lesquels l'avocat Louis-David Roy, premier juge du district de Chicoutimi, qui fournit une liste de plantes de sa localité à l'abbé Provancher lorsque celui-ci prépare sa *Flore canadienne*. Provancher a pu profiter des lumières de quelques autres amateurs qu'il cite dans la préface de son livre : le notaire Auguste Delisle, de Montréal, l'abbé Jean-Baptiste Ferland, professeur d'histoire à l'Université Laval, qui a eu jadis l'occasion de faire quelques herborisations sur la Côte-Nord, et Mgr John Edward Horan, ancien professeur d'histoire naturelle au Séminaire de Québec, qui a étudié à Yale auprès des deux Silliman et qui est depuis 1858 évêque de Kingston.

Parmi les botanistes amateurs, on remarque aussi Meilleur et Chauveau, son successeur à la surintendance de l'Éducation et futur Premier ministre du Québec. Entre 1859 et 1862, les deux hommes sont mêlés à une vive polémique qui fait rage dans *La Minerve* et le *Journal de l'Instruction publique* au sujet de la sarracénie. Enfin, citons l'abbé Thomas Moreault, professeur au Séminaire de Nicolet de 1857 à 1887, qui rassemble dans cette institution un herbier de plus de 800 spécimens.

Si les amateurs de botanique semblent nombreux, les auteurs sont rares. En 1858, l'abbé Provancher, alors curé de Saint-Joachim, avait publié un *Traité élémentaire de botanique*, petit ouvrage d'une centaine de pages, largement inspiré de manuels américains et destiné « à l'usage des maisons d'éducation[42] ». La préface du *Traité* annonce le prochain travail auquel songe le naturaliste : la compilation d'une flore canadienne, ouvrage qui manque encore aux botanistes du Canada.

Premier ouvrage du genre publié par un Canadien, la *Flore canadienne, ou description de toutes les plantes des forêts, champs, jardins et eaux du Canada, donnant le nom botanique de chacune, ses noms vulgaires français et anglais*, etc., paraît en 1862 à Québec. Le livre est à la mesure du titre ; ses deux volumes, qui totalisent plus de 800 pages, renferment les descriptions de plus de 1000 plantes vasculaires, auxquelles Provancher a ajouté 500 descriptions d'espèces cultivées. Si l'auteur a su tirer parti de ses propres herborisations, les emprunts aux auteurs américains sont importants. Même les gravures qui illustrent l'ouvrage sont empruntées aux livres de Gray — sans mention de la source, une indélicatesse que Provancher se verra reprocher publiquement par Gray lui-même[43] —, y compris celle de la couverture, où l'on voit des cactus et des palmiers côtoyer des sapins. Les lacunes sont nombreuses et, plus grave encore, l'auteur s'est permis quelques libertés avec les règles de la nomenclature scientifique, donnant à des espèces déjà connues des noms qu'il jugeait plus appropriés. Devant l'accueil mitigé que les savants et le grand public réservent à sa *Flore canadienne* — il faudra plus de trente ans pour écouler l'édition —, Provancher abandonne à peu près complètement le champ de la botanique à son principal concurrent, l'abbé Louis-Ovide Brunet.

Un botaniste à l'Université Laval

Né à Québec en 1826, Louis-Ovide Brunet est ordonné en 1848, après des études au Séminaire de Québec. Au cours des années suivantes, il exerce son ministère auprès des immigrants, notamment à la station de quarantaine de la Grosse-Île, puis dans quelques paroisses du Bas-Canada. En 1858, il succède à l'abbé Horan comme professeur d'histoire naturelle au Séminaire de Québec. Quatre ans plus tard, il remplace Thomas Sterry Hunt à la chaire d'histoire naturelle de l'Université Laval, chaire qu'il occupera presque jusqu'à sa mort, en 1876.

Même s'il doit enseigner également la géologie et la minéralogie, Brunet s'intéresse surtout à la botanique. Au cours de ses premières années d'enseignement au Séminaire de Québec, il herborise, parfois en compagnie de l'abbé Provancher, autour de Québec, au Saguenay, autour du lac Saint-Jean et, en 1860, dans le Haut-Canada. Souhaitant établir un jardin botanique à Québec, il obtient l'appui du recteur de l'Université Laval, Mgr Taschereau, qui l'autorise à aller en Europe à l'automne de 1861 afin de «perfectionner ses études et ses recherches[44]».

Comme nous l'apprend son journal de voyage[45], Brunet visite d'abord les jardins royaux de Kew et l'herbier de la Linnean Society de Londres, puis il se rend à Paris. Là, il suit les cours de P.-E.-S. Duchastre, à la Sorbonne, et ceux d'Adolphe-Théodore Brongniart et de Joseph Decaisne au Muséum d'histoire naturelle. Accueilli avec bienveillance par les savants français, il peut étudier à loisir les collections léguées au Muséum par André Michaux, Cornut et La Pilaye. Il profite également de son séjour en Europe pour visiter plusieurs villes, s'intéressant tout particulièrement aux jardins botaniques. En décembre 1862, il est à Harvard, où il rend visite à Asa Gray, le grand spécialiste de la taxonomie nord-américaine qui l'invite à étudier dans son herbier. Au terme de ce voyage, Brunet rentre à Québec auréolé d'un prestige considérable, chargé de connaissances et apparemment décidé à créer à l'Université Laval un herbier et un jardin botanique comparables à ce qu'il a pu voir en Europe et en Nouvelle-Angleterre.

Malgré ses efforts, le projet de jardin botanique ne verra pas le jour, mais assez rapidement Brunet rassemble un herbier qui comptera, dit-on, jusqu'à 10 000 spécimens que le professeur de l'Université Laval obtient en herborisant lui-même et grâce à ses échanges nombreux avec les botanistes nord-américains. À la fin de 1864, un second voyage aux États-Unis lui permet de resserrer ses relations avec les savants américains. L'année suivante, il explore l'île d'Anticosti et le détroit de Belle-Isle. Enfin, en 1866, il parcourt le Haut-Canada et les rives du Saint-Laurent jusqu'à Rimouski.

Asa Gray a ouvert à Brunet les cercles de la botanique nord-américaine. Grâce au maître de Harvard, l'herbier de l'Université Laval s'enrichit régulièrement de spécimens récoltés dans l'Ouest canadien et américain par les explorateurs travaillant pour Gray. En 1865, ses relations avec les savants américains permettent à Brunet d'être élu membre correspondant de l'American Philosophical Society de Philadelphie.

Au Canada, sa réputation commence également à se répandre. En 1863, Andrew Thomas Drummond, de l'Université Queen's de Kingston, l'invite à se joindre à la Botanical Society of Canada, fondée en 1860. Bientôt, Brunet est totalement intégré au réseau des botanistes canadiens, amateurs et professionnels. Parmi ses correspondants, on remarque l'avocat David Ross McCord, naturaliste amateur à l'origine du musée qui porte son nom à Montréal; William Couper, connu principalement pour ses travaux entomologiques et comme l'éditeur du *Canadian Sportsman and Naturalist*; John Macoun, alors professeur d'histoire naturelle au Albert College de Belleville, en Ontario, mais déjà un botaniste canadien de premier plan qui deviendra, en 1882, le naturaliste officiel de la Commission géologique; et, enfin, William Saunders, de London, connu à cette époque pour sa participation à la fondation de l'Entomological Society of Canada et futur directeur des fermes expérimentales du Canada.

Ainsi entouré et appuyé, Brunet commence à publier les résultats de ses recherches. Ses premiers travaux ont un caractère méthodologique ou historique, comme sa brochure intitulée

Manière de préparer les plantes et autres objets de musées (1863) ou sa note sur le « Voyage d'André Michaux en Canada[46] ». Le professeur prépare également à l'intention de ses élèves quelques brochures, et, surtout, son œuvre la plus considérable, les *Éléments de botanique et de physiologie végétale*, publiés à Québec en 1870.

Son œuvre proprement scientifique semble mûrir lentement. Tout indique qu'il prépare une nouvelle flore du Canada, plus complète et plus sûre que celle de Provancher. Asa Gray notamment l'encourage dans cette voie. En 1865, Brunet fait paraître la première partie — qui n'aura pas de suite — d'un *Catalogue des plantes canadiennes contenues dans l'herbier de l'Université Laval* et donne, l'année suivante, une brochure intitulée *Histoire des Picea qui se rencontrent dans les limites du Canada*. Ces deux travaux, qui contiennent d'ailleurs les descriptions de presque toutes les entités nouvelles créées par Brunet, aident à établir sa réputation de taxonomiste et laissent espérer à ses correspondants un ouvrage de plus d'envergure. Hunt prépare une traduction de l'*Histoire des Picea* pour le *Canadian Naturalist and Geologist*[47]. Parmi beaucoup d'autres, Thomas Drummond et William Couper s'adressent à Brunet comme à un expert sur la flore canadienne. En 1870, Alfred Selwyn lui-même, directeur de la Commission géologique, fait appel à lui afin d'identifier les plantes que James Richardson, géologue de la Commission, a rapportées du lac Saint-Jean et de la région de Mistassini.

Malheureusement, la même année, Brunet, frappé par la maladie, cesse tout enseignement et toute recherche. Les centaines de pages de notes qu'il avait prises en prévision de sa flore du Canada resteront manuscrites, et son herbier de 10 000 plantes, presque entièrement abandonné à l'Université Laval, où aucun botaniste ne lui succède avant le XXe siècle, tombe peu à peu en poussière.

Dans les dernières années de sa vie, Brunet n'a même pas la consolation de voir ses *Éléments de botanique* adoptés par les collèges et les couvents pour l'enseignement de cette science. Presque partout au Canada français, on leur préfère le *Cours élémentaire de botanique et flore du Canada*, publié par l'abbé Jean Moyen à Montréal en 1872, et réédité en 1885[48]. Né en France, l'auteur est un Sulpicien attaché au Collège de Montréal, où il enseigne l'histoire naturelle et la physique de 1858 à 1874. Le manuel de l'abbé Moyen restera en usage de nombreuses années dans les maisons d'enseignement de la province. Encore en 1935, l'École de pharmacie de l'Université de Montréal l'utilise comme texte de base.

D'autres botanistes

On ne peut compléter ce tour d'horizon de la botanique au XIXe siècle sans citer les travaux de David Pearce Penhallow, de Dominique-Napoléon Saint-Cyr, du docteur L.-D. Mignault et du révérend Joseph-C. Carrier.

Le premier est un botaniste d'origine américaine, formé à Harvard sous Asa Gray, qui enseigne à McGill de 1883 à sa mort, en 1910. Proche collaborateur de Dawson, malgré ses convictions évolutionnistes, Penhallow s'est fait surtout connaître dans le monde scientifique par ses travaux en paléobotanique. À Montréal, il se distingue en faisant campagne — quarante ans avant le frère Marie-Victorin — pour la création d'un jardin botanique sur le Mont-Royal, mais le projet n'aura guère de suite[49]. Enfin, il est un des tout premiers à s'intéresser à l'histoire de la botanique au Canada. En 1887 et en 1897, les *Transactions* de la Société royale du Canada publient ses longues analyses critiques de l'œuvre de ses devanciers[50].

Conservateur du musée de l'Instruction publique de la province de Québec de 1886 à 1899, Saint-Cyr a, au cours de cette période, la responsabilité de constituer une collection de plantes canadiennes. Il fait lui-même quelques herborisations, notamment sur la Côte-Nord et au Labrador en 1882 et en 1884, mais il dépend surtout, pour augmenter son herbier, des échanges de spécimens avec d'autres naturalistes, par exemple John Macoun, de la Commission géologique. Il peut aussi compter sur les récoltes que font à travers le Québec des explorateurs mandatés par le gouvernement provincial. En 1886, il publie dans les *Documents de la session* un « Catalogue des plantes de la collection botanique du Musée de l'Instruction publique », qui est sa plus importante contribution à la botanique canadienne.

Autre homme de musée, le R.P. Joseph-C. Carrier, des Clercs de Sainte-Croix, s'intéresse également à la flore canadienne.

Né en Savoie, il est nommé professeur au Collège Saint-Laurent de Montréal en 1877, où il organise un important musée scientifique. En 1902, il soumet à la Société internationale de botanique un travail sur la flore de l'île de Montréal qui sera primé et publié par une revue française.

Le docteur L.-D. Mignault, professeur de physiologie à l'École de médecine de Montréal et membre de la Natural History Society of Montreal, adresse à quelques reprises à Provancher des notes sur les plantes carnivores — la *Sarracenia purpurea* en particulier, commune dans l'Est du Canada — et sur la fertilisation des plantes par les insectes[51]. Ces deux phénomènes sont au cœur du débat évolutionniste, Darwin ayant tenté d'expliquer l'un et l'autre par l'effet de la sélection naturelle. Mignault, bien sûr, se gardera de trop développer ce contexte pour les lecteurs du *Naturaliste canadien*.

Terrain de prédilection des amateurs qui, comme Meilleur ou Saint-Cyr, travaillent isolés des grands courants, sans ressources et sans moyens de communiquer efficacement les résultats de leurs recherches, la botanique ne fait pas de grands progrès au Canada français au cours du XIXe siècle. Brunet, le seul qui semble avoir eu une vue d'ensemble du travail floristique à accomplir et qui sait l'importance d'un herbier considérable et des relations étroites avec les autres botanistes, disparaît malheureusement avant d'avoir pu donner sa mesure. Il faudra donc attendre le XXe siècle pour qu'un autre botaniste, le frère Marie-Victorin, reprenne la tâche entreprise et compile cette flore si attendue de la vallée du Saint-Laurent.

Un entomologiste à Cap-Rouge

À la différence de la botanique, l'entomologie a son maître dès le XIXe siècle. Sans doute découragé par le sort que la critique a réservé à sa *Flore canadienne*, l'abbé Provancher se tourne dès 1862 vers l'étude des insectes. Il a trouvé sa voie : c'est à ce domaine de l'histoire naturelle que le « Linné canadien », comme l'a appelé un biographe, va apporter ses plus importantes contributions.

Léon Provancher est né le 10 mars 1820 dans la paroisse

de Bécancour, comté de Nicolet. Après ses études au Séminaire de Nicolet, il entre en 1844 dans le ministère paroissial. D'abord vicaire dans quelques paroisses de la Beauce et à L'Isle-Verte, il devient curé de Saint-Joachim en 1854. Peu après la publication de sa *Flore*, il est nommé curé de Portneuf.

Ses paroissiens ont un pasteur entreprenant. Coup sur coup, Provancher crée une pépinière, publie un petit ouvrage d'horticulture, *Le Verger canadien*[52], forme une compagnie de navigation avec quelques paroissiens et des financiers de Québec et fonde, en 1868, *Le Naturaliste canadien*, première revue scientifique du Canada français et d'ailleurs l'une des plus anciennes d'Amérique du Nord.

Malheureusement pour lui, Provancher a un tempérament un peu ombrageux, ce qui lui vaut de nombreuses querelles avec ses paroissiens et les autorités religieuses. En 1869, lassé de toutes ces disputes, l'archevêque de Québec « autorise » l'abbé Provancher à prendre sa retraite, à l'âge de 49 ans. Après avoir vécu quelque temps à Québec, le naturaliste se retire en 1872 dans le petit village de Cap-Rouge, à peu de distance de la ville. C'est là qu'il s'éteindra le 23 mars 1892.

Provancher, qui n'a pas de fortune personnelle et qui ne reçoit qu'une maigre retraite du diocèse, ne peut compter que sur sa propre initiative. Il publie des manuels scolaires et de petits ouvrages pratiques destinés aux agriculteurs et aux horticulteurs. Il est également rédacteur de la très pieuse *Gazette des familles canadiennes* en 1875 et en 1876, et fonde *La Semaine religieuse* en 1888. Il trouve même le temps de faire quelques voyages aux États-Unis, en Europe et jusqu'en Terre sainte, voyages dont il fait le compte rendu dans des ouvrages tels que *De Québec à Jérusalem* (1884) et *Une excursion aux climats tropicaux* (1890). L'histoire naturelle n'est pas oubliée : il obtient une subvention annuelle du gouvernement du Québec pour *Le Naturaliste canadien* et se fait engager en qualité d'« assistant-rédacteur » au *Journal d'agriculture*, que publie le département de l'Agriculture. Enfin, quand l'occasion se présente, Provancher vend des collections d'histoire naturelle.

Chose surprenante, toutes ces entreprises n'empêchent pas Provancher d'élaborer peu à peu sa grande œuvre scientifique. *La faune entomologique du Canada*, qui paraît en plusieurs volumes entre 1877 et 1889, contient les descriptions de plus de 1000 espèces nouvelles — presque un record dans l'histoire des sciences au Canada.

Pourtant, les débuts de Provancher en entomologie ont été difficiles. Au Bas-Canada, l'étude des insectes compte peu d'amateurs. En 1865, quelques naturalistes de Québec, parmi lesquels on remarque l'abbé Brunet, William Couper et le peintre Cornélius Krieghoff, forment une petite société locale, affiliée à l'Entomological Society of Canada, qui disparaît rapidement. Quelques années plus tard, c'est au tour de Mgr Hamel et de François-Xavier Bélanger, conservateur du musée zoologique de l'Université Laval, de faire des efforts afin de développer l'entomologie, sans grand succès non plus. Provancher est donc à peu près seul. Sans doute pour ne pas répéter l'erreur de *La flore canadienne*, le naturaliste s'efforce dès 1862 d'établir des contacts avec les entomologistes nord-américains. La plupart de ceux qu'il approche se montrent peu intéressés à collaborer avec un novice, mais William H. Edwards, spécialiste réputé des papillons, lui offre ses premières épingles d'entomologiste et Spencer F. Baird, secrétaire de la Smithsonian Institution de Washington, lui expédie quelques ouvrages de taxonomie. Fort de ces premiers encouragements, Provancher persévère dans l'étude des insectes et élargit progressivement le cercle de ses correspondants.

Ses premières descriptions d'espèces nouvelles, celles d'un *Urocerus* et d'un *Nabis*, publiées dans le tout premier volume du *Naturaliste canadien*, ou celles de quelques hémiptères pris aux alentours de Québec, publiées en 1872, ne sont guère remarquées par les entomologistes. Laissé à lui-même, Provancher poursuit en publiant dans *Le Naturaliste*, de 1873 à 1876, plusieurs descriptions d'hyménoptères, principalement des *Ichneumonidæ*. Ces descriptions attirent enfin l'attention d'un spécialiste américain, Ezra T. Cresson, de l'Academy of Natural Sciences de Philadelphie, qui, en 1876, demande à voir les spécimens originaux, les « types », du naturaliste de Cap-Rouge. Le verdict de Cresson sur le travail de Provancher ne se fait pas attendre :

J'ai passé en revue vos *Ichneumons* et vos *Crypti*, et j'étudie présentement vos *Tryphones*. Cependant, je découvre que plusieurs de vos spécimens étiquetés ne correspondent pas du tout à vos descriptions et que vous avez parfois classé dans une même espèce des spécimens très différents.

Plusieurs de vos espèces n'appartiennent pas au genre que vous désignez et à plusieurs reprises les noms que vous suggérez sont déjà utilisés[53].

Cette critique sévère qu'adresse l'entomologiste américain à Provancher aurait pu marquer la fin d'une carrière scientifique naissante. En fait, c'est tout le contraire qui se produit : à partir de cette date, Provancher et Cresson vont collaborer étroitement à la description des hyménoptères du Canada. En 1876 et 1877, *Le Naturaliste* publie des « Additions aux Ichneumonidæ de Québec ». Ensuite, Provancher se tourne vers les autres familles de l'ordre des hyménoptères, qu'il étudiera les unes après les autres, toujours en relation étroite avec Cresson. Ces descriptions d'hyménoptères du Canada seront plus tard réunies à celles des orthoptères et des névroptères dans le deuxième volume de la *Faune entomologique,* publié en 1883. Le deuxième volume car, déjà en 1877, Provancher en avait publié un consacré aux coléoptères.

Tout comme Cresson l'avait fait l'année précédente, un spécialiste américain des coléoptères, George Henry Horn, également de l'Academy of Natural Sciences de Philadelphie, critique sévèrement l'œuvre du taxonomiste canadien et devient, au fil d'une correspondance qui se poursuit, son mentor. Au cours des années suivantes, sur les indications et les conseils de Horn, qui compare les spécimens de Provancher avec ceux des collections américaines, celui-ci peut publier trois fascicules d'*Additions et corrections à la faune coléoptérologique du Québec*[54].

Pour les autres ordres d'insectes, le scénario est à peu près le même. Forcés de tenir compte des descriptions que Provancher fait paraître dans *Le Naturaliste canadien,* les entomologistes américains en viennent progressivement à collaborer à ses recherches. Par exemple, Osten Sacken guide le travail de Provancher pour l'ordre des diptères ; H.A. Hagen, du Museum of Comparative Zoology de Harvard, en fait autant pour les névroptères, et S.H. Scudder collaborera à l'inventaire des orthoptères. Avec de tels guides, Provancher ne tarde pas à faire des progrès.

À partir de 1880, il est membre de plein droit du cercle des entomologistes les plus éminents d'Amérique du Nord. Il a un nombre impressionnant de correspondants, répartis aux quatre coins du monde. Pour les entomologistes du Canada anglais, il est devenu à son tour un guide, principalement pour l'ordre des hyménoptères. Autour de 1885, les collections que fait le révérend George Taylor en Colombie-Britannique et les spécimens que recueillent dans la région d'Ottawa un petit groupe de naturalistes, auquel appartiennent notamment James Fletcher et W.H. Harrington, sont automatiquement acheminés à Cap-Rouge pour étude et identification.

À sa mort, Provancher laisse les vingt premiers volumes du *Naturaliste canadien* et des travaux dans presque tous les domaines de l'histoire naturelle, de la géologie à la malacologie, en passant par la botanique et la zoologie. Pour compléter sa *Faune entomologique du Canada*, il ne reste à étudier que les diptères et les lépidoptères. Enfin, il lègue une collection de spécimens d'une très grande valeur scientifique, collection qui excitera la convoitise des naturalistes américains, mais que le musée de l'Instruction publique du Québec aura la chance d'acquérir.

Malheureusement, le naturaliste de Cap-Rouge ne laisse aucun disciple. À l'écart du monde de l'enseignement et ne fréquentant guère les académies ou les salons, polémiste acerbe et proche, par ses convictions, des ultramontains les plus farouches, Provancher a eu peu d'influence sur son époque et n'a pas réussi à faire école en histoire naturelle au Canada français.

Quelques entomologistes à Montréal

Cependant, l'entomologie ne disparaît pas avec Provancher. En 1873, William Couper, George John Bowles et quelques autres amateurs avaient fondé à Montréal une filiale de l'Entomological Society of Canada qui s'appellera, comme il se doit, la Montreal Branch. Ses membres s'intéressent surtout aux lépidoptères, mais ils font également des incursions fréquentes dans le domaine plus général de l'entomologie économique.

L'année suivant sa création, la société accueille un jeune homme, Herbert Henry Lyman, héritier d'une fortune amassée

Le musée de la Natural History Society de Montréal, vers 1900. (Archives photographiques Notman)

par sa famille dans l'industrie chimique. Très actif au sein de la société pendant quarante ans, Lyman lègue à l'Université McGill à sa mort, survenue dans le naufrage de l'*Empress of Ireland*, une importante collection de lépidoptères et une somme rondelette qui permettra la création du Lyman Entomological Museum. Le révérend Thomas W. Fyles est un autre membre de la société qui se distingue par l'ampleur de ses collections de lépidoptères. Aumônier protestant des immigrants de Québec, Fyles enseigne l'histoire naturelle au Morrin College et collabore à quelques journaux scientifiques comme le *Canadian Entomologist* et *Le Naturaliste canadien*. En 1909, sa collection, fruit de quarante ans de labeurs, est acquise par le musée de l'Instruction publique.

La Montreal Branch accueille ses premiers amateurs francophones vers 1900. Le premier est Gustave Chagnon, un jeune employé de la Montreal Light, Heat and Power, qui s'intéresse particulièrement aux coléoptères et qui réussit à élargir un peu la curiosité des membres de la société[55]. Devenu plus tard professeur d'entomologie à l'Université de Montréal, Chagnon est l'auteur des *Contributions à l'étude des coléoptères du Québec*, ouvrage paru en 1933.

Le nom de Germain Beaulieu apparaît dans les procès-verbaux de la société presque en même temps que celui de Chagnon. Beaulieu est un personnage assez pittoresque : « avocat, professeur, poète, journaliste, naturaliste, etc.[56] » tel qu'il se présente lui-même, il est très en vue au sein de l'École littéraire de Montréal, dont fait également partie Émile Nelligan, et collabore au *Naturaliste canadien* tout en publiant assez régulièrement dans les journaux anticléricaux du temps, comme *Le Pays* ou *La Semaine*, sous un pseudonyme. Il se permet, par exemple, de critiquer l'antitransformisme anachronique du manuel de géologie de l'abbé Huard, destiné aux écoles du Québec, dans le journal rouge *Le Pays* en 1913[57]. Ni le droit ni la littérature ne lui permettant de vivre, Beaulieu travaille quelques années comme entomologiste au ministère de l'Agriculture, d'abord à celui d'Ottawa, puis à celui de Québec. Fondateur de la Société linnéenne de Québec, en 1929, il laisse également des travaux sur divers groupes d'insectes, dont les élatérides et les mélasides, parus dans *Le Naturaliste canadien*.

Chagnon et Beaulieu ouvrent le chemin à Joseph-I. Beaulnes, qui se joint à la petite société entomologique de Mont-réal en 1916, et au frère Joseph Ouellet c.s.v., en 1919. Le premier est au service de la division entomologique du ministère fédéral de l'Agriculture, et le frère Joseph enseigne dans diverses maisons de son ordre dans la région de Montréal. Grand collectionneur et spécialiste des diptères, le frère Joseph devient professeur à la Faculté des sciences de l'Université de Montréal en 1935.

À compter de 1900, l'entomologie canadienne fait de grands progrès grâce à l'entomologie économique et au développement de la recherche agricole. En 1908, la générosité du « roi du tabac », William C. Macdonald, permet à l'Université McGill de créer le Macdonald College of Agriculture, où le professeur W. Lockhead organise sans tarder l'enseignement de l'entomologie. À l'Institut agricole d'Oka et à l'École d'agriculture de Sainte-Anne-de-la-Pocatière, on développe également l'enseignement et la recherche sur les insectes. Parallèlement aux progrès de l'enseignement, les gouvernements d'Ottawa et de Québec développent leurs services agronomiques, notamment en recrutant des entomologistes. Si les amateurs restent nombreux, même après 1900, les professionnels de l'entomologie économique occupent de plus en plus nettement la scène à mesure que l'on avance dans le XXᵉ siècle.

En 1913, le ministre de l'Agriculture du Québec nomme l'abbé Victor-Alphonse Huard premier « Entomologiste provincial ». Cette nomination surprend un peu les entomologistes canadiens. Longtemps professeur au Séminaire de Chicoutimi, l'abbé Huard a ressuscité *Le Naturaliste canadien* en 1894. Auteur de nombreux manuels destinés à l'enseignement de l'histoire naturelle, il est également conservateur du musée de l'Instruction publique. Cependant, ses titres scientifiques s'arrêtent là ; sous sa direction, *Le Naturaliste* est devenu une revue de vulgarisation et même s'il se présente comme l'héritier de Provancher, Huard est loin d'être un naturaliste du même calibre. D'ailleurs, il sera bien vite remplacé au ministère de l'Agriculture par Georges Maheux, un entomologiste formé à l'École de génie forestier de Laval et à Cornell.

Malgré cet échec, Huard tient une place importante dans l'histoire des sciences naturelles au Canada français, où il fait en quelque sorte le lien entre le XIXᵉ siècle de Provancher et le XXᵉ siècle du frère Marie-Victorin. En veillant sur les collections de Provancher et en maintenant en vie, dans des conditions difficiles, *Le Naturaliste canadien*, seule revue de science du Canada français, il assure la continuité de l'histoire. Chose peut-être moins heureuse, il maintient également au *Naturaliste canadien* la consigne de l'antitransformisme. Huard n'a pas l'intransigeance de son maître Provancher à l'endroit des thèses évolutionnistes, mais il ne peut s'empêcher d'ouvrir les pages de sa revue à quiconque veut décocher des critiques plus ou moins fondées contre celles-ci. Il est également l'auteur de l'*Abrégé de géologie*, ouvrage antitransformiste qui lui vaudra non seulement les critiques de Germain Beaulieu dans *Le Pays*, mais un humiliant compte rendu dans *Science*, la grande revue américaine[58].

À la toute fin de sa vie, Huard pourra cependant rétablir un peu sa réputation de naturaliste. En 1929, rendant hommage à Provancher, il publie à Québec le quatrième volume de la *Faune entomologique*, consacré aux lépidoptères.

Oiseaux, poissons et mammifères

Peut-être parce qu'elles ont moins d'applications pratiques que la géologie ou l'entomologie, les autres branches de l'histoire naturelle progressent moins uniformément au cours du XIXe siècle. La zoologie des vertébrés, par exemple, semble n'avoir intéressé que quelques amateurs isolés. De compétence fort inégale, ces naturalistes apportent leur modeste contribution à la connaissance de la faune canadienne sans se réclamer d'aucun courant ou école scientifique particuliers, ni prétendre à une reconnaissance professionnelle. En fait, les contributions de quelques francs-tireurs à l'ornithologie, à l'ichtyologie ou à la zoologie des vertébrés ne sont pas tout à fait dégagées des modes intellectuelles et de l'art de vivre de l'époque. On y retrouve, par exemple, le souci de la belle littérature ou l'intérêt, plus prosaïque, du chasseur ou du pêcheur sportif pour la faune.

En 1860, James Macpherson LeMoine est le premier Canadien à publier un ouvrage sur les oiseaux du Canada. De son *Ornithologie du Canada*, LeMoine dira lui-même, trente ans plus tard : « C'était le premier ouvrage de la sorte en français dans la province de Québec. Effort d'un *littérateur* plus que d'un *savant*, il visait à stimuler l'intérêt de mes compatriotes dans un domaine passionnant de l'histoire naturelle[59] ».

Avocat attaché à l'Assemblée provinciale et membre en vue de la LHSQ, LeMoine est un grand bourgeois de Québec qui aime accueillir dans sa villa de Sillery, Spencer Grange, le gratin littéraire et politique de l'époque. Auteur prolifique, il entretient ses compatriotes des deux langues de tout et de rien dans l'interminable série des *Maple Leaves* et dans une foule d'autres ouvrages sur l'histoire, la littérature, la chasse et la pêche, les beaux-arts et l'histoire naturelle du Québec[60].

Charles-Eusèbe Dionne, un autre ornithologiste amateur, appartient à un tout autre milieu social. Né dans la région de Kamouraska en 1845, il s'initie par lui-même à l'étude des oiseaux. En 1882, il succède à F.-X. Bélanger au musée de zoologie de l'Université Laval. L'année suivante, il compte parmi les fondateurs de l'American Ornithologists' Union (AOU). La même année, il publie à Québec son premier ouvrage, *Les oiseaux du Canada*. Collaborateur du *Naturaliste canadien* et de l'*Auk*, journal de l'AOU, pourvoyeur de la plupart des collèges et couvents du Québec en spécimens empaillés et montés, auteur de nombreux ouvrages de vulgarisation en histoire naturelle, Dionne fait figure à sa mort, en 1925, de patriarche de l'histoire naturelle au Canada français.

L'ornithologiste Charles-E. Dionne à la chasse aux spécimens. (Archives du Séminaire de Québec, photo reproduite par Pierre Soulard)

En ichtyologie, on remarque les travaux de Pierre-Étienne Fortin. Médecin diplômé de l'Université McGill, Fortin est chargé en 1852 de veiller sur les pêcheries canadiennes dans le golfe du Saint-Laurent. À bord de sa goélette, *La Canadienne*, le « Commandant » Fortin explore le golfe jusqu'en 1867, publiant dans ses rapports annuels de nombreux renseignements sur la faune marine de l'Atlantique[61]. On y trouve notamment la description de 80 espèces rencontrées dans ces eaux. Élu député simultanément à Ottawa et à Québec, lors de la Confédération, il poursuit une brillante carrière politique, tout en continuant de s'intéresser à l'histoire naturelle.

En 1897, le journaliste André-Napoléon Montpetit publie à Montréal un ouvrage intitulé *Les poissons d'eau douce du Canada*. Pêcheur sportif réputé, Montpetit a rassemblé dans ce livre ses connaissances sur les poissons, leur anatomie, leur classification, la pêche sportive et la pêche commerciale, la pisciculture et la conservation. Pour la partie scientifique, il s'est appuyé sur un bon nombre d'auteurs français, anglais et américains.

Toujours en ichtyologie, citons un ouvrage de LeMoine, *Les pêcheries du Canada*, publié à Québec en 1863, et le livre de E.T.D. Chambers, *The Ouananiche and its Canadian Environment*, consacré à ce célèbre saumon d'eau douce[62].

Si l'histoire naturelle des poissons doit beaucoup à l'intérêt des sportifs, la chose est encore plus vraie dans le cas des mammifères. Dès 1859, le Québec a sa très influente Association for the Protection of Fish and Game. Au sein de cette association et d'autres sociétés du même genre, les naturalistes sont nombreux. LeMoine en est un exemple, de même que William Couper, qui lance à Montréal en 1881 le *Canadian Sportsman and Naturalist*.

Si les sportifs et les naturalistes d'origine britannique sont les plus actifs, quelques francophones se distinguent tout de même par leurs travaux sur l'histoire naturelle des espèces chassées. Napoléon-Alexandre Comeau est un personnage légendaire de la Côte-Nord. Agent de la Compagnie de la baie d'Hudson, garde-pêche, trappeur et guide de chasse réputé, explorateur et médecin même, quand les circonstances l'exigent, Comeau a laissé un ouvrage riche en renseignements sur la faune du nord du Québec : *La vie et le sport sur la Côte-Nord du Bas-Saint-*

L'*Arctic* du capitaine Joseph-E. Bernier quittant Québec pour une exploration dans le Grand Nord vers 1906. (Archives publiques du Canada, PA-133369)

Laurent et du Golfe, paru à Montréal en 1909. Un autre personnage pittoresque, le comte Henri de Puyjalon, est un aristocrate français attiré par les paysages sauvages de la Côte-Nord et du Labrador. Puyjalon, qui a exploré ces régions à plusieurs reprises pour le compte du gouvernement du Québec, a laissé quelques travaux sur les mammifères. On retient surtout son *Histoire naturelle à l'usage des chasseurs canadiens et des éleveurs d'animaux à fourrure*, publiée à Montréal en 1900.

L'*Histoire naturelle* de Puyjalon, qui ferme le siècle, marque en même temps la fin d'une époque dans l'histoire des sciences au Québec. Si l'histoire naturelle continue d'attirer de nombreux amateurs, cette province du savoir, refondue dans des disciplines modernes telles l'écologie, la génétique des populations et la nouvelle systématique, sera de plus en plus nettement celle des chercheurs professionnels.

Autre signe des temps, l'évolutionnisme a progressé dans les consciences, tant au Canada français qu'au Canada anglais. Après 1900, les condamnations dogmatiques des thèses des évolutionnistes, à la manière de Dawson ou de Provancher, se font de plus en plus rares et ne seront plus jamais le fait de naturalistes de premier plan.

CHAPITRE 7

L'ENSEIGNEMENT DES SCIENCES, DE LA CONQUÊTE À 1900

Avant la Conquête, l'enseignement secondaire était assuré par les Jésuites à leur collège de Québec et les prêtres étaient formés dans une institution distincte, le Séminaire de Québec, fondé en 1663 par Mgr de Laval. Après la guerre, les Jésuites sont dispersés et leur collège est confisqué par l'armée anglaise. Lorsque le Séminaire de Québec, fermé pendant une partie des hostilités, ouvre ses portes à nouveau en 1765, la société du Bas-Canada est à la veille de changements profonds. Une bourgeoisie de marchands et de professionnels commence à se former et la population croît rapidement, passant de 65 000 habitants en 1760 à 250 000 en 1800. Cette croissance, de même que le besoin de prêtres, pousse le clergé à ouvrir de nouveaux collèges classiques, sur le modèle du Séminaire de Québec. Le Collège de Montréal est fondé par les Sulpiciens en 1767, suivi des Séminaires de Nicolet, en 1803, et de Saint-Hyacinthe en 1811. Ces institutions ne servent pas uniquement à la formation du clergé. Elles reçoivent aussi des jeunes gens qui deviendront plus tard médecins, avocats, notaires, arpenteurs, journalistes, etc. Les collèges sont donc des instruments de promotion sociale pour les fils d'agriculteurs et de petits marchands qui viendront grossir les rangs d'une bourgeoisie de profession libérale en pleine formation[1].

Toutefois, un quart seulement des étudiants terminent le cours classique complet de huit années. Beaucoup quittent après la rhétorique pour étudier auprès d'un médecin ou d'un avocat et se préparer aux examens qu'on doit passer pour satisfaire aux exigences de ces professions. Les cours de science se donnant dans les deux dernières années du programme (appelées Philosophie I et Philosophie II), la plupart des étudiants n'auront guère l'occasion d'étudier ces disciplines. Ce n'est qu'en 1890 qu'une loi de la province obligera les futurs membres des professions libérales à détenir le diplôme de bachelier ès arts, et donc à terminer le cycle des études classiques. Cette réforme ne manquera pas de susciter la colère des étudiants.

Entre 1770 et 1835, le nombre moyen d'étudiants en classe de philosophie dans l'ensemble des collèges est d'environ quinze par année, soit un peu plus du double par rapport au Régime français[2]. Comme c'est la règle dans les collèges de France à cette époque, ce sont de jeunes prêtres qui assurent l'enseignement. Leur manque d'expérience les contraint à fonder leurs cours sur les notes prises lorsqu'ils étaient eux-mêmes étudiants.

Après la Conquête, l'enseignement ne se relève que lentement. Mgr D'Esgly déplore encore, à la fin de 1785, que «les sciences tombent ici à vue d'oeil. Les humanités, la rhétorique ne sont plus rien; la philosophie dégénère beaucoup. La théologie même a beaucoup besoin d'aide[3].» Jusque vers 1830, l'enseignement des sciences, tant au Collège de Québec qu'à celui de Montréal, est assuré par les professeurs de philosophie qui consacrent une année aux sciences et l'autre à la philosophie. Comme au temps des Jésuites, les cours sont dictés en latin. À la fin de l'année, les élèves passent des examens publics où ils ont l'occasion de défendre des «thèses».

Dans des institutions ayant pour objet immédiat et principal de former des prêtres, mais qui ne refusent pas d'admettre ceux qui désirent faire un cours classique avant d'embrasser une carrière libérale, il est normal que les sciences soient présentées comme un élément de la culture générale. Moins bien établi que l'enseignement de la logique ou de la métaphysique, l'enseignement des sciences dépend de l'intérêt des différents professeurs de philosophie qui en sont chargés.

Jusqu'en 1800, les professeurs se succèdent rapidement à Québec. À la fin de l'année scolaire 1771, trois étudiants défendent des thèses sur le système de Copernic et sur les lois d'attraction de Newton, sous la direction de leur professeur, l'abbé Charles-François Lemaire Saint-Germain. Quatre ans plus tard, ils sont trois encore et le programme de la séance publique au cours de laquelle ils défendent des thèses nous apprend qu'ils ont étudié également l'arithmétique, l'algèbre, la géométrie et la trigonométrie sous la gouverne de l'abbé Thomas-Laurent

Bédard. Les notes de Bédard sont tirées en partie des traités de mathématiques en usage en France à cette époque, tels le *Traité de mathématiques* du jésuite Châtelard ou le *Dictionnaire de mathématiques* de Savérien.

Six autres professeurs se succéderont jusqu'en 1800, chacun ajoutant ou retranchant un peu à la matière. En 1784 par exemple, l'abbé Charles Chauvaux, élève de Bédard en 1775, entretient ses étudiants des éclipses de Lune, des lois de Kepler et des preuves du système de Copernic. Il présente aussi les bases du calcul différentiel et intégral. Dans l'ensemble, le cours est comparable à celui qui se donne en France à la même époque. Les livres de base proviennent d'ailleurs de France. Jusqu'en 1800, le manuel des professeurs demeure *La philosophie de Toul*, ouvrage en cinq volumes, rédigé en latin, paru en France en 1756. Les deux derniers volumes sont consacrés aux mathématiques et à la physique. On utilise aussi des ouvrages plus spécialisés, comme le *Traité élémentaire ou principe de physique* de Brisson, publié en 1789, ou les *Institutions newtoniennes*, publié à Paris en 1747 par l'abbé Sigorgne[4].

Contrairement aux manuels de philosophie en latin, où les sciences forment la quatrième et dernière partie, les manuels spécialisés comme ceux qu'on vient de nommer sont en français. Leur utilisation de plus en plus courante au tournant du siècle fait que les cours de sciences, de même que les examens de fin d'année sur ces sujets, se font en français, plutôt qu'en latin.

Voulant peut-être s'ouvrir davantage au public, le Séminaire de Québec annonce en octobre 1782 qu'une classe de mathématiques sera offerte gratuitement aux jeunes francophones et anglophones que le sujet intéresse. *La Gazette de Québec* du jeudi 4 octobre publie le plan du cours. D'octobre à janvier, les cours seront consacrés à l'arithmétique et à l'algèbre, y compris les radicaux et les équations, alors que de janvier à mars, le professeur enseignera la géométrie, la trigonométrie, les sections coniques et «leurs usages surtout par rapport au système du monde selon les principes de M. Newton». Le programme, qui paraît ambitieux, se limite probablement aux éléments de base de toutes ces branches. Le professeur, l'abbé Edmund Burke, peut compter sur une certaine clientèle car, mis à part les élèves du Séminaire, les anglophones tiennent à cette époque six écoles privées où l'on enseigne les mathématiques, preuve de l'intérêt pour cette matière. Ces écoles attirent près de 200 élèves, dont une vingtaine de Canadiens français.

Il est intéressant de noter que ces cours publics sont offerts à un moment où plusieurs laïcs se plaignent de l'aspect peu pratique de l'enseignement classique. La bourgeoisie montante s'appuie alors sur un courant libéral entretenu par les idées véhiculées par la Révolution française que diffuse *La Gazette de Québec*. L'opinion des marguilliers de Montréal, qui critiquent fortement l'enseignement dispensé au collège des Sulpiciens en 1789, reflète probablement assez bien celle d'une partie de la société :

> On s'y est bien à la vérité efforcé de rendre nos enfants capables d'entrer dans l'état ecclésiastique, mais [...] ceux qui n'ont pas eu cette vocation, sont rentrés chez leurs parents, ignorant entièrement tout ce qui est nécessaire pour se soutenir et s'avancer dans le monde ; plusieurs d'entre eux, dédaignant la profession manuelle de leurs pères, ont cru se ravaler en suivant leurs métiers, et étant trop âgés pour s'assujétir aux devoirs des écoles d'écriture, d'arithmétique et autres branches essentielles pour tout état et particulièrement celui de citoyen, ils sont devenus des êtres à charge à leur famille, souvent des objets de scandale à la religion et presque toujours des membres inutiles à la patrie[5].

On réclame alors des cours d'arithmétique, de géographie, de mathématiques et d'anglais, qui jusque-là ne pouvaient être suivis que dans les écoles protestantes.

Burke appuie ce genre d'initiative. Par exemple, il se déclare favorable au projet du gouverneur Dorchester d'établir une université mixte à Québec, espérant y être nommé professeur d'astronomie. Malheureusement pour lui, l'évêque de Québec, Mgr Hubert, s'oppose à ce projet[6]. Pour les dirigeants du clergé, « mixte » ne peut que vouloir dire « neutre » et il est impensable que l'université ne soit pas catholique et dirigée par le clergé. Peut-être déçu, Burke quitte l'enseignement à l'automne 1790.

Jérôme Demers et les débuts d'une tradition

En 1800, l'abbé Jérôme Demers est chargé de l'enseignement de

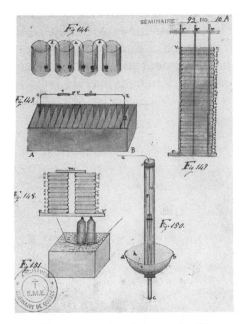

Dessins représentant divers types de piles, extraits d'un manuscrit de l'abbé Antoine-Bernardin Robert, du Séminaire de Québec, vers 1815. (Archives du Séminaire de Québec, photo: Pierre Soulard)

la philosophie et des sciences au Séminaire de Québec. Une nouvelle époque commence. Demers a fait ses humanités à Québec et à Montréal. Si ses prédécesseurs ont manifesté un certain intérêt pour les sciences, chez Demers, c'est une passion. Il va jusqu'à inclure dans son cours les dernières découvertes des savants européens et américains, et à construire de ses mains quelques instruments pour les démonstrations de physique.

Demers enseigne au Séminaire de Québec presque sans interruption de 1800 à 1835 et rédige de nouvelles notes de cours à trois reprises pour tenir compte des découvertes les plus récentes. La dernière version, datée de 1833, comprend 42 cahiers et totalise 775 pages, divisées en 1135 articles. Fondées essentiellement sur le *Dictionnaire de physique* de Paulian et le *Traité* de Brisson, les notes sont complétées, pour les découvertes récentes, par d'autres volumes, dont *L'histoire du galvanisme* de Pierre Suë, paru en France en 1802. Trois chapitres, consacrés à l'électricité et au magnétisme, mentionnent les travaux de

Coulomb et de Priestley, la découverte de l'électromagnétisme par Oersted en 1820, de même que les expériences d'Ampère, Arago, Faraday, Davy, etc. Le cours, qui s'étend sur une année complète, n'est pas seulement qualitatif, mais présente également quelques expressions mathématiques de lois physiques.

L'abbé François Désaulniers, professeur de sciences au Séminaire de Nicolet, avec quelques instruments: mortier, maisonnette électrique, trousse de dissection, électromètre, globe terrestre ou céleste, etc. (Archives du Séminaire de Nicolet)

Des notes semblables à celles de Demers se retrouvent à Nicolet, à Montréal et à Saint-Hyacinthe. Le contenu de ces cours change peu pendant la première moitié du XIXe siècle. À Montréal, l'abbé Antoine Houdet répète le premier cours de

Demers jusqu'en 1826[7]. À Nicolet et à Saint-Hyacinthe, les frères François et Isaac Désaulniers se chargent de l'enseignement des sciences et, en 1833, vont même étudier les sciences chez les Jésuites de l'Université Georgetown, près de Washington. Titulaires d'une maîtrise ès arts, les deux premiers professeurs canadiens à avoir fait des études supérieures en science hors du pays reprennent à Nicolet et à Saint-Hyacinthe un enseignement comparable à celui de Demers. François enseigne à Nicolet jusqu'en 1856, alors qu'Isaac, à Saint-Hyacinthe, délaisse les sciences au cours des années 1840 pour se consacrer entièrement à l'enseignement de la philosophie thomiste.

Si la physique et les mathématiques ont une place dans le cours classique depuis le XVIIe siècle, il en va autrement de la chimie qui n'apparaît dans les collèges qu'au cours des années 1830, grâce à l'abbé John Holmes qui l'enseigne à Québec, et à l'abbé Isaac Désaulniers qui l'introduit à Saint-Hyacinthe. À Montréal, ce n'est qu'en 1842 qu'on commence à donner des leçons de chimie. Il faut des esprits novateurs pour introduire cette science expérimentale dans un programme dont la structure est héritée du *ratio studiorum* de la fin du XVIe siècle.

Parallèlement à l'enseignement dispensé par les collèges classiques, quelques citoyens éclairés cherchent à créer un enseignement pratique. En 1832, Joseph-François Perrault, véritable apôtre de l'éducation au Bas-Canada, et le Suisse Amury Girod obtiennent de l'Assemblée une modeste subvention afin de fonder une école d'agriculture sur une ferme située près de Québec[8]. Le programme de l'école est chargé: on se propose d'enseigner aux futurs agriculteurs l'histoire universelle, les langues et les littératures anglaise et française, les mathématiques pures et appliquées, le dessin linéaire, la tenue de livres, la géographie, l'histoire naturelle, le commerce, les arts et les métiers, la physique appliquée, la chimie et l'écriture, sans oublier la musique et la gymnastique! En fait, Perrault et Girod entretiennent l'espoir de transformer progressivement leur école d'agriculture en une école normale, destinée à la formation d'instituteurs, mais leur entreprise ne dure qu'une année.

L'état de l'enseignement primaire dans le Bas-Canada justifie amplement ce projet. Les journaux de l'époque sont remplis de lettres et d'articles dénonçant l'état lamentable des écoles et l'incompétence des maîtres. En 1831, le Comité d'éducation de l'Assemblée, qui gouverne l'enseignement primaire dans la colonie, renvoie 126 instituteurs et institutrices pour cause d'incompétence. Cinq ans plus tard, le Comité doit encore admettre, ainsi qu'il apparaît dans le *Journal* de l'Assemblée, que des écoles sont confiées « à des ignorants ou à des personnes vicieuses et sans principes qui font peut-être plus de mal que de bien. On nomme comme maîtres d'écoles de pauvres cultivateurs, des artisans qui ne peuvent ou ne veulent pas gagner leur vie sur leur ferme ou par leur métier et quelquefois aussi un pauvre clerc ou un écrivain[9]. »

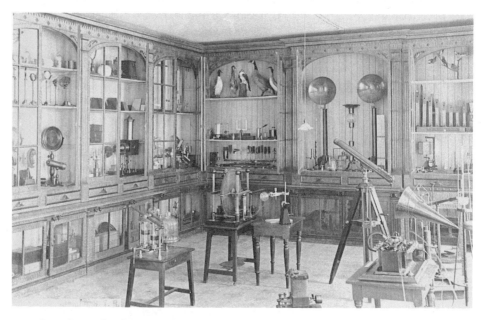

Le cabinet de physique du Séminaire de Trois-Rivières. (Archives du Séminaire de Trois-Rivières)

En 1836, après bien des pressions, dont celles, peut-être déterminantes, de l'abbé Jérôme Demers, alors vicaire général du diocèse et supérieur du Séminaire de Québec, l'Assemblée décide de créer deux écoles normales dans les villes de Québec et de Montréal. Pour organiser ces écoles et en établir le programme, les législateurs dépêchent en Europe l'abbé John Holmes, professeur d'histoire naturelle du Séminaire de Québec. Le choix est judicieux car, à l'instar de son maître et collègue Demers, Holmes a des idées relativement progressistes en éducation et appuie la création d'écoles normales qui permettraient de former des professeurs laïcs compétents pour l'enseignement primaire. Holmes est tout spécialement chargé d'étudier le fonctionnement des institutions anglaises et françaises, et d'acheter du matériel pédagogique (livres, globes, cartes, etc.) pour les futures écoles normales. Le Séminaire de Québec profite de l'occasion pour se procurer à Paris et à Londres des instruments scientifiques qui iront enrichir le cabinet de physique créé par Demers. L'émulation entre les collèges étant assez vive, les Séminaires de Nicolet et de Saint-Hyacinthe adressent aussi leurs commandes à Holmes. Les autorités du Séminaire de Saint-Hyacinthe reçoivent dans ce sens une subvention de la législature, alors qu'à Nicolet, plus soucieux de préserver son indépendance, on préfère s'adresser à l'évêque, Mgr Signay, en insistant sur le fait que « plusieurs cent louis ont été accordés par la législature pour la formation d'un cabinet de physique à Saint-Hyacinthe et nous, dont les besoins sous ce rapport sont les mêmes, mais qui manquons de plus de bien des choses nécessaires sous le rapport de la littérature proprement dite, nous osons espérer que le fruit de notre appel suffira pour l'un et l'autre objet, et ne laissera à Nicolet rien à envier aux autres institutions[10] ».

Le Séminaire réussit à accumuler un peu plus de 3000 $ et Holmes part chargé de commandes. Au cours de son voyage, il fait parvenir régulièrement des caisses de volumes et d'instruments, à la satisfaction de tous. Pour le Séminaire de Saint-Hyacinthe, par exemple, Holmes achète en Europe une lunette méridienne, un télescope, un grand planisphère et une machine électrique à frottement, dont le disque de verre mesure 42 pouces de diamètre. Pour sa propre institution, le Séminaire de Québec, il se surpasse : la machine électrostatique qu'il achète de Pixii, célèbre artisan parisien, est l'une des plus puissantes de l'époque avec ses deux disques de 54 pouces qui peuvent produire jusqu'à 300 000 volts.

Lorsque Holmes revient, en novembre 1837, la rébellion des Patriotes est à son sommet. Le climat est peu propice au développement des écoles normales envisagées par l'Assemblée ; il faudra encore vingt ans avant que de telles écoles soient solidement établies au Québec. Le voyage de Holmes aura au moins permis de doter les collèges classiques de volumes et d'instruments scientifiques de toutes sortes.

Juste avant la rébellion, l'intérêt pour les sciences avait paru particulièrement vif. Demers écrit à Holmes, alors que ce dernier est encore en Europe, qu'il veut publier ses notes de physique sous forme de manuel. L'année précédente, il avait d'ailleurs publié un manuel de philosophie, le premier du genre au Québec. Ce manuel était en latin, mais pour la physique, Demers utiliserait le français. Holmes lui répond :

> Je vous ai écrit qu'il se publiait actuellement à Paris un cours de physique (celle de Larose) qui a une haute réputation. Il s'en ré-imprime une autre, celle de Pouillet, qui a une grande vogue. Mais tous ces cours paraissent et disparaissent d'année en année, à mesure que les progrès et les découvertes se font connaître. Les grands professeurs ont leurs écoliers. Quand ils cessent d'enseigner, ils publient, et quand ils ont publié, on ne veut plus de leurs cours, et les cahiers recommencent. Par le fait, leur réputation est toujours plus haute pendant la durée des manuscrits, et pour la plupart elle tombe avec l'imprint. Je crois que le parti le plus sage est d'avoir toujours un cahier, et toujours en même temps un auteur, qui soit à peu près au niveau des connaissances courantes[11]...

Ces arguments suffisent à convaincre Demers d'abandonner son projet. Holmes expose ensuite à Demers la situation du programme d'études en France. Cela nous fournit un bon point de comparaison avec ce qui se fait au Québec, tout en révélant la pensée de Holmes sur l'importance des sciences dans l'enseignement classique :

> L'enseignement universitaire par toute la France, dit-il, est basé sur cet axiome, que l'étude des langues anciennes forme essentiellement le principal, et que les sciences naturelles ne sont que des accessoires, pour les collèges. On n'est pas encore bien arrêté sur l'étendue qu'il convient de donner à ces accessoires. Par une force de choses irrésistible, les Petits Séminaires se rapprochent lentement des études collégiales, pour sauver une partie de la jeunesse, au moins de quoi

remplir les rangs du sanctuaire. Avec plus de zèle à s'élancer vers les sciences nouvelles, ils rendraient, suivant moi, de plus grands services à l'Église, car, avant tous les axiomes, mettons celui-là : que c'est par l'instruction de la jeunesse, et par cela seul, qu'on peut ramener un peu aux vrais principes.

Ayant renoncé à publier ses notes de physique, Demers est peut-être surpris de voir un jeune étudiant de Québec, Joseph Cauchon, faire paraître en 1841 des *Notions élémentaires de physique, avec planches, à l'usage des maisons d'éducation*. En un peu plus d'une centaine de pages, l'auteur présente les principales propriétés de la matière, solide, liquide et gazeuse, énonce les lois qui gouvernent la transmission de la chaleur et explique la théorie calorique de la chaleur, aujourd'hui remplacée par la théorie mécanique de la chaleur, mais encore en vogue dans les milieux scientifiques au milieu du XIXe siècle. Cauchon explique aussi le fonctionnement de la machine de Watt à basse et à haute pression, les phénomènes électriques, telle la pile de Volta, et les effets thermoélectriques. Une page est consacrée à l'électromagnétisme de Oersted et cinq au magnétisme. Suivent les propriétés de la lumière, des lentilles et des miroirs, une explication des principes de base de la vision et de la formation des arcs-en-ciel, et enfin, les phénomènes météorologiques. C'est un cours complet, écrit sans équation et adapté à l'état des connaissances scientifiques de l'époque. Cauchon, qui deviendra un homme politique important et maire de Québec, a fait ses études classiques au Séminaire de Québec de 1830 à 1839. On peut supposer qu'il a préparé son ouvrage à partir de ses notes de cours. Comme le volume ne semble pas avoir été réédité, il est difficile de voir jusqu'à quel point il a été utilisé dans les écoles. On le retrouve toutefois dans quelques bibliothèques publiques, comme celle de l'Institut canadien de Québec.

À compter du début du siècle, il se publie un certain nombre de petits manuels de sciences, en particulier de mathématiques, qui doivent servir aux écoles élémentaires. Ainsi, en 1809 paraît un *Traité d'arithmétique à l'usage des écoles*, de l'arpenteur Jean-Antoine Bouthillier, qui en sera à sa quatrième édition en 1852. En 1816, Michel Bibaud fait paraître une *Arithmétique en quatre parties* suivie, en 1831, d'une *Arithmétique à l'usage des écoles élémentaires du Bas-Canada*. En 1836, Jos Laurin, jeune étudiant en droit, publie un *Traité d'arithmétique*, suivi d'un *Traité d'algèbre* qui n'occupe que 10 pages sur les 200 que compte le volume. L'auteur, qui se présente comme un « ex-ecclésiastique de Québec », dédie son volume à l'abbé Jérôme Demers dont il a suivi les cours. Tous ces traités d'arithmétique suivent le même plan. Ils commencent par l'addition et les autres opérations élémentaires, puis passent à la règle de trois, au calcul de l'intérêt composé, à l'extraction des racines, avant de terminer avec les progressions arithmétiques et géométriques.

Il se publie aussi des volumes plus spécialisés et dont la circulation est plus limitée. On pense, par exemple, à la *Traduction libre et abrégée des leçons de chimie du chevalier H. Davy*, publiée par A.G. Douglas en 1820. Treize ans plus tard, le docteur Jean-Baptiste Meilleur, qui a fait ses études de médecine aux États-Unis et consacré sa vie à l'éducation au Bas-Canada, publie un *Cours abrégé de leçons de chymie*. Autour de 1836, plusieurs autres manuels voient le jour, tant en français qu'en anglais, les auteurs

Manuel de sciences physiques pour le primaire.

ayant probablement été stimulés par les discussions sur l'éducation qui aboutissent à la loi de 1836 sur les écoles normales[12].

L'année suivante, les frères des Écoles chrétiennes s'installent à Montréal et s'occupent systématiquement de la publication de manuels scolaires pour les niveaux primaire et secondaire. Mentionnons enfin le *Traité élémentaire de calcul différentiel et intégral*, publié à Québec en 1848. Attribué à l'abbé Jean-Pierre-François-Laforce Langevin, professeur de mathématiques au Séminaire de Québec, futur principal de l'École normale de Québec et premier évêque de Rimouski, cet ouvrage d'une centaine de pages présente les règles de différentiation et d'intégration ainsi que leurs applications aux problèmes de maximisation. Il est difficile de croire que ce volume ait pu servir de manuel de collège, son niveau dépassant de loin la matière habituelle du cours de mathématiques.

En marge de l'enseignement

L'intérêt pour les sciences se manifeste aussi en dehors des salles de cours. On en trouve notamment la trace dans les journaux. En plus de publier de temps à autre des articles de vulgarisation, ceux-ci reproduisent des textes de conférences de savants étrangers. Des cours en feuilleton et des polémiques locales s'étirent aussi quelquefois dans les pages des journaux. En 1836, *Le Glaneur* publie des leçons de chimie de Meilleur sous forme de questions et réponses. On a déjà vu qu'en 1837 l'abbé Isaac Désaulniers croise le fer avec Amable-Daniel Duchaîne dans les colonnes de *La Minerve* à propos d'une aurore boréale. En 1841, nouvelle escarmouche: Duchaîne publie dans *Les Mélanges religieux* un texte expliquant le fonctionnement des paratonnerres à l'aide de la théorie de Franklin, selon laquelle les pointes ont la propriété d'attirer le fluide électrique. Désaulniers intervient encore une fois pour corriger le pauvre « abbé » Duchaîne, afin, dit-il, d'« empêcher les étrangers de croire que nous en sommes encore au XVIIIe siècle ». C'est l'éditeur qui tranche le débat, en rappelant que la théorie présentée par Désaulniers « est celle qu'ont adoptée les professeurs de physique des trois principaux collèges de la Province[13] ».

En 1857, Chauveau et Meilleur se disputent quelque temps, dans le *Journal de l'instruction publique* et d'autres journaux, au sujet de la sarracénie et de ses propriétés médicinales. Un peu plus tard, une vive controverse éclate dans *Le Naturaliste canadien* entre quelques médecins — Meilleur est encore de la partie — au sujet de la toxicité du venin du crapaud[14]. On peut rappeler aussi les échanges acerbes auxquels donnent lieu les interprétations contradictoires que proposent du récit biblique du déluge l'abbé Léon Provancher, rédacteur du *Naturaliste canadien*, et Jules-Paul Tardivel, journaliste et champion des ultramontains.

Les exercices de fin d'année organisés par certains collèges constituent un autre signe de l'intérêt du public pour les sciences.

Finissants du Séminaire de Québec en 1852, posant avec une machine pneumatique et des hémisphères de Magdebourg. (Archives du Séminaire de Québec, daguerréotype reproduit par Pierre Soulard)

À Saint-Hyacinthe, par exemple, Désaulniers dirige des séances au cours desquelles les étudiants réalisent quelques expériences avec les appareils du cabinet de physique. Le point culminant de ces séances consiste habituellement à électriser des personnes de l'assemblée : en faisant la chaîne, celles-ci subissent simultanément une commotion due à la décharge d'une bouteille de Leyde. Peut-être inspiré par la lecture des ouvrages de l'abbé Nollet, le professeur recrée ainsi les expériences réalisées à la cour de France et ailleurs en Europe un demi-siècle plus tôt.

De la fin du XVIIIe siècle jusqu'au milieu du XIXe siècle, les abbés Burke, Holmes, Désaulniers et Demers sont des figures importantes de l'enseignement des sciences au Bas-Canada. Ils ne semblent voir aucune contradiction entre la science et la religion, et ne s'opposent pas à une certaine intervention de l'État dans l'enseignement, comme l'indique l'appui de Holmes et de Demers au projet de loi sur les écoles normales. Éducateurs éclairés, ils améliorent considérablement l'enseignement des sciences dans les collèges classiques. Même si leur carrière se termine parfois dans l'enseignement de la philosophie seule, ils forment tous des successeurs qui continueront d'enseigner les sciences à de nouvelles générations d'étudiants.

Au moment de l'Acte d'union en 1840, l'enseignement des sciences dans les principaux collèges classiques du Bas-Canada apparaît donc loin de la description, sans doute exagérée, qu'en faisait un voyageur américain de passage au Collège de Montréal en 1815 :

> J'oserais affirmer que l'enseignement donné dans ce collège a deux siècles de retard sur celui de France et au moins cinquante ans sur celui des États-Unis.
>
> Au musée, à la bibliothèque et au cabinet de physique, tout paraît ancien. Je n'ai vu aucun de ces ouvrages admirables de mathématique, physique, chimie, astronomie et d'histoire naturelle, etc., qui ont été publiés à notre époque en France et en Angleterre. On y ignore totalement les grandes œuvres de Cuvier, de Laplace, de Legendre, de Bertholet, de Davy, de Playfair et de tous les autres savants contemporains[15].

La naissance de l'Université Laval

La création de l'Université Laval, en 1852, survient au moment où l'Église craint l'assaut du mouvement libéral, qui a repris des forces depuis la fin des années 1840 et dont le point de ralliement est l'Institut canadien de Montréal[16].

Laval compte à l'origine quatre facultés : théologie, médecine, droit et arts. Cependant, elles n'existent que sur le papier. En effet, il faudra plusieurs années avant de mettre sur un pied convenable les facultés de théologie et de droit, en partie faute de professeurs, mais aussi faute d'étudiants. La Faculté de médecine est la première organisée puisqu'elle reprend sous son nom l'enseignement qui se donnait déjà à l'École de médecine de Québec. Quant à la Faculté des arts, son enseignement se limite au début à quelques cours publics d'histoire universelle, d'histoire du Canada et de philosophie, offerts le soir. Avec les années, on en viendra à offrir également quelques cours ou conférences de sciences. L'abbé Camille Roy explique ainsi ce développement tardif de la Faculté des arts :

> Les jeunes gens qui avaient reçu dans nos collèges et dans nos petits séminaires une première formation littéraire ou scientifique ne se préoccupaient pas de pousser plus loin en ce sens leur instruction. Obligés de s'établir tout de suite dans le monde pour y gagner leur vie et d'entrer sans retard dans l'une ou l'autre des professions libérales, ils commençaient, au sortir même du cours classique, leurs études de théologie, de droit ou de médecine, et ils n'avaient ni temps ni argent à consacrer aux études supérieures des lettres et des sciences[17].

La Faculté doit surtout s'efforcer d'uniformiser, de consolider et de contrôler l'enseignement qui se donne dans les collèges et les séminaires du Québec[18]. Pendant plus de cinquante ans, le doyen et les professeurs de la Faculté vont consacrer leurs efforts, moins à développer l'enseignement universitaire des arts et des sciences, qu'à obtenir l'affiliation des collèges, jusque-là indépendants, et à développer un programme commun conduisant au baccalauréat. À partir de 1880, ce programme sera périodiquement révisé à l'occasion de congrès pédagogiques réunissant les représentants des collèges et des séminaires affiliés à la Faculté des arts.

Issue du Séminaire de Québec, la nouvelle université catholique manque de professeurs pour combler les chaires de physique, de chimie, d'astronomie, de mathématique et d'histoire naturelle qu'on se propose de créer. Le Séminaire envoie donc l'abbé Thomas-Étienne Hamel parfaire ses connaissances scientifiques à Paris. Lorsqu'il revient, en 1859, titulaire d'une licence ès mathématiques de la Sorbonne, on lui confie les cours de physique. Son collègue, l'abbé Ovide Brunet, après un voyage d'études en Europe, se charge des sciences naturelles et l'université engage un savant américain, Thomas Sterry Hunt, pour dispenser les cours de chimie, minéralogie et géologie.

Les premiers cours de science de la Faculté des arts sont des cours publics, donnés le soir à huit heures. Hamel commence son cours de physique en janvier 1859 et Hunt, ses leçons de chimie à Pâques. Les cours ont un cycle de trois ans et se donnent à raison de deux ou trois soirs par semaine. Suivis par les élèves de deuxième année de philosophie du Séminaire de Québec et par les étudiants des facultés de médecine et de droit qui n'ont pas terminé leur cours classique, ces cours accueillent une quarantaine d'étudiants chacun.

Jusqu'en 1890, le nombre de diplômes décernés par l'Université est peu élevé. Dans chacun des programmes, de baccalauréat ès arts, ès lettres et ès sciences, de droit et de médecine, on compte environ trois diplômés par année jusqu'en 1870. Au cours des vingt années suivantes, ce nombre passe à une quinzaine. On ne dépasse la trentaine qu'après 1890 pour les baccalauréats, les programmes de droit et de médecine ne comptant en moyenne que 25 et 18 diplômés respectivement. L'augmentation des étudiants au cours de la dernière décennie est liée à la nouvelle loi de 1890 sur les professions libérales qui exige, comme on l'a vu, l'obtention du baccalauréat ès arts comme condition d'accès à ces professions.

La création du baccalauréat comme diplôme couronnant les études classiques et l'affiliation progressive des collèges à l'Université Laval permettent d'instaurer une certaine homogénéité dans l'enseignement. Celui-ci se fait désormais en fonction des matières exigées aux examens du programme commun. L'homogénéité de l'enseignement se réalise aussi via la publication de manuels conçus en fonction de ces examens. En 1858, l'abbé Léon Provancher publie un *Traité de botanique* qui couvre la matière de l'examen du baccalauréat. Ce traité sera réédité en 1884 sous le titre *Traité élémentaire de botanique, mis en rapport avec le programme du baccalauréat de l'Université Laval*. Chaque matière aura bientôt son manuel « conforme au programme de baccalauréat ». L'abbé J.-C.-K. Laflamme publie en 1881 les *Éléments de minéralogie et de géologie* qui sera réédité plusieurs fois. Faisant concurrence à Provancher, le sulpicien Jean Moyen publie en 1872 un *Cours élémentaire de botanique et flore du Canada à l'usage des maisons d'éducation* qui contient « les leçons qui sont enseignées au Collège de Montréal depuis un grand nombre d'années ». Pour la physique, il faut attendre 1893 avant de voir Laflamme publier ses *Notions générales sur l'électricité et le magnétisme*, « ouvrage conforme au programme de baccalauréat de 1891 ». En 1903 paraît le *Traité élémentaire de physique* de l'abbé Henri Simard, qui atteindra sa cinquième édition en 1925.

L'analyse des différentes questions de l'examen du baccalauréat, portant sur la physique, la chimie, les mathématiques (algèbre, géométrie, trigonométrie), la minéralogie, la géologie et la botanique, montre que, de 1850 à 1900, les cours des collèges classiques présentent au moins les connaissances de base dans ces différentes disciplines. Chaque collège a sans doute ses matières fortes. Toutefois, aucun collège ne voulant faire piètre figure, on y enseigne au moins ce qui est le plus susceptible d'être matière à examen, tout comme aujourd'hui les professeurs du secondaire tentent de prévoir les questions des examens du ministère de l'Éducation. D'ailleurs, les collèges ne voulant pas laisser au Séminaire de Québec le monopole du choix des questions, ils obtiennent en 1873 qu'il y ait tirage au sort des questions de l'examen, parmi celles soumises par les différents collèges.

Si l'on peut se faire une idée du contenu des cours grâce aux questions d'examen et aux manuels, il est plus difficile d'avoir une idée des effets de cet enseignement et de l'esprit dans lequel il était présenté. Pour cela, il faut se tourner vers l'opinion que les anciens élèves ont conservée des cours de sciences. Le jugement de l'abbé David Gosselin, qui a fait ses études au Séminaire de Québec entre 1859 et 1868, pour entrer ensuite au

Laboratoire de chimie du Séminaire de Québec vers 1900. (Archives du Séminaire de Québec, photo reproduite par Pierre Soulard)

Grand Séminaire, représente probablement assez bien l'opinion de l'époque sur le rôle des sciences dans l'enseignement secondaire. Sans vouloir déprécier ces sciences, l'auteur croit «qu'elles ne sont pas aussi indispensables que la philosophie et les mathématiques» et que «sauf les cas exceptionnels, il suffit d'être familier avec l'arithmétique pour se tirer d'affaire dans la vie pratique[19]». Fidèle à l'esprit du *ratio studiorum*, l'auteur considère l'étude des mathématiques, au même titre que le grec, comme un exercice de gymnastique qui assouplit, aiguise et fortifie l'intelligence. Les sciences plus expérimentales sont ainsi dévaluées et figurent au bas de la hiérarchie des sciences implicite dans l'enseignement de l'époque.

Jusqu'aux querelles des années 1920, l'enseignement des sciences dans les collèges classiques et à l'Université Laval ne sera donc aucunement lié à une vision pragmatique et utilitaire. On considère toujours les sciences comme le complément

nécessaire d'une culture humaniste que les étudiants pourront
«disséminer plus tard dans tout le pays, comme prêtres,
médecins, avocats ou notaires», ainsi que le mentionne
inlassablement l'annuaire de l'Université Laval, se contentant
d'ajouter «etc.» à la suite de «notaires» à partir de 1913!

Au cours de la seconde moitié du XIXᵉ siècle,
l'enseignement des sciences dans les collèges classiques se
stabilise donc, grâce à la mise sur pied du programme de
baccalauréat de l'Université Laval et à la publication de manuels.
Si on a cru voir alors un déclin de cet enseignement entre 1860
et 1900, c'est surtout à cause d'une erreur de perspective[20].

Si, avant 1860, l'intérêt pour les sciences semble plus
manifeste au Canada français, c'est en partie à cause de l'activité
des Rouges, petite élite dynamique, réunie à partir du milieu
des années 1840 au sein de l'Institut canadien de Montréal. Les
querelles sur la condamnation de Galilée entre *L'Aurore* et *Les
Mélanges religieux* en 1841, rappelées par L.-A. Dessaulles dans
une conférence fameuse à l'Institut canadien en 1856, montrent
comment les sciences peuvent servir d'arme à un groupe engagé
dans une lutte d'idées. Après 1860, l'influence du clergé et de
sa fraction ultramontaine sur la vie sociale québécoise est telle
que les associations littéraires et scientifiques qui ne sont pas
disparues dans le sillage de la condamnation par Mgr Bourget
de l'Institut canadien en 1858 se font plus discrètes sur la place
publique. Déjà en 1851, un «Rouge» notoire comme Joseph
Doutre se disait exaspéré de vivre dans une société où le clergé
voudrait interdire «littérature, sciences et instituts», pour ne
laisser que le petit catéchisme comme lecture[21].

Si, face à l'ultramontanisme triomphant, les sciences
connaissent une certaine éclipse sur la scène publique et dans
les activités des sociétés savantes et des cercles littéraires en
particulier, l'enseignement des sciences proprement dit ne subit
aucun recul après 1860. Monopole du clergé, il continue
d'alimenter une tradition humaniste qui prépare les élèves au
sacerdoce ou aux professions libérales.

Cette vision désincarnée des sciences va toutefois être
remise en cause par le choc de l'industrialisation.

Les sciences au service de l'industrialisation

Au moment où l'Université Laval ouvre ses portes, le Québec connaît un premier mouvement d'industrialisation. Sur le plan social, ce mouvement se reflète dans les revendications d'un groupe aux idées libérales qui réclame un système d'éducation mieux adapté aux nouvelles réalités.

Juste avant le retour en classe en 1855, *Le Pays*, journal libéral, s'attaque à l'enseignement des collèges classiques dont le programme est, selon lui, trop général et trop étendu, faible dans des matières importantes comme l'algèbre et la chimie. Se plaignant du conservatisme qui règne dans ces institutions, l'édition du 28 août 1855 affirme que «les amis du progrès ont beau demander à ce que l'enseignement de nos collèges soit conforme à la pratique du siècle; toutes ces demandes sont à peu près inutiles; on ne saurait presque plus demander les réformes que l'on regarde comme nécessaires, sans qu'on vous accuse de vouloir détruire l'influence de la religion et les droits de la propriété[22]. »

Surtout le fait des libéraux, les critiques de cette sorte se multiplient à l'endroit d'un système d'éducation qui ferait perdre aux jeunes «toute idée de songer à faire autre chose que des notaires, des médecins, des avocats ou des prêtres[23]». Déplorant le départ des jeunes vers les États-Unis, *Le Pays* note dans son édition du 20 juin 1868:

> Ce qu'il nous faut ce sont des ingénieurs, des géologues, des mineurs, des industriels. Qu'il y ait des collèges classiques, c'est très bien, mais qu'ils n'existent que pour faire équilibre et non monopole. L'éducation classique est une chose nécessaire, parce qu'elle conserve le dépôt des grandes traditions, le haut enseignement, et qu'elle est la condition d'élévation des peuples qui sans elle tomberaient dans un matérialisme étroit. Nous la voulons, mais non exclusive. Nous voulons qu'il y ait à côté d'elle des écoles pour les sciences et les arts qui absorbent aujourd'hui presque toute la vigueur intellectuelle des peuples civilisés.

Deux mois plus tard, le 20 août, le journal précise sa pensée:

> Nous allons tenter d'énumérer les sciences et les arts dont nous avons

le plus besoin dans notre état de société et les circonstances qui nous ont fait si souvent déplorer notre ignorance commune et universelle.

La mécanique: À part de ce qu'en savent par routine les menuisiers, les forgerons, etc., elle n'est connue ici que des personnes venues d'outre-mer [...] quelques notions de géométrie pratique et de dessin développeraient chez nos jeunes le goût de faire autre chose que des avocats, des prêtres, des médecins ou des notaires, et bientôt on les verrait fréquenter des usines de tout genre que nos pouvoirs d'eau créeront infailliblement au milieu de nous. On la verrait employée dans les travaux publics, dans la construction des chemins de fer, des canaux, des engins, des moulins, des ponts et chaussées.

La géologie et la métallurgie: ouvriront avant longtemps une vaste carrière aux jeunes gens avides d'avenir. Depuis le lac Supérieur jusqu'au golfe, notre territoire abonde en mines de toutes espèces [...]

Il faut plus de mathématiques, plus de géométrie pratique, plus de chimie appliquée à l'industrie et moins de chimie fantaisiste. Il faut plus de tenue de livres, plus d'opérations de banques et de commerce, et par-dessus tout, il faut plus de langue anglaise.

La poussée d'industrialisation, dont le symbole est la construction des chemins de fer, fait donc prendre conscience à une partie de l'élite canadienne-française du sous-développement de l'enseignement scientifique. Une nouvelle conception de cet enseignement émerge alors, qui ne le considère plus comme un simple complément à la culture humaniste, mais bien comme un outil essentiel à l'industrialisation du Québec et au succès économique des Canadiens français[24].

La réponse des anglophones : la Faculté de génie de l'Université McGill

Le premier à vouloir essayer de répondre à cette nouvelle conception de l'enseignement des sciences en mettant sur pied un cours universitaire de « sciences appliquées aux arts » est John William Dawson, principal de McGill. Fondée en 1821, ce n'est qu'au milieu du siècle que cette institution prend son véritable élan. Dès le milieu des années 1840, l'élite anglophone de Montréal s'aperçoit que McGill, en offrant une formation classique copiée sur celle d'Oxford et de Cambridge, ne correspond plus aux besoins de l'heure. Un rapport de 1848 déplore notamment l'absence du génie civil et de la chimie agricole parmi les matières au programme[25].

En réponse aux nouvelles préoccupations du milieu anglophone, qui perçoit l'importance de l'industrialisation, on renouvelle la charte de l'université en 1852, ainsi que le conseil d'administration. Trois ans plus tard, William Dawson est nommé à la tête de l'institution.

Le nouveau principal ne perd pas de temps. Au mois d'août 1856, la ligne ferroviaire Montréal-Toronto a été inaugurée, permettant de faire le voyage en dix heures, au lieu des cinq jours qu'il fallait y mettre auparavant en hiver. Profitant de l'engouement que crée l'événement pour les chemins de fer et de l'admiration que le public porte aux ingénieurs, Dawson

Les six diplômés en génie de l'Université McGill en 1873. (Archives de l'Université McGill)

engage, dès septembre 1856, Thomas Coltrin Keefer, auteur de *The Philosophy of Railroads*, pour donner des conférences publiques sur le sujet[26]. L'année suivante, l'université inaugure un programme de quatre années menant au diplôme d'ingénieur civil, auquel s'inscrivent rapidement une quinzaine d'étudiants. Cependant, un arrêt de la construction ferroviaire au début des années 1860 ainsi qu'une stagnation de l'économie entraînent une diminution des inscriptions. McGill fait alors face à une crise financière importante. En 1863, on abandonne le programme, qui compte alors seize diplômés.

Ce n'est que partie remise. En 1868, Dawson prépare un nouveau programme, pour lequel il obtient l'appui financier des marchands de Montréal. Ceux-ci promettent 1800 $ par année et le gouvernement du Québec accorde 1000 $ pour l'établissement d'une école de génie civil et de génie minier[27]. Cette fois, c'est le vrai départ; en 1874, il y a déjà trente-trois élèves inscrits. En quatre ans, ce nombre double, grâce en particulier aux inscriptions en génie mécanique et en génie civil.

Il n'y a pas que le génie qui profite de l'essor du transport ferroviaire et maritime : l'astronomie en bénéficie également. En effet, afin de déterminer plus exactement les longitudes, à l'intention des arpenteurs et des cartographes, et de fournir l'heure juste aux compagnies maritimes et ferroviaires, le gouvernement finance la construction d'observatoires à Québec, à Toronto et à Montréal. À Québec, le capitaine Bayfield s'était chargé des observations nécessaires au calcul de l'heure locale de 1827 à 1841[28]. Après son départ, le maître du port, le commandant de la garnison et la Chambre de commerce intercèdent auprès du gouvernement pour obtenir la création d'un observatoire. Un premier observatoire est érigé sur le bastion Mann, à la Citadelle, dès 1850, et le lieutenant Edward Ashe, de la Royal Navy, en est nommé directeur. Les instruments nécessaires ont été fournis par l'Observatoire de Greenwich : une lunette méridienne, deux horloges astronomiques et un sextant. Grâce à ces instruments, Ashe peut établir quotidiennement l'heure locale, qui est annoncée aux citoyens de Québec et aux capitaines des vaisseaux mouillant dans le port, au moyen d'un coup de canon et d'une énorme sphère de cuivre qu'on laisse tomber au même moment du sommet de l'observatoire.

Time Ball de l'Observatoire astronomique de Québec. (Archives photographiques Notman)

Aujourd'hui, seul le coup de canon, tiré chaque jour à la Citadelle, rappelle cette tradition.

Le directeur de l'Observatoire a également la responsabilité de faire des observations météorologiques et des relevés géodésiques. Grâce au télégraphe, qui permet de relier son établissement à ceux de Harvard et de Toronto, Ashe peut établir avec une nouvelle précision la longitude de Québec. En 1874, l'Observatoire est transféré dans de nouveaux bâtiments sur les Plaines d'Abraham. C'est à cette occasion qu'on le munira d'un télescope équatorial de grande qualité, fabriqué par Alvan Clarke à Boston. Toutefois, les responsabilités de l'Observatoire diminuent avec les années, à mesure que le gouvernement centralise à Ottawa ses services astronomiques et météorologiques. En 1936, il ferme ses portes.

À Montréal, l'Université McGill peut disposer de son propre observatoire astronomique et météorologique dès 1862 grâce à l'initiative du docteur Charles Smallwood, qui offre d'installer ses instruments sur le campus dans une tour de maçonnerie construite à cette fin[29]. Comme à Québec, les observations astronomiques ont un but essentiellement pratique : déterminer l'heure locale pour les habitants de la ville. L'observatoire rapporte même un petit revenu à McGill. En effet, les compagnies de chemins de fer et de télégraphe qui ont leur siège social à Montréal, le Commissaire du port, les horlogers et les capitaines de vaisseaux, qui y font régler leurs montres ou leurs chronomètres, payent pour obtenir les services de l'observatoire.

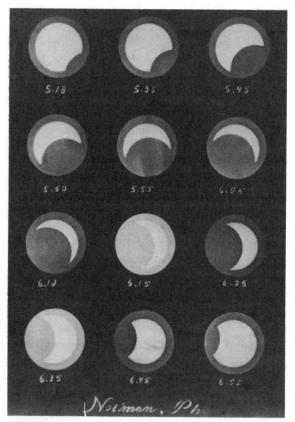

L'éclipse de 1869 photographiée par Notman pour l'astronome Charles Small-wood. (Archives photographiques Notman)

Pour les usines, les astronomes de McGill ont également la responsabilité de faire sonner les cloches du service d'incendie de Montréal au début et à la fin de la journée de travail. À la mort de Smallwood, en 1873, c'est un astronome amateur fortuné, Charles Seymour Blackman, qui prend pendant quelques années la responsabilité de l'observatoire, l'enrichissant de ses propres instruments. Mais, en 1879, la direction de l'institution est confiée à Clement H. McLeod, ingénieur diplômé de McGill en 1873, qui deviendra plus tard professeur de géodésie et d'arpentage.

La réponse des francophones: l'École polytechnique de Montréal

Le tout premier gouvernement du Québec après la Confédération, celui de Chauveau, n'est pas indifférent à l'enseignement scientifique adapté aux nouvelles industries. En 1869, il met sur pied un Conseil des arts et manufactures dans le but de faire connaître aux travailleurs et entrepreneurs québécois les dernières innovations techniques susceptibles d'améliorer les industries. Il s'agit là d'une version à peine modifiée du Bureau des arts et manufactures du Bas-Canada, créé en 1857 par le gouvernement du Canada-Uni[30]. Le Conseil est composé, entre autres, des professeurs de sciences des universités et de leurs collèges affiliés, ainsi que de représentants des chambres de commerce. Toutefois, les institutions francophones semblent plutôt indifférentes car beaucoup de leurs professeurs, comme l'abbé Thomas-Étienne Hamel, de l'Université Laval, ne participent pas aux travaux du Conseil. L'organisme se trouve ainsi dominé par les anglophones. Le programme, trop ambitieux, est d'ailleurs difficilement applicable et le Conseil aura peu d'effets, malgré une restructuration en 1872[31].

Le gouvernement ne s'en tient pas là. À l'automne de 1870, il offre une subvention à l'Université Laval pour établir une série de cours de sciences appliquées qui seraient offerts le soir. La Faculté des arts étudie le projet. Le 10 février 1871, le docteur Hubert Larue, professeur de chimie à la Faculté de médecine, qui s'intéresse aux applications des sciences à l'industrie et à l'agriculture, soumet un premier rapport à ce sujet, suivi quelques jours plus tard par l'abbé Hamel, qui est sur le point de devenir recteur de l'Université[32].

Expédition internationale envoyée au Labrador en 1905 afin d'observer une éclipse totale du soleil. Dirigée par J.S. Plaskett, de l'Observatoire du Dominion à Ottawa, elle comprenait également le père J.J. Kavanagh, du Collège Loyola de Montréal, et l'abbé C.-P. Choquette, du Séminaire de Saint-Hyacinthe. (Photo: J.S. Plaskett, Archives du Séminaire de Québec, reproduite par Pierre Soulard)

Le rapport présente une étude détaillée de tous les aspects de l'enseignement des sciences appliquées et expose même un programme complet, s'échelonnant sur trois ans. Comme le gouvernement n'offre que 1250 $ par année, Larue et Hamel indiquent qu'on ne peut établir que trois cours, chaque professeur devant recevoir 400 $ par cours. Ils fondent leur choix des matières sur des critères précis:

> 1) nécessité de faire comprendre à nos capitalistes et à nos gens instruits l'avantage qu'ils peuvent retirer de l'investissement de leurs fonds dans les différents genres d'industries praticables au Canada, et les précautions qu'ils doivent prendre pour ne pas engloutir leur avoir dans de folles spéculations; 2) nécessité de répandre par le procédé le plus sûr et le plus économique les notions pratiques utiles fondées sur une bonne théorie. L'ignorance complète dans laquelle sont nos

capitalistes et nos gens instruits en général relativement à l'industrie, a été la cause de bien des spéculations malheureuses depuis 7 à 8 ans.

À la lumière de ces considérations, les auteurs suggèrent de débuter par un « cours de chimie appliquée à la métallurgie et aux industries chimiques », un « cours de physique et de mécanique industrielle », et un « cours de chimie appliquée à l'agriculture[33] ».

Larue et Hamel estiment pouvoir attirer une soixantaine d'auditeurs en combinant « les capitalistes et les gens instruits de la ville », les élèves de philosophie du Séminaire, les étudiants de première ou de deuxième année de médecine ainsi que les élèves de l'École normale. Ils se demandent toutefois « à quel usage [les étudiants] emploiront-ils leur savoir ? Depuis plusieurs années, M. le Dr. Larue fait toutes les analyses de minerai du District de Québec, et cela ne lui rapporte pas 30 $ par année. Avant d'avoir des chefs d'usines, il faut donc avoir des usines ; ce sont les capitalistes qui devront les établir[34]. » Les auteurs estiment par conséquent que les cours devraient avoir pour but d'instruire des techniques existantes les capitalistes ainsi que les futurs prêtres, médecins et instituteurs, de manière que les uns puissent rationaliser leurs investissements et les autres diffuser leurs connaissances à travers le Québec.

Il est intéressant de noter que les objectifs d'information et de vulgarisation que se fixent Hamel et Larue diffèrent beaucoup de ceux que Dawson envisage et qui consistent plutôt à former des ingénieurs qui trouveraient un emploi dans la construction de ponts ou de voies ferrées, comme le Grand Tronc et le pont Victoria. Ces ouvrages ont jusqu'alors été construits par des ingénieurs étrangers. Dawson se plaint que les jeunes « ou bien émigrent ou bien se voient condamnés à des emplois inférieurs comme journaliers tandis que nos manufacturiers de produits chimiques, les mines, la métallurgie et le génie languissent ou sont conduits par des hommes formés dans d'autres pays[35] ». Cette différence de perception du marché entre les gens de McGill et de Laval est probablement le reflet de la position des Canadiens français dans le monde industriel naissant, de même que de la différence de développement entre Montréal et Québec.

Les cours proposés par Larue et Hamel débutent en septembre 1871 et sont bien accueillis, au moins par les journaux. Cependant, les dirigeants de l'université continuent de s'interroger sur les conséquences de l'offre gouvernementale. En novembre, le recteur Hamel écrit à Chauveau que le Séminaire — qui dirige toujours l'Université Laval — peut difficilement accepter les subsides du gouvernement, car celui-ci pourrait un jour vouloir exercer un contrôle réel sur l'université. Les pourparlers continuent quelque temps en coulisses, jusqu'à ce qu'en mars 1872, le Séminaire annonce officiellement son refus[36]. Le prétexte invoqué est que la charge serait trop lourde pour l'Université Laval, mais cette déclaration cache, en fait, des différends politiques importants. Venant d'un gouvernement qui a établi un ministère de l'Instruction publique, jetant ainsi les bases d'une intervention de l'État dans un domaine réservé jusque-là au clergé, l'offre de Chauveau ne peut être perçue que comme un autre geste remettant en cause le pouvoir presque absolu du clergé en matière d'éducation. Ne pouvant accepter une telle chose, les dirigeants du Séminaire en sont venus à la conclusion qu'il vaut mieux refuser l'offre du gouvernement.

Larue continue de se faire l'avocat de l'application des sciences à l'agriculture et à l'industrie. En 1873, il publie un *Petit manuel d'agriculture à l'usage des écoles*, composé de questions et de réponses. Ce manuel est traduit en anglais et connaîtra sa treizième édition en 1883. En publiant ce volume, Larue ne fait que poursuivre l'un des objectifs qu'il préconisait dans son rapport : donner des cours de sciences élémentaires, pratiques et adaptés aux besoins du pays.

Fatigué de la politique, Chauveau démissionne comme chef du gouvernement en février 1873 et le projet d'une école de sciences appliquées passe entre les mains de son successeur, Gédéon Ouimet, qui dirige également le ministère de l'Instruction publique. Dès son premier rapport officiel comme ministre, il écrit : «il est une espèce d'école sur laquelle je désire attirer l'attention du public. C'est une école de sciences appliquées aux arts. Il n'en existe encore aucune pour la population française : mon prédécesseur avait tenté d'en établir une mais elle n'a pû être continuée. J'ai le projet d'en établir une sous peu et j'ai tout lieu de croire que je pourrai y parvenir[37]. »

L'École polytechnique en 1875. (Archives de l'École polytechnique)

La dernière phrase fait référence à des discussions qu'il poursuit avec la Commission des écoles catholiques de Montréal et plus particulièrement avec Urgel-Eugène Archambault, directeur de l'Académie commerciale catholique de Montréal, communément appelée l'École commerciale du Plateau. Les discussions entre le gouvernement et la Commission scolaire ne traînent pas. Le 7 octobre 1873, Archambault et Peter S. Murphy, de la Commission, sont chargés d'étudier le projet et de faire leurs recommandations. Deux semaines plus tard, ils soumettent celles-ci, priant le gouvernement d'octroyer au projet une somme de 3000 $. Au moins 500 $ seraient affectés à l'achat et à l'entretien d'instruments. Le projet est vite approuvé et, le 26 novembre, un ordre en conseil crée officiellement l'École polytechnique de Montréal. On élabore un programme de cours, divisé essentiellement en quatre sections: génie civil, mines et métallurgie, mécanique et travail des métaux, et industries diverses de production. Avant même l'annonce officielle, Archambault profite d'un voyage en Europe de l'abbé Hospice Verreau, principal de l'École normale Jacques-Cartier, pour le prier d'acheter divers instruments nécessaires à l'organisation des laboratoires. D'Europe, Verreau n'enverra pas moins de 25 caisses de matériel, d'une valeur totale de 13 500 francs[38].

L'École polytechnique ouvre ses portes en janvier 1874, accueillant une dizaine d'élèves. Une circulaire, parue dans *L'Opinion publique* du 13 août 1874, donne les détails du programme:

> Les études spéciales commencent dans le cours de la deuxième année, la première étant consacrée aux études d'ensemble. Dans le courant de la deuxième année commencent aussi les travaux d'atelier organisés sur le modèle des écoles professionnelles d'Angleterre et de France. Là, forges, creusets de fusion, enclumes, étaux, limeurs, machines à tourner, à percer, etc., seront à la disposition des élèves. Durant la saison d'été des opérations topographiques et hydrographiques seront dirigées par un ou plusieurs professeurs de l'établissement. Tout est combiné de façon à donner au jeune homme une éducation spéciale à la fois solide et éminement pratique[39].

Dans l'introduction qui précède cette description du programme, on peut voir qu'Archambault fonde son projet sur une analyse qui ressemble plus à celle de Dawson qu'à celle de Larue et Hamel, reflétant ainsi, encore une fois, la différence de développement industriel entre Montréal et Québec:

> Tout ce que la province compte d'hommes éminents, de citoyens distingués, de grands industriels, ont réclamé, depuis longtemps, la création d'un école spéciale— les journaux se sont emparés du fait, la Chambre s'en est occupée. On se plaint: la jeunesse canadienne n'a devant elle que la perspective des études légales ou médicales. Et cependant les lignes de chemins de fer actuellement en construction, le creusement des canaux, l'établissement des routes demandant un personnel nombreux que l'étranger seul fournit: les grandes compagnies métallurgiques, les industriels dirigeant les usines importantes vont également chercher à l'étranger, les premiers leurs ingénieurs, les seconds leurs contre-maîtres. Tout à côté, nos jeunes gens après de longues études classiques, manquant des connaissances spéciales sur toutes les choses, se rejettent sur les professions d'Avocats, de Notaires, de Médecins. Cette école est, j'oserais dire,

le seul moyen de désencombrer ces professions et de retenir une jeunesse instruite au milieu de nous, en lui offrant de nouvelles carrières[40].

Pour les dirigeants de la nouvelle institution, il s'agit de former « non pas des savants, mais des spécialistes dans leur profession ».

Le 5 mai 1876, le gouvernement assimile l'École polytechnique à une université dont les diplômes seront signés par le surintendant de l'Instruction publique. Depuis 1875, celui-ci remplace le ministre de l'Instruction publique, le ministère ayant été aboli, au grand soulagement du clergé. Au mois de juin 1877, on assiste à Montréal à la collation des grades aux cinq premiers finissants de l'école.

Les sciences et le public : les débuts de la vulgarisation

Il ne suffit pas de créer des écoles d'ingénieurs pour « retenir une jeunesse instruite » au pays. Il faut en même temps faire connaître au grand public ces nouvelles professions et développer chez lui une attitude favorable aux sciences et aux techniques. C'est là le rôle de la vulgarisation scientifique.

Au Québec, la presse de vulgarisation fait de timides débuts à cette époque. L'inventaire des initiatives dans le domaine reste à faire, mais on connaît déjà quelques périodiques exclusivement destinés à la vulgarisation scientifique : le *Canadian Magazine of Science and the Industrial Arts*, qui apparaît en 1873, *La Science populaire illustrée*, en 1886, et *La Science pour tous*, en 1891. On relève également quelques ouvrages destinés au grand public, comme *La grande comète de 1882*, d'Auguste Michel.

L'essor de la presse de vulgarisation est d'ailleurs mondial. La revue *Scientific American* a été lancée en 1845. En France, Louis Figuier, un contemporain de Jules Verne, met la science « domestique » à la mode en publiant, en 1850, *Le savant du foyer*, recueil de trucs « scientifiques » et de recettes inspirées de la chimie culinaire, qui intègre la science à la vie quotidienne. En Angleterre, la popularité de l'histoire naturelle auprès des classes moyennes et même des classes populaires n'a d'égal que celle des arts

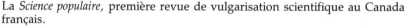

La *Science populaire*, première revue de vulgarisation scientifique au Canada français.

mécaniques, assurée par des revues qui font connaître les nouvelles inventions et publient des plans et devis.

Le *Canadian Magazine of Science and the Industrial Arts* s'inspire des revues britanniques. De 1873 à 1891, ses rédacteurs présentent régulièrement un relevé des dernières inventions enregistrées au Bureau des brevets à Ottawa. Ils présentent également à leurs lecteurs les nouvelles théories scientifiques et leurs applications industrielles. L'éditorial du numéro de janvier 1885, intitulé « Technical Education of the Artisan Class », résume bien le but de la revue : initier les ouvriers aux nouvelles techniques industrielles. « À mesure que nos industries manufacturières se multiplient, écrit-on, il est de grande importance pour le bien-être du pays de fournir une formation scientifique pratique à ceux qui y seront employés. »

La Science populaire, première revue francophone de vulgarisaton, est lancée le 1er août 1886. Son directeur est Octave Cuisset, chimiste, qui déclare : « À côté des grands journaux scientifiques et industriels, il existe des publications plus modestes mais non moins utiles qui vont porter les mêmes enseignements chez ceux qui n'ont pas le temps ou les connaissances voulues pour aborder les questions de haute science. C'est avec ces dernières publications que vous voulons marcher. » La Science populaire puise ses renseignements à plusieurs sources américaines, tels le Scientific American, l'American Analyst ou le Pharmaceutical Record, dont elle traduit les articles. Les recherches des savants canadiens et les sujets d'intérêt local ne sont pas oubliés. On publie les comptes rendus météorologiques de l'observatoire de l'Université McGill et certains articles font écho aux recherches faites dans cette institution. De plus, la revue cherche à promouvoir la modernisation des campagnes par l'implantation d'usines de transformation des produits agricoles, telles les féculeries.

Malheureusement, le programme de Cuisset n'a pas le succès espéré auprès du public : au bout d'un an et demi, La Science populaire cesse de paraître. Quelques années plus tard, La Science pour tous, lancée par un autre chimiste, M. Meyer, n'aura guère plus de succès. Il faudra attendre le XXe siècle pour voir apparaître au Québec francophone une presse exclusivement vouée à la vulgarisation scientifique.

Des problèmes de recrutement

L'échec relatif de la vulgarisation indique que les dirigeants de l'École polytechnique doivent faire beaucoup de publicité afin d'attirer les étudiants. À une époque où les principales carrières envisagées et encouragées sont celles de prêtre, de médecin, d'avocat ou de notaire, Archambault écrit régulièrement aux directeurs des collèges classiques, leur demandant d'attirer « l'attention des élèves, dont les études classiques se terminent, vers l'École Polytechnique et les carrières que son enseignement leur ouvrent», profitant aussi de l'occasion pour les assurer de «toute la sollicitude de l'École pour conserver dans le cœur de la jeunesse les principes religieux qu'elle n'a pas manqué d'acquérir[41]». Cette précision a son importance. Elle doit rassurer le clergé, qui domine tout l'enseignement classique au Québec, à l'égard de l'École. En plus de ces appels aux dirigeants des collèges, l'École décerne au cours de ses premières années deux bourses annuelles de 150 $, produit de la générosité du marchand Prudent Beaudry, qui vit alors en Californie, et de son frère Vincent. Par ailleurs, en 1887, l'École polytechnique se rapproche du réseau des collèges classiques en s'affiliant à la Faculté des arts de l'Université Laval à Montréal. Malgré ces efforts, le nombre moyen d'ingénieurs diplômés n'est que de quatre par an entre 1876 et 1898, alors que McGill en forme une douzaine chaque année. Notons cependant qu'au cours de cette période, on compte dix francophones parmi les diplômés de McGill.

Laboratoire de chimie générale de l'École polytechnique vers 1920. (Archives de l'École polytechnique)

En fait, les ingénieurs canadiens-français semblent avoir eu de la difficulté à s'intégrer à un marché du travail essentiellement anglophone. C'est du moins l'opinion qui circule alors et que Georges Nantel, ministre des Travaux publics, reprend à son compte en 1893, lors d'une conférence sur l'instruction publique au cercle Ville-Marie : « La position faite aux élèves de l'École Polytechnique est due à notre état social et économique, nulle autre cause. Les grandes industries, les grandes entreprises de chemin de fer, d'aqueducs et d'éclairage sont en général entre les mains de compatriotes qui tiennent, et je ne puis pas les en blâmer, à employer leurs nationaux de préférence aux autres, tout compétents, tout honorables qu'ils peuvent être[42]. » À long terme, le sort des carrières du génie au Canada français était lié à une industrialisation du Québec contrôlée par une bourgeoisie canadienne-française.

CHAPITRE 8

LA NAISSANCE
D'UN MOUVEMENT
SCIENTIFIQUE
CANADIEN-FRANÇAIS

La première vague d'industrialisation, marquée par le développement des chemins de fer, avait favorisé la création de l'École polytechnique de Montréal en 1873. À compter de 1896, une seconde poussée, caractérisée par le développement de l'industrie papetière et électrochimique, provoquera des changements encore plus importants dans le système d'éducation supérieure francophone du Québec.

En 1907, la création, par le gouvernement libéral de Lomer Gouin, d'écoles techniques à Montréal et à Québec constitue une première réponse aux besoins des industries qui demandent une main-d'œuvre qualifiée. Ces institutions ont pour but de « préparer, par des études théoriques et techniques, les jeunes gens qui se destinent aux carrières industrielles[1] ». L'urgence de la situation, dans le domaine de la formation technique, conduit d'ailleurs le gouvernement canadien à créer la Commission royale d'enquête sur l'enseignement technique en 1909[2]. En 1907, le gouvernement du Québec crée une école d'arpentage, affiliée à l'Université Laval, et y ajoute, en 1910, une école de foresterie. Cette année-là, l'École des hautes études commerciales ouvre ses portes à Montréal, toujours sous le patronage du gouvernement de Gouin. Toutes ces réformes concrétisent en partie le programme tracé par Errol Bouchette en 1906 dans son essai sur l'indépendance économique des Canadiens français. Pour Bouchette, un programme de reconquête économique ne peut se faire sans le développement de l'enseignement technique[3].

Même si le nombre des étudiants augmente lentement dans ces nouvelles institutions, comme cela avait été le cas à l'École polytechnique quarante ans plus tôt, leur création marque une étape importante dans le processus de modernisation du système d'enseignement. La croissance industrielle et démographique de Montréal étant plus rapide que celle de Québec, c'est dans la métropole que l'enseignement universitaire se restructure le plus rapidement.

La fondation de l'Université de Montréal

Depuis sa fondation en 1876, l'Université Laval à Montréal, succursale de l'institution de Québec, avait souvent réclamé son indépendance, mais en vain. En 1918, le nouveau vice-recteur, Mgr Georges Gauthier, croit le moment opportun pour présenter une nouvelle demande auprès des autorités romaines chargées des questions universitaires. En effet, l'Université Laval de même que sa succursale de Montréal sont sous l'autorité du clergé et leur charte relève du Vatican. Pour modifier la charte de l'Université Laval et en obtenir une nouvelle pour Montréal, il faut donc convaincre d'abord les membres de la Congrégation romaine des collèges et des universités, organisme chargé de voir au bon fonctionnement des universités catholiques à travers le monde. Les demandes de 1876 et de 1889 ayant échoué, le dossier doit être préparé avec soin. L'archevêque de Montréal, Mgr Paul Bruchési, a déjà occupé le poste de vice-recteur de l'Université et connaît bien le problème. Il se rend lui-même à Rome pour appuyer la demande et intercéder auprès des membres de la Congrégation. Naturellement, les émissaires de l'Université Laval présentent eux aussi un rapport au Vatican, tendant à montrer que, du point de vue économique, deux universités catholiques au Québec ne pourraient pas survivre. À Montréal cependant, les hommes d'affaires francophones sont prêts à appuyer l'Université de Montréal si elle devient indépendante et si son administration fait une bonne place aux laïcs.

À la fin du XIXe siècle, il était encore possible de refuser à Montréal la gestion pleine et entière de son université, mais cela ne l'est plus après la Première Guerre mondiale, tant sa prédominance sur Québec au point de vue démographique et industriel est évidente. Le 8 mai 1919, le pape Benoît XV signe le rescrit *Quum Illmi* proclamant que « la succursale de Montréal [doit être] érigée en université indépendante possédant tous ses droits et privilèges». De plus, «elle sera appelée Université de Montréal» et «les collèges de la province de Montréal, qui jusqu'à présent relevaient de l'Université Laval, seront affiliés à l'Université de Montréal». Enfin, avant que Rome n'expédie officiellement la bulle d'érection canonique de la nouvelle université catholique, l'Université doit obtenir une charte civile. Cela sera fait dès le 14 février 1920, date d'adoption en troisième lecture du projet de loi constituant en corporation l'Université de Montréal[4].

Contrairement à l'Université Laval, qui est gérée uniquement par le clergé, l'Université de Montréal fait une large place aux laïcs. Le clergé veillera à l'intégrité de la doctrine et à la pureté de la morale, mais la gestion des biens matériels relèvera d'une commission administrative comprenant une majorité de laïcs. Pour symboliser cette alliance du clergé et de la bourgeoisie francophone, la présidence du conseil universitaire est offerte à Lomer Gouin.

Le 24 novembre 1919, six mois à peine après la création de l'institution, le feu ravage l'édifice de l'Université Laval de Montréal, rue Saint-Denis. Aussitôt, ses dirigeants s'unissent à des financiers et à des industriels pour lancer une campagne publique de financement. En quelques mois, on recueille quatre millions de dollars.

Tout en ne négligeant pas les facultés traditionnelles de droit, de médecine et de théologie, l'Université de Montréal se fait surtout remarquer par l'importance accordée à l'enseignement commercial et scientifique. Le premier recteur de l'Université, Mgr Georges Gauthier, représente bien ce courant moderniste en matière d'éducation. En 1918, dans un article publié par *L'Action française*, il insiste sur les progrès de l'enseignement technique et demande aux dirigeants des collèges classiques de diriger les étudiants «qui se destinent au monde vers nos écoles spéciales: Polytechnique, Hautes Études Commerciales, École d'agriculture, École des Arts décoratifs et industriels, Écoles forestière et d'arpentage». Car, ajoute-t-il, «si nous voulons en ce pays garder nos positions dans tous les domaines, l'économique comme les autres, il faut que nous ayons des agronomes, des commerçants, des ingénieurs, des chimistes industriels instruits et cultivés[5] ». Le développement économique des Canadiens français est, selon lui, inséparable de l'essor de l'enseignement scientifique.

La création de la Faculté des sciences de l'Université de Montréal

Pendant que la campagne de financement bat son plein, le recteur entreprend les démarches nécessaires à la création d'une faculté des sciences, prévue par la charte de l'Université et qui doit en partie répondre aux besoins de la Faculté de médecine. En effet, la Fondation Rockefeller, sollicitée par la Faculté de médecine pour contribuer à son financement, vient de poser ses conditions. Il faut, selon l'organisme américain, élever le niveau de la formation scientifique des médecins. Ces considérations orientent la mission de la Faculté des sciences, dont l'une des tâches principales sera d'offrir un certificat préparatoire aux études médicales.

C'est à un médecin, le docteur Joseph-Ernest Gendreau, qui enseigne alors la chimie à l'École des hautes études commerciales, que le recteur confie la tâche d'organiser la Faculté des sciences. Comme la plupart de ses contemporains, Gendreau a acquis sa formation scientifique en Europe. Après des études classiques au Séminaire de Saint-Hyacinthe, il est entré chez les Jésuites. Après un premier séjour en Europe, où il étudie la physique, la chimie, les mathématiques, l'astronomie et la géologie, il enseigne la physique au Collège Sainte-Marie. Au début de la Première Guerre, il quitte les rangs des Jésuites et s'embarque une seconde fois pour l'Europe, afin de suivre des cours à la Faculté de médecine de Paris, où il s'initie à la radiologie[6].

Pour Gendreau, créer de toutes pièces un corps enseignant pour la première faculté des sciences du Canada français n'est pas une tâche facile. Lui-même s'intéresse surtout à la physique médicale et se réserve la chaire de physique. La chimie est confiée au docteur Georges-H. Baril, qui enseigne cette matière à la Faculté de médecine depuis 1911. Comme Gendreau, Baril a fait un séjour en France et obtenu en 1911 un certificat d'études supérieures en chimie générale à l'Institut catholique de Paris[7]. Pour l'enseignement des mathématiques, Gendreau s'adresse à Arthur Léveillé, bachelier de l'Université de Londres avec spécialisation en mathématiques, alors employé dans une librairie de Montréal[8].

Le frère Marie-Victorin est l'homme tout désigné pour enseigner la botanique. Âgé de trente-cinq ans, il a déjà publié une trentaine d'articles sur la flore du Québec et son volume *Croquis laurentiens*, qui fait suite aux *Récits laurentiens*, datés de 1919, vient juste de paraître. Cependant, le frère doit recevoir une permission spéciale de ses supérieurs pour accepter ce poste car, jusque-là, l'ordre religieux auquel il appartient limitait strictement les activités de ses membres à l'enseignement primaire et secondaire. De plus, Marie-Victorin ne détient aucun diplôme universitaire. Deux ans après son engagement, la Faculté des sciences lui permet de soutenir une thèse de doctorat sur les filicinées du Québec. Enfin, comme il ne semble pas y avoir de biologiste dans les environs, Gendreau se rend en France, où il rencontre Louis-Janvier Dalbis, alors professeur au Collège Stanislas. Au poste de doyen de la Faculté des sciences, Gendreau propose le père Joseph Morin, alors professeur de sciences au Collège de Joliette.

Avec cette première équipe de professeurs, la Faculté des sciences de l'Université de Montréal est prête à offrir des certificats d'études supérieures en chimie, physique, mathématiques, biologie, botanique, minéralogie et géologie. L'enseignement de ces deux dernières disciplines est assuré par Adhémar Mailhiot, professeur à l'École polytechnique. Le certificat correspond à un an d'études dans une discipline ; la licence peut être obtenue en cumulant trois certificats. Selon le modèle en vigueur en France, la Faculté offre aussi un certificat de physique, chimie et sciences naturelles, connu sous le nom de PCN, qui est un prérequis pour les études de licence et pour l'entrée à la Faculté de médecine. Cette année préparatoire permet de combler les lacunes de l'enseignement des sciences au secondaire. Elle doit également permettre de satisfaire aux exigences de la Fondation Rockefeller qui, dans le cadre de son plan de développement des études médicales en Amérique du Nord, est prête à fournir 25 000 $ par année, pendant dix ans, pour équiper les laboratoires de physique, chimie et biologie, à la condition que l'Université investisse elle-même le double de cette somme. Comme le notera le docteur Baril lors du vingtième anniversaire de la fondation de la Faculté des sciences, cette subvention a joué un rôle important dans le développement de l'Université car, écrit-il, « si, depuis 1932, nous avons pu tenir le coup et traverser la crise, que tout le monde connaît, sans fermer nos laboratoires, cela est dû (pour ce qui concerne l'appareillage et les produits chimiques) aux réserves que la fondation Rockefeller nous avait en quelque sorte forcé d'accumuler[9] ».

En septembre 1920, la nouvelle faculté accueille ses premiers étudiants. Cinquante d'entre eux sont inscrits au PCN et dix autres se répartissent entre les différents certificats (botanique, physique, chimie, etc.). Marie-Victorin n'a que trois étudiants, tous frères des Écoles chrétiennes ! Au cours des vingt années suivantes, le nombre total des inscriptions augmentera régulièrement pour atteindre près de deux cents en 1940. Toutefois, le programme du PCN accueillera toujours au moins 40 % du total, cette proportion atteignant même plus de 70 % au cours des années 1920, mesure de la dépendance de la Faculté des sciences à l'égard de la Faculté de médecine. Ces proportions indiquent aussi le manque de préparation scientifique des diplômés des collèges classiques[10].

L'École supérieure de chimie de l'Université Laval

Pendant que Montréal modernise son enseignement, l'Université Laval ne reste pas indifférente. Au contraire, l'université de Québec semble stimulée par cette nouvelle concurrence. Montréal ayant mis l'accent sur le développement des sciences, signe de modernité, Québec ne peut se permettre de les ignorer et décide de fonder une école supérieure de chimie. L'institution québécoise en a maintenant les moyens car, après avoir accordé un million de dollars à l'Université de Montréal, le gouvernement provincial se doit d'en faire autant pour Laval et McGill.

Professeur de chimie à la Faculté de médecine depuis 1904, sir Georges Garneau est aussi, depuis peu, membre du Conseil national de recherche du Canada et appuie fortement la création d'une école supérieure de chimie. En 1920, la campagne de souscription d'«Aide à Laval», lancée auprès des industriels et du grand public de la vieille capitale sous le thème «le temps est venu de former des chimistes pour l'industrie», rapporte les sommes nécessaires à la création de l'École supérieure de chimie[11]. Cet engouement pour la chimie n'est pas seulement le résultat de la Première Guerre mondiale, qui avait révélé la dépendance des Alliés à l'égard des industries chimiques allemandes, mais aussi le résultat de l'implantation au Québec même de nouvelles industries chimiques, attirées par les ressources minières, forestières et hydro-électriques de la province.

L'Université Laval ne disposant pas des ressources humaines nécessaires pour mettre sur pied l'École supérieure de chimie, ses dirigeants font appel à la collaboration de leurs amis de l'Université catholique de Fribourg, en Suisse. Le chimiste Paul Cardinaux vient à Québec préparer le programme et diriger la nouvelle école, aidé par son collègue Alphonse Cristin, professeur de physique. L'École peut accueillir ses premiers étudiants en septembre 1921. Comme c'est le cas à Montréal, les débuts sont difficiles: dix-huit étudiants s'inscrivent, mais seulement trois compléteront le programme de quatre ans. La seconde promotion, en 1926, ne compte encore que trois étudiants[12].

À mesure que le programme se développe, on engage de nouveaux professeurs. En 1922, Adrien Pouliot, diplômé de l'École polytechnique, est chargé de l'enseignement des mathématiques. Au cours des deux années suivantes, c'est au tour de Carl Faessler et de Joseph Risi, tous deux de Fribourg, de venir dispenser respectivement les cours de géologie et de chimie organique. En 1926, l'abbé Alexandre Vachon, jusque-là titulaire de la chaire de minéralogie et de géologie, succède à Paul Cardinaux et à l'abbé Philéas Filion au poste de directeur de l'École de chimie. Formé au Séminaire de Québec et à l'Université Laval, il a également étudié la chimie à Harvard et au Massachusetts Institute of Technology. En 1916, il a publié un *Traité élémentaire de chimie*, destiné aux élèves des collèges classiques, manuel qui sera réédité en 1924 et en 1932[13].

Ainsi, peu à peu, au cours des années 1920 et 1930, une

relève québécoise fait son apparition. Elphège Bois, l'un des trois premiers diplômés de 1925, et Paul-E. Gagnon se rendent en Europe faire des études doctorales et reviennent enseigner à leur *alma mater*, Bois en 1930 et Gagnon en 1932. Cyrias Ouellet, diplômé en 1930, obtient un doctorat en chimie physique à Zurich en 1931 et poursuit ses recherches à Cambridge jusqu'à l'automne de 1934. Enfin, l'abbé Joseph-Willie Laverdière, diplômé en 1927, se spécialise en géologie. Après avoir obtenu un doctorat de l'Université catholique de Lille, il revient à Québec en 1931 enseigner cette discipline aux côtés de Carl Faessler.

Ce développement de l'enseignement des sciences entraîne naturellement la publication de nouveaux manuels. Outre le manuel de chimie de l'abbé Vachon, notons son concurrent de Montréal, le *Cours de chimie élémentaire*, publié en 1929 par Gérard Delorme et Paul Riou, qui enseigne la chimie à l'École des hautes études commerciales. Trois ans plus tard, les mêmes font paraître leurs *Travaux pratiques de chimie élémentaire*. Ces deux ouvrages, à l'usage « des collèges classiques et des grandes écoles », seront plusieurs fois remis à jour et réédités au cours des années suivantes. Mentionnons l'*Initiation à la géologie*, publié en 1941 par l'abbé Laverdière et le père Léo-G. Morin, successeur d'Adhémar Mailhiot à la chaire de géologie de l'Université de Montréal. Cette collaboration entre Montréal et Québec permet d'éviter la production de deux volumes de même nature, tout en assurant un enseignement uniforme. Au cours des années 1930, des manuels de physique voient également le jour.

L'émergence de chercheurs francophones

La fondation, en 1920, de la Faculté des sciences de l'Université de Montréal et de l'École supérieure de chimie de l'Université Laval marque une date importante dans l'histoire de l'enseignement scientifique supérieur au Québec. Ces deux institutions permettent en effet pour la première fois à des Canadiens français de poursuivre une carrière de scientifiques professionnels et même parfois de s'initier à la recherche sans avoir à étudier à McGill ou hors du Québec.

Auparavant, l'enseignement était de nature plutôt générale et ne préparait nullement les étudiants à accéder à des programmes d'études supérieures. Le Conseil national de recherche du Canada (CNR), qui depuis sa création, en 1916, décerne des bourses d'études supérieures en sciences et subventionne les projets de recherche de plusieurs professeurs dans les universités canadiennes, fait d'ailleurs savoir dès 1920 aux dirigeants de l'Université de Montréal qu'aucun Canadien français n'a encore obtenu de bourse de ce programme et qu'une des tâches de la Faculté des sciences devrait être d'encourager les étudiants à poursuivre leurs études aux niveaux de la maîtrise et du doctorat.

Bien que le programme de la Faculté vise en premier lieu à former des professeurs pour l'enseignement secondaire, afin d'améliorer le niveau de l'enseignement des sciences dans les séminaires, les collèges et les couvents, il ouvre enfin une voie à ceux qui désirent poursuivre des études supérieures. Dès 1922, J.-L.-F. Germain obtient une bourse du CNR pour poursuivre des études en chimie analytique à Londres. L'année suivante, deux autres diplômés de l'Université de Montréal obtiennent une bourse du même organisme. Paul Cartier et Pierre Bédard peuvent ainsi entreprendre des recherches à l'Institut de chimie sous la direction de Paul Riou, spécialiste en cinétique chimique. Au cours des quinze années suivantes, une douzaine de francophones obtiennent des bourses du CNR. Dix d'entre eux se spécialisent en chimie et deux en physique. Trois étudient à l'Université Laval, quatre à McGill, quatre à l'Université de Montréal et un à l'École polytechnique.

Depuis 1920, les meilleurs étudiants peuvent aussi, sur recommandation de leur université, obtenir une bourse du gouvernement provincial pour aller étudier en Europe. En effet, sous la pression des recteurs et des doyens de l'Université de Montréal et de l'Université Laval qui y voient un moyen peu coûteux de « s'élever des professeurs », le gouvernement libéral a fait adopter cette année-là la « Loi pour aider les élèves gradués à suivre des cours additionnels », plus communément appelée la loi « des bourses d'Europe[14] ». Reflétant la francophilie militante de l'époque et, en particulier, celle d'Athanase David, le secrétaire de la province chargé de l'application de cette loi, la mesure stipule que cinq bourses seront offertes annuellement à ceux qui désirent perfectionner leurs connaissances dans des institutions de « Paris, en France ». La loi, en vigueur jusqu'en 1959, sera toutefois amendée à quelques reprises, par exemple pour augmenter le nombre des bourses ou pour permettre aux étudiants de poursuivre leurs études ailleurs qu'à Paris. Ce dernier amendement, en 1937, ne fait que prendre acte du fait qu'un nombre croissant de boursiers préfèrent se diriger vers les universités américaines, mouvement que la Seconde Guerre va amplifier.

Grâce à la loi « des bourses d'Europe », plusieurs centaines de jeunes médecins, scientifiques, ingénieurs, artistes et spécialistes des sciences humaines et sociales, etc., pourront poursuivre des études dans les meilleures institutions d'Europe et d'Amérique entre 1920 et l'aube de la Révolution tranquille. Revenus au Québec, nombre d'entre eux joueront un rôle décisif dans la modernisation de leur champ d'activité, de même que dans l'évolution des idées et de la culture. En science, les « anciens d'Europe », comme on les appelait, tiendront le premier rang dans l'émergence de la recherche. On remarque parmi eux les chimistes Cyrias Ouellet et P.-A. Giguère, le géologue de Laval, l'abbé J.-W. Laverdière, les botanistes Marcel Cailloux, Roger Gauthier et Bernard Boivin, les physiciens Pierre Demers et Christian Lapointe, les mathématiciens Maurice L'Abbé et Basil White, et le biologiste Jean-Louis Tremblay.

Dès les années 1920, quelques professeurs trouvent le temps d'entreprendre des travaux et obtiennent même une aide financière du CNR. Entre 1918 et 1937, les professeurs de l'Université de Montréal reçoivent environ 15 000 $ de l'organisme fédéral. Par comparaison, on peut noter que McGill reçoit environ 50 000 $, l'Université Queen's 11 000 $ et l'Université Dalhousie à Halifax seulement 6 000 $. À lui seul, le frère Marie-Victorin recueille, entre 1926 et 1937, 9 650 $ pour ses travaux sur la flore du Québec et de l'Est du Canada. En 1924, Paul Riou obtient 300 $ pour étudier la forme cristalline du bicarbonate de soude. Louis Bourgouin, professeur à l'École polytechnique, peut étudier l'action catalytique des rayons ultraviolets grâce à une subvention de près de 2 500 $ du CNR. Enfin, André V. Wendling, lui aussi de l'École polytechnique, obtient 2 000 $ en 1926 pour poursuivre ses travaux sur les propriétés diélectriques de différentes classes de porcelaines. Les activités de recherche des professeurs de Laval étant moins développées, ils ne reçoivent, entre les deux guerres, aucune subvention de recherche du CNR.

Tant à Montréal qu'à Québec, la formation des chercheurs reste, au cours de l'entre-deux-guerres, essentiellement limitée aux domaines de la chimie et de la botanique, et demeure une activité marginale par rapport à l'enseignement de premier cycle, préoccupation principale des professeurs. Comme nous allons le voir dans les chapitres suivants, il faut attendre la fin de la Seconde Guerre mondiale pour voir se généraliser la recherche dans les départements scientifiques.

Au cours de la période qui s'étend de 1921 à 1931, l'Université de Montréal décerne 261 diplômes à une centaine d'étudiants, excluant ceux du PCN. De ce nombre, 106 sont en sciences naturelles, 65 en chimie et seulement 16 en mathématiques et en physique[15]. Cette prépondérance des sciences naturelles n'est évidemment pas étrangère au dynamisme du frère Marie-Victorin qui, au cours des années 1920, devient le véritable symbole du développement scientifique du Québec. Une bonne moitié des diplômés sont membres du clergé ou de communautés religieuses. Cette présence religieuse massive parmi les diplômés s'explique par le besoin de perfectionnement des membres des communautés qui dominent le système d'enseignement primaire et secondaire de la province. À Québec, où la formation scientifique est concentrée à l'École de chimie, on compte trente-trois diplômés entre 1925 et 1931[16].

De nouvelles sociétés savantes

La croissance des activités scientifiques au sein des deux universités francophones, mais tout particulièrement à Montréal, suscite la création de plusieurs sociétés savantes[17]. Le 16 février 1922, un groupe de professeurs des facultés des sciences et de médecine de l'Université de Montréal fonde la Société de biologie de Montréal. Parmi eux, on retrouve L.-J. Dalbis, Marie-Victorin, les docteurs G.-H. Baril, Eugène Latreille et Louis de Lotbinière-

Léo Pariseau, membre fondateur de l'Acfas. (Archives de l'Université de Montréal)

Harwood. Le docteur Léo Pariseau, professeur de radiologie, se joint au groupe dès la deuxième réunion. Cette société se donne initialement pour but l'étude et la vulgarisation des sciences biologiques, le développement de travaux de recherche et le développement de rapports scientifiques entre les biologistes canadiens et étrangers. Au terme de ses six premières années d'activités, la Société compte environ quatre-vingts membres actifs.

Le 10 juin 1923, c'est au tour de la Société canadienne d'histoire naturelle de voir le jour à Montréal[18]. Dalbis et Marie-Victorin en font partie, de même qu'Adhémar Mailhiot et Jules Brunel, jeune collaborateur de Marie-Victorin. C'est toutefois Germain Beaulieu, littérateur et entomologiste, qui préside la société au cours des deux premières années. En 1925, Marie-Victorin est élu président, poste qu'il occupe sans interruption jusqu'en 1940. Il utilisera régulièrement cette tribune pour faire connaître ses vues sur l'attitude des Canadiens français face aux sciences et pour lancer de nouveaux projets: celui du Jardin botanique de Montréal, en 1929, et celui de l'Institut de géologie, en 1937. D'autres sociétés sont créées à l'initiative des professeurs de la Faculté des sciences, comme la Société de physique, présidée par Ernest Gendreau, et la Société de chimie, qui fusionneront en 1931.

Ces quelques organisations à peine mises sur pied, on songe déjà à les réunir dans une fédération. Le 15 mai 1923, la Société de biologie de Montréal réunit au Cercle universitaire une vingtaine de personnes représentant les diverses sociétés savantes alors existantes. On y retrouve Mgr Vincent Piette, recteur de l'Université de Montréal, Édouard Montpetit, secrétaire général de l'Université, L.-J. Dalbis, Marie-Victorin, Léo Pariseau, Ernest Gendreau, Augustin Frigon, directeur de l'École polytechnique, et quelques autres. Après discussion, on convient de fonder une Association canadienne-française pour l'avancement des sciences, l'Acfas, qui aura pour tâche de favoriser le développement scientifique de la société par la recherche, l'enseignement et la vulgarisation[19].

Aujourd'hui, on connaît surtout l'Acfas par son congrès annuel qui réunit les scientifiques canadiens-français des différentes disciplines. À l'origine cependant, la fonction de l'Acfas est moins bien définie et ses dix premières années sont surtout consacrées à l'organisation de conférences de vulgarisation. Ce n'est qu'au début des années 1930, alors que les activités de recherche des professeurs et des étudiants des deuxième et troisième cycles commencent à être assez développées, que l'idée de tenir un congrès réunissant uniquement des scientifiques capables de communiquer les résultats de recherches originales fait son chemin. Cette évolution donne lieu au premier congrès, tenu les 2 et 3 novembre 1933 à l'Université de Montréal. On y présente 165 communications, dont 20 dans la section « sciences morales », où l'on retrouve Édouard Montpetit, Léon Gérin et Lionel Groulx ; 41 en mathématiques, physique et chimie ; et 99 en sciences naturelles, où dominent Marie-Victorin et ses disciples. Même si le congrès annuel doit en principe réunir uniquement les scientifiques professionnels, on y retrouve, au début, quelques amateurs heureux de présenter leurs observations ou leurs petites théories. Par exemple, un « astronome » vient soutenir devant les physiciens, en 1937, que les rayons cosmiques proviennent de tourbillons de particules qui entraînent la Terre, de même que le Soleil et les autres planètes, dans sa rotation. Assez rapidement toutefois, le secrétaire de l'association, Jacques Rousseau, apprend à éliminer les cas les plus extravagants ; l'auto-élimination,

Le conseil de la Société canadienne d'histoire naturelle en 1937 : Jacques Rousseau, le frère Adrien (créateur des CJN) Marie-Victorin, Jules Brunel, É.G. Asselin, Georges Préfontaine et Roger Gauthier. (Archives de l'Université du Québec à Montréal)

favorisée par une professionnalisation grandissante, se charge du reste. Après 1940, il est plutôt rare de voir des amateurs présenter des communications au congrès de l'Acfas.

Si à l'origine l'Acfas est une création montréalaise, la tenue de congrès rapproche rapidement les scientifiques de Québec. C'est d'ailleurs là qu'a lieu le deuxième congrès en 1934, sous la présidence d'Adrien Pouliot. Par la suite, les congrès auront lieu alternativement à Montréal et à Québec.

L'Institut scientifique franco-canadien

Avant de devenir, au cours des années 1930, la principale organisation réunissant les scientifiques francophones, l'Acfas doit faire face à une institution que Marie-Victorin et quelques autres perçoivent comme une rivale : l'Institut scientifique franco-canadien (ISFC).

Conçu et dirigé par Louis-Janvier Dalbis, l'ISFC prend forme au cours de l'année 1926 grâce à la collaboration financière des gouvernements français et québécois et de l'Université de Montréal. Fortement appuyé par des francophiles comme Athanase David, secrétaire de la province, et Édouard Montpetit, secrétaire général de l'Université, l'Institut se fixe pour objectif de resserrer les liens intellectuels entre la France et le Canada en invitant au pays les maîtres les plus éminents de la science française pour donner des séries de cours ou des conférences. En fait, l'ISFC généralise en quelque sorte un programme amorcé en 1924 par lequel l'Université de Montréal s'engageait à envoyer chaque année un professeur enseigner à la Sorbonne. En 1926, c'est Édouard Montpetit et l'année suivante, le chanoine Émile Chartier, vice-recteur de l'Université. En 1928, l'Université cède à l'ISFC le soin de choisir les professeurs devant se rendre à la Sorbonne[20].

Sous la présidence de Dalbis et la vice-présidence de Montpetit, l'Institut scientifique franco-canadien est officiellement inauguré le 22 janvier 1927, à la bibliothèque Saint-Sulpice. Pour la circonstance, on invite le philosophe français Étienne Gilson, qui se trouve alors à l'Université Harvard, à donner une leçon inaugurale sur saint Bernard. Même si la philosophie est à l'honneur lors de l'ouverture officielle, la plupart des conférenciers seront par la suite des scientifiques et des médecins. De façon générale, le programme comporte une série de dix ou douze cours sur un sujet donné, auxquels s'ajoutent des conférences publiques et la visite d'autres universités québécoises et canadiennes.

En février 1927 par exemple, le premier professeur régulier de l'Institut est le chanoine G. Delépine, professeur de géologie à l'Université de Lille. Il donne une douzaine de cours à l'École polytechnique, couvrant les principales questions de la géologie : stratigraphie, périodes géologiques, milieu marin au Carbonifère, évolution de la faune et de la flore, etc. Il est suivi par un professeur de l'Université de Strasbourg, le docteur L. Boez, qui donne une douzaine de cours de bactériologie aux étudiants de la Faculté de médecine. Souvent, le professeur invité donne aussi une série de cours à l'Université Laval. C'est le cas du docteur Cyrille Jeannin qui, à l'automne 1928, y donne neuf cours d'obstétrique, pour ensuite reprendre les mêmes leçons devant les étudiants de Montréal. En plus des cours théoriques, les médecins invités dispensent des leçons cliniques. Les physiciens et les ingénieurs profitent eux aussi des activités de l'ISFC. Au début de 1929, l'ingénieur Pierre Franck donne douze cours d'aéronautique à l'École polytechnique, présentant les lois générales du vol des avions, des notions de météorologie, les caractéristiques des moteurs, des ailes, des hélices, etc. À l'automne 1929, c'est au tour du physicien Jean Cabannes de donner dix leçons, qui constituent une bonne introduction à la théorie des ondes électromagnétiques. En invitant ainsi chaque année cinq ou six professeurs à donner des cours, l'Institut atteint son objectif principal, qui est de rendre accessible la science française aux étudiants.

Marie-Victorin contre l'ISFC

De prime abord, il n'y a pas de conflit entre l'Acfas et l'ISFC. Selon Édouard Montpetit, les deux organismes sont complémentaires. Cependant, Marie-Victorin voit les choses différemment et accuse l'ISFC, et Dalbis personnellement, de saboter l'expansion de l'Acfas au profit d'une organisation plus mondaine que scientifique. En fait, Marie-Victorin n'accepte pas que l'Université de Montréal accorde 1 000 $ par année à l'ISFC et rien à l'Acfas[21]. En outre, il admet difficilement que le gouvernement provincial finance largement l'Institut alors que l'Acfas ne reçoit qu'une « dérisoire subvention de mille dollars », qui ne serait d'ailleurs pas toujours versée. À ce problème de subvention s'ajoute un problème de personnalité. Si, en 1923, Dalbis et Marie-Victorin participent ensemble à la fondation de l'Acfas et de la Société de biologie de Montréal, leurs relations se détériorent rapidement, le Québécois accusant le Français de limiter son enseignement de la biologie à un niveau trop élémentaire. En 1925, Dalbis quitte l'Acfas et lance l'année suivante son projet d'institut scientifique. Dans ce contexte, on comprend que Marie-Victorin y ait vu une « véritable trahison consciente ou inconsciente de l'idée généreuse qui avait engendré l'Acfas ».

L'opposition de Marie-Victorin et de son groupe à l'enseignement de Dalbis se continue jusqu'à ce que ce dernier quitte l'Université de Montréal à la fin de 1931, juste avant que Georges Préfontaine, un allié de Marie-Victorin, ne publie dans la revue *Opinions*, en janvier 1932, un article virulent intitulé « Les comédiens de la science ». Préfontaine accuse Dalbis d'incompétence pour avoir publié un article d'une « nullité flagrante quant au fond et quant à la forme » et d'avoir ainsi « desservi les plus hauts intérêts de son institution et abusé de la confiance mise en lui[22] ». L'article de Préfontaine est particulièrement intéressant parce qu'il commence en énonçant les règles « sociales » de la recherche, première formulation de l'idéal et de la déontologie du chercheur universitaire au Québec.

Si Marie-Victorin réussit à avoir « la tête » de Dalbis à l'Université de Montréal, en revanche, il se brouille définitivement avec des membres influents du gouvernement libéral, qui le soupçonnent de xénophobie. Conscient de ce danger, Marie-Victorin se déclare ouvertement favorable à l'engagement d'un autre Français, Henri Prat, à la succession de Dalbis. Comme s'empresse de le noter Marie-Victorin, le profil de chercheur de Prat correspond mieux aux besoins d'une université moderne.

L'évocation de la lutte entre Dalbis et Marie-Victorin est nécessaire pour bien comprendre ce qui distingue vraiment l'ISFC de l'Acfas. L'analyse des activités de l'ISFC montre en effet que Marie-Victorin exagère en opposant la « rigueur » de l'Acfas à la « mondanité » de l'ISFC. Comme le note Édouard Montpetit dans une réponse aux critiques de Marie-Victorin, l'Institut se veut une sorte d'« Alliance française » de la science. Francophile, il est convaincu que « nous avons besoin de la science française, des méthodes françaises et de l'expression française[23] ». Même si le séjour des professeurs invités est de courte durée, il permet tout de même aux étudiants, et pas seulement aux « auditoires mondains sans contacts avec le conférencier », comme le prétend Marie-Victorin, de suivre des cours auxquels ils n'auraient pas accès autrement. En somme, alors que l'Acfas est un rendez-vous pour les chercheurs, l'ISFC est un organisme universitaire chargé d'accueillir des professeurs invités.

Henri Prat, professeur de biologie à l'Université de Montréal. (Archives de l'Université de Montréal)

Notons finalement que l'idée de l'opposition radicale entre l'Acfas et l'ISFC prend sa forme définitive dans l'article publié par Marie-Victorin dans *Le Devoir* les 25 et 26 septembre 1936, juste après l'élection de Duplessis. Ce texte demande au nouveau gouvernement de «remettre résolument à l'Acfas, groupement de toutes nos forces scientifiques, la direction du mouvement scientifique chez nous». Car, ajoute-t-il, «c'est à l'Acfas qu'est dévolu ce rôle que depuis des années s'était arrogé, grâce à des complicités étonnantes, la société connue sous le nom d'Institut scientifique franco-canadien». Quelques semaines plus tard, à l'occasion du quatrième congrès de l'Acfas, le nouveau secrétaire de la province, le docteur Albini Paquette, annonce l'octroi d'une subvention de 5 000 $ à l'Association qu'il reconnaît comme «l'espoir de toute la race dans cette province». À partir de ce moment, les dirigeants de l'Acfas ont leurs entrées auprès du gouvernement et l'Association devient un puissant instrument d'action politique et sociale au service de la communauté scientifique francophone. De son côté, l'ISFC continuera à jouer son rôle «d'organisme de liaison intellectuelle entre la France et le Canada et à faire rayonner à travers notre pays la science française[24]», comme l'écrira le philosophe Hermas Bastien en 1940. Après la Seconde Guerre, les universités francophones prendront peu à peu l'habitude d'inviter elles-mêmes des professeurs étrangers, de telle sorte que l'ISFC n'aura alors plus vraiment sa raison d'être et disparaîtra finalement en 1974.

La réforme de l'enseignement des sciences

Ayant pénétré d'une manière décisive l'enseignement supérieur et s'étant dotés de sociétés vouées à la promotion de la science, les scientifiques doivent aussi songer à la relève. Il devient nécessaire de réformer un système d'enseignement secondaire — surtout le cours classique — qui, jusque-là, n'a guère favorisé l'étude des sciences. Valorisant d'abord le sacerdoce et les professions libérales, les collèges sont loin d'être des pépinières de scientifiques et d'ingénieurs. De 1924 à 1929, des 1210 bacheliers des collèges du Québec qui ne se destinent pas à la prêtrise ou aux ordres mineurs, moins de 200 s'orientent vers des carrières scientifiques ou techniques[25]. D'ailleurs, l'instauration du PCN à Montréal, comme année préparatoire au cours de médecine, montre assez qu'il y a des lacunes à combler.

Une réforme s'impose et le débat sur cette question qui dure depuis la fin du siècle précédent prend une ampleur nouvelle au cours des années 1920. Devant l'ignorance du grand public en général et afin de secouer l'inertie d'un système d'enseignement peu enclin aux réformes, plusieurs scientifiques vont se relayer à la plume pour propager les sciences en milieu scolaire. Marie-Victorin insiste très tôt sur la nécessité de la culture scientifique, en se servant notamment des pages du *Devoir*. « Nous ne serons une véritable nation, écrit-il en 1925, que lorsque nous cesserons d'être à la merci des capitaux étrangers, des experts étrangers, des intellectuels étrangers : qu'à l'heure où nous serons maîtres par la connaissance d'abord, par la possession physique ensuite des ressources de notre sol, de sa faune et de sa flore. Pour cela, il nous faut un plus grand nombre de physiciens et de chimistes, de biologistes et de géologues compétents[26]. »

Classe de physique de l'abbé Rosaire Benoît au Séminaire de Québec vers 1936. (Archives du Séminaire de Québec, photo reproduite par Pierre Soulard)

Lancé en 1923 dans les pages de la *Revue trimestrielle canadienne*, publiée par l'Association des anciens de polytechnique depuis 1915, le débat prend une nouvelle tournure en 1929. Dans une série d'articles critiques, publiés entre 1929 et 1931 dans *L'Enseignement secondaire*, Adrien Pouliot ravive et élargit le débat. À travers un long plaidoyer pour l'enseignement des sciences, Pouliot propose des réformes qui sont loin d'être radicales, mais dont la nécessité est affirmée avec force. Après avoir assuré aux lecteurs qu'il demeure tout de même « un adepte des humanités classiques », il se fait critique : « Je ne vois pas pourquoi nous nous obstinerions à conserver, envers et contre tous, comme un titre de gloire, une tradition et un patrimoine national le *caractère uniquement littéraire de notre enseignement classique*[27]. » À défaut de faire place égale aux sciences et aux lettres, soutient Pouliot, nous serons une fois de plus derrière les Américains et les Canadiens anglais, « nous allons être conquis une seconde fois ».

Outre ses articles, Pouliot favorise les initiatives « sur le terrain » : délaissant provisoirement les classes de l'École supérieure de chimie, il donne des leçons de mathématiques aux étudiantes du Collège Jésus-Marie de Sillery. Mère Sainte-Agnès et mère Marie-des-Anges, sœur du frère Marie-Victorin, y déploient des efforts considérables pour implanter un enseignement scientifique pour les filles.

Cet exemple parmi d'autres indique qu'un mouvement favorable à la réforme est amorcé. Mais Pouliot suscite de vives réactions. L'abbé Rosaire Benoît, professeur de physique au Séminaire de Québec, s'en prend à ses articles et lui répond à travers le même périodique à compter de 1930. Benoît reproche à Pouliot de dénigrer le travail des religieux enseignants, de miner leur crédibilité et d'ouvrir ainsi la porte à la laïcisation. On voit aussi des membres du clergé se porter à la défense de la culture générale et de la formation de l'esprit assurées par les humanités gréco-latines. « Surtout, pas de spécialisation hâtive pour nos dirigeants de demain[28] », déclare l'abbé Paul Germain, professeur au Séminaire de Valleyfield, dans une réplique à Pouliot.

Cette querelle déborde bientôt dans les pages du *Devoir* où Léo Pariseau et Georges Préfontaine se portent à la défense de Pouliot. S'ensuit une polémique où s'opposent défenseurs et critiques du cours classique. Les premiers diplômés de l'enseignement scientifique supérieur, en particulier les étudiants de Marie-Victorin, se joignent à leurs maîtres pour soutenir le courant de réforme. Leur avenir est en effet intimement lié au progrès des idées scientifiques dans les milieux de l'enseignement secondaire. Pour la première génération formée à la Faculté des sciences de Montréal, les Léon Lortie, Jules Brunel, Jacques Rousseau, Georges Préfontaine, Pierre Dansereau et autres, ou à l'École supérieure de chimie de Québec, les Cyrias Ouellet, Elphège Bois, et pour tous ceux qui les suivront sur les chemins d'une carrière scientifique, l'avenir passe par une modernisation de l'enseignement secondaire, jusque-là monopolisé par le clergé.

Vers 1930, ce premier groupe progressiste n'a encore que des bases fragiles; marginal au sein de la communauté intellectuelle, son poids politique reste limité. Aussi, il n'est guère surprenant de constater que ce ne sont encore que des réformes timides qui sont au cœur de leurs revendications. Timides en tout cas si on les compare à celles qui donneront naissance à la Révolution tranquille, à peine trente ans plus tard. Il serait d'autant plus surprenant de trouver un mouvement de remise en cause radicale de l'enseignement classique que, parmi les apôtres du changement, se trouvent plusieurs membres du clergé, comme Marie-Victorin, dont la liberté de parole et d'action se trouve limitée. La réforme de l'enseignement se fera donc, mais lentement. Au fil des ans, les sciences sont introduites à tous les niveaux du programme des collèges classiques, sauf en rhétorique[29].

Face à la crise, un chef

Au cours des années 1930, les problèmes économiques contraignent le mouvement scientifique à lutter pour sa survie. La crise frappe durement les universités. À l'Université Laval, une partie substantielle des revenus provient des droits d'exploitation de la forêt Montmorency que le Séminaire de Québec perçoit de l'Anglo Pulp & Paper Co. La crise mine l'industrie forestière et frappe indirectement l'Université, si bien que les professeurs doivent accepter des baisses de salaire. À l'Université de Montréal, la situation est encore plus critique. La construction du nouvel immeuble, sur le Mont-Royal, commencée en 1929, doit être arrêtée faute de fonds. L'érection de la «tour de la faim», comme on l'appelle à l'époque, ne sera achevée qu'en 1945. En 1932, la direction universitaire envisage même de sacrifier ses services «de luxe»: la Faculté de philosophie, une partie de la Faculté des lettres et certains laboratoires de sciences, dont celui de botanique. Le frère Marie-Victorin, figure déjà dominante de la vie scientifique montréalaise, s'affirme alors comme le défenseur des facultés menacées. Il publie dans *Le Devoir* un vibrant plaidoyer, «Dans le maelström universitaire», où il fustige les autorités de l'Université: «On s'étonne, écrit-il, que de pareilles énormités puissent germer dans le cerveau de certains chefs de file universitaires[30].»

La communauté universitaire se bat pour sa survie. En raison de son charisme et, surtout, grâce à une plume incendiaire, le frère Marie-Victorin s'impose rapidement comme leader. Selon Rumilly, son intervention contre la fermeture de certains services a l'effet d'un cran d'arrêt.

Le charisme de Marie-Victorin est à la source de l'influence qu'il exerce sur le mouvement intellectuel entre les deux guerres. Personnage romantique qui se destinait à la littérature avant d'entreprendre une carrière scientifique, il est un fervent nationaliste aux attitudes un peu populistes. Son accent est celui du peuple canadien-français. Il éprouve un net dédain pour l'intellectualisme affecté et le snobisme qui se rencontrent souvent dans les cercles universitaires. Son aversion pour le «parisianisme» est évidente, par exemple, dans la querelle qui l'oppose à l'Institut scientifique franco-canadien.

Ami de Camillien Houde, Marie-Victorin a comme lui le pouvoir d'être en accord profond avec la société québécoise. Une très large fraction de la communauté scientifique subit son influence car, mieux que quiconque, il assure cette liaison essentielle entre les intellectuels et l'ensemble de la société. La description laissée par l'entomologiste Georges Maheux d'une conférence donnée par le botaniste aux membres de la Société de Québec pour la protection des plantes, au début des années 1930, souligne bien la force de cette influence: «Une trentaine d'agronomes, de forestiers entendirent le soir un nouveau *sermon*

Char allégorique en l'honneur du frère Marie-Victorin lors du défilé de la Saint Jean-Baptiste à Montréal, en 1945. (*The Gazette*, Archives publiques du Canada, PA-116479)

sur la montagne prononcé par le Frère Marie-Victorin. Nous sortions de là enthousiasmés, rajeunis, éclairés comme Saül sur le chemin de Damas. Nous avions trouvé un maître, un chef, un guide! Le prédicateur du nouvel évangile de la Nature avait accompli un miracle: le miracle de la multiplication des énergies, de l'orientation des intelligences vers la science, des spécialistes vers la recherche. Nous étions sauvés[31]!» Mais ce frère des Écoles chrétiennes, pédagogue par vocation et sensible aux sentiments populaires, sait aussi utiliser ses talents pour soutenir ses propres projets. Les événements vont bientôt en faire une figure publique dominante, sans doute le premier scientifique québécois aussi largement connu du grand public.

Les Cercles des jeunes naturalistes ; la science de masse

« Nous voici amenés à un moment où notre aventure prend l'allure d'un conte de fée. » Ainsi débute le récit que fait Marie-Victorin lui-même de la création des Cercles des jeunes naturalistes. Ce mouvement de jeunesse, inspiré par le modèle des scouts et des croisés, suscite au Québec, pendant les années 1930, un intérêt inattendu pour les sciences naturelles. Cette « croisade », selon le mot du botaniste, « rendit le pays *botany-minded*[32] ».

Né à la faveur d'un concours de botanique organisé par *Le Devoir* à l'été 1930, le mouvement des Cercles reçoit l'appui de la Société canadienne d'histoire naturelle. C'est un frère de Sainte-Croix, Adrien Rivard, qui en a l'initiative, mais Marie-Victorin et son disciple, Jacques Rousseau, en font rapidement

Les CJN à l'œuvre : campagne d'éradication de l'herbe à poux à Lachine en 1945. À l'extrême-droite, Marcelle Gauvreau. (Archives de l'Université du Québec à Montréal)

leur instrument. En 1931, le mouvement est officiellement mis sur pied et Marie-Victorin en personne en fait la promotion dans *Le Devoir* et à l'émission radiophonique l'*Heure provinciale*.

Inlassable propagandiste de la culture scientifique, il a saisi très tôt l'importance de populariser la science. Ses premiers articles de vulgarisation sont parus dans *Le Devoir* dès 1915, puis dans *L'Action catholique*. Cette fois, dans le mouvement des CJN, ses collègues et ses principaux collaborateurs participent à la cause: Jacques Rousseau, Jules Brunel, Georges Préfontaine, Henri Prat, etc. Pendant ce temps, le frère Adrien fait la tournée des écoles pour créer des cercles. La progression est fulgurante: moins d'un an après la fondation, on compte déjà 100 cercles à travers le Québec. En 1933, ils sont 354, puis 882 en 1940! Vingt-cinq mille jeunes en font alors partie.

Les cercles de garçons et les cercles de filles regroupent des volontaires placés sous la direction d'instituteurs et d'institutrices qui supervisent le montage de collections diverses, les dissections, les excursions dans la nature, les réunions, les expositions, etc. Toutes ces activités font partie de la pédagogie mise en avant par les CJN. Les groupes sont unis, dans leur philosophie d'action, par les *Tracts*, feuillets de liaison rédigés par les membres de la Société canadienne d'histoire naturelle et dont Marie-Victorin signe personnellement plusieurs numéros. C'est en 1933 que l'importance des CJN pour le mouvement scientifique apparaît avec le plus d'évidence; cette année-là on tient, parallèlement au congrès de l'Acfas, une exposition de grande envergure montée par les Cercles. En quinze jours, 100 000 personnes défilent à l'exposition, tenue au collège Mont-Saint-Louis, institution des frères des Écoles chrétiennes.

La mode du temps est à la science pour tous. Même les plus petits ont droit à une attention spéciale. Marcelle Gauvreau, bibliothécaire de l'Institut botanique, collaboratrice et confidente du frère Marie-Victorin, crée en 1935 l'École de l'Éveil. Elle y initie les enfants de quatre à sept ans aux phénomènes de la nature. C'est à ses frais que Marcelle Gauvreau lance l'École qui demeure privée jusqu'en 1939. À partir de cette date, son fonctionnement sera assuré par le Jardin botanique.

Les Cercles des jeunes naturalistes à l'Exposition provinciale de Québec en 1938. (Archives de l'Université du Québec à Montréal)

L'expansion soudaine des CJN déborde largement le cadre du loisir scientifique. Un certain nombre de scientifiques, le frère Marie-Victorin en tête, se trouvent ainsi placés au centre d'un mouvement de jeunesse dont l'influence s'étend à travers une bonne partie de la société. L'« œuvre » des CJN survient, en effet, à un moment où les loisirs d'une jeunesse de plus en plus urbanisée préoccupent les parents et les éducateurs. Le mouvement offre d'emblée un lieu où canaliser l'énergie créative de la jeunesse, à une époque où le développement des services publics de loisirs est interdit par la crise économique. Ce faisant, la science se voit soudainement entourée d'un intérêt public, qui jusque-là lui avait fait défaut. Il paraît évident que ce contexte nouveau jouera un rôle déterminant dans les succès à venir des entreprises scientifiques, en particulier la création du Jardin botanique de Montréal.

C'est à la faveur de son discours de 1929 devant les membres de la Société canadienne d'histoire naturelle que le frère Marie-Victorin lance le projet de créer à Montréal un jardin botanique qui puisse rivaliser en importance avec ceux de New

Henry Teuscher, architecte du Jardin botanique. (Archives du Jardin botanique, photo: Roméo Meloche)

York, de Paris ou d'Édimbourg. Dès 1930, l'idée s'est gagné le soutien de journalistes comme Louis Dupire du *Devoir*, et de politiciens municipaux, tels Léon Trépanier et Camillien Houde, maire de Montréal. En 1932, une subvention de 100 000 $, accordée par la ville, permet de mettre en branle l'aménagement du jardin, sur le site du parc Maisonneuve, dans l'Est de la ville. Marie-Victorin se rend alors à New York et recrute un spécialiste en horticulture d'origine allemande, Henry Teuscher, recommandé par le Jardin botanique de New York. Il rêve alors de créer un jardin modèle et c'est lui qui sera le véritable architecte du jardin de Montréal.

La récession économique rend difficile la réalisation d'un projet aussi ambitieux. Il faut donc attendre 1936, avec la venue au pouvoir du gouvernement Duplessis à Québec, pour que la survie du projet — trop onéreux pour les seules finances municipales — soit assurée. Le ministre du Travail, William Tremblay, se fait le défenseur du jardin, d'autant plus qu'il sera installé dans son propre comté. Le nouveau gouvernement, conscient de la popularité du frère Marie-Victorin, délie les cordons de la bourse au-delà des espérances du botaniste. C'est en 1939 que sont terminées les installations et que l'Institut botanique quitte ses locaux de la rue Saint-Denis. À la reprise du pouvoir par les libéraux en 1939, Godbout dira de ses prédécesseurs qu'ils ont « planté quelques fougères dans un jardin coûtant onze millions ».

Le nationalisme des scientifiques

Ce que l'on peut appeler le mouvement scientifique des années 1920 s'inspire aussi des thèmes du nationalisme économique canadien-français. Des figures comme Léo Pariseau, Marie-Victorin, Georges-H. Baril, Mgr Gauthier, Léon Lortie, Georges Préfontaine s'identifient à la tendance nationaliste représentée par des revues comme L'Action française et Le Semeur, organe de l'Association catholique de la jeunesse canadienne-française (ACJC). Elles publient d'ailleurs plusieurs textes associant les sciences au développement national.

Cette valorisation de nouvelles compétences nationales s'appuie sur l'idée, chère à Errol Bouchette et, après lui, à Édouard Montpetit et à Esdras Minville, selon laquelle l'infériorité économique des Canadiens français résulte de leur absence traditionnelle dans les carrières de l'administration, de la science et du génie.

C'est dans ce contexte, par exemple, que Jacques Rousseau publie en 1932 dans la revue Opinions un bilan assez sombre de la place des francophones dans les services scientifiques de la fonction publique fédérale. Au total, ils occupent seulement 11 postes sur 268, soit environ quatre pour cent. Quelques années plus tard, en 1938, Marie-Victorin profite de son discours présidentiel à l'Acfas, intitulé « La science et notre vie nationale », pour développer davantage le thème du lien entre l'éducation scientifique et l'autonomie nationale : « Un peuple sans élite scientifique est, dans le monde présent, condamné, quelles que soient les barrières qu'il élèvera autour de ses frontières. Et le peuple qui possède ces élites vivra, quels que soient l'exiguïté de ses frontières et le nombre et la puissance de ses ennemis[33]. »

Avant même d'avoir fait leur marque sur le plan scientifique, certains, comme Marie-Victorin, avaient déjà épousé la cause nationaliste. Professeur au Collège de Longueuil, Marie-Victorin avait, dès 1906, fondé un cercle de l'ACJC, où, tout en jouant des pièces de théâtre, les élèves développaient leurs sentiments patriotiques. Il avait aussi composé un drame historique, *Charles Le Moyne*, qui obtint un certain succès en 1910.

Pour ces scientifiques nationalistes, il est vital d'investir dans toutes les sphères d'activité, y compris la science, si l'on veut rattraper un certain retard car, comme le dit Marie-Victorin, « nos problèmes économiques et les problèmes économiques en général, sont avant tout des problèmes scientifiques[34] ». Mais il ne suffit pas de constater cet état de fait pour provoquer le changement. Il faut aussi critiquer les habitudes culturelles de l'élite traditionnelle, ce que ne manque pas de faire Marie-Victorin.

> Notre élite intellectuelle est formée d'éléments retranchés dans deux champs clos : milieux dits professionnels ; milieux politiques ; milieux ecclésiastiques ; petits cénacles ; grandes associations ou clubs, dont l'imprécision des buts est en raison directe du nombre des membres, et qui semblent une persistance lointaine de l'instinct grégaire de la horde. [...] Je maintiens que les déficiences de notre culture viennent surtout de notre carence dans le domaine scientifique[35].

C'est donc dans le contexte de ce plaidoyer pour les compétences modernes qu'il faut interpréter l'alliance de fait entre les scientifiques québécois et l'Union nationale de 1936. Celle-ci réussit à canaliser les forces du changement contre le vieux gouvernement libéral de Taschereau, essoufflé et corrompu par un long pouvoir. Il ne faut pas oublier que se sont aussi rangés derrière Duplessis des réformistes comme Paul Gouin ou Philippe Hamel, partisan de la nationalisation de l'électricité au Québec. Dans ce contexte, on peut mieux apprécier cette boutade de Jacques Rousseau à propos de la Révolution tranquille : « En réalité, 1960 a commencé 30 ans plus tôt et Marie-Victorin, le père de l'Université moderne au Québec, en a été un des plus brillants initiateurs. En 1930 on semait, en 1960, on récoltait[36]. »

Diffuser la culture scientifique

Un de ces préjugés tenaces au Canada français veut que l'esprit latin des francophones les indispose « naturellement » à l'égard des sciences, tout comme à l'endroit des techniques, de l'administration ou du commerce. À l'inverse, le pragmatisme des Anglo-Saxons les qualifierait d'emblée pour le monde des affaires ou des sciences. Cette vision simpliste des disparités culturelles et économiques du Canada a longtemps servi à expliquer l'infériorité traditionnelle des Canadiens français dans ces domaines d'activité. Dès le début des années 1920, les scientifiques canadiens-français entreprennent de réfuter de tels préjugés, si néfastes au développement scientifique.

Pour rompre avec la tradition et développer la culture scientifique, il faut d'abord faire la preuve que rien dans la constitution ou l'héritage des Canadiens français ne les empêche de réussir dans la carrière scientifique. Les chefs de file de la jeune communauté scientifique s'appliquent à intervenir sur plusieurs fronts en donnant des conférences publiques, animant des émissions radiophoniques et aussi en créant une tradition scientifique nationale grâce à l'histoire des sciences. Michel Sarrazin, Jean-François Gaultier, le gouverneur de La Galisso-nière et quelques autres deviennent ainsi de nouveaux héros de notre histoire. Dans cette conjoncture d'émergence de la recherche, l'histoire des sciences devient un outil de promotion aux mains des scientifiques eux-mêmes.

Léon Lortie, l'un des auteurs les plus prolifiques dans le domaine, redécouvre en Jean-Baptiste Meilleur le chimiste derrière le surintendant de l'Instruction publique. Il retrace la vie scientifique à Montréal et à Québec au début du XIXᵉ siècle et s'intéresse à l'histoire des mathématiques. Jacques Rousseau explore le passé des naturalistes, depuis Jacques Cartier jusqu'au XXᵉ siècle ; il est un des historiens les plus importants de la botanique canadienne. Marie-Victorin s'intéresse également à ces questions et, à la faveur de la redécouverte d'un manuscrit botanique de Michel Sarrazin à Saint-Hyacinthe, il se livre à une enquête historique approfondie sur les origines du document. Léo Pariseau, enfin, fera redécouvrir le médecin et le zoologiste que fut Michel Sarrazin.

Plusieurs chercheurs s'occupent également de vulgarisation auprès du grand public. Depuis longtemps, les conférences publiques d'Ernest Gendreau et de Léo Pariseau, ou celles mises sur pied par l'Acfas en 1923 et l'Institut scientifique franco-canadien quelques années plus tard, connaissent beaucoup de succès. La création d'émissions scientifiques à Radio-Collège, sur les ondes de Radio-Canada en 1941, marque une nouvelle étape de la vulgarisation au Québec. À l'instigation d'Aurèle Seguin, de Radio-Canada, Léon Lortie, Louis Bourgouin, Marie-Victorin, Jules Brunel et d'autres se relaient du lundi au vendredi, de 16 à 18 heures, pour vulgariser la science.

Le public prend vite goût à ces causeries radiophoniques et la série connaît un bon succès. Certaines des conférences sont publiées à l'occasion sous forme de brochures, comme celles de

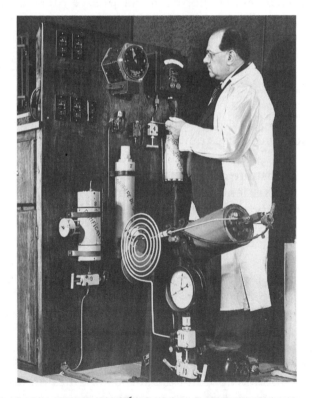

Louis Bourgouin, professeur à l'École polytechnique, pionnier des conférences à Radio Collège. (Archives de l'École polytechnique)

la série *La cité des plantes*. Elles sont parfois regroupées en volume, tels les trois tomes de l'*Histoire des sciences et de leurs applications* de Louis Bourgouin.

C'est au groupe de Radio-Collège que se joint Fernand Seguin en 1948, pour remplacer Louis Bourgouin, décédé. Seguin choisit, en 1954, peu après l'arrivée de la télévision, d'abandonner la recherche pour se consacrer entièrement à la communication scientifique. Dès lors, des émissions comme *La science en pantoufles*, *La joie de connaître*, *Le roman de la science* ou *Les frontières de la science* vont contribuer à le faire reconnaître comme communicateur de grand talent. En 1977, l'UNESCO consacrera sa carrièe en lui décernant le prix Kalinga, remis chaque année à une personnalité ayant contribué de façon exceptionnelle à la diffusion de la science. Jean Rostand et Margaret Mead avaient notamment reçu cette distinction.

Avec Fernand Seguin, on voit se préciser une certaine séparation entre la communauté scientifique et les vulgarisateurs. Bien qu'il faille attendre la fin des années 1960 avant de voir se développer une presse de vulgarisation autonome au Québec, on note quelques tentatives dans le domaine au cours des années 1940 et 1950. Par exemple, en 1946 paraît un magazine indépendant, *Sciences et Aventures*. « La seule revue du genre en Amérique », comme elle se proclame, est l'œuvre d'un journaliste de carrière, Robert Prévost. Revue visiblement créée avec peu de moyens, *Sciences et Aventures* vole de ses propres ailes jusqu'en 1952, date où elle devient l'organe de la Société canadienne d'histoire naturelle. Elle disparaît en 1954. C'est à l'Acfas que reviendra finalement la tâche d'assurer la relève en créant, en 1962, *Le Jeune Scientifique*, qui deviendra plus tard le magazine *Québec Science*.

Cette séparation graduelle entre les activités de journalisme et de vulgarisation et les chercheurs eux-mêmes correspond à une maturation de la communauté scientifique. D'une part, les scientifiques de la deuxième génération n'ont plus cet intérêt pour l'histoire et la culture en général qui caractérisait leurs aînés, encore marqués par la tradition classique. D'autre part, la conjoncture de l'entre-deux-guerres, qui commandait le prosélytisme des Pouliot et des Marie-Victorin, s'est considérablement modifiée. À la fin de la guerre, la science au

Canada français a sa place marquée, le mouvement scientifique ayant réussi à donner des bases permanentes à la jeune communauté scientifique. En 1946, le défilé de la Saint-Jean-Baptiste à Montréal illustre même le thème «Les Canadiens français dans les sciences[37]». Désormais, il n'est plus nécessaire pour les scientifiques d'être toujours prêts à descendre eux-mêmes dans l'arène pour défendre la cause de la culture scientifique.

Lancée en 1946, *Sciences et aventures* célèbre le progrès technologique. (Collection Luc Chartrand)

CHAPITRE 9

SCIENCE ET POLITIQUE

Même si la communauté scientifique canadienne-française réussit à prendre forme au cours des années 1920, son avenir dépend de ses relations avec le pouvoir politique. Dès le début des années 1930, la tâche des leaders de la communauté scientifique francophone regroupés au sein de l'Acfas sera donc de se faire reconnaître comme les porte-parole légitimes des scientifiques. Leur objectif est d'amener les gouvernements successifs à assurer le développement des institutions scientifiques nationales.

À une époque où les amitiés politiques sont déterminantes, le succès que remportent les scientifiques auprès des gouvernements varie avec les changements de régime. Toutefois, malgré les revers, le programme principal de la communauté scientifique francophone demeure inchangé jusqu'à la Révolution tranquille. Un élément important de ce programme vise à doter le Québec d'un « conseil provincial des recherches » sur le modèle du Conseil national de recherche du Canada, organisme créé en 1916 par le gouvernement fédéral afin de coordonner la recherche scientifique et industrielle. Même si la période qui s'étend de 1930 à 1965 ne voit pas la réalisation de cet objectif fondamental, elle est néanmoins riche en succès partiels pour la communauté scientifique qui apprend à « gérer » ses relations avec le pouvoir.

L'impasse

Le bel élan des années 1920 avait vu la création de l'Université de Montréal, de l'École supérieure de chimie, de l'Acfas et de plusieurs associations scientifiques, le tout sous l'œil bienveillant du secrétaire provincial, Athanase David. Mais, à peine amorcé, il se heurte, on l'a vu, à la crise économique. L'urgence des

L'Université de Montréal en construction. (Archives de l'Université de Montréal)

problèmes sociaux éloigne alors le gouvernement des institutions culturelles, de telle sorte que plusieurs projets de la communauté scientifique restent en plan. La construction du Jardin botanique débute en 1933, mais n'est pas achevée avant 1942. Le nouvel immeuble de l'Université de Montréal, sur la montagne, commencé en 1929, reste inachevé jusqu'à la fin de la Seconde Guerre mondiale.

Parmi tous les projets abandonnés de cette période, il en est un dont la déconfiture soulève d'amères critiques dans la communauté scientifique : celui d'un conseil provincial des recherches. Officiellement présenté pour la première fois au gouvernement provincial en septembre 1931 par le docteur Georges-H. Baril, alors professeur de chimie à l'Université de

Montréal et l'une des figures scientifiques importantes de l'époque, le projet ne suscite alors aucune réaction. L'idée, d'ailleurs lancée dix ans plus tôt par le docteur Ernest Gendreau[1], s'inspirait essentiellement de l'exemple du Conseil national de recherche (CNR) qui s'apprêtait à ce moment à ouvrir ses propres laboratoires à Ottawa.

Le projet d'un conseil des recherches fait figure de « terre promise » aux yeux des scientifiques canadiens-français qui ont de la difficulté à percer sur la scène canadienne. Quelques professeurs reçoivent bien des subventions du CNR, et quelques étudiants des bourses, mais les scientifiques canadiens-français ne croient pas obtenir leur juste part d'Ottawa. En 1930, par exemple, sur les 62 bourses d'études accordées par le CNR, une seule va à une université francophone[2] alors que McGill en obtient 33. Du côté des subventions de recherche, la situation est similaire. Les scientifiques, qui considèrent d'ailleurs leur tâche comme une mission proprement nationale, ne peuvent dès lors manquer de se tourner vers le gouvernement provincial pour obtenir la mise sur pied d'un conseil des recherches qui aurait pour premier mandat de développer la recherche dans les institutions francophones.

Le « vire d'un temps nouveau »

Au pouvoir depuis 1920 et éprouvé par la crise, le gouvernement de Taschereau est plus impopulaire que jamais. L'*intelligentsia*, qui ne profite plus de la manne d'Athanase David, se tourne peu à peu du côté de l'opposition, alors menée par Maurice Duplessis et son allié temporaire, Paul Gouin, de l'Action libérale nationale.

Au cours de la campagne électorale de 1936, les scientifiques les plus en vue, Marie-Victorin, Georges Préfontaine, Adrien Pouliot et Jacques Rousseau, appuient ouvertement l'Union nationale. Menant une campagne avec un programme prévoyant la modernisation de la société québécoise par la nationalisation des ressources naturelles et la mise en vigueur de mesures sociales, l'Union nationale remporte facilement la victoire.

Saluée par Marie-Victorin comme le « vire d'un temps nouveau[3] », l'arrivée au pouvoir de Maurice Duplessis met fin à l'inextricable situation dans laquelle s'étaient engagés le précédent gouvernement et les leaders de la communauté scientifique. Profitant de la tenue du quatrième congrès de l'Acfas en 1937, le nouveau secrétaire de la province, le docteur Albini Paquette, qui est, selon Marie-Victorin, « un homme de science doublé d'un homme d'esprit[4] », annonce l'octroi d'une subvention de 5000 $ à l'Association. Porte-parole reconnu de la communauté scientifique francophone, l'Acfas peut remettre à l'ordre du jour ses anciens projets.

Marie-Victorin lance, en 1937, de la tribune de la SCHN, le projet d'un institut de géologie dans l'une des deux universités francophones d'alors. Devant cet entreprenant personnage qui répète « qu'il faut que Laval et Montréal s'entendent[5] », et qui réussit effectivement à les accorder sur le sujet, tout cède : en 1938, on adopte la « loi pourvoyant à l'établissement à Québec d'une école des mines, de géologie et de métallurgie » qui assure 100 000 $ annuellement à l'Université Laval à cette fin. Il faut noter que cette campagne de Marie-Victorin coïncide avec la volonté d'expansion de l'Université Laval qui profite de la subvention pour créer une Faculté des sciences en 1937. La création d'une École des mines s'inscrit d'ailleurs dans le fil de la politique économique de l'Union nationale, élaborée avec l'appui de nombreux intellectuels et scientifiques.

En 1937, Jacques Rousseau et Marie-Victorin rencontrent le docteur Albini Paquette pour lui demander d'octroyer quelques bourses à des étudiants méritants — ceux de l'Institut botanique entre autres. Pour toute réponse, le secrétaire provincial leur remet un chèque en leur recommandant « d'aider qui doit être aidé[6] ». En 1937 encore, Adrien Pouliot et Georges Préfontaine obtiennent de leur ami commun, Bona Dussault, nouveau ministre de l'Agriculture, la création du Service de protection des plantes, et la nomination de Georges Maheux, ingénieur forestier, entomologiste et président de l'Acfas en 1935, à la tête de ce service. Puis, c'est Jean Bruchési, conseiller de l'Acfas, qui devient, la même année, sous-secrétaire de la province. Enfin, Victor Doré, président de la Commission des écoles catholiques de Montréal et trésorier de l'Acfas, devient, en 1939, surintendant de l'Instruction publique de la province. Bref, la relève du pouvoir de 1936 permet à la communauté intellectuelle et scientifique québécoise de s'infiltrer dans le gouvernement et, ce faisant, d'augmenter son influence sur l'ensemble de la société et de relancer le mouvement d'institutionnalisation de l'activité scientifique de 1920. Mais si l'Acfas sert de base à cette pénétration, tout ne passe pas nécessairement par son intermédiaire.

Laboratoire provincial des mines à l'École polytechnique. (*L'Action universitaire*, 1935)

En 1939, le gouvernement provincial prend sous sa responsabilité la Station de biologie marine de l'Université Laval et la transfère en Gaspésie, où elle est appelée à servir le développement des pêcheries. En 1938, l'Institut de biologie de l'Université de Montréal forme un laboratoire d'hydrobiologie et d'ichtyologie qui deviendra, en 1943, l'Office de biologie du ministère de la Chasse et de la Pêche. Dirigé par Gustave Prévost, l'Office sera longtemps logé à l'Université de Montréal, partageant les locaux et les fonds de l'Institut de biologie, et offrant du travail à ses étudiants.

En 1938 aussi, le docteur Armand Frappier, professeur de la Faculté de médecine à Montréal, utilisant l'influence auprès de Duplessis d'hommes comme le docteur Georges Préfontaine,

Louis Dupire, rédacteur du *Devoir*, et Armand Dupuis, de la maison Dupuis Frères et très proche du gouvernement, obtient les fonds nécessaires à la création de l'Institut de microbiologie et d'hygiène de Montréal. Par la suite, les subventions nécessaires au fonctionnement et à l'expansion de l'Institut seront négociées directement avec le premier ministre car le docteur Frappier s'est gagné l'amitié de Duplessis[7]. Comme dans le cas de l'Office de biologie, le développement rapide de l'Institut de microbiologie, administrativement et financièrement indépendant de l'Université de Montréal, se fait en partie aux dépens des départements universitaires traditionnels : la facilité avec laquelle les subventions sont obtenues permet à l'Institut d'offrir des postes de recherche aux jeunes professeurs et aux étudiants diplômés qui quittent alors la Faculté des sciences et la Faculté de médecine, incapables de soutenir la concurrence.

Le Conseil provincial des recherches

En 1931, le projet du docteur Georges-H. Baril visant à créer un conseil provincial des recherches avait été un échec. Cinq ans plus tard, profitant de sa fonction de président de l'Acfas, il revient à la charge, soumettant un mémoire au docteur Albini Paquette et déclarant au quatrième congrès de l'Acfas : « Souhaitons que la création de ce Conseil, sous la forme susmentionnée ou sous une autre, permette bientôt aux talents canadiens-français de s'extérioriser sans distinction de clans, d'école ou de couleur politique[8] ». Jacques Rousseau, secrétaire de l'Association et l'élève, en toutes choses, de Marie-Victorin, lui fait écho dans *Le Devoir* du 3 octobre 1936, où il réclame à la fois la création d'un conseil provincial des recherches et la création de parcs et de musées provinciaux : « L'écroulement d'un vieux régime, écrit-il, permet à un nouveau gouvernement de doter la province d'une politique adaptée aux aspirations de l'entité canadienne française. Le programme, déjà formulé sommairement, préconise une réforme susceptible de remédier aux déficiences et aux erreurs du passé. Cela comporte naturellement des aspects scientifiques. Beaucoup de problèmes nationaux en effet sont, en définitive, des problèmes scientifiques. »

Déplorant l'isolement et l'absence d'intérêt pour la recherche des laboratoires provinciaux, Rousseau considère que la solution à ce problème réside dans la création d'un conseil provincial chargé de coordonner les activités de recherche. Ce conseil dirigerait vers les laboratoires déjà existants, gouvernementaux et universitaires, les problèmes qui lui seraient soumis par l'industrie ou les services des ministères. Il incomberait aussi au conseil, de concert avec l'Acfas, de pourvoir à la formation d'une élite scientifique par l'octroi de bourses d'études. Cet article, très remarqué, suscite diverses réactions dans la communauté scientifique et intellectuelle, notamment celle d'Esdras Minville, une des grandes figures de l'heure, qui prend sur lui de réaliser les vœux du docteur Baril et de Jacques Rousseau.

Professeur à l'École des hautes études commerciales, Esdras Minville a été, avec Lionel Groulx et Armand Lavergne, l'un des inspirateurs de l'opposition nationaliste au gouvernement libéral, de 1930 à 1936. Il a participé à la fondation du mouvement Jeune-Canada, dont il a été un des maîtres à penser, dénonçant la « dictature économique étrangère » et déclarant la guerre aux « trusts ». En 1938, il est nommé directeur de l'École des hautes études, remplaçant ainsi Henry Laureys, par trop lié à Athanase David et aux libéraux.

L'École des hautes études commerciales entretient depuis son origine un intérêt pour les questions de procédés industriels, techniques et scientifiques. En effet, dès 1907, A.J. de Bray, premier directeur de l'École, appelle de l'Université de Louvain, où il est assistant de laboratoire, G. Lechien pour enseigner la physique et la chimie. En 1916, l'École inaugure un musée commercial et industriel où sont illustrées diverses techniques de production, mesure visant à compléter la formation des élèves qui se destinent à l'entreprise privée. Par la suite, l'enseignement des sciences sera confié au docteur Ernest Gendreau, puis à Paul Riou, un chimiste.

Esdras Minville reprend, en 1937, le projet d'un conseil provincial des recherches et, utilisant ses entrées auprès du ministre des Affaires municipales, de l'Industrie et du Commerce, l'honorable Joseph Bilodeau, dont il est le conseiller technique, offre de réunir quelques scientifiques afin de débattre la question. À cette réunion, tenue à Québec le 4 novembre 1937, assistent

L'essor de l'industrie chimique ouvre de nouvelles perspectives d'emploi, comme le signale cet ouvrage paru chez Beauchemin.

Marie-Victorin, Adhémar Mailhiot, directeur de l'École polytechnique, l'abbé Alexandre Vachon, directeur de l'École supérieure de chimie de l'Université Laval, le docteur Zéphirin Rousseau, de l'École de génie forestier de la même université, le docteur Georges Maheux, du Service des recherches agricoles, Albert Rioux, devenu, en 1936, sous-ministre de l'Agriculture, et Jean Bruchési, depuis peu sous-secrétaire provincial[9].

À cette assemblée, où se trouvent représentés à la fois l'université et le gouvernement, Minville pose deux questions : doit-on créer un office provincial des recherches, et, dans l'affirmative, quelle structure doit-on lui donner? Répondant positivement à la première question, l'assemblée passe aussitôt à la discussion de la seconde question et finit par conclure que l'office proposé «pourrait rendre les plus grands services. 1) En coordonnant le travail de recherche des laboratoires existants qui, aujourd'hui, procède un peu selon la fantaisie des chercheurs. (Il est bien entendu que nous ne songeons pas, à l'instar du Service de recherche à Ottawa, à bâtir des laboratoires nouveaux.) 2) En faisant porter ce travail sur des problèmes de chez nous, élucidant une foule de questions dont la solution est des plus urgentes. 3) En aidant d'une façon indirecte les hommes de science actuels et surtout les jeunes que la carrière scientifique pourrait tenter[10]. » Enfin, on prie le ministère de nommer membres de l'office, sous la présidence d'Esdras Minville, les scientifiques présents à la réunion, plus Henry Roy, du ministère des Terres et Forêts, A.O. Dufresne, du Service des mines, le docteur Georges Préfontaine, professeur à l'Université de Montréal, et, pour faire bonne mesure, un représentant de McGill. Le ministre Bilodeau acquiesce à toutes ces demandes et l'Office provincial des recherches scientifiques et industrielles est créé officiellement.

Assez rapidement, les rangs de l'Office s'éclaircissent par la mort d'Adhémar Mailhiot, la défection de Marie-Victorin (due peut-être à son hostilité à l'égard d'Esdras Minville) et le départ de l'abbé Vachon, nommé évêque d'Ottawa. En 1939, Minville cède la présidence à Paul Riou, son collègue de l'École des hautes études commerciales, qui l'occupera jusqu'en 1947. De 1939 à 1961, l'Office ne connaît pas de changement véritable de son personnel, certains scientifiques, tels Georges Préfontaine, Jacques Rousseau, Georges Maheux et Paul Riou, faisant figure de membres à vie, et n'a que trois présidents. Au début, les programmes de l'Office semblent bien définis et les scientifiques à l'emploi du gouvernement disposés à y collaborer.

Mais ces projets de collaboration restent sans suite car l'Office provincial n'a pas d'argent et n'en demande pas. En 1941, on remercie publiquement le ministre responsable, Oscar Drouin, d'avoir, malgré la guerre, «maintenu intacts les budgets de recherches[11]» de l'Office— comme si la guerre n'était pas l'occasion d'intensifier les activités de recherche. En fait, le budget annuel de l'Office, d'environ 15 000 $, sera «maintenu intact» de 1939 à 1961, de telle sorte que, faute de pouvoir subventionner des projets d'envergure, l'Office doit renoncer très tôt à son rôle de coordonnateur des laboratoires existants, à ce rôle de «conseil de direction» dont parlait, en 1936, Jacques Rousseau. Dès 1941, Henry Roy ne craint pas d'écrire que «l'objet de l'Office est d'abord d'aider les jeunes gens à poursuivre leurs études post-scolaires en leur attribuant des bourses qui leur permettent de vivre pendant les années qu'ils consacrent à la recherche». Et toujours parlant de l'Office, il ajoute sans arrière-pensée: «Il a travaillé dans l'ombre et ses dirigeants ont préféré le silence à la réclame[12].» De fait, l'Office se contente tout au long de son histoire d'accorder des bourses d'une valeur moyenne de 500 $ à des étudiants diplômés des facultés scientifiques québécoises.

L'Office des recherches ne sortira pas de l'ombre, bien qu'à l'occasion certains de ses membres ou d'autres scientifiques manifestent le désir de le voir reprendre les fonctions qui lui avaient été dévolues à l'origine. En 1960, après 24 années d'existence, l'Office provincial des recherches, qui n'a présenté que deux rapports d'exercice, en 1942 et en 1943, et qui a perdu sa raison d'être avec la création du programme de prêts et bourses du département de la Jeunesse et du Bien-Être, est intégré au Bureau des recherches économiques du ministère de l'Industrie et du Commerce.

En somme, après avoir réclamé à grands cris la création d'un conseil de recherche, les scientifiques se montrent incapables de s'en servir afin de définir une politique scientifique; l'Office n'agit que comme comité d'attribution de bourses d'études. Les interventions du gouvernement dans le domaine de la recherche continuent à se faire sans véritable planification.

La relève du pouvoir en 1939 et 1944

La relève du pouvoir, qui ramène les libéraux au gouvernement de 1939 à 1944, ne modifie pas, dans l'ensemble, les relations entre la communauté scientifique et le pouvoir politique. Le nouveau gouvernement règle la question du financement de l'Université de Montréal. Une loi de 1941 accorde à l'institution une somme de 2 500 000 $, plus une subvention annuelle de 375 000 $, ce qui assure enfin le parachèvement de son immeuble. Logée dans de nouveaux édifices, la Faculté des sciences aménage de nouveaux laboratoires et augmente le nombre de ses professeurs ainsi que les effectifs étudiants. Ces mesures profitent surtout aux départements de mathématiques, de physique et de chimie, alors en retard par rapport à l'Institut de biologie et à l'Institut de botanique. Ceux-ci, sous l'impulsion de directeurs tels Georges Préfontaine et Marie-Victorin, avaient prospéré sous le premier gouvernement de Duplessis.

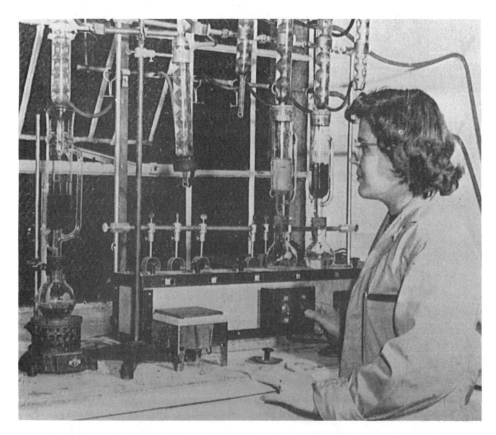

Les laboratoires industriels se répandent, comme celui de la compagnie Ayers, à Lachute, photographié en 1949, où l'on étudie la laine et les teintures.

Étendant ses générosités à l'Université Laval, où la grande figure est Adrien Pouliot, doyen de la Faculté des sciences, le gouvernement libéral d'Adélard Godbout vote, en 1943, la « Loi concernant l'établissement à Québec d'une école de génie électrique », accordant à cette fin la somme d'un million de dollars devant être répartie sur une période de 20 ans. Cette mesure est sans doute recommandée par le fait que le gouvernement se prépare à créer la Commission hydro-électrique du Québec, à la suite de l'étatisation de la Montreal Light, Heat & Power.

Enfin, le gouvernement libéral confie à Pierre Dansereau, en 1943, l'organisation et la direction du Service de biogéographie de la province, doté d'un budget de 15 000 $. Tout comme l'Office de biologie du ministère de la Chasse et de la Pêche, cet organisme indépendant est logé au sein de l'Institut de biologie et de zoologie de l'Université de Montréal.

Malgré ses réformes économiques et sociales, le Parti libéral est défait aux élections de 1944. De retour au gouvernement, l'Union nationale profite de la vague de prospérité qui suit la fin de la guerre pour favoriser l'implantation de sociétés à capitaux étrangers attirées par les ressources naturelles, minières et forestières du Québec. Parallèlement à cette politique, sensible notamment dans le Nouveau-Québec, le gouvernement s'attache plus particulièrement au développement de l'agriculture, par l'adoption de mesures telles que l'extension du crédit agricole et de l'électrification rurale, et par la pratique intensive de la politique des « bonnes routes ».

Ce programme politique fait appel, tout comme en 1936, à la communauté scientifique, suffisamment forte désormais pour jouer un rôle important dans le mouvement d'industrialisation et de développement agricole que la guerre avait d'ailleurs accéléré. En 1947, on réactive le Conseil des recherches agricoles, créé dix ans plus tôt, puis une loi autorise la création d'une école de médecine vétérinaire sous la responsabilité du ministère de l'Agriculture. En 1947 encore, une nouvelle loi est votée afin de réaliser l'inventaire des ressources forestières de la province, et, en 1949, le ministère des Mines organise ses laboratoires de recherches minéralogiques et métallurgiques. Outre ces mesures découlant des préoccupations économiques du gouvernement, plusieurs lois sont adoptées, entre 1945 et 1950, qui intéressent

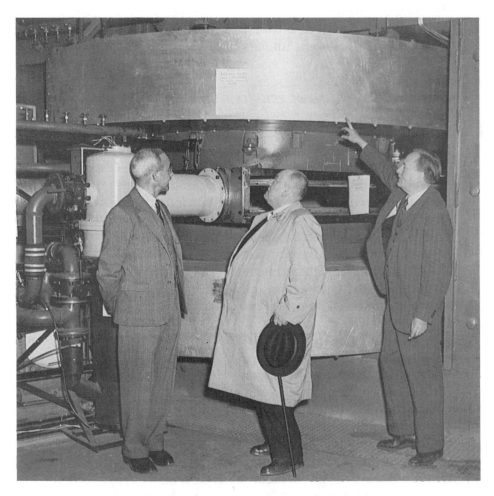

Camillien Houde, maire de Montréal, examine le cyclotron de McGill en 1948. (*The Gazette*, Archives publiques du Canada, PA-159669)

directement la communauté scientifique universitaire : une loi de 1946 pourvoit à l'établissement, à Québec, d'une école forestière ; une loi de 1947 subventionne l'Université d'Ottawa ; une loi de 1948, surtout, permet le versement d'une somme de 4 000 000 $ à l'Université Laval, de 2 800 000 $ à l'Université de Montréal, de 1 000 000 $ à l'Université Bishop's et, en 1949, de 1 000 000 $ à l'Université McGill.

Pourtant, malgré toutes ces mesures favorables au

développement de l'activité scientifique et malgré l'expansion économique, la période qui va de 1936 à 1951 s'achève sur une crise de l'enseignement universitaire.

Crise universitaire et tensions politiques

Voulant profiter de la relance économique qui suit la fin de la guerre, et soucieux d'assurer le financement de ses propres projets, tels l'électrification rurale et les travaux de voirie, le gouvernement de l'Union nationale entreprend, dès 1944, de récupérer certains champs de taxation que le gouvernement fédéral avait occupés, notamment à la faveur de la guerre. Le premier ministre entend également faire respecter les droits et pouvoirs accordés aux provinces par l'Acte de l'Amérique du Nord britannique. Cette offensive prend le nom de « lutte pour l'autonomie du Québec » et caractérise le gouvernement de Maurice Duplessis, de son retour au pouvoir, en 1944, jusqu'à sa mort, en 1959.

Dans le contexte de ces tensions politiques, la crise universitaire se développe de 1945 à 1951. Cette crise, qui touche toutes les universités canadiennes, prend sa source dans les problèmes de financement que provoque une augmentation rapide de la clientèle. En effet, à la suite de la démobilisation d'une partie de la population d'âge universitaire, et grâce à la vague de prospérité économique qui revalorise l'éducation supérieure, les effectifs étudiants augmentent rapidement, posant aux universités, généralement privées, des problèmes d'encadrement en immobilisations, en administration et en enseignement. Encore en 1950, le gouvernement fédéral ne contribue pas autrement au financement des universités canadiennes que par les bourses et subventions du Conseil national de recherche et de quelques ministères. Le gouvernement provincial n'y participe pour sa part qu'occasionnellement, bien que ses subventions soient parfois importantes. Celles de 1948, qui accordaient quatre millions de dollars à l'Université Laval et près de trois millions à l'Université de Montréal, ont été absorbées par des immobilisations urgentes et par le service des dettes — celle de l'Université Laval atteint la somme de sept millions en 1952. Les universités s'en remettent alors à l'augmentation des frais de scolarité et à la générosité du public, mesures qui ne suffisent cependant pas.

En 1953, Cyrias Ouellet, professeur de chimie à l'Université Laval et président de l'Acfas, évoque le double aspect de la crise universitaire, qui entraîne à la fois une augmentation des charges d'enseignement, difficile à assumer, et une limitation des activités de recherche[13]. Cette dernière restriction est peut-être plus durement ressentie dans les universités francophones qui sont moins bien dotées en subventions du Conseil national de recherche et du gouvernement fédéral. Toutefois, il faut noter que la tradition de recherche est alors bien jeune dans les universités québécoises et que le niveau de ces activités ne peut être comparé avec ce qui existe dans certaines universités anglophones. Aussi, la recherche scientifique subit-elle d'autant plus les effets de la crise que les universités francophones, devant l'ampleur des difficultés financières, préfèrent réclamer des subventions au profit de l'enseignement et affecter les fonds ainsi obtenus aux immobilisations requises par l'augmentation de la population étudiante.

La situation dans laquelle se trouvent alors les universités canadiennes provoque une première réaction du gouvernement fédéral qui crée, en 1949, une Commission d'enquête sur l'avancement des arts, des lettres et des sciences au Canada, présidée par Vincent Massey. Après avoir reçu les recommandations et les mémoires des universités et des organismes concernés à divers titres par l'avancement des arts et des sciences — comme l'Acfas et la Société royale du Canada —, elle propose au gouvernement fédéral de prendre partiellement en charge le financement universitaire. Donnant suite à ces recommandations, Ottawa accorde, dès 1951, les premières subventions fédérales à l'enseignement universitaire, sans conditions et au prorata des populations provinciales[14].

Ici se rejoignent la crise universitaire et la crise politique engendrée par la volonté autonomiste de Maurice Duplessis. En effet, considérant le financement fédéral de l'enseignement supérieur comme une intrusion d'Ottawa dans le domaine de l'éducation, de compétence strictement provinciale, le premier ministre du Québec refuse catégoriquement, en 1952, les subsides

Duplessis visite l'Institut de neurologie de Montréal en 1954. (*Montreal Star*, Archives publiques du Canada, PA-128647)

fédéraux, sans pour autant promettre leur remplacement par le Trésor québécois. La période de consternation passée, la communauté universitaire, tout comme la collectivité québécoise, se divise quant à l'attitude constitutionnelle du premier ministre. Le parti des « autonomistes », appuyant la politique du gouvernement provincial, rassemble principalement les intellectuels venus de l'administration universitaire, des facultés des lettres et des facultés des sciences humaines et sociales. Le parti adverse, tout en prenant garde de se dire « fédéraliste », regroupe beaucoup de scientifiques et d'ingénieurs, et propose diverses solutions, allant de la simple acceptation des subventions fédérales à leur reconversion en fonds provinciaux par l'intermédiaire du Trésor provincial.

Afin d'éclairer les débats constitutionnels soulevés par l'opposition de Duplessis aux interventions d'Ottawa, le gouvernement provincial crée, en 1953, la Commission royale d'enquête sur les problèmes constitutionnels.

Autour de la Commission Tremblay: les universitaires prennent la parole

La création de la Commission Tremblay répond non seulement aux pressions des universitaires, mais également à celles des corporations municipales et des institutions hospitalières dont les causes sont en litige dans le débat constitutionnel et fiscal qui oppose alors Ottawa et Québec. Dans la formation d'une commission royale d'enquête, le gouvernement provincial voit à la fois l'occasion de légitimer ses prétentions autonomistes, par un examen approfondi du régime constitutionnel canadien, et le moyen de mobiliser à son avantage la population québécoise, fermement nationaliste, de même que certaines institutions, telles les universités. Toutes les questions soulevées depuis 1944, à la suite des luttes menées pour le partage des champs de taxation et pour l'intégrité des pouvoirs provinciaux, sont soumises à l'examen de la Commission d'enquête qui reçoit pour mandat officiel « d'enquêter sur les problèmes constitutionnels, de faire rapport au lieutenant-gouverneur en conseil de ses constatations et opinions et de lui soumettre des recommandations sur les mesures à prendre pour la sauvegarde des droits de la province, des municipalités et des corporations scolaires[15] ».

Autour du juge Thomas Tremblay, président de la Commission, sont réunis Richard Arès s.j., Paul-Henri Guimont, économiste et conseiller de l'Acfas, Esdras Minville, alors doyen de la Faculté des sciences sociales de l'Université de Montréal, Honoré Parent et John P. Rowat. Il faut deux années de délibérations et d'audiences publiques à la Commission Tremblay pour achever sa tâche.

Les universités ne sont pas les dernières à se faire entendre de la Commission Tremblay ; l'Université Laval, l'Université de Montréal et l'Université McGill présentent des mémoires et

Inauguration de la statue de Marie-Victorin au Jardin botanique par Maurice Duplessis et le cardinal Paul-Émile Léger, le 18 septembre 1954. (*The Gazette*, Archives publiques du Canada, PA-159670)

témoignent, par l'entremise de leurs doyens et de leurs recteurs, aux audiences de la Commission. De plus, elles ont sollicité l'appui d'organismes, telles l'Association des anciens de Laval, l'Association des étudiants de l'Université de Montréal, l'Association des professeurs de Laval, l'Association des étudiants de Laval et l'École polytechnique. D'autres organisations souscrivent aux recommandations universitaires ; du nombre, retenons l'Acfas, la Société Saint-Jean-Baptiste, l'Association des manufacturiers canadiens, l'Engineering Institute of Canada, la Société canadienne d'histoire naturelle et la Société d'études rurales.

Concernant la crise du financement universitaire, les universités recommandent la création d'un « fonds provincial de l'enseignement supérieur » et celle d'un « conseil des universités ». Ce dernier, composé exclusivement d'universitaires, serait chargé de redistribuer leur quote-part des sommes rassemblées par le fonds provincial aux établissements de la province. La double recommandation reçoit l'approbation des commissaires et se trouve transmise au gouvernement sans modification appréciable. La chose n'est guère surprenante si l'on considère l'unanimité qui s'est faite sur la question parmi les universités, la détermination avec laquelle celles-ci défendent le projet devant la Commission, les appuis qu'elles ont reçus d'organismes divers, et si l'on note, par ailleurs, que trois des commissaires, Richard Arès, P.-H. Guimont et Esdras Minville, appartiennent sinon à l'université, du moins au domaine de l'éducation. Enfin, un professeur de pédagogie de l'Université Laval, Arthur Tremblay, a non seulement l'occasion de rédiger le mémoire de l'Université Laval et celui de l'Association des professeurs de l'Université Laval, association dont il est alors le président, mais également de signer, à titre d'expert appelé par la Commission, une étude sur la situation générale de l'éducation au Québec[16]. Dans ces conditions, la Commission Tremblay répète à l'adresse du gouvernement provincial les solutions proposées au problème du financement universitaire par la communauté universitaire.

Quant au problème des subventions à la recherche universitaire, il en est peu question devant la Commission Tremblay. On peut supposer que les universitaires, devant l'urgence de la situation, aient préféré la cause de l'enseignement à celle de la recherche, établissant un ordre de priorités d'où la recherche était, à toutes fins utiles, exclue. En effet, les mémoires de l'Université Laval, de l'Université de Montréal et de l'Université McGill ne contiennent que des déclarations de principes concernant la recherche scientifique et l'importance de son intégration à l'enseignement supérieur, mais aucune recommandation concernant son organisation, sa participation à l'essor économique ou son financement. En outre, si l'on discute à quelques reprises de la nature et de l'importance de la recherche universitaire aux audiences publiques de la Commission Tremblay, c'est afin d'en obtenir une définition utile en regard du problème constitutionnel : si la recherche doit être comprise dans l'enseignement universitaire, seul le gouvernement provincial peut la subventionner, puisqu'elle tombe alors sous sa compétence en matière d'éducation. Par contre, si elle est distincte de l'enseignement, Ottawa peut et doit participer à son financement. Posant cette question à des scientifiques qui se présentent devant elle, la Commission recevra des réponses variées et ne pourra conclure à la préséance de la compétence provinciale en matière de recherche universitaire. Ainsi, Jacques Rousseau et Cyrias Ouellet considèrent la recherche comme partie intégrante de l'enseignement supérieur, alors que Marcel Faribault, secrétaire de l'Université de Montréal, et l'Association des professeurs de l'Université Laval les distinguent. Quoi qu'il en soit, le rapport final de la Commission ne contiendra aucune recommandation concernant la recherche, tant universitaire que gouvernementale ou industrielle.

Devant le rapport de la Commission Tremblay, dont certaines recommandations et certaines formules ne peuvent manquer de lui déplaire, le premier ministre du Québec adopte une attitude partagée. Si, d'une part, il appuie les conclusions de la Commission favorables à sa politique autonomiste et à ses revendications fiscales, il ne donne pas suite, en revanche, à la plupart des recommandations soumises. Il refuse ou diffère la création du conseil des arts, d'une commission d'enquête sur l'éducation, du fonds de l'enseignement supérieur et du conseil des universités. Cependant, le gouvernement accorde aux universités, dans les années qui suivent, certaines subventions visant à satisfaire les besoins les plus pressants. En 1955, la législature vote à l'intention de l'École polytechnique la somme de 6 000 000 $, destinée à la construction de nouveaux édifices, puis, en 1956, accorde à l'Université Laval une subvention de 1 500 000 $.

Ces nouvelles subventions, comme toutes celles accordées jusqu'alors par le gouvernement provincial, sont dites «occasionnelles», c'est-à-dire liées au bon vouloir du premier ministre. Cette pratique ne règle pas le problème de la continuité du financement universitaire, problème que les universités avaient cherché à résoudre en recommandant la création d'un fonds permanent. Faute de pouvoir compter sur un revenu assuré, l'administration universitaire rencontre des problèmes de planification et demeure ainsi dans une relative dépendance à l'égard du pouvoir provincial. Mais cette situation ambiguë, où le gouvernement provincial en est venu à subventionner une part essentielle des activités et des immobilisations des universités sans y être formellement tenu, de même que le désenchantement qui suit le refus de créer les institutions universitaires demandées et de donner suite à plusieurs autres recommandations de la Commission Tremblay, provoquent au sein de la communauté universitaire, notamment parmi les scientifiques, plus «fédéralistes», l'émergence d'un mouvement d'opposition au régime de l'Union nationale.

Ce mouvement d'opposition ira se fondre dans la vague d'insatisfaction qui se développe alors dans toute la société québécoise et qui conduira en 1960 au renversement du régime duplessiste. Ainsi, la Commission Tremblay apparaît comme le lieu où la communauté universitaire, motivée par la crise, prend conscience de son pouvoir et reconnaît en l'Union nationale, supportée par la population rurale et les éléments les plus conservateurs de la société québécoise, ce qui fait obstacle, dans le champ politique, à son développement.

La communauté scientifique et la Révolution tranquille

Avec la disparition de Maurice Duplessis, les interrègnes de Paul Sauvé et d'Antonio Barrette, et la venue au pouvoir, en juin 1960, du Parti libéral dirigé par Jean Lesage, commence la Révolution tranquille. Ce mouvement sociopolitique, qui s'étend de 1960 à 1965, se traduit par une expansion et une modernisation de l'appareil gouvernemental, la réforme du système d'éducation, plus directement liée aux travaux de la Commission Parent, et la mise en place de mécanismes d'intervention gouvernementale dans d'importants secteurs de l'économie — notamment dans le secteur hydro-électrique.

Déjà, Paul Sauvé avait ouvert les rangs de la fonction publique aux diplômés des facultés des sciences sociales. Pourtant, la véritable réforme ne semble commencer qu'avec l'arrivée au pouvoir du Parti libéral. Comme le note Marcel Fournier :

> Ce n'est en effet, qu'à partir des années soixante, c'est-à-dire au moment où le Parti libéral dirigé par Jean Lesage prend le pouvoir, que l'on engage dans la fonction publique provinciale un nombre plus considérable de diplômés en sciences sociales (principalement en économique) et que certains parmi ceux-ci occupent des postes importants ou de haute administration. La présence de ces nouveaux spécialistes, pour la plupart (67,0%) formés à l'Université Laval, semble d'autant plus déterminante que ce sont dans les ministères où ils travaillent que sont conçues ou appliquées les plus importantes réformes que le Gouvernement s'est engagé à réaliser et qui caractérisent la « Révolution tranquille »[17].

L'engagement de ces « nouveaux spécialistes » ne constitue évidemment qu'un aspect de la réforme de l'appareil gouvernemental. En effet, de 1960 à 1965, le gouvernement de Jean Lesage s'attache à transformer les structures mêmes de l'administration provinciale par la création de nouveaux ministères et d'organismes gouvernementaux, par une redistribution des responsabilités ministérielles et la convocation de commissions et de comités d'enquête.

Parmi les organismes créés par le gouvernement au cours de la Révolution tranquille et qui s'intéressent à la recherche scientifique, mentionnons le ministère de l'Industrie et du Commerce qui s'occupe de la question de la recherche scientifique et forme, dès 1960, un Bureau des recherches économiques, auquel est intégré l'Office provincial des recherches. En 1962, il soumet à la Commission Parent un mémoire révélateur de ses préoccupations pour la recherche scientifique appliquée. De plus, le ministère réalise et publie, en 1964, la première enquête gouvernementale sur le financement de la recherche au Québec[18]. Enfin, le sous-ministre délégué au Conseil d'orientation économique demandera, la même année, la création d'un « Groupe d'études sur la recherche ».

Cet intérêt pour la question de la recherche scientifique se retrouve également au ministère de l'Agriculture qui, dès 1961, convoque le Comité d'étude sur l'enseignement agricole et agronomique, chargé, comme son nom l'indique, d'établir l'état de l'enseignement agricole au Québec, mais aussi de passer en revue la situation de la recherche scientifique en ce domaine[19]. Puis, en 1963, le ministère de l'Agriculture convoque un nouveau comité d'étude, chargé cette fois d'examiner la situation de l'information technique et scientifique[20]. Ainsi, les premières années de la Révolution tranquille marquent une recrudescence de l'intérêt gouvernemental pour la recherche scientifique. Cependant, devant la diversité même des interventions des différents ministères, la question de la compétence en matière de politique scientifique devient rapidement source de litige et les différentes parties ont finalement l'occasion de faire valoir leurs points de vue respectifs et, dans une certaine mesure, de procéder à un premier partage des responsabilités, lors de l'enquête de la Commission Parent.

La politique scientifique et le rapport Parent

Faisant suite à une recommandation de la Commission Tremblay, mais répondant surtout aux pressions exercées de toutes parts et aux réformes entreprises dans le domaine par le gouvernement Sauvé, la Commission royale d'enquête sur l'enseignement est créée en 1961. Autour de Mgr Alphonse-Marie Parent, alors vice-recteur de l'Université Laval, se réunissent Gérard Filion, directeur du *Devoir*, Jeanne Lapointe, de l'Université Laval, Paul Larocque, John McIlhone, David Munroe, de l'Université McGill, Guy Rocher, de l'Université de Montréal, et sœur Marie-Laurent de Rome. Après une enquête qui dure trois années, la Commission remet, en 1964, un rapport qui déclenche la bataille du *Bill* 60 et oriente largement la réforme du système scolaire québécois[21].

La Commission Parent reçoit plus de 300 mémoires et

entend, au cours d'audiences publiques, presque autant de témoignages. L'examen de ces mémoires et de ces témoignages permet de saisir les différents courants d'opinion qui agitent alors les milieux concernés par la réforme du système d'enseignement. Il est également possible de voir, au cours des débats de la Commission Parent, l'opposition de tendances diverses sur la question de la politique scientifique. En particulier, les efforts des scientifiques portent sur la définition d'une politique scientifique provinciale, via la création d'un « Conseil provincial des recherches ». Il s'agit là du vieux rêve de la communauté scientifique québécoise, repris au cours de la Révolution tranquille par différents groupes intéressés au financement gouvernemental de la recherche scientifique. La diversité de ces groupes de même que l'énergie déployée dans la poursuite de ce projet permettent non seulement de saisir l'importance de la question et d'identifier les alliances dont jouit la communauté scientifique québécoise, mais aussi d'illustrer la nature des rapports que celle-ci entretient avec le gouvernement provincial au cours des années 1960.

Lors des assises de la Commission Parent, toutes les universités du Québec présentent un mémoire. Elles sont imitées en cela par les associations étudiantes, les associations d'anciens et les associations de professeurs. Quelques sociétés savantes, de même que certaines corporations et associations professionnelles ou industrielles, présentent également leurs recommandations. Or, à l'analyse de ces mémoires, on découvre que bien peu d'attention est accordée à la question de la recherche scientifique, tant universitaire qu'industrielle ou gouvernementale. En fait, cinq mémoires seulement traitent de cette question et conduisent la discussion assez loin pour proposer la création d'un « Conseil provincial des recherches ». Cependant, tous ne s'entendent pas sur la nature des attributions du « Conseil » proposé. Ainsi, sur la question de savoir si le conseil devrait se doter de ses propres laboratoires, les scientifiques de McGill, ceux de Laval et ceux de l'Acfas s'entendent pour s'opposer à une telle chose au nom de l'autonomie universitaire. On craint, en fait, de voir des laboratoires d'État faire concurrence aux laboratoires universitaires et s'approprier les meilleurs chercheurs et la majeure partie des subventions gouvernementales, comme la chose s'est produite à Ottawa avec le CNR. Entre la position de McGill, telle que défendue par son recteur, qui s'oppose à la conduite de recherches fondamentales hors des universités, et celle de l'Acfas, qui propose un organisme à fonctions multiples, se partagent probablement les scientifiques québécois. Il y a néanmoins une intervention auprès de la Commission Parent qui se distingue de celles des universitaires : celle de la Chambre de commerce de la province de Québec qui pousse le gouvernement à jouer un rôle plus important dans l'orientation et le développement de la recherche appliquée et industrielle, et qui, dans cet esprit, recommande également la création d'un « Conseil provincial des recherches ».

Les premières interventions de la Chambre de commerce sur cette question remontent à 1958, année où, dans un mémoire adressé à Maurice Duplessis, on pouvait lire :

> Un conseil provincial des recherches scientifiques pourrait surveiller les recherches scientifiques de tous les laboratoires déjà établis dans les différents ministères et celles entreprises dans nos universités pour le compte des ministères.
> Un conseil provincial des recherches sociologiques et économiques qui agirait également en liaison avec les services des recherches des ministères et ceux des universités[22].

En 1959, la Chambre prépare à l'intention du ministre de l'Industrie et du Commerce, Paul Beaulieu, un mémoire concernant la création du « Conseil provincial des recherches ». Ce texte, signé par Georges-A. Meloche, président de la Chambre, et par Gérard Letendre, professeur à l'Université Laval et président du Comité de l'éducation de la Chambre, sera annexé, en 1962, au mémoire présenté à la Commission Parent par la Chambre[23]. Après avoir souligné le fait que des centres de recherches gouvernementaux existent dans cinq provinces canadiennes, les auteurs proposent la création d'un « Conseil » qui posséderait ses propres laboratoires de recherche appliquée en plus de subventionner les chercheurs universitaires.

En insistant sur le rôle de la recherche scientifique et sur les responsabilités gouvernementales en ce domaine, la Chambre de commerce du Québec développe une thèse relativement nouvelle dans le champ scientifique québécois : celle selon laquelle la recherche scientifique doit être liée aux nécessités et aux impératifs du développement industriel. Même si Adrien Pouliot, dès les années 1930, avait affirmé que « le scientifique conditionne l'économie », ce n'est qu'avec le début de la Révolution tranquille que cet argument est largement repris et utilisé par les scientifiques québécois dans leurs adresses au gouvernement et au public. En 1959, Philippe Garigue, alors doyen de la Faculté des sciences sociales de l'Université de Montréal, donne une conférence dont le texte est publié dans la revue *Actualité économique* sous le titre de « La recherche et le progrès économique des Canadiens français[24] ». Analysant les responsabilités respectives des scientifiques, des industriels et du gouvernement provincial dans l'administration, l'orientation et le financement de la recherche scientifique, il conclut : « Il faut aller au cœur du problème, à l'origine du dynamisme créateur de l'économie moderne : la recherche scientifique. Si les Canadiens français se désintéressent de la recherche scientifique, alors ils dépendront des autres pour les idées et pour les capitaux. Le jour où ils égaleront les autres au niveau de la création scientifique, et de la capacité de trouver de nouvelles solutions à tous les problèmes économiques, ce jour-là il n'y aura aucun doute sur leur avenir économique. »

Dans le même esprit paraît, en 1963, un « manifeste » signé par un groupe de professeurs de l'Université Laval. *Cri d'alarme... La civilisation scientifique et les Canadiens français* exprime les ambitions et les craintes de certains scientifiques québécois sur des sujets comme l'autonomie de la recherche universitaire, le financement de la recherche fondamentale et la création possible du « Conseil provincial des recherches ». Bien que ce soit là l'ouvrage de scientifiques soucieux d'établir la supériorité de la recherche pure sur la recherche appliquée, on n'y insiste pas moins sur la portée économique de la recherche scientifique.

Malgré ces interventions, la thèse selon laquelle recherche scientifique et progrès économique vont de pair ne reçoit pas la faveur de la Commission Parent qui lui préfère la thèse « universitaire » selon laquelle la recherche fondamentale devrait avoir la priorité. Malgré les pressions de la Chambre de commerce, du ministère de l'Industrie et du Commerce et de l'Acfas, malgré aussi les rapports du Conseil d'orientation économique, le rapport Parent recommande, en 1964, la création d'un « Conseil provincial des recherches », relevant de l'autorité et de la responsabilité du ministère de l'Éducation.

Ainsi, en plaçant la création du « Conseil » sous la responsabilité du ministère de l'Éducation, la Commission Parent met un frein aux ambitions de certains ministères et services gouvernementaux, de même qu'aux espoirs de ceux qui auraient voulu voir le « Conseil » se rapprocher des milieux industriels québécois. En fait, le « Conseil » se voit confier la tâche d'« assister » la recherche universitaire tout en se faisant interdire de créer ses propres laboratoires— ce qui l'aurait forcé à « retirer systématiquement les professeurs de l'université pour les fins de la recherche ». En somme, le rapport Parent consacre la victoire de la thèse « universitaire », celle de la recherche fondamentale universitaire.

Mais il s'agit là d'une victoire sans lendemain car le gouvernement ne donne pas suite à cette recommandation. En fait, les pressions les plus importantes en faveur de la création d'un « Conseil des recherches » continuent de venir des organismes directement intéressés aux aspects économiques de la recherche scientifique, c'est-à-dire la Chambre de commerce de la province et le Conseil d'orientation économique. Ces deux institutions sont, entre 1960 et 1965, les plus actives dans le projet du « Conseil provincial des recherches », et, dans cette perspective, leurs interventions auprès de la Commission Parent ne constituent qu'un épisode de la campagne entreprise.

À la suite de ses premières démarches de 1958 et de 1959, et au mémoire présenté à la Commission Parent, la Chambre de commerce renouvelle sa recommandation, de 1963 à 1965, dans une publication annuelle intitulée *Politique d'action*. Le même paragraphe qui définissait le rôle et l'utilité d'un « Conseil provincial des recherches » est adressé chaque année au gouvernement provincial, prié de donner suite au projet dans les plus brefs délais. Mais l'action de la Chambre de commerce ne s'arrête pas là: en 1965, un nouveau mémoire concernant le « Conseil provincial des recherches » est adressé au Conseil exécutif par le président de la Chambre, Charles de Lotbinière-Harwood, et par Gérard Letendre.

La question du « Conseil provincial des recherches » est reprise, entre 1960 et 1965, par la Chambre de commerce, le Conseil d'orientation économique, le Conseil supérieur de l'éducation et l'Acfas. La Chambre de commerce et le Conseil d'orientation économique représentent sensiblement les mêmes intérêts auprès du gouvernement, ceux des corporations industrielles. Aussi ne faut-il pas s'étonner de voir le Conseil d'orientation économique jouer un rôle important dans le projet du « Conseil des recherches ».

Créé en 1961 afin de planifier le développement économique du Québec, le Conseil d'orientation économique devient très tôt le lieu où se rencontrent tous ceux qui militent en faveur d'un « Conseil provincial des recherches ». Dès juin 1961, un comité *ad hoc* est chargé d'étudier la question[25]. L'intérêt du Conseil d'orientation économique pour la question d'un « Conseil des recherches » semble s'affaiblir en 1962 et en 1963. Le fil reprend en 1964, année où l'on forme le Comité de la recherche scientifique, composé notamment d'Ernest Mercier, sous-ministre de l'Agriculture, Paul-Émile Auger, sous-ministre des Richesses naturelles, Arthur Tremblay, sous-ministre de l'Éducation, Jean Deschamps, sous-ministre de l'Industrie et du Commerce, et Roland Parenteau, directeur général du Conseil d'orientation économique.

Ce comité prend « contact avec plusieurs personnes, tant dans le milieu universitaire que dans le milieu des affaires, qui sont particulièrement intéressées à la question », et procède à « un inventaire des formules possibles[26] ». Pour ce faire, on élargit le comité pour y accueillir quelques universitaires : James Dunbar, professeur de zoologie à McGill, Cyrias Ouellet, professeur de chimie à Laval, Maurice L'Abbé, directeur du Département de mathématiques de l'Université de Montréal, et Henri Gaudefroy, directeur de l'École polytechnique[27]. Ce comité d'organisation de la recherche scientifique présente, en 1965, un volumineux rapport qui marque une étape non seulement dans le projet du « Conseil provincial des recherches », mais aussi dans l'histoire de la communauté scientifique québécoise[28]. En effet, les universitaires de même que les ingénieurs et les scientifiques engagés dans des occupations industrielles s'y entendent pour réaliser un compromis entre les intérêts de la recherche pure et ceux de la recherche appliquée. En fait, le « Comité » tranche la poire en deux puisqu'il suggère à la fois la création d'un « Conseil des recherches » pour les universitaires et celle d'un « Centre des recherches » pour les industriels. Ainsi, l'unanimité ne tarde pas à se faire sur cette double recommandation au sein de la communauté scientifique québécoise.

La même année, on l'a déjà dit, la Chambre de commerce adresse au Conseil exécutif un mémoire intitulé *La création d'un Conseil provincial des recherches*. Puis, c'est l'Acfas qui, à l'occasion de son 33ᵉ congrès, organise un colloque sur le thème de la politique scientifique, auquel assistent des représentants de toutes les disciplines et de toutes les universités québécoises. Publié par l'Acfas[29], le compte rendu du colloque affirme qu'au Québec, la politique scientifique doit commencer par la création d'un « Conseil des recherches ».

En 1965 toujours, le Conseil supérieur de l'éducation, organisme créé sur une recommandation de la Commission Parent et où siègent, parmi d'autres, Gérard Letendre et Arthur Tremblay, soumet au gouvernement un rapport intitulé *Le Conseil de la recherche de la province de Québec et le Centre provincial des recherches*[30]. On retrouve le compromis suggéré par le Conseil d'orientation économique entre la tendance « universitaire », favorable à la recherche fondamentale, et la tendance « industrielle », favorable aux recherches appliquées : la création simultanée d'un « Conseil de la recherche », chargé de définir la politique scientifique québécoise et de subventionner les recherches universitaires, et d'un « Centre provincial des recherches », dont l'activité serait « orientée, de préférence, vers un but pratique » et qui s'exercerait « surtout dans les champs où la recherche a une portée immédiate, compte tenu des problèmes d'ordre concret que suscite le développement du Québec[31] ».

Devant les pressions exercées depuis 1960, et surtout devant l'unanimité qui semble s'être faite autour de la recommandation du Conseil d'orientation économique, le gouvernement provincial réagit : en mars 1966, le ministre de l'Industrie et du Commerce présente les projets de loi 6 et 7 à l'Assemblée législative. Le premier concerne la création d'un « Conseil de la recherche scientifique du Québec » qui se voit donner pour objet « la recherche, tant pure qu'appliquée, aussi bien en sciences exactes et en sciences de la nature qu'en sciences de l'homme », et la charge de conseiller le gouvernement, de subventionner la recherche, d'assurer la liaison entre les organismes de recherche déjà existants et de tenir à jour l'inventaire de la recherche au Québec. Le second projet de loi concerne la création d'un « Centre de recherche industrielle », sous forme de corporation, chargé de conduire « soit dans ses propres laboratoires, soit dans ceux d'autres centres de recherche, la mise au point de procédés industriels en collaboration avec les intéressés ; la collection et la diffusion de l'information et des renseignements d'ordre technologique et industriel ».

Cette victoire de la communauté scientifique, dûment saluée par la presse[32], est pourtant sans lendemain car les projets de loi ne dépassent pas le stade de la première lecture. Dans le « tournant de la Révolution tranquille », le gouvernement libéral perd le pouvoir au profit de l'Union nationale, et les deux projets sont relégués aux oubliettes.

Temporairement, pourtant, car les choses sont trop avancées pour qu'ils soient définitivement oubliés ; la Chambre de commerce réinsère dès 1966 le projet de « Conseil provincial des recherches » parmi ses recommandations annuelles au gouvernement. De son côté, le Conseil d'orientation économique remet sur pied, en 1966 aussi, un « Comité sur la recherche scientifique et l'innovation technique ». Le Conseil supérieur de l'éducation réédite tout simplement en 1969 son mémoire de 1965 à l'intention du gouvernement. Enfin, l'opposition libérale ne manque pas, à plusieurs reprises, d'ennuyer le gouvernement de l'Union nationale en s'enquérant du sort réservé aux deux projets de loi.

Bien plus, c'est l'évolution même des événements qui conduit le gouvernement à créer, en 1967, l'Institut de recherche de l'Hydro-Québec ; en 1968, l'Université du Québec et le Conseil des universités, auquel on adjoint une Commission de la recherche ; et enfin, en 1969, le Centre de recherche industrielle du Québec. À la même époque, le Québec se dote également d'un organisme chargé de financer la recherche universitaire : le programme de « Formation de chercheurs et d'action concertée » (FCAC)[33]. Cet organisme, appelé à subir de nombreuses transformations par la suite, doit permettre aux chercheurs québécois d'obtenir des subventions qu'ils ne pourraient facilement obtenir du CNR et des autres organismes fédéraux ou privés, faute d'expérience. Conçu donc pour permettre aux scientifiques des universités francophones de « rattraper » les chercheurs du reste du Canada et de leur tenir tête dans la course aux dollars, le FCAC devient dès le début le plus important programme provincial de subvention à la recherche universitaire et, de ce fait, permet à Québec de faire contrepoids à Ottawa dans ce domaine. La création de ces institutions de recherche et d'enseignement constitue l'aboutissement d'une évolution au cours de laquelle le gouvernement provincial a assumé des responsabilités croissantes à l'égard de la science et de la communauté scientifique. À compter de 1970, le gouvernement est irréversiblement devenu le premier responsable du développement scientifique au Québec.

Vers le « virage technologique »

Comme on l'a vu, cette responsabilité à l'égard du développement scientifique a, dans une large mesure, été imposée au gouvernement provincial par les pressions des universités, des associations professionnelles et des milieux d'affaires. De 1960 au milieu des années 1970, la politique scientifique québécoise oscille entre le pôle de la culture et celui de l'économie sans trouver son équilibre.

Toutefois, au cours des années 1970, l'initiative passe nettement de la communauté scientifique et des milieux d'affaires au pouvoir politique lui-même. L'arrivée au pouvoir d'un parti souverainiste en 1976 constitue un tournant dans l'évolution de la politique scientifique au Québec. Le nouveau gouvernement associe résolument la science et la technologie au « projet de société » qu'il propose aux Québécois ; au moins par le pouvoir du discours politique, le développement scientifique se trouve étroitement intégré au développement social et culturel du Québec. En germe dans le *Livre blanc sur le développement culturel*, paru en 1978, la politique scientifique du gouvernement du Parti québécois trouve son plein développement en 1980, dans un livre blanc intitulé *Un projet collectif : énoncé d'orientations et plan d'action pour la mise en œuvre d'une politique québécoise de la recherche scientifique*. Dans ce document, qui précise à la fois ses principes, ses intentions et les mesures qu'il entend prendre, le gouvernement revendique clairement, aux dépens d'Ottawa ou du secteur privé, la responsabilité première de la recherche scientifique et technique au Québec. Les réformes proposées sont impressionnantes : financement accru de la recherche universitaire et industrielle, nouveau programme permettant aux professeurs des cégeps de faire de la recherche, promotion de la vulgarisation et du loisir scientifiques, programmes de soutien à l'emploi scientifique, refonte de l'enseignement des sciences au primaire et au secondaire, création de musées et même d'une « Maison des sciences » à Montréal, sur le modèle de l'Ontario Science Center, etc. Rien n'est négligé, non seulement pour que le Québec « rattrape » enfin son retard sur l'Ontario et les États-Unis, mais pour que la science devienne un facteur important de l'affirmation nationale.

Cet ambitieux programme doit être révisé au lendemain du référendum de 1980 et de la crise économique de 1982. Du pôle de la culture, la politique scientifique a été brutalement ramenée à celui de l'économique. Sur le thème du « virage technologique », l'État provincial a adopté une politique plus interventionniste que jamais à l'égard de la communauté scientifique, et des universités en particulier, afin de mettre la science au service d'une restructuration d'envergure de l'économie québécoise.

Les résultats de cette mobilisation des savants ne sont pas nets encore, mais il paraît évident que la science et le pouvoir ne pourront plus désormais s'ignorer. Au moins sous ce rapport, le Québec a rejoint les nations industrielles les plus avancées.

CHAPITRE 10

DE L'HISTOIRE NATURELLE
À L'ÉCOLOGIE

Au moment où le Canada se prépare à entrer en guerre, l'engouement pour les sciences naturelles atteint un sommet. L'histoire naturelle a même un maître, le frère Marie-Victorin, dont la réputation a franchi les frontières. En 1939, lors d'un voyage au Québec que font les souverains britanniques afin de réchauffer les sentiments des Canadiens français envers l'Empire, la reine n'a-t-elle pas demandé qu'on lui procure un exemplaire de *La flore laurentienne*? Le pape Pie XI s'est aussi vu offrir le célèbre volume du frère Marie-Victorin, relié spécialement à son intention et transmis par un prêtre canadien à Rome. Les « petites sciences », comme les appelaient dédaigneusement certains professeurs de grec ou de théologie, ont acquis leurs lettres de noblesse[1].

Les sciences naturelles constituent le premier domaine où le Canada français acquiert une expertise scientifique solidement appuyée sur les institutions et les individus, grâce à l'élan que lui imprime Marie-Victorin en tant que leader de la communauté scientifique. L'ampleur et la valeur de la contribution scientifique de Marie-Victorin sont à la base de sa réputation et de son autorité. Comme le signalera plus tard Pierre Dansereau, « il ne faisait pas qu'alimenter des scouts avec ses idées. Il alimentait des chercheurs[2]! »

Des chercheurs œuvrant dans des domaines aussi variés que la biologie marine, l'entomologie, la phytopathologie ou l'écologie s'inscrivent d'emblée dans le programme scientifique tracé par le frère Marie-Victorin. Ce programme consiste essentiellement à réaliser l'inventaire du patrimoine biologique naturel de la « Laurentie », patrie des Canadiens français. Que ce soit dans la description biologique de l'« estuaire laurentien », entreprise par Georges Préfontaine, dans l'étude de la flore du

Nouveau-Québec, menée par Jacques Rousseau, dans l'inventaire des coléoptères fait par Gustave Chagnon, ou encore dans la constitution par René Pomerleau d'une flore des champignons du Québec, il est facile de reconnaître la même démarche qui vise à donner aux Canadiens français une autorité et une expertise dans des champs scientifiques qu'il est possible de reconquérir. Jusque-là, les experts de la flore et de la faune du Québec étaient en effet des Américains ou des Canadiens anglais. Le programme de recherche teinté de nationalisme recueille l'adhésion plus ou moins ouverte de la plupart des naturalistes formés entre les deux guerres.

Premières herborisations

Au tournant du XXᵉ siècle, le territoire québécois est loin d'être inconnu des botanistes. Sans remonter aux premières incursions de la science française au XVIIᵉ siècle, il est évident que la recherche est déjà avancée. Pendant tout le XVIIIᵉ siècle, la botanique internationale s'est enrichie du travail des explorateurs et des taxonomistes sur la flore de l'Est du Canada. Les Français André Michaux et François-André Michaux, William Hooker, en Angleterre, et Asa Gray, aux États-Unis, sont les auteurs les mieux connus pour leurs compilations floristiques.

Dans le Haut-Canada, la recherche s'est organisée autour de George Lawson. Canadien d'adoption, fondateur de la Botanical Society of Canada et membre fondateur de la Société royale du Canada, il est l'auteur de près d'une centaine d'articles de botanique, dont plusieurs sont consacrés à la flore de l'Est de l'Amérique du Nord. Parmi les travaux canadiens de cette période, ceux des botanistes de la Commission géologique sont aussi à signaler : John Macoun a publié, de 1883 à 1902, les quatre volumes de son *Catalogue of Canadian Plants*. Au moment où, en 1905, le jeune frère Marie-Victorin entreprend ses premières herborisations dans les érablières de Saint-Jérôme, ce sont les chercheurs de l'école de Harvard qui dominent l'étude de la flore du nord-est du continent. Leur chef, Merritt L. Fernald, compile en 1908 la septième édition du *Gray's Manual*, qui englobe le sud du Québec.

Marie-Victorin vers 1904. (Archives de l'Université du Québec à Montréal)

Comme tout amateur qui débute, Marie-Victorin ignore la plupart des problèmes qui préoccupent alors la communauté scientifique internationale. C'est au hasard d'une convalescence, qui l'écarte provisoirement des tâches d'enseignement, qu'il s'initie à la botanique. Autodidacte, ses premiers intérêts sont l'identification des espèces et la confection d'un herbier.

En français, les sources dont on dispose sur la flore canadienne sont plutôt rares. Les flores de Provancher, de Brunet et de Moyen sont incomplètes et difficiles à utiliser. Du côté de l'enseignement, il n'y a pas de maître. À part l'enseignement de la botanique qui se donne dans les écoles d'agriculture de Sainte-Anne-de-la-Pocatière et d'Oka, et dans les facultés de médecine, il n'y a aucun enseignement universitaire de cette discipline au Canada français. Aussi, Marie-Victorin, en quête de conseils, doit-il aller frapper à la porte de l'Université McGill.

McGill peut déjà s'enorgueillir d'avoir donné naissance à une certaine tradition en botanique. L'enseignement y avait

Carrie Derick, première femme de science de carrière au Québec (Archives publiques du Canada, C-68506)

débuté dès 1829 à l'École de médecine et, en 1884, le premier département de botanique au Canada y est créé, au sein de la Faculté des arts et des sciences. L'Américain David Pearce Penhallow, formé par Asa Gray à Harvard, y occupe le premier une chaire d'enseignement. Il s'agit d'un département modeste, mais très tôt on y développe un programme spécialisé et varié. La taxonomie, l'anatomie, la physiologie végétale, la mycologie et l'écologie font l'objet d'enseignements séparés. Carrie Derick, la première femme de science de carrière au Québec, y devient professeur de génétique et de morphologie comparative en 1912.

C'est cette année-là que Marie-Victorin entre en contact avec le nouveau directeur du département, Francis Lloyd. À ce moment, le frère des Écoles chrétiennes a déjà à son actif cinq notes floristiques, publiées par *Le Naturaliste canadien*. Il s'agit de descriptions de nouveaux taxons (espèces, genres, familles, etc.) identifiés au cours d'herborisations. Lloyd, de son côté, est spécialiste de l'étude du carnivorisme chez les végétaux; ses travaux sur ce sujet lui vaudront une réputation internationale au cours des années 1930. Dès la première rencontre, les deux hommes se lient d'amitié et Lloyd prête un livre au jeune botaniste, les *Principles of Breeding* de Davenport. Pour Marie-Victorin, il s'agit d'une initiation à la génétique, discipline encore toute jeune; la découverte des lois de Mendel l'enthousiasme. Point important, sa visite à Lloyd lui permet de briser l'isolement dans lequel il était demeuré jusqu'alors et lui fait découvrir les problèmes contemporains de la biologie.

Dans la foulée de l'histoire naturelle

Depuis déjà plusieurs décennies, l'inventaire floristique a perdu sa position centrale dans l'entreprise botanique. Sans que l'on puisse parler de désuétude pour désigner l'état d'une spécialité qui va tout de même continuer de progresser, il est certain que l'inventaire et la classification de la nature occupent de moins en moins les chercheurs. Les problèmes clés ne consistent plus, comme à l'époque de Linné, de Tournefort ou de Buffon, à nommer et à classer les espèces du monde vivant. On se penche désormais sur l'étude de l'adaptation, de la sélection naturelle, de l'évolution génétique et des interactions des êtres vivants entre eux. Les spécialités dominantes de la botanique s'appellent désormais « phytogénétique », « phytogéographie » ou « écologie végétale ».

La floristique va quand même se situer au centre des recherches de Marie-Victorin. En effet, bien peu de choses distinguent les premières « additions à la flore d'Amérique » qu'il communique au *Naturaliste canadien*, des recherches qu'effectuait Michel Sarrazin en Nouvelle-France. Cela est assez normal car la collection et l'identification des espèces sont les préoccupations premières de la plupart des naturalistes débutants.

En outre, au sein de sa communauté, le goût pour la botanique est partagé par plusieurs. Le frère Rolland-Germain, né en France, connaît bien la botanique et c'est lui qui initie Marie-Victorin, dont il devient par la suite un collaborateur effacé. Un autre botaniste de la communauté, le frère Léon, rencontre Marie-Victorin au Collège de Longueuil avant de partir en mission à Cuba, d'où il continue de correspondre avec le Canada. Plus tard, lorsqu'il commence à enseigner à l'Université de Montréal, Marie-Victorin retrouvera d'ailleurs plusieurs compagnons d'ordre parmi ses élèves.

Dès 1914, il envoie un article au *Naturaliste canadien* intitulé « Nécessité de la publication prochaine d'une flore illustrée de la province de Québec ». Ce projet, on le sait, canalise ses efforts au cours des deux décennies suivantes. Excursions botaniques, inventaire des sous-bois, des champs, des îlots reculés de chacune des zones floristiques du Québec habité, le frère ne néglige rien pour établir le catalogue complet des végétaux qui forment le paysage naturel de la « nation ».

Une œuvre nationale

Avec une assiduité remarquable, Marie-Victorin et Rolland-Germain multiplient les voyages d'herborisation à travers le Québec. Les régions alors très peu accessibles de l'Anticosti-Minganie et des îles de la Madeleine n'échappent pas à leurs explorations. Ces visites dans des secteurs reculés du Québec leur permettent d'identifier et de décrire plusieurs taxons nouveaux pour la botanique. En 1915, Marie-Victorin publie *La flore du Témiscouata*, l'ouvrage le plus important de sa période préuniversitaire. Avec la création du Laboratoire de botanique de l'Université de Montréal en 1920 — que Marie-Victorin coiffera bientôt du nom d'Institut —, il peut compter sur l'aide de précieux assistants qui vont contribuer grandement au travail d'inventaire. Parmi les étudiants qui collaborent directement à ses projets, on remarque Jules Brunel, Jacques Rousseau et le frère Alexandre, illustrateur de *La flore laurentienne*.

En 1923, Francis Lloyd propose la candidature de Marie-Victorin à la section V (biologie) de la Société royale du Canada. Cependant, sa candidature ne recueille pas la majorité des voix et il ne peut être admis au sein de cette vénérable académie des lettres et des sciences. La section V ne compte alors aucun membre francophone. Faut-il y voir un effet de préjugé à l'endroit des Canadiens français, comme l'a suggéré Robert Rumilly[3]? Il faut reconnaître qu'en 1923, l'œuvre scientifique de Marie-Victorin est encore modeste. Il n'est professeur d'université que depuis

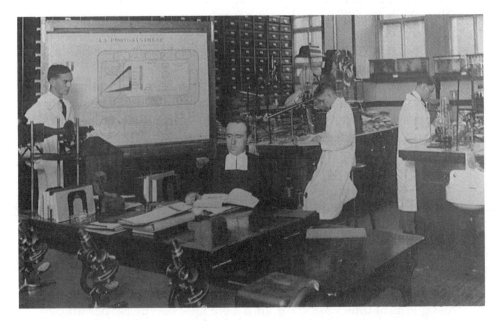

Marie-Victorin dans le premier laboratoire de botanique à l'Université de Montréal, vers 1923. (Photo: Jules Brunel)

trois ans et ne détient le doctorat que depuis un an. C'est un peu mince pour qui aspire à faire partie d'une institution normalement réservée à l'élite scientifique du pays. Cependant, l'élite intellectuelle canadienne-française, rassemblée au sein de la section I, consacrée à l'histoire et à la littérature, accepte difficilement l'échec de Marie-Victorin et riposte en l'accueillant dès l'année suivante.

Selon l'expression consacrée, il a le pied dans la porte. De la section de littérature, il mène une guérilla académique afin de se faire ouvrir les portes de la section des sciences biologiques. Les communications qu'il présente aux poètes et aux historiens de sa section portent des titres tel «Notes sur une florule halophytique côtière reliquale dans le bassin du lac Saint-Jean», qui mettent en évidence le caractère saugrenu de son appartenance à cette assemblée. Il propose même la création d'une section scientifique canadienne-française à la Société royale. C'est vouloir aller trop loin pour les scientifiques canadiens qui ne peuvent accepter de distinguer la science en fonction de la langue et de l'ethnie, comme on l'avait fait pour la littérature et l'histoire. En 1927, les membres de la section de biologie lui font finalement une place.

Lorsqu'en 1935, Marie-Victorin publie *La flore laurentienne*, il s'agit de l'aboutissement de l'inventaire commencé par Jacques Cornut en 1635. Par la suite, ses collaborateurs apporteront bien quelques additions à la deuxième édition de l'œuvre, mais on comprend que du point de vue du programme de recherche, conçu au début des années 1920, une page est tournée. Cela est vrai principalement pour les plantes vasculaires (c'est-à-dire pourvues de système circulatoire). Les plantes non vasculaires feront plus tard l'objet de recensions importantes, notamment par Jules Brunel dans le domaine des algues et René Pomerleau en mycologie (étude des champignons). Ernest Rouleau contribuera de son côté à la mise à jour de *La flore laurentienne* au fil des nouvelles découvertes.

Dans *La flore*, Marie-Victorin a tenu à se surpasser et à laisser au Québec une trace bien visible de son passage. Cela est d'autant plus important qu'il a été joué de vitesse par un de ses anciens élèves, le père Louis-Marie, qui a publié en 1931 une *Flore manuel* du Québec adaptée aux besoins de l'enseignement.

Ce livre comporte même une lettre d'appréciation de Merritt L. Fernald, le « botanical father[4] » de Marie-Victorin. Le père Louis-Marie, Ph.D. de Harvard et professeur de botanique à Oka, a également laissé un herbier de plus de 80 000 spécimens.

La flore laurentienne est un ouvrage monumental. Marie-Victorin n'a ménagé aucun effort pour en faire une œuvre nationale. Nationale d'abord par la délimitation de cette fameuse Laurentie — terme forgé par Marie-Victorin —, berceau de la race canadienne-française, même si d'un point de vue strictement botanique, une telle délimitation ne se justifie pas. « Il est inutile d'insister, reconnaît le botaniste dans sa préface, sur le caractère artificiel du territoire ainsi délimité, territoire qui n'est pas une division floristique naturelle de l'Amérique du Nord, mais plutôt une enclave englobant la partie du Québec le plus densément peuplée et la plus accessible. » Marie-Victorin présente d'ailleurs La flore comme « un ouvrage de commodité », un livre de vulgarisation, où le caractère national se trouve encore souligné abondamment. Chaque fois que cela est possible, les descriptions scientifiques sont agrémentées de notes encyclopédiques sur l'histoire, le folklore et l'usage populaire des espèces. Pourtant, il suffit de feuilleter quelques pages pour comprendre qu'il s'agit avant tout d'un ouvrage savant. C'est une des premières flores à intégrer des considérations génétiques et dont une partie substantielle est consacrée à la phytogéographie. Albert C. Seward, directeur de l'École de botanique de Cambridge, parle d'ailleurs d'une « scholarly presentation » et le directeur du British Museum of Natural History lui consacre une critique élogieuse dans le Journal of Botany[5]. Elle inspirera des travaux de botanistes de plusieurs pays.

La préoccupation nationaliste qui transpire de La flore laurentienne n'est pas une nouveauté chez Marie-Victorin. Dès 1917, il avait déploré « l'air banal, enfantin, et parfois complètement ridicule, que donne à notre pauvre littérature descriptive notre insondable ignorance de l'histoire naturelle de notre pays. Je défie bien un étranger cultivé de saisir la vraie physionomie de la nature laurentienne par l'ensemble de nos productions littéraires[...] ouvrez n'importe quel recueil de vers canadiens et vous êtes sûrs de rencontrer, généralement au bout des lignes, les inévitables primevères et les non moins fatales

Le père Louis-Marie, de l'Institut agricole d'Oka. (Archives de l'Université de Montréal)

pervenches[6].» *La flore laurentienne* a pour but de combler cette lacune.

La question de l'évolution

Si *La flore laurentienne* se veut une somme éclatante de la recherche taxonomique des membres de l'Institut botanique, elle constitue aussi une synthèse de la pensée théorique de Marie-Victorin sur l'évolution de la flore du Québec. L'«esquisse générale» qui sert d'introduction au livre constitue, en effet, un traité de phytogéographie du Québec, une des premières tentatives d'interprétation du paysage végétal «laurentien» dans une optique évolutionniste. Pour aboutir à une telle perspective théorique, on devine que le cheminement n'a pas été facile. En effet, depuis l'apparition des thèses évolutionnistes dans le champ de l'histoire naturelle, le milieu scientifique canadien-français a tenu les distances que l'on sait par rapport à la «doctrine» de Darwin.

Au moment où Marie-Victorin commence sa vie scientifique, les réserves à l'égard du darwinisme exprimées au siècle précédent ne se sont pas tout à fait estompées. *Le Naturaliste canadien* est toujours le seul périodique scientifique au Canada français et l'abbé Huard, qui a pris la succession de Provancher, n'a pas dérogé à la ligne de conduite de ce dernier sur la question du transformisme.

Depuis 1900 cependant, date de la découverte par de Vries et Correns des travaux de Mendel, le débat sur la théorie darwinienne s'est considérablement modifié. Le transformisme de Darwin et Huxley, on le sait, mettait en avant des notions telles la sélection naturelle et la survie des plus aptes pour expliquer comment les différentes espèces étaient façonnées par leur environnement. La génétique, par le mécanisme de mutations héréditaires qu'elle suggère, semble réduire le rôle des facteurs externes dans la transformation des êtres vivants. Elle semble en tout cas remettre en question le caractère graduel et continu des transformations postulées par Darwin. Dans les premières années du XXe siècle, le courant mutationniste apparaît donc comme une solution de rechange au darwinisme et connaît une certaine vogue chez les biologistes. Ce n'est qu'à partir des années 1930, avec le développement de la génétique des populations, qu'une théorie «synthétique» de l'évolution finira par rallier les deux courants autour du néo-darwinisme.

En 1913, fraîchement initié à la génétique et aux idées mutationnistes, Marie-Victorin se lance à l'attaque du darwinisme en prenant appui sur les lois de Mendel. Il le fait par le biais d'une contribution au *Naturaliste canadien*, intitulée «Notes sur deux cas d'hybridisme naturel». Ce faisant, il rejoint un débat scientifique d'actualité. Cependant, l'acidité des propos qu'il destine au darwinisme indique bien que ses mobiles ne sont pas strictement d'ordre scientifique. Le darwinisme, écrit-il, « est en pleine décadence » :

> [Il est] sapé dans sa base même. D'ailleurs, cette doctrine scientifique dont on avait fait durant cinquante ans — peut-être contre le gré de son auteur — une machine de guerre contre le vieux Dieu gêneur et sa morale encombrante, s'est écroulée autant sous les coups de ses plus ardents coryphées, Haeckel et son école, que par les expériences du moine autrichien.
>
> Le monde savant ne considère plus sérieusement l'hypothèse évolutionniste. Je dis : le monde savant, et j'entends par là les hommes qui, dans tous les domaines, font avancer la science. Il est certain que toute une école de vulgarisateurs, dénuée de scrupules scientifiques, ou marchant sur l'impulsion reçue, continuera à colporter encore longtemps la pacotille transformiste[7].

Cette charge, dont les accents rappellent certaines des attaques de Provancher, Burque et Huard, survient à une époque importante pour lui sur le plan religieux ; le moment est venu de prononcer ses vœux perpétuels, qui s'accompagnent d'une ferveur particulière. Ironiquement, c'est ce « monde savant » dont il se réclame qui ébranlera bientôt ses convictions antidarwiniennes.

En 1914, l'abbé Huard est la cible d'une attaque féroce dans la prestigieuse revue américaine *Science*. L'objet de la critique est son livre récent, *Abrégé de géologie*, dont un passage antiévolutionniste est tombé sous les yeux d'un correspondant de la revue. Le critique ne dissimule pas son mépris : « Un petit livre scientifique datant du siècle dernier — disons quelques années après la publication de *L'origine des espèces* par Darwin — vient tout juste de me tomber sous les yeux. Mais il aurait difficilement pu me parvenir avant puisque sa page-titre porte la mention Québec 1913[8]. »

Huard réplique comme il le peut dans les pages du *Naturaliste*, par un article intitulé « Ce qu'il en coûte d'être anti-transformiste ». Mais déjà, le climat intellectuel du Québec donne des signes de changement à l'égard du darwinisme. Germain Beaulieu, alors entomologiste au ministère fédéral de l'Agriculture, écrit à l'abbé Huard à propos de son *Abrégé de géologie* :

> Avec ma franchise habituelle, je vous dirai que je regrette d'y voir votre critique du transformisme. Elle me semble injuste et de nature à fausser l'opinion de vos lecteurs. Je ne crois pas que la théorie des créations successives et distinctes soit, comme vous le dites, scientifiquement démontrée.
>
> Cette démonstration est impossible. Chose étrange, je trouve plus de grandeur, plus de vérité et... plus de science dans la théorie du transformisme.
>
> Je conçois que c'est matière d'opinion, je dirai plus, de foi scientifique; car les deux hypothèses ne peuvent être étayées sur des faits, du moins dans l'état actuel des sciences[9].

Marie-Victorin, pour sa part, avant même que ne paraisse l'article de *Science*, avait poliment refusé de rendre compte de l'ouvrage de Huard, prétextant qu'il n'était pas géologue. À ses yeux, les contacts avec les botanistes canadiens-anglais, américains ou européens ont une grande importance; d'ailleurs, dès 1908, il a engagé une correspondance régulière avec plusieurs d'entre eux, notamment avec Merritt L. Fernald, du Gray Herbarium de Harvard. Marie-Victorin choisit alors de se taire pendant un long moment sur la question de l'évolution. Cependant, ce silence ne signifie pas que la question ait cessé de le préoccuper.

Sa réflexion se poursuit parallèlement au développement du milieu scientifique québécois à partir de 1920, lequel s'ouvre progressivement à l'idée d'évolution. Louis-Janvier Dalbis, professeur de biologie de l'Université à Montréal, s'affiche comme un partisan de l'évolution. En 1921, il introduit une dimension nouvelle dans la botanique québécoise en publiant un essai de phytogéographie intitulé *L'immigration des espèces florales eurasiatiques dans l'Amérique du Nord*. Il devance à ce chapitre les travaux de Marie-Victorin qui, à cette époque, se cantonne dans la taxonomie. L'essai de Dalbis restera cependant sans suite. Le docteur Léo Pariseau, premier président de l'Acfas, ne craint pas, pour sa part, de se prononcer en faveur du darwinisme et croisera même le fer, en 1928, avec des fondamentalistes anglophones à travers le courrier des lecteurs de *The Gazette*[10].

La découverte du « *dynamisme* » floristique

Sous l'influence de son maître à penser, Merritt L. Fernald, Marie-Victorin se voit poussé vers l'étude de la phytogéographie. Fernald, principale autorité en matière de taxonomie des plantes du Nord-Est américain, est aussi le partisan d'une théorie phytogéographique, dite théorie des « nunataks », qui cherche à expliquer la présence d'îlots représentatifs d'une flore préglaciaire, répartis à travers la flore contemporaine.

En 1925, Fernald publie un article important sur la question : « Persistence of Plants in Unglaciated Areas of Boreal America[11] ». L'ouvrage s'inscrit dans le courant néo-darwinien qui se développe alors. Sa théorie repose sur le concept de divergence, c'est-à-dire la tendance qu'ont les populations isolées à évoluer de façon distincte. Les populations dites « reliquales » — qui ont survécu en petit nombre à des changements environnementaux — offrent de bons sujets d'étude. Ces populations se retrouvent notamment sur les « nunataks », ces sites — îles ou montagnes — qui ont échappé aux glaciations.

Sous l'impulsion de Fernald, les herborisations de Marie-Victorin et de Rolland-Germain s'orientent pendant les années 1920 vers les régions du golfe du Saint-Laurent qui sont réputées pour leur insularisme floristique et où se rencontrent des nunataks. La flore du Québec méridional se caractérise dans son ensemble par une unité qui ne se dément qu'en quelques sites très précis : les hauts plateaux de la Gaspésie, les îles de la Madeleine, l'île d'Anticosti et les îles de Mingan. Ces régions regorgent d'espèces endémiques, c'est-à-dire qui ne se retrouvent que sur ces sites. Or, les endémiques posent un problème en biologie. Pourquoi des espèces géographiquement isolées présentent-elles des caractéristiques propres ? Charles Darwin s'était heurté à cette question devant les endémiques des Galapagos et cela avait contribué à le mettre sur la piste de l'évolution.

Les deux botanistes québécois découvrent un bon nombre d'endémiques dans le golfe du Saint-Laurent. Certaines, comme le chardon de Mingan, soulèvent des hypothèses intéressantes. Cette plante qui, dans l'Est de l'Amérique, ne se rencontre que dans deux ou trois stations bien précises de Minganie présente un parenté évidente avec le chardon des montagnes Rocheuses. Marie-Victorin soutient donc qu'il s'agit d'une espèce témoin, appartenant à une flore préglaciaire pancanadienne, dont les reliques des îles de Minganie ont survécu à la glaciation du Wisconsin. Anticosti et les îles de Mingan seraient des nunataks où ont survécu de telles espèces. Dans le cas du chardon de Mingan, une légère divergence permet à Marie-Victorin de décrire une nouvelle espèce, distincte de celle des Rocheuses.

De telles études de cas l'amènent bien sûr à reconsidérer sa position sur l'évolutionnisme. Le contexte de la fin des années 1920 est d'autant plus favorable à ce cheminement que la pensée catholique a évolué sur cette question depuis la fin du XIXe siècle. Le chanoine Dorlodot, Pierre Teilhard de Chardin et l'abbé Henri Breuil, en France, se distinguent parmi les scientifiques catholiques qui se sont les premiers ouverts au darwinisme. Marie-Victorin, qui est déjà influencé par leurs écrits, rencontre l'abbé Breuil au cours de son périple en Afrique du Sud en 1929, au congrès de la British Association for the Advancement of Science. C'est de cette tribune — loin du Québec — qu'il lance ses premières hypothèses évolutionnistes dans une communication intitulée : « Some Evidence of Evolution in the Flora of North-Eastern America ».

De retour du Cap, il publie un article clé, « Le dynamisme dans la flore du Québec » portant en sous-titre, « Essai sur les forces d'évolution et d'élimination en œuvre dans certaines populations végétales ». « Les flores, comme les faunes, écrit-il, sont des unités dynamiques constamment en voie d'évolution. » Et plus loin : « Les organismes vivants se sont développés non seulement les uns après les autres mais les uns des autres[12]. » Remanié, ce texte servira de base à la longue introduction de *La flore laurentienne*.

Les derniers remous de l'antiévolutionnisme

L'article de Marie-Victorin exprime une position déjà largement acceptée par la communauté scientifique québécoise. Dans le grand public, toutefois, la question est encore loin d'être réglée. L'article de Marie-Victorin est d'ailleurs pris à partie, plus ou moins ouvertement. Dans *La Presse* du 29 avril 1929, le père Ceslas Forest, doyen de la Faculté de philosophie de l'Université de Montréal, se porte à la défense du botaniste : « Resserrée dans ses limites, la thèse du frère Marie-Victorin échappe à toute critique, même de la part du traditionalisme le plus intransigeant. D'ailleurs, si on met à part la question de la descendance de l'homme, qui se heurte à des difficultés exégétiques et côtoie des affirmations dogmatiques, le problème de l'évolution reste un problème à débattre entre savants[13]. »

Ce n'est toutefois qu'au début des années 1950 que Pie XII, protecteur de l'Académie pontificale des sciences, promulgue l'encyclique *Humani generis* où se trouve dissipée pour la première fois toute ambiguïté et où l'on donne officiellement aux catholiques la liberté de discuter de l'« origine du corps de l'homme à partir d'une matière déjà existante et vivante[14] ». Au Québec, même si les intellectuels acceptent ouvertement l'évolution, ce n'est qu'à l'aube de la Révolution tranquille que l'on voit les autorités religieuses prendre position. Symbole de ce changement d'attitude, le cardinal Léger aborde la question devant les membres de la Société médicale de Montréal en 1961 — cent ans après *L'origine des espèces*. Après avoir passé en revue les nouvelles certitudes des sciences naturelles, il dissipe tous les scrupules : « Ce que la science nous apporte d'incontestable, c'est l'ancienneté de l'homme sur la terre. *L'Église ne voit d'ailleurs aucune opposition entre l'évolution et la création,* car Dieu n'est pas un artisan qui anime miraculeusement la matière inanimée pour faire des êtres divers. Il se sert des lois biologiques[15]. » Cette fois la page est vraiment tournée.

Sur la scène internationale

Marie-Victorin bénéficie de ressources financières qui favorisent sa liberté de mouvement. Fils d'un commerçant aisé de Québec, il peut, malgré son vœu de pauvreté, disposer de son héritage pour mener à bien ses recherches[16]. Cela lui donne une grande latitude. Il voyage régulièrement à travers le Québec puis, en 1929, effectue un long périple en Afrique et en Europe, à la faveur du congrès de la British Association for the

Advancement of Science qui a lieu au Cap.

La très large culture botanique du frère Marie-Victorin, acquise au cours de sa période de production la plus intense, soit de 1920 à 1938, lui permet de contribuer de façon significative à la connaissance de flores étrangères au Québec, surtout de la flore antillaise. Quelques incursions du côté des problèmes phytogéographiques d'Amérique du Nord et plus tard des Antilles le placent au cœur de la botanique internationale.

Sa santé fragile le pousse, au cours des dernières années de sa vie, à passer ses hivers à Cuba, où il rejoint le frère Léon, rencontré jadis au Collège de Longueuil. Les deux hommes y entreprennent, à partir de l'hiver 1938, une série d'excursions botaniques qui donneront lieu à des publications nombreuses sur la flore de la région. Deux volumes de 400 pages, les *Itinéraires botaniques dans l'île de Cuba*, seront publiés dans la série des *Contributions de l'Institut botanique de l'Université de Montréal*. Ces publications, dont les frais sont trop considérables pour l'institution montréalaise, verront d'ailleurs le jour grâce au soutien financier de l'Université d'Harvard, où M.E.D. Merrill, administrateur des institutions botaniques, y voit « a very excellent example of international cooperation[17] ».

Bien servi par son érudition en matière de taxonomie, il contribue à cerner de nouveaux problèmes de distribution géographique : par exemple, celui des affinités entre les flores antillaise et africaine. La parenté qu'il observe entre des endémiques de Cuba et des endémiques des îles Canaries est, écrit-il, « une de ces anomalies phytogéographiques qui défient toute explication raisonnable[18] ». Sensible aux données de la géologie, il introduit dans ses hypothèses sur la question la thèse de Wegener sur la dérive des continents. Cela témoigne encore d'une certaine audace en 1942. Selon Pierre Dansereau : « Il a su mieux que personne en Amérique du Nord, entre 1932 et 1938 particulièrement, utiliser toutes les données scientifiques dont nous disposions et faire converger vers les problèmes de la phytogéographie, les acquisitions de la géologie, de l'anatomie comparée, de la phylogénie et de la taxonomie, de l'écologie et de la génétique. [...] Les savanes de l'Afrique lui ont inspiré des idées sur les aubépines de Montréal, et l'arbre à Kapok de Cuba lui a fait voir les trembles des Laurentides avec des yeux neufs[19]. » Cette vision écologique et planétaire de la floristique, vision dont Pierre Dansereau sera lui-même un des héritiers, indique qu'il a réussi à donner à la botanique québécoise un niveau de compétence encore exceptionnel pour la science canadienne-française. Interdisciplinarité et préoccupations d'ordre international, ce sont sans doute les deux dimensions majeures de l'héritage légué à l'Institut botanique.

Pour son œuvre scientifique, Marie-Victorin obtint à plusieurs reprises des récompenses de la communauté scientifique internationale ; en particulier, le prix Gandoger, qui lui fut décerné par la Société botanique de France en 1932, et le prix de Coincy, décerné par l'Académie des sciences de Paris en 1935.

Un parent pauvre : la biologie

Les autres branches de la biologie, même si elles se sont taillé une place dans l'enseignement supérieur à Montréal et à Laval, ne se développent pas au même rythme que la botanique. Miné par le conflit qui oppose son directeur, Louis-Janvier Dalbis, au frère Marie-Victorin, l'Institut de biologie de l'Université de Montréal demeure dans l'ombre. Il s'y fait peu de recherche ; l'enseignement — qualifié d'« élémentaire » par Marie-Victorin — demeure l'activité centrale.

Toutefois, à l'été de 1929, Georges Préfontaine, professeur de biologie à l'Université de Montréal, entreprend d'explorer un nouveau domaine, celui de la biologie marine de l'estuaire du Saint-Laurent. « Lorsque je quittai Montréal pour cette aventure, racontera-t-il plus tard, j'avais plus d'espoir au cœur que de sous en poche, en dépit d'un emprunt de cinquante dollars dont j'avais cru prudent de me parer[20]. » Préfontaine avait fait auparavant un stage d'études à la station de biologie marine de Wimereux, en France, qui avait été fondée cinquante ans auparavant avec des moyens rudimentaires et qui lui servait certainement d'inspiration.

Georges Préfontaine établit sa base de recherche à Trois-Pistoles, où semblent réunies toutes les conditions requises pour favoriser l'étude du Saint-Laurent : position centrale dans l'estuaire, qui va de Québec à Matane, proximité du Saguenay, dont l'influence sur le régime des eaux est considérable, infrastructure adéquate, gaz et électricité disponibles jusqu'au rivage, etc.

L'entreprise improvisée est typique des projets des premiers chercheurs. Préfontaine installe son laboratoire à l'étage d'un chalet de villégiature. Son équipement initial se limite à quelques fioles de colorant, fixateurs et liquides conservateurs, un peu de verrerie de laboratoire, un microscope et une loupe. «J'ai occupé ce laboratoire, note-t-il, pendant les étés de 1929

La station biologique du Saint-Laurent à Trois-Pistoles.

et de 1930, au cours desquels j'ai dû, étant privé de bateau et d'instruments de pêche, me confiner à l'étude de la faune des rivages[21].»

Au printemps de 1931, l'Université Laval s'engage dans le projet et crée la Station biologique du Saint-Laurent. C'est l'abbé Alexandre Vachon qui prend la direction de l'entreprise. Il crée deux départements distincts, celui d'hydrographie, dirigé par Joseph Risi, de l'École supérieure de chimie, et celui de biologie, confié à Préfontaine. En 1934, Jean-Louis Tremblay se joint à l'équipe. Diplômé de l'Université Laval, Tremblay a pu se perfectionner dans les laboratoires de biologie marine d'Europe grâce à une bourse du secrétariat de la province.

Cette juxtaposition de l'océanographie physique et de l'océanographie biologique est conforme à la tendance internationale de la discipline. En 1931, la mode est déjà à l'étude écosystémique du milieu, et le programme de la Station reflète cette tendance. «Dans sa conception actuelle, écrit Préfontaine, [l'océanographie] porte sur toutes les caractéristiques mécaniques, physiques, chimiques et biologiques des fonds sous-marins, du littoral, de l'eau elle-même, et de la zone de contact entre la mer et l'atmosphère. C'est donc une science tributaire de toutes les autres sciences[22]. »

Pour permettre à ses chercheurs de mener à bien ce programme, l'Université Laval dote la Station d'équipements plus importants. Une vieille maison de Trois-Pistoles est restaurée, puis pourvue de laboratoires. Le premier navire océanographique québécois, le *Laval SME*, est mis en service. Il s'agit d'un petit bâtiment de 52 pieds, muni des instruments de base pour les mesures physico-chimiques, bathymétriques, limnologiques, etc.

Bien qu'administrée par l'Université Laval, la Station de biologie marine devient pendant une courte période le centre d'une nouvelle collaboration interuniversitaire. Outre Préfontaine, Henri Prat, de l'Institut de biologie de l'Université de Montréal, passe l'été à Trois-Pistoles, où il étudie la végétation intertidale. Le frère Marie-Victorin visite la Station en 1932.

Cependant, en raison des difficultés financières entraînées par la crise, l'Université Laval accepte de donner un tour plus pratique aux recherches de la Station, à la demande d'ailleurs du gouvernement du Québec. En 1939, les laboratoires sont déménagés à Grande-Rivière, en Gaspésie, et la recherche est en partie réorientée vers les besoins des pêcheries, sous la direction de Jean-Louis Tremblay.

Malgré la fermeture de la Station de Trois-Pistoles, Préfontaine poursuit ses recherches dans le domaine de la biologie marine. Il succède à Henri Prat, retourné en France, à la tête de l'Institut de biologie. Sous les auspices du Fisheries Research Board d'Ottawa, il poursuit des travaux sur les migrations du saumon de l'Atlantique, travaux qui font de lui un pionnier dans

L'abbé Alexandre Vachon à bord du *Laval SME*, navire océanographique de la station biologique de Trois-Pistoles. (Archives du Séminaire de Québec, photo reproduite par Pierre Soulard)

le domaine. En 1938, l'Institut crée aussi un laboratoire d'hydrobiologie et d'ichtyologie où Vladim Vladykov entreprend les premières recherches sur les belugas du Saint-Laurent. Les *Contributions de l'Institut de biologie générale et de zoologie de l'Université de Montréal* témoignent de l'orientation maritime des recherches. Plus de la moitié concernent la biologie marine. Le laboratoire d'hydrobiologie et d'ichtyologie devient en 1943 celui de l'Office de biologie du ministère de la Chasse et de la Pêche.

L'action de ce ministère dans le champ scientifique demeure toutefois limitée, en bonne partie à cause du mode d'exploitation des activités fauniques au Québec. Ce domaine, de compétence provinciale, est dominé par le système des territoires de chasse et pêche régis par bail. En vertu de ce régime, des clubs privés se partagent de façon exclusive les droits de chasse et pêche d'un secteur, droits souvent consentis par favoritisme politique. Cette situation, qui perdurera jusqu'en 1977, limite sensiblement l'aménagement faunique du Québec et réduit les recherches consacrées à ce secteur. Les activités de chasse et pêche contribuent néanmoins à soutenir quelques efforts de recherche. Inquiets de la baisse des prises sur leurs rivières, les clubs de pêche de la Gaspésie obtiennent la mise sur pied d'une commission d'étude du ministère des Mines et des Pêcheries pour examiner la question. En 1937, Préfontaine voit ses recherches

Des étudiants dans un laboratoire de l'École supérieure des pêcheries de Sainte-Anne-de-la-Pocatière vers 1935. (Archives de l'Université Laval)

sur le saumon financées grâce à l'intervention des clubs de la Gaspésie.

En tant que directeur de l'Institut de biologie, Préfontaine s'efforce d'élargir les domaines couverts par l'institution. Il y accueille Louis-Paul Dugal, spécialiste de la biologie cellulaire, qui s'entoure d'une équipe où l'on retrouve notamment Fernand Seguin, André Desmarais et Paul Lemonde, et poursuit des travaux sur la cicatrisation des plaies.

Cette diversification des intérêts de l'Institut de biologie se heurte rapidement à la concurrence du milieu médical. L'après-guerre voit la recherche biomédicale se développer grâce à Hans Selye, Armand Frappier et Louis-Charles Simard, tous de la Faculté de médecine. Préfontaine, esprit original, mal armé pour les querelles universitaires, voit son territoire contesté. Dans cette lutte de pouvoir, dont l'enjeu est le financement de la recherche, la biologie générale n'aura pas le dessus. En 1948, les chercheurs de l'Institut de biologie sont dispersés. Georges Préfontaine prend le chemin de l'hôpital Saint-Joseph où il va diriger les laboratoires. Vladykov et son étudiant Vianney Legendre poursuivent leur carrière au ministère de la Chasse et de la Pêche. Le premier y continue ses travaux sur les belugas, avant de prendre le chemin de l'Université d'Ottawa. Legendre, pour sa part, demeure au ministère et publie en 1954 un premier inventaire taxonomique des poissons d'eau douce du Québec.

Dugal, Pagé et Gaudry s'installent à l'Université Laval, où la Faculté de médecine les accueille volontiers. Quant à Fernand Seguin, il devient enseignant à l'École de technologie médicale, logée à l'hôpital Saint-Jean-de-Dieu pour malades mentaux. Grâce au soutien de Préfontaine, il organise un laboratoire consacré à l'étude biochimique des maladies mentales.

Une période d'incertitude pour les botanistes

Au moment de sa mort, survenue dans un accident d'automobile en 1944, Marie-Victorin laisse derrière lui une équipe organisée dont la production scientifique est reconnue internationalement. Mais, éprouvée durement par la disparition de son chef de file, la communauté des botanistes va subir un recul. Jules Brunel

prend sa succession à la tête de l'Institut botanique, Jacques
Rousseau dirige le Jardin botanique et Ernest Rouleau est déjà
en charge de l'herbier. Mais l'absence du maître se fait rapidement
sentir.

Brunel parle de « compléter l'œuvre » du fondateur, mais
un tel *leitmotiv* peut-il suffire à canaliser les énergies ? Les efforts
des chercheurs de l'Institut botanique vont viser d'abord à parfaire
l'œuvre de *La flore laurentienne*. Brunel prépare un *Catalogue des
algues du Canada*, travail amorcé dès 1933 par Marcelle Gauvreau.
Marcel Raymond et Ernest Rouleau bénéficient d'un octroi annuel
du ministère provincial de l'Agriculture pour compléter
l'inventaire floristique du Québec. Rouleau deviendra finalement
spécialiste de la flore de Terre-Neuve.

Jacques Rousseau s'engage sur plusieurs fronts. Il avait
introduit l'enseignement de la génétique à l'Université de Montréal et, en 1936, publié un « Cours élémentaire de génétique »
dans *L'Enseignement secondaire au Canada*. Il aborde aussi
l'ethnobotanique, l'histoire des sciences, et dresse un inventaire

Travaux pratiques de biologie végétale à l'Université de Montréal en 1942, sous
la direction de Jules Brunel (à l'extrême gauche). (Archives de l'Université de
Montréal)

taxonomique de la flore du Subarctique et de l'Hémiarctique—terme qu'il a lui-même créé. Le Nord québécois va exercer une influence profonde sur sa carrière qui confère une certaine unité à ses travaux. Passionné d'exploration, il s'est aventuré dans la région de Mistassini et de la rivière Georges et dans de nombreux secteurs non encore cartographiés. C'est à ses travaux que l'on doit la définition des aires floristiques du Nouveau-Québec et, de ce fait, il se situe d'emblée dans la foulée de son professeur de botanique.

C'est vers 1948, alors qu'il dirige le Jardin botanique, que Rousseau entreprend de redonner un peu de lustre à la botanique canadienne en proposant la tenue à Montréal du Congrès international de botanique. Le Congrès a lieu en 1959, attirant 4000 scientifiques venus de 70 pays. Mais cet événement de prestige cache mal le recul de la botanique. Cette discipline qui fournissait 46 communications au congrès de l'Acfas de 1940 n'en donne plus que 15 en 1959.

Entre-temps, Rousseau a quitté le Jardin botanique pour accepter un poste de directeur au musée de l'Homme à Ottawa. C'est pour lui la consécration d'une orientation de plus en plus marquée vers l'ethnologie, surtout l'ethnologie amérindienne et l'ethnobotanique. Il effectue par la suite un séjour en France, où il enseigne l'ethnobotanique à la Sorbonne et à l'École pratique des hautes études. De retour au Québec en 1962, il dirigera finalement jusqu'à sa mort, en 1970, la recherche au Centre des études nordiques de l'Université Laval.

Pathologie agricole et forestière

Grâce aux compétences développées très tôt dans les écoles d'agriculture et surtout au Collège Macdonald, fondé à Sainte-Anne-de-Bellevue en 1905 et affilié à l'Université McGill, la phytopathologie connaît un développement précoce. Il s'agit d'un des rares domaines de recherche dont l'organisation remonte à la période qui précède la Première Guerre mondiale.

Sous l'inspiration de William Lockhead, entomologiste du Collège Macdonald, la Société de Québec pour la protection des plantes a vu le jour en 1908. Il s'agit aujourd'hui d'une des plus anciennes sociétés du monde vouées à l'étude des maladies des végétaux et à la protection des plantes. La recherche en phytopathologie est essentiellement confinée aux espèces agricoles, et ce jusqu'en 1930.

Les seuls travaux d'entomologie forestière effectués jusqu'à cette date l'ont été par le ministère fédéral de l'Agriculture à l'occasion de l'invasion de la tordeuse des bourgeons de l'épinette qui avait frappé la province de 1909 à 1919. J.M. Swaine et F.C. Craighead avaient dirigé l'inventaire des dégâts. Le lent démarrage de la recherche forestière est imputable au régime d'exploitation des forêts, qui repose, jusqu'en 1972, sur la concession de territoires exclusifs à de grandes compagnies privées. De compétence provinciale, le domaine des forêts ne fait l'objet d'aucune politique d'ensemble avant la Révolution tranquille et se prête peu à un aménagement scientifique avant cette période. Les professeurs de génie forestier de Laval, payés par les compagnies forestières pour des travaux d'inventaire pendant l'été, ne trouvent guère de fonds pour la recherche. Le ministère de l'Agriculture a créé en 1913 le poste d'entomologiste provincial, calqué sur celui d'entomologiste du Dominion à Ottawa. Après l'abbé Huard, c'est Georges Maheux, diplômé de l'Université Laval, qui occupe la fonction. En 1928, est aussi créé sous sa direction le Service de protection des plantes du Québec, où Omer Caron et Georges Gaulthier, tous deux diplômés du Collège Macdonald, sont associés aux travaux de parasitologie en agriculture.

C'est donc à un domaine pratiquement vierge au Québec, celui de la pathologie forestière, que René Pomerleau consacre ses travaux à partir de 1930. Formé à l'École d'agriculture de Sainte-Anne-de-la-Pocatière, puis à la Sorbonne, grâce à une bourse d'Europe du secrétariat provincial, il revient au pays au début de la crise. Gustave Piché, fondateur du Service forestier du Québec, de l'École de génie forestier de Laval et de la pépinière provinciale de Berthierville, l'invite alors à se pencher sur l'étude de la fonte des semis de conifères qui ravage les plantations et compromet les essais de reboisement. Pomerleau s'installe à la pépinière de Berthierville et y monte un premier laboratoire où il associe ses travaux à ceux de Lionel Daviault, entomologiste au service du ministère fédéral de l'Agriculture.

Il n'est pas sans intérêt de noter que les premiers débouchés scientifiques qui s'ouvrent dans la fonction publique provinciale sont occupés par des scientifiques qui ne sont pas passés par la Faculté des sciences de l'Université de Montréal ou l'École supérieure de chimie de Laval, mais par les écoles d'agriculture ou de génie forestier.

Dans le domaine de la recherche forestière, René Pomerleau se distingue tout particulièrement. À Berthierville, ses travaux sur la fonte des semis connaissent un certain succès. Il identifie les microorganismes responsables des dommages et met au point des techniques de prévention efficaces. Il y complète également sa thèse de doctorat sur une maladie de l'orme causée par le *Gnomonia ulmea*, champignon parasite des feuilles. En 1938, le ministère des Terres et Forêts lui confie la direction d'un laboratoire à Québec et c'est dans cette ville que sa carrière se poursuivra. En 1952, lorsque le ministère fédéral de l'Agriculture crée un véritable centre de recherche forestière à Québec, il devient chef de la section de pathologie forestière de cette institution.

Parmi ses nombreuses contributions à la connaissance des maladies des arbres, ses travaux sur la « mort en cime », une grave affection des bouleaux, lui valent une certaine notoriété. Cette maladie, caractérisée par un dépérissement subit des cimes de bouleaux jaunes et de bouleaux à papier, frappe les forêts de l'Est canadien de façon épidémique au début des années 1940. Un milliard quatre cents millions de mètres cubes de bois sont perdus au cours de cette épidémie mystérieuse. Contrairement à ses collègues, qui cherchent la cause de l'épidémie chez les parasites du bouleau, Promerleau suggère que seuls des facteurs climatiques sont en cause. Les hivers successifs sans neige de 1942 à 1944 avaient causé des dommages répétés et fatals aux racines. Ces recherches ouvrent la voie à l'étude des facteurs climatiques dans la pathologie forestière.

La lutte contre la maladie hollandaise de l'orme, identifiée au Québec par Pomerleau pour la première fois en 1942, occupe par la suite une bonne part de ses recherches. Tout au long de sa carrière, il poursuit un important inventaire taxonomique des champignons du Québec. Bien qu'il s'agisse d'une activité plus ou moins parallèle à ses travaux professionnels, c'est cette passion pour les champignons qui le fera connaître du grand public. Il constitue un herbier de 30 000 échantillons au Centre de recherches forestières de Québec, fonde des cercles de mycologues et publie des ouvrages d'initiation très appréciés. Sa *Flore des champignons du Québec*, publiée pour la première fois en 1951 et rééditée en 1976 par les éditions La Presse, est particulièrement appréciée par le public. À sa retraite, il entreprend une compilation scientifique d'envergure des champignons charnus du Québec.

Les ravages de la tordeuse des bourgeons d'épinette, qui atteignent un sommet au cours des années 1970, au moment même où l'on commence à comprendre la menace que font peser sur l'écosystème des insecticides chimiques comme le DDT, incitent les ingénieurs forestiers et les entomologistes à chercher de nouvelles armes. Au Centre de recherches forestières des Laurentides, à Québec, Wladimir A. Smirnoff innove en proposant l'utilisation à grande échelle d'un insecticide biologique, le *Bacillus thurigiensis*, dans la lutte contre la tordeuse.

Pierre Dansereau, l'écologiste en exil

Pierre Dansereau a entrepris ses études à l'Institut agricole d'Oka au début des années 1930. Il obtiendra son doctorat en taxonomie à l'Université de Genève en 1939. De 1943 à 1950, il dirige le Service de biogéographie subventionné par le secrétariat de la province. Il poursuit sa carrière à l'Université du Michigan. À cette époque, les spécialités sur lesquelles s'était édifiée la réputation de l'« École botanique » de Montréal sont en perte de vitesse.

L'écologie, qui retient l'intérêt de Pierre Dansereau, est encore loin d'avoir atteint la popularité sociale et académique qu'elle connaîtra à partir de 1970. En 1959, les États-Unis ne produisent encore que 20 Ph.D. en écologie[23], spécialité victime du peu d'estime dont jouissent les sciences d'observation dans la plupart des universités nord-américaines.

À cette époque, les progrès considérables de la biologie moléculaire laissent croire que les problèmes de variation d'espèces et d'évolution peuvent être ramenés à des dimensions expérimentales. C'est en 1954 que Francis Crick et James Watson proposent le modèle de la double hélice de l'ADN. L'étude des

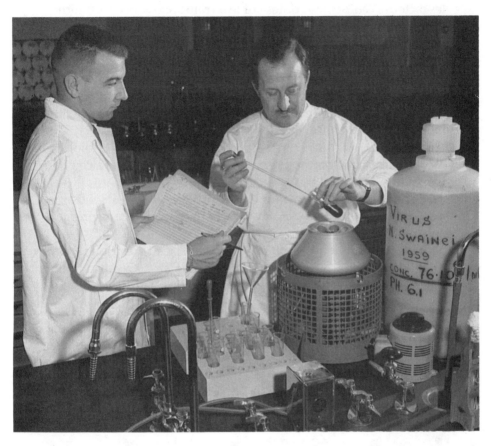

Wladimir A. Smirnoff (à droite) au laboratoire de recherches forestières du gouvernement fédéral à Québec. (Archives publiques du Canada, PA 139966)

mutations de la drosophile, pour prendre un exemple célèbre, retient davantage l'attention de la communauté des biologistes que les liens de la mouche avec l'environnement.

C'est un peu à contrepied de cette tendance, dans une perspective d'intégration des données génétiques et écologiques, que se font les travaux de Dansereau à cette époque. Il travaille selon la technique dite des « collections massives », où de grands nombres d'individus d'une même espèce végétale sont recueillis à travers le monde. On peut ensuite rendre compte d'une façon méthodique des variations morphologiques, et ce en relation avec les facteurs écologiques notés sur le terrain : gradients d'humidité, cycles édaphiques, climatiques, etc. En 1952, Dansereau publie en anglais une synthèse de ses travaux dans la *Revue canadienne de biologie*[24].

Devenu directeur de l'Institut de botanique de Montréal en 1955, il ne manque pas de constater que la place relative des botanistes s'est gravement rétrécie dans le champ de la recherche biologique québécoise. Dix ans plus tard, jetant un regard critique sur cette période, il écrira : « La montée récente de la biologie moléculaire a eu comme premier effet de monopoliser à ce point les talents et les énergies (et les ressources financières !) qu'il menace actuellement de paralyser le progrès sur d'autres fronts. Les institutions qui ne s'étaient guère préparées à ce revirement se trouvent en état d'infériorité[25]. »

En écologie, la réputation de Dansereau s'est solidement établie, surtout aux États-Unis. Il a publié en 1957 un manuel, *Biogeography, an Ecological Perspective*[26], qui constitue sans doute

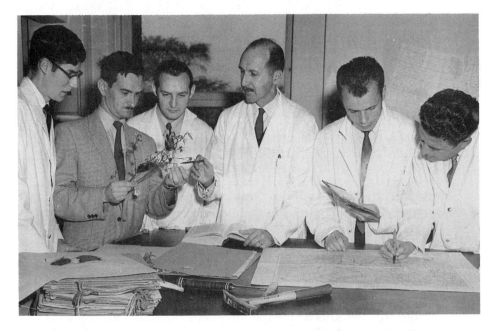

Pierre Dansereau (au centre) avec ses étudiants à l'Université de Montréal en 1956. (Université de Montréal, direction des communications)

un des ouvrages scientifiques les plus influents signé par un chercheur canadien-français. Cette synthèse développe notamment une nouvelle loi de l'écologie, dite «loi de l'inoptimum». Elle postule qu'«aucune espèce ne rencontre dans l'habitat qu'elle occupe présentement, des conditions optimales pour la satisfaction de ses exigences à chaque phase de son cycle[27]». De cette situation inoptimale découle une tendance à l'adaptation.

En 1961, l'écologiste reprend le chemin des États-Unis, pour New York cette fois, où il devient directeur adjoint du jardin botanique et professeur à l'Université Columbia. Son départ, motivé par les mêmes raisons qu'en 1950[28], témoigne de la difficulté de maintenir une position de force dans la recherche québécoise, à moins d'investir dans la lutte politique et les relations publiques. En revanche, relate Pierre Dansereau, «la ville de New York au milieu des années 60 était un théâtre privilégié pour la construction nécessaire des ponts entre les sciences humaines et les sciences naturelles, et peut-être, plus spécifiquement, par l'application de la théorie écologique à la planification de l'environnement[29]». Ce climat est propice à l'éclosion de l'«écologie humaine» comme nouveau champ d'action des sciences de l'environnement. Pierre Dansereau va jouer un rôle de premier plan dans la généralisation de la notion d'écosystème aux activités humaines. Il participe notamment à l'organisation de deux colloques new-yorkais: «Future Environments of North America», en 1966, et «Challenge for Survival: Land, Air, and Water for Man in Megalopolis».

Ces initiatives ne sont pas étrangères à la crise de conscience environnementale qui frappe l'Occident à cette époque. Sur les plans social et politique, l'émergence de l'écologie humaine coïncide en effet avec une politisation du mouvement «conservationiste» américain et donne naissance à la pensée «écologiste»[30].

Dansereau, pour sa part, refusant l'étiquette politique d'«écologiste», demeure sur le terrain proprement scientifique. Ses travaux de la fin des années 1960 portent notamment sur les structures de végétation, c'est-à-dire sur l'organisation spatiale des ensembles végétaux — toundras, déserts, savanes, etc. —, indépendamment des espèces qui composent ces ensembles. Ces structures, ou «formes biologiques», sont des systèmes qui ont une évolution propre, qui sont en progression ou en régression les uns par rapport aux autres et dont l'étude peut faire abstraction des taxons ou espèces qui en font partie.

En 1967, il propose un système mondial de classification de ces structures, système qui a été commandité et retenu par le United States Army Corps of Engineers.

La cause écologique

Le mouvement environnementaliste qui émerge dans les pays industrialisés à la fin des années 1960 trouve un public réceptif au Québec. La tendance militante du mouvement écologiste s'exprime à travers des groupes comme la Société pour vaincre la pollution (SVP), créée en 1970. La prise de conscience se fait aussi sentir parmi les universitaires et les scientifiques du gouvernement. Dans la foulée d'un symposium sur l'environnement tenu à Montréal en 1969, le Conseil québécois de l'environnement est mis sur pied, à l'initiative de professeurs d'université et de scientifiques de l'État. Un courant profond, qui se manifeste à travers les médias d'information, traverse bientôt toutes les couches de la société et se prolonge sur le plan politique.

Aux États-Unis, l'adoption en 1970 du National Environmental Protection Act (NEPA) exige désormais que tout projet fédéral d'aménagement soit soumis à une analyse de ses effets sur l'environnement. Au Québec, le projet de développement hydro-électrique de la baie James va donner lieu au même type d'intervention. Le projet est annoncé publiquement par le premier ministre Robert Bourassa en avril 1971. Moins d'un mois plus tard, un groupe de travail fédéral-provincial recommande «que le territoire de la Baie James soit désigné comme un vaste laboratoire naturel dans lequel des recherches et études multidisciplinaires seront conduites afin de déterminer comment les processus écologiques sont modifiés par les développements majeurs[31]».

Il s'ensuit une mobilisation sans précédent des compétences scientifiques québécoises pour l'étude et la protection de l'environnement. La baie James devient une région pilote dont l'exemple devra servir pour l'aménagement futur du territoire québécois. Pour la nouvelle génération des diplômés en sciences naturelles, le projet offre des débouchés inattendus. L'heure d'un nouveau souffle est venu pour les sciences de la nature et de l'environnement.

En 1972, la Société d'énergie de la baie James fonde son propre service de l'environnement qui, à lui seul, recrute cinquante-cinq employés permanents, crée douze postes temporaires et vingt-six postes saisonniers. Ce service est d'ailleurs loin d'être le seul à déployer des efforts de recherche sur le vaste territoire expérimental. Des contrats de services lient chercheurs et institutions à de nombreux volets du « projet du siècle ». L'Université de Montréal s'occupe de la gestion d'un laboratoire d'écologie aquatique ; le Centre d'études nordiques apporte son expertise en ichtyologie ; l'Université du Québec à Trois-Rivières effectue des essais d'éradication des moustiques à grande échelle dans les régions de LG-2 et de Radisson. De nombreux consultants, universitaires ou indépendants, apportent également leur contribution aux études.

C'est une approche écologique renouvelée qui sert de canevas à tous ces travaux. L'adaptation des principes écologiques aux exigences de gestion de la nature s'accompagne en effet d'une modification des méthodes de cette science. Avec le développement de la notion d'écosystème et de l'analyse de ces systèmes, avec surtout la modélisation rendue possible par l'informatique, le caractère mathématique et physique de l'écologie passe à l'avant-plan. L'écologie se met ainsi au diapason de la *Big Science*.

La gestion du milieu est un objectif d'ordre pratique, mais les théoriciens y trouvent également l'occasion d'y tester leurs idées. Le géographe et écologiste Michel Jurdant va notamment mettre au point à la baie James un système de classification original des milieux naturels. Il publie avec les membres de son équipe du Service des études écologiques régionales *L'inventaire du Capital-Nature*[32], un outil d'inventaire et d'aménagement qui reçoit des éloges de partout.

L'écologie pratique est aujourd'hui associée aux grands projets d'ingénierie, les lois obligeant les planificateurs à tenir compte des données environnementales. Comme le souligne le sociologue Marcel Fournier, l'écologie est une des seules disciplines dont les projets de recherche coïncident avec des préoccupations partagées par presque toute la société[33].

CHAPITRE 11

L'ESSOR DE LA RECHERCHE BIOMÉDICALE

Dans les dernières années du XIXe siècle, les grandes découvertes de Pasteur et de Lister révolutionnent la médecine. L'idéal d'une médecine expérimentale, telle que l'avait décrite le physiologiste Claude Bernard, devient l'objectif vers lequel tendent de plus en plus de médecins. Les disciplines de laboratoire, comme la physiologie et la bactériologie, prennent une place sans cesse croissante dans la formation des médecins, de même que dans l'établissement du diagnostic et dans la thérapeutique.

Une suite ininterrompue d'innovations marque cette entrée de la médecine dans l'ère scientifique. Après les grandes percées que représentent les travaux de Pasteur sur le rôle des microorganismes dans les infections et ceux du chirurgien écossais Lister sur les techniques d'asepsie et d'antisepsie, la chirurgie fait des progrès énormes. Les découvertes des bactériologistes et le perfectionnement des techniques de vaccination permettent de faire face à un nombre croissant de maladies contagieuses. Grâce à ces découvertes, on voit se développer une médecine préventive qui tire parti des techniques d'immunisation des populations, de la pasteurisation des aliments, de l'assainissement des eaux, de l'isolement des malades contagieux, en particulier des tuberculeux, etc. Autre événement d'importance, la découverte des rayons X par l'Allemand Röntgen, en 1895, ouvre la voie à la radiologie.

Toutes ces percées ont leur écho au Canada et au Québec. L'idéal de la médecine scientifique, c'est-à-dire d'une médecine s'appuyant sur les méthodes de recherche de la science et progressant avec les sciences de la vie, la chimie ou la physique, s'impose graduellement dans les institutions médicales du pays et parmi les médecins.

Le tournant de 1900

À l'Université McGill et au Montreal General Hospital, l'hôpital le plus important de la ville, l'ombre de William Osler continue de planer. Même si le médecin canadien poursuit une brillante carrière à l'étranger, d'abord à Philadelphie, puis à Baltimore et à Oxford, sa vision d'une médecine unissant étroitement la recherche en laboratoire au contact avec le malade, en clinique, continue d'inspirer le corps médical et oriente le développement des deux institutions montréalaises[1]. Les fréquents contacts avec leurs collègues d'Europe et d'Amérique permettent aux professeurs de la Faculté de médecine de McGill de suivre de près les progrès scientifiques de l'époque.

Au Canada français, les rapports avec l'Europe et les États-Unis sont plus distants ; dans les dernières années du XIXe siècle, les idées médicales et les pratiques accusent même un certain retard. La formation des futurs médecins, notamment, semble souffrir de faiblesses dans certaines disciplines, comme la bactériologie, et dans les spécialités cliniques.

Conscients de ces lacunes, une poignée de jeunes médecins canadiens-français vont poursuivre leurs études en France à compter de 1890, auprès des grands maîtres de l'époque[2]. Les docteurs Amédée Marien et Télesphore Parizeau, de Montréal, et les Québécois Arthur Vallée et Arthur Rousseau étudient la bactériologie à l'Institut Pasteur de Paris. Diplômés de la Faculté de Montréal, les docteurs Rodolphe Boulet, Joseph-Edmond Dubé et Louis de Lotbinière-Harwood se spécialisent à Paris, le premier en ophtalmologie, le deuxième en phtisiologie et le troisième en gynécologie. En chirurgie, Oscar-Félix Mercier complète son apprentissage dans les hôpitaux parisiens.

Leur influence ne tarde pas à se faire sentir dans les institutions du Québec français. Au terme d'un débat orageux avec ses anciens maîtres de la Faculté et de l'hôpital Notre-Dame, Mercier réussit à imposer en chirurgie les méthodes aseptiques et antiseptiques de Lister. Son collègue Marien fait de même à l'Hôtel-Dieu de Montréal, bousculant les religieuses, les étudiants et les collègues. Sans y mettre autant d'éclat, Laurent Catellier et Michael Ahern opèrent la même réforme à Québec[3].

Mais il ne s'agit là que d'un début. Sous la pression

insistante des jeunes médecins, les écoles de médecine et les hôpitaux se dotent de laboratoires de bactériologie, d'anatomie pathologique et d'histologie. Afin de mieux diffuser les idées nouvelles, les réformistes assurent une présence assidue dans les sociétés médicales et, au besoin, en fondent de nouvelles : la Société médicale de Montréal est relancée en 1900, suivie, en 1902, par l'Association des médecins de langue française, qui veillera à maintenir d'étroits contacts avec la France. En 1900, les jeunes médecins frappent un grand coup : cinq d'entre eux, parmi lesquels on compte Dubé et Boulet, achètent l'*Union médicale*, la principale revue destinée aux médecins du Canada français. Sous la direction du nouveau comité éditorial, l'*Union médicale* s'engage résolument dans la diffusion des théories médicales modernes[4].

À partir de cette date, les seuls bastions qui résistent encore aux assauts des réformistes sont les Facultés de médecine de Montréal et de Québec. On leur fait un siège en règle. En 1905, Catellier devient doyen de la Faculté de médecine de Laval. En 1911, Lotbinière-Harwood, grâce à ses relations dans la haute société montréalaise, réussit le premier à entrer au Conseil de la Faculté de médecine de Montréal. Exploitant cette brèche, les jeunes médecins parviennent à s'assurer peu à peu la majorité au Conseil et, en 1918, Lotbinière-Harwood est nommé doyen de la Faculté. Sous son décanat et celui de ses successeurs, les docteurs Dubé et LeSage, les études médicales au Québec français entrent dans l'ère de la médecine moderne.

Dans les facultés de médecine du Québec, la réforme des programmes d'enseignement devance de peu l'introduction de la recherche. Dès les années 1920, les premières équipes apparaissent à McGill et dans les universités francophones. Bientôt, les laboratoires des hôpitaux universitaires, destinés initialement à étayer le travail thérapeutique des cliniciens, accueillent eux aussi des chercheurs. Enfin, en réponse sans doute à la spécialisation des recherches, on voit se multiplier les instituts consacrés soit à l'étude de maladies particulières, comme l'Institut du cancer, soit à des secteurs entiers du savoir, comme l'Institut de neurologie de Montréal.

La réforme de la médecine à l'Université de Montréal

Avec la nomination de Louis de Lotbinière-Harwood au décanat en 1918, la Faculté de médecine de l'Université Laval de Montréal connaît de nombreuses réformes. Née en 1890 de la fusion de la vieille École de médecine et de chirurgie de Montréal et de la succursale montréalaise de la Faculté de médecine de l'Université Laval, l'institution subit depuis quelques années déjà les pressions de jeunes médecins, généralement diplômés de Paris et des autres capitales d'Europe, qui réclament des réformes. En 1920, les derniers liens avec Laval sont rompus quand l'Université de Montréal reçoit sa propre charte. Profitant de ce fait, le nouveau doyen s'entoure de médecins qui partagent ses vues et ses ambitions au Conseil de la Faculté : dès 1921, on y retrouve des figures de proue du mouvement moderniste, comme Amédée Marien, Joseph-Edmond Dubé, Télesphore Parizeau et Oscar-Félix Mercier ; d'autres, tels Albert LeSage et Ernest Gendreau, font partie du corps professoral.

Les réformes ne tardent pas. Guidées par les conclusions du rapport que présente l'Américain Abraham Flexner à la Fondation Carnegie en 1912, au terme de sa célèbre enquête sur l'enseignement de la médecine en Amérique du Nord, les autorités de la Faculté imposent d'abord une année d'études préparatoires aux études médicales, au cours de laquelle les candidats devront suivre des cours de physique, de chimie et de sciences naturelles. C'est en partie pour répondre aux besoins des étudiants de la Faculté de médecine que l'Université de Montréal se dote alors d'une Faculté des sciences. On établit également un internat obligatoire d'une année dans les hôpitaux universitaires de Montréal. Pour favoriser la spécialisation et le recrutement de professeurs, le doyen de Lotbinière-Harwood intercède auprès du gouvernement du Québec et obtient, en 1920, la création des « bourses d'Europe » qui permettront à de jeunes médecins de compléter leur formation à l'étranger[5]. Pour venir en aide au doyen, on crée le poste de directeur des études, dont les deux premiers titulaires sont Ernest Gendreau et Télesphore Parizeau. Enfin, le Conseil de la Faculté élargit les cadres du corps professoral, à la fois en nommant de nouveaux professeurs de cliniques, habituellement des médecins qui pratiquent dans les hôpitaux universitaires de Montréal, et en recrutant quelques maîtres à l'étranger. Parmi ces derniers, on remarque Pierre Masson, qui devient titulaire de la chaire d'anatomie pathologique en 1927, et le Belge Ernest Van Campenhout, qui développe l'enseignement et la recherche en histologie et en embryologie.

Parallèlement à la réforme de l'enseignement, Lotbinière-Harwood et ses collègues s'efforcent d'animer les milieux médicaux de Montréal et d'y répandre les idées modernes. Dès leur retour d'Europe, plusieurs jeunes médecins s'étaient regroupés dans une petite société scientifique appelée le « Comité d'étude des laboratoires ». Fondé à l'initiative du docteur Marien, ce comité avait pour but d'encourager les médecins qui fréquentaient alors les laboratoires de la Faculté et des hôpitaux à faire connaître les résultats de leurs travaux. En 1900, les membres du comité, décidés à élargir le cadre de leur action, réaniment la Société médicale de Montréal, alors moribonde[6]. En 1902, ils appuient la fondation de l'Association des médecins de langue française de l'Amérique du Nord, chargée de regrouper les praticiens de tout le pays et de leur faire connaître les progrès de la médecine française[7]. Ces sociétés ont à la fois des objectifs scientifiques et professionnels. Avec la réforme des études médicales et de la Faculté, à compter de 1920, on commence à sentir le besoin d'associations plus exclusivement vouées à la diffusion des connaissances scientifiques et médicales. À cette fin, un groupe de professeurs de l'Université de Montréal, parmi lesquels on compte plusieurs médecins, fonde en 1922 la Société de biologie de Montréal. La Faculté de médecine de l'Université de Montréal est également représentée, en 1923, lors de la création de l'Association canadienne-française pour l'avancement des sciences. Enfin, toujours soucieux de maintenir d'étroites relations avec la science française, les médecins de la Faculté vont fournir l'impulsion initiale lors de la fondation de l'Institut scientifique franco-canadien en 1926.

Si les médecins de talent, les professeurs et les animateurs abondent à la Faculté de médecine, les chercheurs sont plus rares. Un des premiers à consacrer à la recherche une bonne partie de son temps et de ses efforts est Pierre Masson.

Né à Dijon et diplômé de la Faculté de médecine de Paris, Masson devient professeur d'anatomie pathologique à l'Université de Strasbourg en 1918[8]. Ses recherches lui valent une certaine notoriété scientifique et, en 1927, la Faculté de médecine de Montréal lui offre la chaire d'anatomie pathologique. En regroupant les laboratoires de la Faculté, de l'hôpital Notre-Dame et de l'Hôtel-Dieu, Masson crée l'Institut d'anatomie pathologique, qui sera à la fois un centre d'enseignement et de recherche. Entre 1927 et 1954, année de sa retraite, il forme à peu près tous les anatomo-pathologistes francophones du Québec. Auteur de plus d'une centaine de communications scientifiques, Masson s'intéresse, notamment, aux lésions nerveuses de l'appendice et à l'histologie des tumeurs nerveuses. Ses techniques de coloration des cellules nerveuses lui valent une réputation mondiale. Il est élu à la Société royale du Canada et à l'Académie de médecine de Paris.

Au cours des années 1930, un autre chercheur s'intéresse au vaste domaine de la neurologie. Il s'agit du docteur Antonio Barbeau, qui fonde, en 1932, le *Journal de l'Hôtel-Dieu*. En 1939, Barbeau devient le premier titulaire de la chaire de neurologie de l'Université de Montréal.

Dans un autre domaine, la bactériologie, Armand Frappier réforme l'enseignement et met sur pied un laboratoire moderne de recherche en 1934. Ce jeune médecin est le premier à constituer autour de lui une véritable équipe de recherche, comptant non seulement des médecins, mais également des biochimistes, des pharmaciens et des vétérinaires. Ambitieux et novateur, Frappier entrevoit les applications multiples de la bactériologie. En peu d'années, les cadres de la Faculté de médecine deviennent trop étroits pour lui et ses collaborateurs. Il réussit alors à lancer ce qui deviendra l'œuvre de sa vie : l'Institut de microbiologie de Montréal, dont nous reparlerons plus loin.

Avec le tournant des années 1940, la recherche s'anime de plus en plus à la Faculté de médecine. On remarque les recherches du docteur Eugène Robillard et de son équipe en anesthésie; celles de Frappier et de ses collaborateurs, en particulier en sérothérapie; celles du docteur Louis-Charles Simard en cancérologie, etc. En 1943, les professeurs de la Faculté participent au lancement de la *Revue canadienne de biologie*, qui doit contribuer à faire connaître les résultats de leurs travaux dans les sciences fondamentales. Malgré ces efforts, les autorités de l'Université de Montréal estiment que la recherche tarde à se

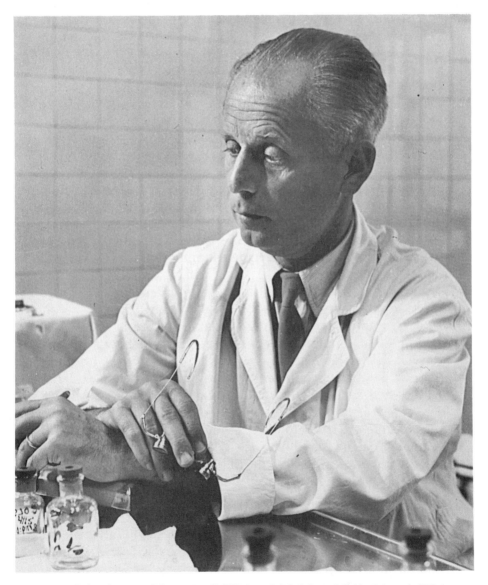

Hans Selye dans son laboratoire de l'Université de Montréal. (Archives de l'Université de Montréal)

développer dans les branches fondamentales de la biologie. Aussi invite-t-on, en 1945, le docteur Hans Selye, un chercheur dont la réputation internationale commence à s'étendre, à se joindre au corps professoral de la Faculté de médecine, en espérant que cela aura un effet d'entraînement.

Né à Vienne en 1907, Selye a étudié la médecine et la chimie à l'Université de Prague[9]. De 1934 à 1945, il enseigne l'endocrinologie à l'Université McGill, où il développe ses premières théories sur le stress. L'invitation de l'Université de Montréal lui permet de créer l'Institut de médecine et de chirurgie expérimentales, où il poursuivra pendant plus de trente ans ses recherches mondialement reconnues sur le stress et les réponses de l'organisme au milieu. Selye ouvre la voie à toute une génération de découvertes en endocrinologie en démontrant que le corps répond au stress, c'est-à-dire à un facteur agréable ou désagréable du milieu, par l'intermédiaire de l'hypophyse et du cortex surrénal. À partir d'une problématique purement scientifique et médicale, Selye développe progressivement une théorie du comportement et une philosophie de vie, qu'il a exposées dans plusieurs ouvrages, notamment dans *The Stress of Life*, dont la première édition est parue en 1956.

Comme l'avaient espéré les autorités de la Faculté de médecine, la réputation et les recherches de Selye attirent plusieurs jeunes chercheurs à Montréal. De 1948 à 1953, un jeune Français, Roger Guillemin, entreprend sous la direction de Selye des recherches qui le conduiront, vingt ans plus tard, à l'isolement des premières hormones du cerveau et, en 1977, au prix Nobel de médecine. Au laboratoire de Selye, Guillemin a pour collègue et ami le docteur Claude Fortier, qui se distinguera également par ses travaux en neuroendocrinologie.

En 1961, le docteur André Barbeau fonde le Laboratoire de neurobiologie de l'Université de Montréal. Fils du premier titulaire de la chaire de neurologie de la Faculté de médecine, Barbeau s'était spécialisé pendant deux années à l'Université de Chicago. De retour à Montréal, il démontre le rôle de la dopamine dans la maladie de Parkinson et met au point la L-DOPA, produit universellement utilisé depuis dans le traitement de cette maladie du système nerveux. Avec les années, le docteur Barbeau élargit ses recherches à plusieurs autres maladies neurogénétiques, dont la chorée de Huntingdon et l'ataxie de Friedreich. En 1967, son laboratoire de neurobiologie est transféré à l'Institut de recherches cliniques de Montréal.

Enseignement et recherche à l'Université Laval

À la Faculté de médecine de l'Université Laval, les professeurs suivent attentivement les découvertes qui bouleversent la médecine à la fin du XIXᵉ siècle. Dès 1896, le professeur de physique de l'Université, Mgr Laflamme, fait connaître aux médecins le pouvoir des rayons X, découverts l'année précédente par Röntgen. À la même époque, la bactériologie est introduite dans le programme des études, sous la responsabilité du docteur Arthur Rousseau, un des premiers étudiants canadiens inscrits à l'Institut Pasteur. En 1920, grâce au produit d'une vaste campagne de financement et à la générosité du gouvernement de la province, la Faculté entreprend des réformes considérables sous la direction du docteur Rousseau, devenu doyen. Les inscriptions étudiantes progressent rapidement: entre 1913 et 1923, elles triplent, passant de 76 à 214[10]. Pour faire face à la demande, on nomme des professeurs de carrière, qui pourront consacrer tout leur temps à l'enseignement scientifique et clinique, au lieu de se partager entre les étudiants et leur clientèle. Comme c'est le cas à Montréal, quelques professeurs français viennent également étoffer les rangs du corps professoral dans les années 1920: le docteur Albert Brousseau, autrefois de la Faculté de médecine de Paris, se charge de l'enseignement de la psychiatrie; le docteur André Paulin, formé à l'Institut du radium de Paris, enseigne la biochimie; et le docteur Louis Berger, formé dans la tradition allemande à l'Université de Strasbourg, assure l'enseignement de l'anatomie pathologique. Cette période voit aussi se développer les laboratoires, la bibliothèque, les services hospitaliers, etc.

Cependant, la majeure partie de ces efforts est tournée vers l'enseignement. Dans les disciplines fondamentales, la recherche reste embryonnaire. En clinique, les professeurs de la Faculté et les praticiens des hôpitaux universitaires alimentent de leurs observations et de leurs modestes expérimentations les pages d'une revue mi-scientifique, mi-professionnelle, le *Bulletin de la Société médicale des hôpitaux universitaires*, qui devient *Le Laval médical* en 1936.

Ces premières recherches ouvrent la voie. Entraînés par l'essor de la recherche biomédicale en Europe et en Amérique du Nord au cours des années 1920 et 1930, les professeurs de Laval vont s'y mettre à leur tour. En 1946, le professeur Louis Berger, lui-même un chercheur réputé, peut déclarer que la formation des médecins n'est plus le seul but de la Faculté; l'institution doit également «participer à la découverte et au développement de moyens nouveaux pour prévenir les maladies, pour mieux les diagnostiquer et mieux les guérir. Ce deuxième rôle implique la nécessité de recherches fondamentales sur le comportement de la matière vivante normale et pathologique. Une faculté qui s'en désintéresserait ne mériterait guère son nom[11]. »

Pour montrer qu'il ne s'agit pas là d'une simple marque de respect envers le modèle et l'idéal de la recherche biomédicale, le docteur Berger passe en revue de nombreux projets de recherche entrepris par les professeurs de la Faculté de médecine. À l'Institut d'hygiène sont regroupées les recherches sur l'acclimatation et l'adaptation des organismes à différents facteurs du milieu, en particulier au froid, sur la physiologie du travail et sur la nutrition. Au Département d'anatomie pathologique, des chercheurs s'intéressent au cancer. En bactériologie, on étudie les effets de la pénicilline. Au Laboratoire de biochimie, on réalise depuis 1940 des travaux sur les acides aminés et, plus particulièrement, sur leurs rapports avec la vitamine B dans l'organisme.

La recherche clinique est moins systématiquement organisée. Cependant, Berger note avec plaisir les travaux des médecins de l'Hôtel-Dieu sur le goitre, ceux de l'hôpital Laval sur l'amiantose et ceux de l'hôpital Saint-Sacrement sur la pénicilline.

Comme le docteur Berger le reconnaît lui-même au terme de sa revue des travaux de ses collègues, il ne s'agit là que d'un commencement. Dans les années suivantes, les médecins et les chercheurs de la Faculté de médecine de Laval vont développer leurs recherches tout en se spécialisant, par exemple, en oncologie, en endocrinologie et en génétique. Au cours des années 1950, Louis-Paul Dugal et son équipe se consacrent à l'étude de la physiologie du froid et des phénomènes de décompression. Après avoir poursuivi des recherches en Suisse, au Royaume-Uni et aux États-Unis, le docteur Claude Fortier se joint, en 1960, à la Faculté de médecine de Laval, où il fonde le Laboratoire d'endocrinologie. Avec ses collègues, il s'intéresse au rôle des stimuli nerveux sur l'activité des glandes endocrines. Fortier et son équipe sont également des pionniers dans l'application de l'informatique et de la quantification des données en endocrinologie, celles-ci permettant de développer des modèles mathématiques de la dynamique hormonale. Depuis plusieurs années, les chercheurs de Laval ont également à leur disposition les salles et les laboratoires du Centre hospitalier de l'Université, dont ils ont fait l'un des centres réputés de la recherche biomédicale au Canada.

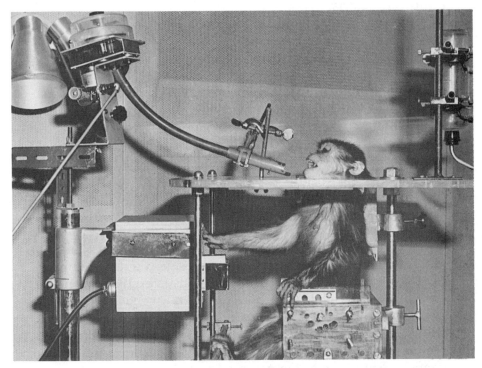

La médecine scientifique a besoin de cobayes : étude expérimentale de la physiologie du système nerveux. (Archives de l'Université de Montréal)

Les sciences biomédicales à McGill

Célèbre dès le XIXe siècle, l'Université McGill est la première à s'adapter aux exigences de la recherche médicale moderne[12]. Dès la fin de la Première Guerre, les réformes touchent les structures et le programme de la Faculté de médecine. En 1919, sir William Osler, qui continue de veiller sur McGill depuis sa chaire de médecine d'Oxford, suggère la création de deux « cliniques universitaires », situées au Montreal General Hospital et au Royal Victoria Hospital. Ces cliniques permettraient aux chercheurs d'introduire plus rapidement dans la pratique les découvertes des sciences pures. Cette association étroite de l'enseignement, de la recherche et des soins cliniques, qui constitue la base de la philosophie médicale d'Osler, est rendue possible, en 1924, par la générosité de la Fondation Rockefeller qui accepte de financer la création de la clinique universitaire du Royal Victoria.

Sous la direction de Jonathan Meakins, la clinique universitaire devient très vite un centre de recherche actif. Diplômé de McGill, Meakins avait entrepris une brillante carrière à l'Université d'Édimbourg. Ses propres recherches portent sur la respiration, domaine auquel s'intéresse également le chirurgien Edward Archibald, praticien et chercheur réputé. Dans les années 1930, le jeune docteur Norman Bethune se perfectionne en chirurgie thoracique et pulmonaire sous la direction d'Archibald. Une des premières diplômées en médecine du Québec, Maude Abbott, se signale par ses travaux sur les malformations congénitales du cœur. Enfin, John S.L. Browne et Eleanor Venning explorent un territoire nouveau et prometteur, l'endocrinologie.

La clinique universitaire du Royal Victoria n'est pas le seul centre de recherche à McGill entre les deux guerres. Fondé en 1924, l'Institut de pathologie est dirigé jusqu'en 1938 par Horst Oertel. D'origine allemande, mais formé en Angleterre et à Yale, Oertel est un maître de la discipline, également admiré par ses étudiants et ses collègues. La neurologie et la neurochirurgie prennent leur essor en 1928, avec l'arrivée du docteur Wilder Penfield. Enfin, James Bertram Collip, qui avait collaboré avec Macleod, Banting et Best à la découverte de l'insuline à l'Université de Toronto quelques années plus tôt, dirige l'Institut d'endocrinologie et se distingue par ses travaux sur la biochimie des hormones animales.

La Seconde Guerre mondiale perturbe quelque temps les travaux des chercheurs de McGill. Les cliniciens sont appelés au service des malades et des blessés, et les chercheurs des disciplines fondamentales doivent se consacrer à des recherches d'une nature plus pratique. Par exemple, les neurologues et les neurochirurgiens de l'Institut de neurologie de Montréal organisent le principal hôpital neurologique canadien, attenant au Royal Victoria, où seront soignés les soldats victimes de blessures à la tête et à la moelle épinière. Pour ses contributions à l'effort de guerre dans le domaine de l'endocrinologie, Collip est l'un des neuf savants canadiens auxquels le gouvernement des États-Unis accorde la médaille de la Liberté au terme des hostilités.

La paix revenue, McGill, comme toutes les autres universités nord-américaines, doit faire face à de nouveaux défis. En ces années d'après-guerre, les inscriptions étudiantes progressent d'une manière phénoménale, à tel point que les professeurs ne suffisent plus à la tâche et que la stabilité financière des institutions, même les mieux dotées, est sévèrement compromise. En réponse à cette croissance rapide des universités et suivant les recommandations de la Commission royale d'enquête sur les arts, les lettres et les sciences, Ottawa, bientôt imité par les gouvernements provinciaux, commence à financer l'enseignement, tout en élargissant ses programmes d'appui à la recherche scientifique.

L'Université McGill, et sa Faculté de médecine en particulier, vont profiter de ces nouveaux programmes. Entre 1950 et le début des années 1970, les chercheurs de McGill réussissent à obtenir une partie considérable des sommes mises à la disposition des universités canadiennes, à la fois par les organismes du gouvernement fédéral, les provinces et les fondations privées. Au cours des années 1960, malgré le développement d'autres institutions canadiennes, McGill obtient à elle seule le cinquième des sommes allouées par le Conseil canadien de la recherche médicale.

Depuis la Seconde Guerre, les chercheurs de McGill se

sont illustrés dans presque tous les domaines de la recherche, plus particulièrement dans les sciences du cerveau et du comportement, en anatomie, en biochimie et en endocrinologie, et enfin, dans les recherches cliniques.

Les chercheurs du Département de psychologie et ceux du Département de psychiatrie contribuent à faire avancer la connaissance du cerveau. Au Département de psychologie, la recherche et l'enseignement continuent de refléter l'accent qu'avaient mis ses premiers directeurs, W.D. Tait et Robert B. Macleod, sur la physiologie et la psychologie expérimentale. Signe de cet intérêt des professeurs pour la dimension plus fondamentale de la psychologie, leur département relève de la Faculté des sciences; les autres domaines de la psychologie du développement, des théories de l'apprentissage et des troubles du comportement sont laissés à d'autres départements. Donald Hebb s'est tout particulièrement distingué par ses recherches en neuropsychologie. Après des études à McGill, complétées par des séjours à Chicago, à Harvard, au Yerkes Laboratories of Primate Biology et à l'Institut de neurologie de Montréal, sous la direction de Penfield, Hebb a travaillé dans la perspective behavioriste en même temps qu'il a incité les psychologues à approfondir leur compréhension des fondements neurologiques de la perception et de la pensée. Ses travaux sur l'influence des facteurs de l'environnement dans le fonctionnement mental et son ouvrage principal, *The Organization of Behaviour*, publié en 1949, font de lui une figure importante du courant behavioriste américain.

Au début des années 1950, Hebb et un de ses collègues du Département de psychologie, Woodburn Heron, sont associés à des recherches militaires d'un genre nouveau, portant sur les effets psychologiques de la privation sensorielle. Répondant à une demande des services de renseignements des États-Unis, de la Grande-Bretagne et du Canada, et bénéficiant d'une subvention de recherche de 40 000 $ du Defence Research Board du ministère canadien de la Défense, les deux psychologues entreprennent ces travaux à l'Université McGill. Les expériences ont pour but de découvrir si un individu privé de stimulations sensorielles pendant une période prolongée devient plus sensible aux influences psychologiques exercées sur lui. Les chercheurs recrutent parmi les étudiants des volontaires qu'ils isolent dans des cabines insonorisées. Leurs mains et leurs pieds sont enveloppés et leurs yeux voilés. Après une certaine période de ce traitement, différents tests de persuasion sont effectués sur les sujets. Les auteurs remarquent qu'«il est impossible de surestimer les effets de l'isolation[13]». Ces expériences ne sont que les premières d'une série effectuées dans diverses institutions nord-américaines dans le but de découvrir des techniques de «lavage de cerveau», techniques employées, croit-on, par les communistes soviétiques et chinois pour convertir les récalcitrants à leur cause.

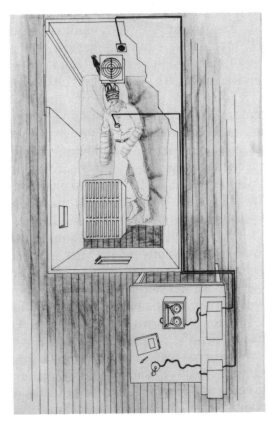

Cellule expérimentale construite au début des années 1950 par les psychologues Donald O. Hebb et Woodburn Heron, de McGill, afin d'étudier les effets de la privation sensorielle. (D'après un dessin paru dans *Scientific American* en janvier 1957)

En 1943, l'hôpital Royal Victoria fonde l'Allan Memorial Institute of Psychiatry et nomme à sa tête le docteur Ewen Cameron. Au même moment, Cameron devient directeur du Département de psychiatrie de la Faculté de médecine, afin d'assurer la coordination des deux institutions dans le domaine de la clinique, de l'enseignement et de la recherche. Avec les années, une collaboration étroite se développe entre ces deux institutions, de même qu'avec le Département de psychologie, l'Institut de neurologie de Penfield et les départements de psychiatrie de quelques hôpitaux de Montréal. Des progrès importants en résultent, tout particulièrement dans le domaine du contrôle hormonal et pharmacologique des troubles de comportement. Par exemple, les travaux du docteur Heinz Lehmann sur l'emploi des neuroleptiques dans le traitement de la schizophrénie font école internationalement. Les recherches cliniques qu'effectue pour sa part le docteur Cameron portent sur la déstructuration (*depatterning*) de la personnalité. Le directeur de l'Allan Memorial Institute utilise un amalgame de moyens thérapeutiques puissants qui ont pour principale fonction d'« effacer » les comportements pathologiques des patients — schizophrènes ou alcooliques — pour les remplacer par des comportements jugés normaux. La première phase du traitement, celle de l'oblitération des comportements nuisibles, s'effectue à l'aide d'électrochocs très puissants et de drogues nouvelles comme le LSD, dont les effets psychologiques sont encore mal connus. Lorsque, bien des années plus tard, on découvrira que la CIA soutenait financièrement les recherches de Cameron dans le cadre de ses programmes de recherche sur les techniques de lavage de cerveau[14], un scandale éclatera et d'anciens patients intenteront des poursuites contre l'hôpital Royal Victoria et le gouvernement américain.

Cameron meurt en 1966 et l'on ignore jusqu'à quel point ses travaux ont pu être influencés par les objectifs de l'agence américaine de renseignements. L'argent lui était versé par un fonds de recherche, le Human Ecology Fund, contrôlé par l'agence, mais rien ne prouve que le chercheur ait eu connaissance de cette filière. Outre Cameron, d'autres psychiatres de McGill ont reçu des subventions de même provenance pour se consacrer à l'étude des drogues et des techniques psychologiques employées par les guérisseurs africains et haïtiens[15].

Au Département d'anatomie, le docteur Charles-Philippe Leblond et son équipe font œuvre de pionniers, au cours des années 1950, dans l'utilisation d'isotopes radioactifs en histologie. La méthode autoradiographique qu'ils ont développée permet de suivre dans l'organisme la circulation de molécules marquées radioactivement. Grâce à cette technique, on peut notamment étudier le fonctionnement de la glande thyroïde et le phénomène de croissance des os. Dans le domaine de la physiologie du système respiratoire, un domaine ouvert à McGill et au Royal Victoria par Meakins et Archibald, les recherches se sont poursuivies avec Ronald Christie, Joseph Milic-Emili, David Bates et de nombreux autres chercheurs. Bates et Milic-Emili ont été les premiers à analyser les effets toxiques de l'ozone sur l'homme. En 1972, afin de consolider le travail des chercheurs de McGill dans ce domaine, on a créé le Meakins-Christie Laboratory for Respiratory Research.

Les chercheurs de McGill et des hôpitaux universitaires se sont également distingués dans les domaines de la biochimie et de l'endocrinologie. En biochimie, J.H. Quastel et les chercheurs «seniors» de son laboratoire dirigent, entre 1949 et 1966, plus de soixante-dix thèses de doctorat et publient un nombre considérable d'articles scientifiques, par exemple en enzymologie, sur le métabolisme des acides gras, sur la synthèse des protéines, et en neurochimie. Ce dernier domaine est également exploré par un collaborateur de Penfield à l'Institut de neurologie de Montréal, le docteur K.A.C. Elliott, qui réussit notamment à identifier l'acide gamma-aminobutyrique en tant qu'agent inhibiteur dans les neurones du cerveau. Les travaux d'Elliott et de son équipe ont trouvé des applications, grâce notamment aux recherches de Kresimir Krnjevic, du Département de recherche en anesthésie de McGill, qui a analysé les réactions des cellules nerveuses à de petites quantités d'acide gamma-aminobutyrique.

À la clinique universitaire du Royal Victoria, Browne avait donné une impulsion durable à la recherche en endocrinologie à compter des années 1920. Par la suite, ce domaine s'est considérablement développé et a donné naissance à de nouvelles spécialités. En neuroendocrinologie par exemple, le docteur Murray Saffran, biochimiste au Allan Memorial, a ouvert tout un nouveau domaine à la recherche en établissant l'existence du facteur de libération de la corticotropine (CRF) en 1955. Le collaborateur principal de Saffran dans les expériences qui devaient conduire à cette découverte capitale était son premier étudiant de doctorat, Andrew Schally, qui partagera le prix Nobel de médecine avec Roger Guillemin en 1977.

Dans le domaine des recherches cliniques, les contributions des membres du personnel de McGill et des hôpitaux universitaires depuis 1940 sont trop nombreuses pour être toutes citées ici. Mentionnons les travaux de Harold Griffith et Enid Johnston, du Département de recherche en anesthésie, qui, dans les années 1940, ont été les pionniers dans l'usage du curare en anesthésie. Plus récemment, les docteurs Samuel Freedman et Phil Gold, attachés au Montreal General Hospital et à McGill, ont obtenu une reconnaissance mondiale pour leur découverte de l'antigène carcino-embryonnaire. Cette découverte représentait une percée de taille dans la compréhension de la carcinogenèse et ouvrait la voie à toute une génération de travaux de recherches sur le sujet.

Wilder Penfield et l'Institut de neurologie de Montréal

Au milieu des années 1920, les autorités de la Faculté de médecine de l'Université McGill et de ses deux hôpitaux universitaires, le Montreal General Hospital et le Royal Victoria Hospital, s'inquiètent du retard qu'aurait pris Montréal dans le domaine de la neurologie.

Dans les premières années du XXe siècle, la neurologie et les disciplines qui y sont étroitement reliées, la neurophysiologie, la neuropathologie et la neurochirurgie, ont fait des progrès remarquables en Europe et en Amérique. Des méthodes nouvelles de coloration des cellules nerveuses, normales ou pathologiques, permettent de mieux comprendre le fonctionnement du cerveau et le développement des maladies qui l'affectent. Inspirés par les maîtres du XIXe siècle, comme le Français Jean-Martin Charcot et l'Anglais Hughlings Jackson, les neurologues sont capables de cerner d'une manière de plus en plus précise les causes physiologiques des troubles du comportement. Guidés par les neurologues et s'appuyant sur des techniques opératoires de plus en plus raffinées, les neurochirurgiens osent désormais pratiquer des interventions sur le cerveau lui-même.

La nomination de Colin Russel et de F.H. Mackay à titre de professeurs de neurologie clinique permet d'établir l'enseignement de cette discipline sur un pied solide au Montreal General et au Royal Victoria. Cependant, le doyen de la Faculté et le directeur du département de chirurgie, le docteur Edward Archibald, craignant que la neurochirurgie et la recherche scientifique ne traînent derrière la neurologie clinique, essaient de combler le vide à la fois à l'Université McGill et dans les hôpitaux universitaires. En 1928, leurs efforts sont récompensés quand Archibald persuade un jeune médecin de New York, le docteur Wilder Graves Penfield, de s'établir à Montréal[16].

Wilder Penfield est né à Spokane, dans l'État de Washington, en 1891. Diplômé de Princeton, il entreprend des études médicales à l'Université d'Oxford, grâce à une bourse Rhodes. En 1918, après deux années d'études à Baltimore, il obtient son diplôme de médecine de l'Université Johns Hopkins. Il retourne alors en Angleterre afin de se spécialiser en neurologie auprès du célèbre physiologiste Charles Sherrington, futur prix Nobel de médecine, et de Gordon M. Holmes, neurologue célèbre du National Hospital de Queen's Square.

Revenu aux États-Unis en 1921, Penfield travaille quelque temps en neurochirurgie avec Harvey Cushing, le maître incontesté de cette discipline en Amérique, avant de se joindre à l'équipe de l'Hôpital presbytérien de New York à titre de neurochirurgien. Affilié à l'Université Columbia, l'Hôpital presbytérien est un centre de recherche où le jeune Penfield, tout en perfectionnant ses techniques chirurgicales, peut donner libre cours à ses intérêts pour la neuroanatomie et la neuropathologie. En 1924, il va à Madrid étudier les techniques de coloration des cellules nerveuses développées par les physiologistes Ramón y Cajal, prix Nobel de médecine, et son disciple, don Pio del Rio-Hortega. Ces méthodes, peu connues encore en Amérique, permettent à Penfield de faire avancer la neurocytologie; ses premiers travaux lui valent une certaine notoriété. En 1928, quand l'offre de l'Université McGill lui parvient, Penfield est non seulement un neurochirurgien d'expérience, mais également un chercheur confirmé, cultivant les contacts avec ses collègues des deux côtés de l'Atlantique et familier avec l'ensemble des disciplines contribuant à la connaissance du cerveau et de ses maladies. Comme peu de médecins avant lui, Penfield a entrevu les avantages nombreux qu'il y aurait à réunir au service de la recherche les compétences du neurochirurgien, du neurologue et du neuropathologiste.

En fait, si Penfield accepte de quitter New York, c'est en bonne partie parce que le docteur Archibald et les autorités de McGill lui laissent espérer qu'il pourrait créer à Montréal un institut de neurologie selon ses vues. Dans les rêves de Penfield, un tel institut serait un carrefour où les neurochirurgiens, les neurologues et les physiologistes pourraient collaborer au traitement des malades comme à l'avancement des connaissances. Presque aussitôt installés à Montréal, Penfield et son plus proche collaborateur, le docteur William Cone, qui est lui-même un neurochirurgien de talent, demandent à la Fondation Rockefeller de financer la création d'un tel institut.

En attendant la réponse, Penfield et son équipe se mettent au travail dans un laboratoire du Royal Victoria. Au début, ils doivent vaincre quelques résistances. Le professeur Horst Oertel, directeur de l'Institut de pathologie de l'Université McGill, est un homme dominateur et cassant, qui n'est pas très heureux de voir une partie de la recherche en pathologie échapper à son autorité. De leur côté, les administrateurs du Royal Victoria, qui ne sont pas toujours en bons termes avec McGill, préféreraient voir Penfield et Cone se consacrer exclusivement à la chirurgie et n'éprouvent guère d'enthousiasme pour la recherche. Enfin, les neurologues montréalais ne savent pas trop que penser de ces nouveaux venus qui se proposent d'unifier la clinique et la recherche dans tout le champ des neurosciences. Les deux Américains deviendront-ils leurs concurrents dans les hôpitaux et auprès de la clientèle privée?

Heureusement, Penfield possède au plus haut point l'art de se faire des amis. Protégé par les autorités de McGill et par celles de la Faculté de médecine en particulier, il se lie rapidement avec des membres influents de la bonne société montréalaise. Ses premières recherches sont financées par de discrets mécènes.

Sur un autre front, il réussit si bien à rassurer les neurologues sur ses intentions que lorsque les Départements de neurologie et de neurochirurgie de McGill fusionnent, il en devient directeur sans créer de remous parmi ses collègues plus anciens.

Penfield devient en peu de temps le véritable leader des neurologues montréalais. En effet, à peine arrivé, il organise chaque semaine, dans l'un ou l'autre des hôpitaux universitaires, une clinique de neurologie à laquelle sont conviés tous les médecins intéressés. À chaque occasion, un patient est examiné par les médecins assemblés et son cas fait l'objet d'une discussion libre. Les médecins anglophones sont les premiers à profiter de ces séances dans un domaine alors à la fine pointe de la recherche médicale. Mais Penfield ne s'en tient pas là. Les préjugés et les barrières de toutes sortes qui séparent les médecins anglophones et francophones du Québec paraissent absurdes à cet Américain qui a étudié autant aux États-Unis qu'en Angleterre, en France, en Espagne et en Allemagne. Quand il interroge un confrère de McGill sur l'absence des médecins canadiens-français aux cliniques publiques, ce dernier répond : « Nous ne nous sommes jamais mêlés aux neurologues canadiens-français. Leurs malades viennent rarement nous voir, ils préfèrent mourir plutôt. Nous vivons ici dans deux mondes professionnels séparés et indépendants[17]. »

Profitant de la moindre occasion, Penfield a tôt fait d'établir des contacts avec les neurologues de l'Hôtel-Dieu et de l'hôpital Notre-Dame. Comme Cone et lui sont encore les deux seuls neurochirurgiens de tout le Québec, il reçoit de plus en plus de patients canadiens-français en consultation, référés par leurs médecins. Peu à peu, ces derniers prennent l'habitude d'assister aux cliniques du docteur Penfield et ils sont bientôt à leur tour les hôtes de ces réunions hebdomadaires. Une religieuse de l'Hôtel-Dieu, chef technicienne des laboratoires, vient même apprendre les techniques de coloration des cellules dans le laboratoire du Royal Victoria. Grâce à Penfield, la neurologie est l'un des tout premiers domaines de la médecine du XXe siècle où les médecins anglophones et francophones vont se rencontrer.

L'année 1931 est une année faste pour Penfield et son équipe. En septembre, il prend part au premier congrès international de neurologie qui réunit les plus grands spécialistes à Berne. À cette occasion, on lance *Cytology and Cellular Pathology of the Nervous System,* dont Penfield est l'auteur principal et le directeur. Les trois volumes réunissent les articles d'une trentaine de collaborateurs éminents, parmi lesquels on remarque le docteur Pierre Masson, qui enseigne alors à l'Université de Montréal. Enfin, après deux ans de silence, la Fondation Rockefeller se déclare intéressée à soutenir le projet d'un institut de neurologie tel qu'imaginé par le chercheur montréalais.

Cette nouvelle a l'effet d'un choc pour Penfield qui n'y comptait plus. Son plan, qui réunissait à la fois la recherche et le traitement de la maladie, avait pourtant tout pour séduire les responsables de la Fondation Rockefeller. Selon les propres mots de Penfield, l'institut devait «réunir les neurologues et les neurochirurgiens en une seule équipe; les isoler avec leurs patients dans un département universitaire indépendant avec des hommes de science choisis, tout en maintenant l'unité complète en contact fonctionnel avec toutes les autres disciplines médicales et chirurgicales; développer la neuropathologie, la neuroanatomie et, plus tard, la neurophysiologie, comme point de rencontre intellectuel pour la psychiatrie et la psychologie[18]».

En avril 1932, après quelques mois de tractations avec les autorités universitaires et le gouvernement de la province, la Fondation Rockefeller accorde finalement plus de 1 000 000 $ pour la création de l'Institut de neurologie de Montréal. L'Université McGill apporte une contribution de 125 000 $ au projet, la ville de Montréal verse 300 000 $ et le gouvernement de Taschereau, 400 000 $. Construit rue de l'Université, un peu au nord du campus de McGill, le bâtiment de l'Institut répond à tous les vœux du docteur Penfield: ses huit étages comprennent des salles pour les malades, de même que des bureaux, des laboratoires, des salles pour les rayons X, etc., le tout reflétant la double vocation, clinique et scientifique, de l'Institut.

L'Institut de neurologie de Montréal est inauguré en grande pompe en septembre 1934. Désormais installés dans un bâtiment de recherche ultramoderne, proches de McGill et du Royal Victoria, Penfield et son équipe vont s'employer à consolider leurs recherches sur le fonctionnement du cerveau et du système nerveux.

Dès le début de sa carrière de chercheur, Penfield s'était

intéressé à l'épilepsie et au traitement chirurgical de cette maladie. À Montréal, il poursuit dans cette voie. Malgré quelques résultats initiaux encourageants, le traitement chirurgical de la maladie se révèle peu satisfaisant. Cependant, les connaissances acquises par Penfield en observant et en traitant des malades en état de crise et à l'état normal constituent une véritable percée dans la compréhension du fonctionnement du cerveau. En opérant sous anesthésie locale, Penfield peut s'entretenir avec ses patients, connaître leurs sensations et même leur demander d'exécuter certains mouvements volontaires. Selon le mot de Sherrington, les « cobayes » et les « préparations de laboratoires » de Penfield peuvent lui répondre! Cela permet à Penfield d'explorer en particulier le lobe temporal, dont les rapports avec la mémoire étaient encore mal connus. Il découvre notamment qu'en stimulant certaines parties du cortex du lobe temporal, on peut éveiller chez le patient des souvenirs anciens. Poussant dans cette voie, Penfield et son équipe vont pouvoir localiser au cours des années suivantes le siège de multiples sensations auditives, visuelles ou olfactives dans le cerveau, tout en cernant de plus

Wilder Penfield et Donald O. Hebb. (Archives publiques du Canada, PA-128678)

près les phénomènes de la parole et de la conscience. En outre, l'équipe de l'Institut de neurologie découvre que l'ablation d'une partie des lobes préfrontaux, rendue nécessaire soit par l'épilepsie, soit par une tumeur, n'entraîne pas nécessairement une diminution grave des capacités intellectuelles : le cerveau aurait, dans une certaine mesure, la faculté de s'adapter aux accidents. Comme Penfield l'avait prévu, la neurochirurgie débouchait sur une exploration fondamentale de la physiologie du cerveau et du système nerveux[19].

Certains des ouvrages de Penfield sont devenus des classiques de la neurologie ; citons *The Cerebral Cortex of Man*, écrit avec Theodore Rasmussen, qui lui succédera à la direction de l'Institut en 1960, et son grand ouvrage, écrit avec le physiologiste Herbert Jaspers, *Epilepsy and the Functional Anatomy of the Human Brain*. Dans la dernière partie de sa carrière, Penfield s'engage dans des recherches plus spéculatives sur les rapports entre le cerveau et la pensée. Plus audacieux que la plupart de ses collègues neurophysiologistes, il n'hésite pas à postuler l'existence d'un « mécanisme de contrôle », situé hypothétiquement dans le *higher brain stem*, pouvant coordonner l'ensemble des réactions du cortex et en faire une sorte de synthèse. C'est là, à son avis, que doit s'établir le rapport entre la pensée et le cerveau.

Si Penfield est la figure dominante de l'Institut de neurologie de Montréal, beaucoup d'autres chercheurs ont contribué à son rayonnement depuis 1934, notamment K.A.C. Elliott dont nous avons déjà parlé. La psychologue Brenda Milner a également mérité une réputation internationale pour ses travaux sur la base neuronale de la mémoire et sur les interactions entre les deux hémisphères du cerveau. Ses recherches lui ont valu d'être élevée au rang de *fellow* de la très prestigieuse Société royale de Londres et d'être élue *Foreign Associate* de l'Académie nationale des sciences des États-Unis.

Armand Frappier et l'Institut de microbiologie de Montréal

Au début de 1931, le docteur Télesphore Parizeau, vice-doyen de la Faculté de médecine de l'Université de Montréal, doit faire face à un sérieux problème : personne n'est en mesure d'assurer l'enseignement de la bactériologie aux étudiants en médecine. Dans les sciences précliniques, les Départements d'anatomie, de physiologie, de chimie physiologique et d'anatomie pathologique fonctionnent de manière satisfaisante. Seul le Département de bactériologie reste désert, à la suite du décès du professeur Arthur Bernier, un des premiers bactériologistes du Canada français, et de la maladie de celui que la Faculté avait pressenti pour lui succéder, le docteur J.-A. Breton.

Cet état de choses paraît d'autant plus grave à Parizeau — lui-même ancien élève de l'Institut Pasteur de Paris — et à ses collègues de la Faculté que tout le domaine de la microbiologie progresse rapidement à cette époque. Les découvertes fondamentales de Pasteur et de ses disciples, au siècle précédent, ont donné lieu au développement de vaccins et de sérums qui permettent désormais au médecin de lutter efficacement contre les maladies infectieuses. Un Canadien d'origine, le docteur Félix-Hubert d'Hérelle, qui travaillait alors à l'Institut Pasteur de Paris, s'est même distingué en 1917 par une découverte capitale, celle du bactériophage, virus qui s'attaque aux bactéries[20]. Aux vaccins contre la rage et la variole se sont ajoutés, au début du siècle, les antitoxines tétaniques et diphtériques, puis l'anatoxine diphtérique. Autrefois un idéal, la médecine préventive se généralise, en même temps que la médecine industrielle et l'hygiène publique. Au Québec, on n'ignore pas les progrès de la bactériologie, ni le succès remporté par les grandes campagnes d'immunisation contre les maladies épidémiques. Cependant, les services de santé publique manquent de spécialistes, si bien que la province doit acheter à l'Ontario et aux États-Unis la plus grande partie des vaccins qu'elle utilise. Quant à la recherche, personne ne s'y est encore engagé.

C'est donc à bras ouverts que Parizeau accueille le jeune Armand Frappier lorsque celui-ci vient proposer ses services pour le Département de bactériologie. Fraîchement diplômé de la Faculté de médecine, Frappier s'est fait remarquer par son ardeur au travail et son intérêt pour les études de laboratoire. Sous la protection de Georges-H. Baril, professeur de chimie à la Faculté de médecine et à la Faculté des sciences, ce jeune médecin de 27 ans a complété une licence en chimie et songe à une carrière de chercheur en biochimie. En acceptant ses services, Parizeau décide de son avenir: Frappier sera plutôt microbiologiste[21].

Encore faut-il pour cela qu'il complète sa formation. Appuyé par Parizeau, Frappier obtient une bourse de la Fondation Rockefeller qui lui permet d'aller étudier la bactériologie à l'Université de Rochester. Son initiation à la recherche fondamentale en microbiologie est complétée par un séjour dans les sanatoriums américains des Adirondacks et dans les laboratoires des services de santé publique de l'État de New York et de la ville de New York, où il peut examiner de plus près les applications des découvertes faites en laboratoire. Frappier passe ensuite quelques mois à l'Institut Pasteur, un des hauts lieux de la recherche en bactériologie où travaillent encore certains des disciples de Pasteur. À cette époque, les chercheurs français s'efforcent d'imposer le bacille Calmette-Guérin (le BCG) comme vaccin antituberculeux, malgré une opposition farouche des savants étrangers, en particulier allemands et américains. Vite convaincu de la valeur du BCG, Frappier ne renie pas pour autant ses maîtres américains. Formé aux deux écoles dominantes de l'époque, l'américaine et la française, le jeune médecin canadien s'efforce de tirer le meilleur de chacune, une préoccupation qui marquera toute sa carrière de chercheur.

Rentré à Montréal, Frappier réanime comme prévu le Département de bactériologie de l'Université de Montréal et organise le laboratoire de microbiologie de l'hôpital Saint-Luc. Freiné dans ses efforts par la crise économique, il réussit cependant à réunir autour de lui une petite équipe de recherche, l'une des premières du Canada français. Parmi ses premiers collaborateurs, il y a les pharmaciens Victorien Fredette et Lionel Forté, le chimiste Jean Tassé et le vétérinaire Maurice Panisset. Il y a aussi Adrien-G. Borduas, le frère du peintre, qui se présente un jour au laboratoire en se disant prêt à y travailler bénévolement: guidé par Frappier, Borduas poursuivra ses études en sciences et deviendra l'un des pionniers de l'immunochimie au Canada.

Le premier problème auquel s'attaque la petite équipe de Frappier est la préparation du BCG. L'efficacité et l'innocuité de ce vaccin ne sont pas encore clairement démontrées et les recherches se poursuivent sur ces questions des deux côtés de l'Atlantique. De plus, la production du bacille constitue elle-même un difficile problème. Les premières expériences de Frappier et de ses collaborateurs sont décevantes, malgré la collaboration du docteur Léopold Nègre, de l'Institut Pasteur, qui visite l'Université de Montréal en 1936. Frappier décide alors de faire un nouveau séjour d'études à l'Institut Pasteur, afin de mieux maîtriser les délicates techniques de production et de contrôle du vaccin. Il profite de ce voyage en Europe, en 1937, pour visiter les instituts de microbiologie d'Allemagne, d'Europe centrale et d'Italie et faire connaissance avec les savants européens.

L'expérience acquise dans les laboratoires de l'Institut Pasteur permet à l'équipe montréalaise de vaincre les difficultés initiales et de se lancer avec succès dans la production, non seulement du BCG, mais également du vaccin antivariolique, des anatoxines et des antitoxines diphtériques et tétaniques. Ce succès, qui récompense quatre années d'efforts, conduit Frappier à dévoiler son grand projet : la création d'un institut de microbiologie. Dans son esprit, un tel institut doit répondre à la fois aux besoins de l'enseignement supérieur, de la recherche et des services de santé publique.

Comme le réalise Frappier, la bactériologie s'est depuis longtemps affranchie de la médecine : elle trouve des applications autant en hygiène publique, en médecine vétérinaire et dans l'industrie — dans l'industrie alimentaire en particulier — que dans le domaine médical proprement dit. Aussi, le professeur de bactériologie de la Faculté de médecine de l'Université de Montréal s'efforce-t-il d'élargir les cadres de son enseignement, au grand mécontentement de ses collègues médecins d'ailleurs. Dès 1934, il crée un certificat d'études supérieures en bactériologie qui s'adresse à tous les candidats suffisamment préparés, qu'ils soient médecins ou non. Malgré cela, les cadres du Département de bactériologie et de la Faculté de médecine demeurent trop étroits pour permettre le développement de la recherche et d'un enseignement supérieur de la microbiologie comme science fondamentale et comme science aux applications multiples : un institut spécialisé est nécessaire. En outre, la production des vaccins et des sérums que réclament en quantités croissantes les services de santé publique s'accommode difficilement des structures d'une faculté universitaire.

Heureusement pour Frappier, son projet d'un institut

voué à la fois à la formation de microbiologistes, à la recherche et à la production industrielle de vaccins trouve rapidement des appuis dans un petit cercle de personnalités influentes qui comprend le docteur Georges Préfontaine, de la Faculté des sciences de l'Université de Montréal, Louis Dupire, journaliste au *Devoir*, et Armand Dupuis, de la célèbre maison Dupuis Frères. En 1938, Préfontaine, qui a ses entrées au cabinet du premier ministre, obtient directement de Maurice Duplessis une subvention de 75 000 $ qui permet de créer l'Institut de microbiologie de Montréal. L'Institut complétera son budget de fonctionnement à même les revenus de la vente de vaccins au Service de santé de la province de Québec.

Les premières années de l'Institut sont marquées par des difficultés de toutes sortes, en particulier par le manque d'espace, qui s'évanouissent cependant avec l'entrée en guerre du Canada en 1939. La contribution potentielle des chercheurs de l'Institut à l'effort de guerre leur vaut l'appui des autorités fédérales et leur permet d'obtenir les ressources nécessaires à leur travail.

Le recteur de l'Université de Montréal, Mgr Olivier Maurault, et le docteur Armand Frappier (à l'extrême droite) reçoivent, en 1950, de la Canadian Legion Polio Fund la somme nécessaire à l'achat d'un microscope électronique. (*The Gazette*, Archives publiques du Canada, PA-159671)

En 1941, l'Institut aménage dans le bâtiment encore inachevé de l'Université de Montréal sur le Mont-Royal et y installe les appareils qui serviront à la production de masse des vaccins, sérums et autres produits nécessaires aux armées alliées. Dès la fin de cette première année dans ses nouveaux locaux, l'Institut est en mesure d'effectuer des livraisons d'anatoxines antidiphtériques et antitétaniques au ministère fédéral de la Santé, bientôt suivies par des livraisons de vaccins antityphiques et antivarioliques, de sérums et de sang lyophilisé, destinés aux champs de bataille européens. Au plus fort des hostilités, l'Institut approvisionne le ministère fédéral de la Santé, le Service de santé de la province de Québec, le ministère des Approvisionnements et l'armée canadienne.

À la fin de la guerre, l'équipe de Frappier a acquis une solide expérience, non seulement dans la production industrielle, mais aussi dans la recherche microbiologique, car, pour satisfaire à la demande, il a fallu perfectionner les techniques existantes et en développer de nouvelles. De plus, l'Institut s'est imposé comme fournisseur de vaccins et de produits similaires au Québec et au Canada, et il dispose désormais de revenus suffisants pour se développer. Enfin, la réputation de ses chercheurs a commencé à se répandre dans le monde scientifique.

Sur ces nouvelles bases, l'Institut de microbiologie multiplie les projets dans les années d'après-guerre. Les chercheurs s'attaquent notamment à la production du vaccin contre la coqueluche, à la virologie, à la mise au point de vaccins vétérinaires, au vaccin antigrippal, aux recherches sur la gamma-globuline, sans négliger des sujets plus anciens comme le BCG. Bientôt cependant, leur attention se concentre sur la poliomyélite, affection virale qui fait alors des ravages au Québec comme partout ailleurs en Amérique du Nord. La découverte de vaccins antipoliomyélitiques par le docteur Salk, en 1954, et par le docteur Sabin, deux ans plus tard, ouvre une nouvelle avenue de recherche à l'Institut. En 1956, grâce à une subvention de plus d'un million de dollars du gouvernement Duplessis, l'Institut inaugure son laboratoire de virologie et entreprend la production du vaccin Salk, suivant de peu les laboratoires Connaught de Toronto dans cette voie. Avec l'adoption universelle du vaccin Sabin au début des années 1960, l'Institut réoriente son action

Culture du vaccin Salk à l'Institut de microbiologie. (*L'Action universitaire*, 1955)

dans ce domaine.

En 1965, l'Institut emménage dans ses nouveaux locaux à Laval-des-Rapides, où les chercheurs trouvent l'espace nécessaire pour poursuivre et diversifier leurs recherches. Ils s'engagent ainsi dans de nouveaux domaines de l'immunologie, en particulier dans ceux reliés au développement des greffes d'organes, en virologie, en immunodiagnostic et en épidémiologie. Des recherches se poursuivent également sur la mononucléose infectieuse, la lèpre, le cancer, la rougeole et la rubéole, etc. Enfin, l'institution continue de produire et de distribuer à travers le monde des vaccins et d'autres produits de la recherche microbiologique.

Conformément au plan tracé par le docteur Frappier, la première institution de recherche médicale du Canada français s'est affirmée à la fois comme centre d'enseignement — des centaines de microbiologistes y ont été formés depuis 1938 —, comme institution de recherche et comme centre de production de vaccins. Intégré au réseau de l'Université du Québec, l'Institut de microbiologie est devenu l'Institut Armand-Frappier en 1975, en hommage à la clairvoyance et à la persévérance de son fondateur.

L'Institut du radium et l'Institut du cancer de Montréal

Le projet de fonder à Montréal un institut spécialisé dans le traitement du cancer est essentiellement celui d'un homme : Ernest Gendreau. Au cours de ses études en Europe, Gendreau a vu les réalisations de l'Institut du radium de Paris. Fondé en 1914, on y utilise les rayons X et le radium pour détruire les cellules cancéreuses et pour ralentir la croissance des tumeurs.

La formation de Gendreau en radiologie et en médecine le destine à introduire ce genre de traitement au Québec. Après avoir mis sur pied la Faculté des sciences de l'Université de Montréal, il s'attaque aussitôt au projet d'établir à Montréal un institut du radium. Dès septembre 1920, il s'adresse au secrétaire de la province, Athanase David, pour lui faire part de ses intentions et demander la collaboration du gouvernement. Encouragé par son ancien professeur, le docteur Antoine Béclère, pionnier de la radiologie en France, et par le directeur de l'Institut du radium de Paris, le docteur Claude Régaud, qui est prêt à endosser un projet d'affiliation de l'Institut de Montréal à celui de Paris, Gendreau prépare un mémoire qu'il adresse en 1922 au premier ministre Taschereau. Après entente avec l'Université de Montréal, en particulier avec la Faculté de médecine et la Faculté des sciences, le gouvernement accepte de subventionner l'Institut, qui s'appellera officiellement Institut du radium de Montréal et de la province de Québec. L'investissement de base consiste en l'achat par le gouvernement d'un gramme et quart de radium, évalué à 100 000 $, auquel s'ajoutent par la suite des appareils à rayons X à haute tension fournis par l'Université de Montréal. Ainsi, l'Institut sera le premier en Amérique à utiliser un appareil à rayons X de 200 000 volts pour le traitement du cancer.

Au printemps de 1923, Gendreau est nommé directeur,

ce qui était une condition de l'affiliation de l'Institut de Montréal à celui de Paris, et la nouvelle institution est officiellement inaugurée par le premier ministre Taschereau.

L'Institut du radium, installé au sous-sol de l'édifice de l'Université, rue Saint-Denis, est alors le premier du genre en Amérique du Nord. En raison de la formation de ses membres, l'Institut concentrera ses activités sur le traitement du cancer et

L'Institut du radium. (*L'Action universitaire*, 1935)

la recherche clinique, plutôt que sur la recherche fondamentale. Jusqu'au début des années 1940, l'Institut est le centre de recherche et de traitement du cancer le plus important du Québec, avec ses quinze médecins, ses infirmières et ses techniciens spécialisés dans la délicate manipulation du radium à des fins thérapeutiques.

Gendreau a pour collaborateur principal le docteur Origène Dufresne, docteur en médecine et licencié en sciences naturelles, en sciences sociales et en philosophie de l'Université de Montréal. Dufresne a également étudié à Strasbourg, à Paris, auprès de Marie Curie, et à l'Université Johns Hopkins de Baltimore. Radiologiste, il est un des pionniers de la radiothérapie au Canada. En 1935, il décrit l'ambiance lugubre dans laquelle, entre 1923 et 1926, les patients étaient soumis aux radiations :

> N'était-ce pas pénible de voir alors les pauvres cancéreux se glisser à travers les attroupements d'étudiants et se diriger vers l'ancienne ménagerie déshabitée pour y attendre leur tour de pénétrer dans la petite pièce mal éclairée, exposée aux radiations du radium et au désagrément du voisinage, où le directeur leur prodiguait ses soins dévoués avec un sourire confiant et une bonté consolatrice ? Pourtant, malgré l'exiguïté et l'insalubrité du local et toutes les conditions défectueuses dans lesquelles étaient faits les traitements de radium et de rayons X, le nombre des guérisons qui y ont été accomplies est surprenant[22].

En 1926, l'Institut se transporte à l'ancien hôtel de ville de Maisonneuve, offert par la ville de Montréal. Les malades sont accueillis chaque jour pour traitement dans cet hôpital de 23 lits. Un mémoire du docteur Dufresne nous apprend, par exemple, qu'entre juillet et décembre 1929, 935 malades ont été traités, nombre qui passe à 1209 au cours des six mois suivants. Les travaux scientifiques réalisés à partir de ces traitements ont été publiés dans diverses revues par les docteurs Gendreau et Dufresne, en particulier dans l'*Union médicale*. En 1934, Gendreau publie un document de synthèse, intitulé *Cent cas de cancer traités à l'Institut du radium de Montréal*. À la démission du docteur Gendreau en 1946, son collaborateur Origène Dufresne prend la direction de l'Institut. À partir de 1950 cependant, les hôpitaux sont de plus en plus souvent en mesure d'offrir l'ensemble des services de radiothérapie et de chimiothérapie et l'Institut du radium perd peu à peu sa raison d'être. Aussi ferme-t-il ses portes en 1967. Par leurs travaux à l'Institut du radium, les docteurs Gendreau et Dufresne auront été des pionniers au Canada français dans le traitement du cancer.

Malheureusement, l'Institut du radium ne suffit pas à répondre aux besoins des malades et du corps médical, dépassé par les ravages de la terrible maladie. Dès 1941, le docteur Louis-Charles Simard jette les bases du futur Institut du cancer de Montréal en créant le Centre anticancéreux de l'hôpital Notre-Dame. Il s'agit d'une clinique externe, consacrée au dépistage et au traitement des cancers, et organisée sur le modèle proposé par l'American College of Surgeons, mais où la recherche n'a pas encore vraiment sa place.

Le docteur Simard est alors l'un des plus éminents médecins du Canada français. Chef du service d'anatomie pathologique de l'hôpital Notre-Dame et professeur agrégé de l'Université de Montréal, il a étudié à Strasbourg, notamment avec le professeur Pierre Masson, et s'est engagé très activement dans la recherche et la lutte contre le cancer depuis 1930.

En 1947, le docteur Antonio Cantero unit ses efforts à ceux de Simard pour transformer le Centre anticancéreux en un organisme qui s'occupera également de rechercher les causes du cancer et les meilleurs moyens de le guérir, l'Institut du cancer de Montréal[23].

Né en Italie et diplômé de l'Université McGill, Cantero s'est initié à la recherche médicale à la célèbre clinique Mayo de Rochester et à l'hôpital Michael Reage de Chicago. Spécialisé en gastro-entérologie, il a entrepris, à ses propres frais et dans des conditions rudimentaires, des recherches sur le cancer dès 1937. La qualité de ses premiers travaux lui a cependant valu la considération de chercheurs américains et l'appui de quelques fondations. Au moment où il rejoint le docteur Simard pour créer l'Institut du cancer, Cantero dirige déjà une petite équipe de recherche installée dans un laboratoire du tout nouvel immeuble de l'Université de Montréal sur la montagne.

Le docteur Simard, qui sera président et directeur général de l'Institut jusqu'à sa mort, en 1970, se charge de l'administration et des relations de l'Institut avec le public. De son côté, Cantero s'occupera de la direction des laboratoires et de la recherche jusqu'en 1967.

La collaboration entre les deux médecins se révèle rapidement fructueuse. Dès 1950, l'Institut reçoit de l'Institut national du cancer du Canada une subvention de 40 000 $ qui lui permet de faire progresser ses recherches, en particulier dans le domaine de la cancérogénèse chimique. Les résultats de ces travaux, publiés dans des revues internationales prestigieuses telles *Science, Cancer Research* et *Nature,* attirent sur les chercheurs montréalais l'attention des cercles scientifiques étrangers, tout comme celle des médecins québécois, auxquels l'Institut offre des démonstrations, des conférences et des services cliniques pour leurs malades.

De jeunes diplômés se joignent peu à peu à l'équipe initiale et contribuent à élargir les sujets des recherches en cours. Après ses études en biologie à l'Université de Montréal et à l'Université McGill, où il complète un doctorat en 1953, Roger Daoust se consacre à des recherches en histochimie. Docteur en chimie, Gaston de Lamirande fait également partie de l'équipe initiale de l'Institut, où il se distingue par ses recherches sur les enzymes de l'anabolisme et du catabolisme, les acides nucléiques et les protéines. À mesure que l'Institut recrute de nouveaux chercheurs, l'horizon des recherches s'élargit. Au milieu des années 1960, on peut trouver à l'Institut des chercheurs spécialisés en biochimie, en histochimie, en pathologie expérimentale, en microscopie électronique et en physico-chimie.

Quelques chiffres donnent une idée du travail accompli par les chercheurs de l'Institut. Le budget de recherche passe de 23 000 $, en 1950, à plus de 1 000 000 $ en 1975. Au cours de ces vingt-cinq années, les chercheurs de l'institution montréalaise signent plus de 360 articles scientifiques, dont 80 % paraissent dans des revues étrangères. Le succès de l'Institut du cancer dans le domaine de la recherche scientifique le pousse à se spécialiser progressivement à partir de 1970, et à laisser le dépistage et le traitement de la maladie à d'autres institutions. Longtemps dépendants de l'Institut national du cancer, qui finançait la plupart des recherches, les scientifiques peuvent désormais compter sur un plus grand nombre de sources, dont le Conseil des recherches médicales du Canada et le ministère québécois des Affaires sociales.

Cardiologie et recherches cliniques

La création de l'Institut de cardiologie de Montréal, en 1954, coïncide avec le début d'un des grands chapitres de la médecine moderne: celui des interventions chirurgicales à cœur ouvert. Le docteur Paul David, fondateur et premier directeur de l'Institut, avait envisagé de faire de cet organisme un centre de traitement de première force en même temps qu'un centre de recherches cliniques et de recherches expérimentales[24]. Au cours des trente dernières années, le docteur David et ses collaborateurs n'ont ménagé aucun effort pour mener à bien ce projet.

Dès la première année, les chercheurs de l'Institut signent deux articles scientifiques, suivis, de 1955 à 1978, par plus de 700 autres, portant sur tous les aspects des maladies cardio-vasculaires et de leur traitement. Toujours à l'affût des développements les plus récents des techniques chirurgicales, les chercheurs de l'Institut sont les premiers au Canada à effectuer des transplantations cardiaques. Après une première tentative infructueuse, le docteur Pierre Grondin réussit la première transplantation à l'été de 1968, soit moins d'un an après la première mondiale réalisée par le docteur Christian Barnard, en Afrique du Sud.

Les travaux des chercheurs de l'Institut ont contribué à l'avancement des connaissances et aux importantes percées des dernières décennies dans le domaine de la cardiologie. Parmi les sujets qui ont fait l'objet de leurs recherches, on peut citer notamment l'amélioration des techniques chirurgicales, les problèmes reliés aux greffes cardiaques, ceux reliés à l'évolution des pontages coronariens, au métabolisme du myocarde et à la réhabilitation des malades.

En 1951, le gouvernement du Québec demande au docteur Jacques Genest d'étudier l'organisation de la recherche médicale en Europe et, plus particulièrement, le fonctionnement des institutions de pointe. De cette étude naîtra, l'année suivante, le premier département de recherches cliniques du Canada français, celui de l'Hôtel-Dieu de Montréal, sous la direction du docteur Genest.

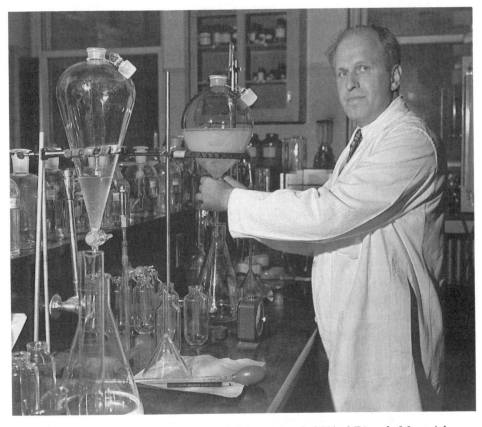

Le docteur Jacques Genest dans son laboratoire de l'Hôtel-Dieu de Montréal en 1955. (*The Gazette*, Archives publiques du Canada, PA-159672)

Alors âgé de 33 ans, ce dernier a déjà une impressionnante feuille de route. Diplômé de la Faculté de médecine de l'Université de Montréal, il a poursuivi ses études à Harvard, notamment auprès de Walter B. Cannon, un des pionniers de la recherche sur le stress, à l'Université Johns Hopkins et au Rockefeller Institute, où il a travaillé sur le métabolisme et l'endocrinologie des stéroïdes. En 1959, il fonde le Club de recherches cliniques du Québec, dont les conférences serviront à rassembler et à stimuler les chercheurs québécois.

En 1967, le département que dirige Genest devient

l'Institut de recherches cliniques, nominalement affilié à l'Hôtel-Dieu. Depuis cette date, l'Institut a poursuivi des recherches dans plusieurs domaines cruciaux. Le docteur Genest lui-même s'est distingué par ses travaux sur les maladies du rein et sur l'hypertension.

La transformation de la recherche médicale au XXe siècle

Le retard que certains constataient, vers 1900, en médecine et en recherche médicale a été largement comblé, au Québec français comme dans les milieux anglophones. Grâce à l'Université McGill et à l'Université de Montréal, grâce aux nombreux hôpitaux de la ville et aux instituts de recherche spécialisés qui se sont multipliés depuis 1950, Montréal est devenu un centre de recherche médicale d'importance mondiale, tant par le nombre de ses chercheurs que par l'importance de leurs contributions annuelles à l'avancement de la connaissance. Mais Québec et Sherbrooke, qui est doté d'un centre hospitalier universitaire depuis la fin des années 1960, apportent aussi leur contribution aux connaissances médicales à travers la recherche clinique et la recherche expérimentale. Suivant en cela l'évolution que connaissaient les institutions américaines, la recherche médicale au Québec a dû compter sur des moyens sans cesse plus importants pour avancer. Tout comme aux États-Unis, l'essor de la recherche médicale n'a été possible que grâce à la participation croissante des gouvernements et des sociétés philanthropiques à son financement.

Autant à l'Université Laval et à l'Université Montréal qu'à McGill, la réforme de l'enseignement et le développement de la recherche ont été favorisés par les grandes organisations philanthropiques américaines, la Fondation Carnegie et la Fondation Rockefeller en particulier. À compter des années 1950, le nombre des organismes appuyant la recherche médicale s'accroît fortement. Sur le modèle des grandes sociétés américaines qui s'emploient à lever des fonds pour la science, apparaissent, au Canada, la Société du cancer (1938), l'Institut national du cancer (1947), la Société de cardiologie (1947), laquelle donne naissance à la Fondation canadienne des maladies du cœur en 1958, la Fondation des maladies du rein, l'Association de la dystrophie musculaire, etc.

Un autre appui de taille vient s'ajouter à la générosité du public : celui des gouvernements. Responsable de la santé publique, l'État doit assumer les coûts des vastes campagnes d'immunisation, contrôler la qualité des services de santé et s'assurer que l'ensemble de la population y a accès. Par ce biais, les gouvernements en viennent peu à peu à financer une bonne partie des recherches effectuées dans les facultés de médecine et les hôpitaux. Ce sont d'abord les domaines directement reliés à la santé publique qui profitent de l'aide de l'État : le développement de nouveaux vaccins, contre la tuberculose ou la poliomyélite par exemple, n'est possible qu'avec le concours de l'État qui achète et utilise le produit fini. Avec les années cependant, tous les domaines de la recherche biomédicale, y compris une partie de la recherche pharmaceutique réalisée par les industries, vont pouvoir compter sur l'État mécène. Le Conseil national de recherche du Canada met sur pied en 1938 un Comité de la recherche médicale afin de subventionner le travail des universitaires. En 1961, ce Comité s'affranchit du CNR pour devenir un organisme autonome : le Conseil des recherches médicales du Canada, aujourd'hui le principal organisme gouvernemental consacré au financement de la recherche dans le domaine. Quelques années plus tard, le Québec se dote d'un organisme semblable.

Profitant ainsi de la générosité du public, toujours sensible aux besoins de la recherche médicale et à ses retombées, et de l'appui de l'État, la recherche médicale se développe prodigieusement au XXᵉ siècle. Les chercheurs des sciences de la santé ont suivi de près les physiciens dans l'ère de la *Big Science*, c'est-à-dire de la science qui nécessite des moyens matériels et humains considérables pour progresser.

L'entrée dans l'ère de la *Big Science* a eu plusieurs conséquences sur l'organisation et la nature même du travail des chercheurs. En particulier, une part croissante de la recherche a été réalisée dans des instituts spécialisés, souvent fondés et dirigés par des « patrons » qui mettaient leur don d'entrepreneur au service de la recherche. L'institut, comme modèle d'organisation du travail scientifique, répond mieux que les hôpitaux ou les facultés universitaires à la nécessité de rassembler des moyens considérables — laboratoires, bibliothèques, animaleries, cliniques, services techniques et administratifs, personnel spécialisé, etc. — autour de programmes de recherche relativement spécialisés, par exemple en cardiologie, en microbiologie ou dans le domaine des maladies respiratoires. Malgré la multiplication des instituts, les hôpitaux et les facultés universitaires continuent cependant de remplir un rôle d'importance dans le domaine de la recherche, tout en assurant le traitement des malades et la formation des médecins. Enfin, la recherche médicale, en prenant modèle sur la science expérimentale à la fin du XIXe siècle, s'en est rapprochée à tel point que les deux se confondent presque aujourd'hui, surtout dans des disciplines fondamentales comme la biologie moléculaire, l'immunologie ou la génétique.

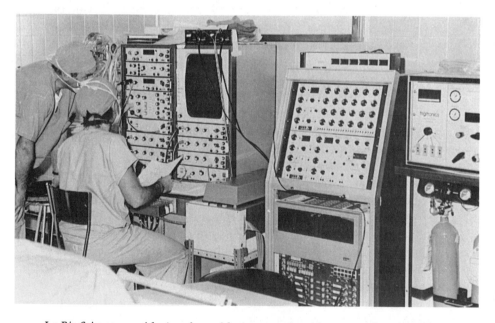

La *Big Science* en médecine: les médecins auscultent les appareils... (Archives de l'Université de Montréal)

Depuis 1900, au Québec comme ailleurs, la recherche médicale est passée du stade du médecin chercheur isolé, poursuivant ses propres travaux avec des moyens modestes, à celui des équipes d'envergure, souvent multidisciplinaires, œuvrant dans de grands laboratoires à la réalisation de « programmes de recherche » planifiés à long terme. Si l'initiative individuelle a encore sa place dans la recherche en santé, le progrès semble dépendre, désormais, du travail d'équipe.

CHAPITRE 12

LES RECHERCHES EN SCIENCES PHYSIQUES AU XXᵉ SIÈCLE

Au cours des années 1890, la recherche scientifique commence à faire son apparition dans les principales universités anglophones du Canada. Une nouvelle génération de professeurs, formée à la recherche dans les laboratoires européens qui se sont multipliés depuis le milieu du siècle, considère en effet que la tâche d'un professeur d'université ne peut plus se limiter à la transmission des connaissances, mais qu'elle doit contribuer à leur accroissement. Jusque-là chargés d'enseigner aux futurs médecins et aux futurs ingénieurs les connaissances de base de leurs disciplines, les professeurs de physique et de chimie sont les premiers à se définir comme « chercheurs » et non plus simplement comme « professeurs ». Ce fait nouveau entraîne des changements institutionnels importants. Les professeurs demandent plus de temps, et des moyens pour faire de la recherche. Ils insistent sur l'importance de former des chercheurs aux niveaux de la maîtrise et du doctorat. Ils importent ainsi le modèle allemand du doctorat, apparu au début du siècle et adapté aux universités américaines au cours des années 1870.

À l'Université de Toronto, par exemple, le diplôme de doctorat est créé en 1897 ; McGill fait de même en 1906. Ce n'est toutefois qu'après la Première Guerre mondiale que la recherche scientifique universitaire prend son véritable élan, grâce en particulier au Conseil national de recherche du Canada. Créé en 1916 pour favoriser le développement de la recherche industrielle, cet organisme fédéral agit comme distributeur de subventions aux chercheurs et offre des bourses d'études supérieures, ce qui favorisera énormément le développement de la recherche scientifique universitaire[1].

Au Québec, ce processus se déroule à un rythme différent dans les institutions francophones et à McGill. La recherche scientifique apparaît tout d'abord à McGill au milieu des années 1890 alors que l'Université Laval et l'Université de Montréal ne développent la recherche qu'après 1920 pour la chimie et la biologie, et après 1939 pour la physique. En ce qui concerne les mathématiques, la recherche ne deviendra une activité importante que dans les années 1960.

Si McGill prend les devants, c'est en partie en raison du mode de recrutement des professeurs. Ceux-ci proviennent surtout des universités britanniques, ce qui facilite l'importation d'une tradition de recherche. À l'Université Laval, avant 1920, les professeurs de sciences sont par contre choisis parmi les anciens étudiants qui ont reçu une formation générale et choisi le sacerdoce. Ces professeurs sont donc rarement préparés et intéressés à faire de la recherche ; ils s'occupent surtout d'enseignement et de vulgarisation. Par ailleurs, l'autonomie de l'École polytechnique de Montréal en matière d'enseignement ne favorise pas la croissance des départements de sciences à l'Université de Montréal. En effet, la clientèle des cours de science aurait crû plus rapidement si les étudiants de Polytechnique avaient suivi leurs cours de mathématiques, de chimie et de physique à la Faculté des sciences, comme c'était le cas à l'Université de Toronto ou à McGill. Tant du point de vue du recrutement que de celui du niveau général de l'enseignement, la Faculté de médecine est une exception, et l'on a vu que le recrutement de professeurs laïcs, souvent formés à l'étranger, a facilité l'émergence de la recherche biomédicale.

Pour les universités francophones du Québec, il sera donc nécessaire de faire venir d'Europe les professeurs qui formeront la première génération de chercheurs canadiens-français. Comme on l'a vu dans un chapitre précédent, l'Université Laval recrute par exemple à Fribourg ses premiers professeurs de chimie en 1920. Et lorsqu'elle décide de fonder un véritable Département de physique, en 1939, c'est à l'Italien Franco Rasetti qu'on confie le soin de créer un programme de recherche et d'enseignement. À l'Université de Montréal en 1945, la réorganisation du Département de physique est confiée au Français Marcel Rouault. Ce mode de développement est aussi à l'œuvre dans les sciences de la vie, bien qu'il existât une tradition canadienne-française de recherche dans ce domaine depuis le milieu du XIXe siècle.

Si les pressions sociales, engendrées par l'industrialisation et les deux guerres, favorisent le développement de la recherche en physique et en chimie, donnant aux professeurs plus d'autonomie par rapport aux cours de services jusque-là offerts aux futurs ingénieurs, il en va autrement pour les mathématiques. Jusqu'aux années 1950 en effet, les professeurs ont peu d'occasions de faire de la recherche, leur département étant considéré essentiellement comme pourvoyeur de services aux étudiants des autres disciplines. Parmi les dernières à former des étudiants de doctorat, les mathématiques n'échappent cependant pas au processus d'autonomisation, processus qui tend à former non plus des « honnêtes hommes », mais des « spécialistes ». Après la Seconde Guerre mondiale, l'accent mis traditionnellement sur l'enseignement de premier cycle se déplace ainsi lentement vers les études de deuxième et troisième cycles.

Les débuts de la physique à McGill

À McGill, la recherche en physique avait débuté en 1893 avec l'arrivée de l'Anglais Hugh L. Callendar, spécialiste de la thermométrie, formé par le célèbre Joseph John Thomson. Le directeur du Département de physique, John Cox, qui préfère l'enseignement et l'administration, laisse à Callendar l'entière liberté d'effectuer les recherches qui lui plaisent. Celui-ci poursuit donc ses travaux sur le thermomètre à résistance de platine qu'il a perfectionné lors de ses études au laboratoire Cavendish de Cambridge. Inventé en 1861 par l'ingénieur allemand Ernst Werner von Siemens, ce thermomètre est basé sur le fait, mis en évidence en 1821 par le célèbre chimiste anglais Humphry Davy, que la résistance électrique des métaux change avec la température. Le nouveau type de thermomètre n'est cependant pas très stable et c'est Callendar qui réussit à en faire un instrument docile, révolutionnant ainsi la thermométrie. Cet appareil est très important car il permet non seulement d'effectuer des mesures très précises, mais aussi d'étendre cette précision à de très hautes et très basses températures. Pour ces travaux, Callendar est élu *fellow* de la Société royale de Londres en 1894, honneur auquel plusieurs aspirent, mais que peu se voient

Le professeur H.L. Callendar, pionnier de la recherche en physique à McGill.
(Archives de l'Université McGill)

conférer.

　　Armé de son nouvel appareil et entouré de quelques
assistants, dont Howard Turner Barnes et Henry Marshall Tory,
Callendar entreprend diverses études, dont la mesure précise
de l'équivalent mécanique de la chaleur, de la variation de la force
électromotrice d'une pile standard en fonction de la température
et de la concentration de sa solution aqueuse. Il mesure aussi
la chaleur spécifique de l'eau à diverses températures. Ces travaux
seront consacrés par l'acceptation, en 1899, du thermomètre à

résistance de platine comme instrument de référence internationale pour la mesure des températures. Encore aujourd'hui, c'est le moyen reconnu pour interpoler entre le point d'ébullition de l'oxygène liquide (-182,97°C) et le point de fusion de l'antimoine (630,5°C). Au cours de son séjour à McGill, Callendar s'intéresse aussi à des problèmes pratiques, comme la détermination de la température de la vapeur dans un piston, étude qui met en évidence l'existence d'une vapeur sursaturée. Cet état de la matière était déjà connu, mais son importance pour les moteurs à vapeur avait été jusque-là sous-estimée par les ingénieurs qui étudiaient le fonctionnement de ces engins[2].

Les rayons X, de Würzburg à Montréal

Bien que Cox n'ait jamais reçu de formation de chercheur, il se laisse une fois tenter par la recherche scientifique lorsqu'il collabore avec Callendar, en 1896, à une série d'études sur les rayons X, nouveau phénomène qui passionne alors la communauté scientifique internationale.

Le 8 novembre 1895, le physicien allemand Wilhelm Conrad Röntgen, étudiant dans son laboratoire de Würzburg les propriétés des rayons cathodiques, avait découvert par hasard un nouveau type de rayonnement aux propriétés inconnues jusqu'alors. Après avoir répété ses expériences pour s'assurer qu'il s'agissait bien d'un phénomène nouveau, il communiquait ses résultats un mois plus tard, le 28 décembre, à la Société de physique et de médecine de Würzburg. C'est alors qu'on apprend que les rayons X — ainsi nommés par Röntgen qui en ignore la nature — traversent le bois et plusieurs métaux comme le cuivre, l'argent et l'or, mais sont arrêtés par le plomb. Chose plus intéressante encore, les rayons X traversent la chair et non les os de sorte qu'il a pu prendre une photographie — on dira plus tard une radiographie — de la main de sa femme où n'apparaissent que les os et les deux anneaux qu'elle portait à l'annulaire.

C'est cette propriété fantastique qui est à l'origine du battage publicitaire qui suit rapidement la découverte. Dès le 5 janvier 1896, la *Presse* de Vienne publie à la une un article sur la nouvelle découverte et prédit l'influence qu'elle aura sur l'étude des maladies. Le lendemain, la nouvelle s'est propagée à travers le monde comme une traînée de poudre et des articles paraissent dans le *Daily Chronicle* de Londres et *Le Matin* de Paris. Il est intéressant de noter que dès le 7 janvier, le *Frankfürter Zeitung* discute de l'intérêt pratique des nouveaux rayons et écrit : « Les biologistes et les médecins, spécialement les chirurgiens, seront très intéressés par l'utilité pratique de ces rayons. » Le chirurgien « pourrait trouver la position d'un corps étranger, comme une balle ou une pièce d'obus, beaucoup plus facilement qu'il n'était possible jusqu'à maintenant[3]... » Ce genre d'application ne tardera pas ; un mois plus tard les rayons X sont utilisés à Mont-

Publicité d'un fabricant français pour les appareils servant à produire des rayons X : on distingue la bobine de Ruhmkorff (B) et le tube de Crookes (T). (Archives du Séminaire de Québec, photo : Pierre Soulard)

réal, à l'Université McGill, pour localiser une balle dans la jambe d'un patient.

Au courant depuis quelques jours seulement de la découverte de Röntgen, John Cox, directeur du Macdonald Physics Building de McGill, réussit facilement à reproduire les résultats rapportés par le physicien allemand. Ne perdant pas de temps à photographier des pièces de monnaie, il se tourne immédiatement vers les applications médicales. Après avoir tenté vainement de localiser une lésion à la hanche d'un patient lors d'une exposition d'une heure aux rayons, échec qu'il attribue à la présence de plomb dans la pellicule photographique, il réussit deux jours plus tard, au matin du 7 février, à localiser une balle dans la jambe d'un patient, aidé en cela par le docteur Robert C. Kirkpatrick, chirurgien du Montreal General Hospital. La jambe du patient est placée entre le tube de Crookes, appareil de verre scellé contenant un gaz à basse pression dans lequel on fait passer un courant électrique alimenté par une bobine à induction de Ruhmkorff, et une boîte de carton contenant la plaque photographique. Après un temps d'exposition de 45 minutes, le négatif montre clairement la présence d'une balle : une légère incision pratiquée par le docteur Kirkpatrick permet de l'extraire facilement.

Cette application précoce des rayons X est présentée le soir même du 7 février à la séance de la Montreal Medico-Chirurgical Society. Pour saisir toute l'importance de l'expérience, il faut noter qu'à l'époque il était souvent impossible de localiser ce genre de corps étranger et on devait alors se contenter d'appliquer des antiseptiques. L'importance de l'événement est aussi marquée par l'éditorial du *Montreal Medical Journal*, où est publiée en mars 1896 la communication de Cox et Kirkpatrick : « Ce n'est pas sans plaisir que nous attirons l'attention sur l'article du professeur Cox décrivant et illustrant la première application, à des fins de diagnostic, sur ce continent, de la remarquable découverte de Röntgen. » Le journal ajoute que même si le nombre d'applications est peut-être restreint, il faut saluer cordialement la venue de chaque découverte permettant un diagnostic plus précis. Au Canada français, on suit également les événements. On retrouvera souvent des comptes rendus d'applications médicales des rayons X dans des revues comme *L'Union médicale*.

Déjà dans sa chronique de janvier 1896, cette revue rapportait les expériences qu'un médecin américain a effectuées avec ces rayons.

Cox et Callendar continuent leurs expériences sur les propriétés physiques et anatomiques des rayons X au cours des mois suivants et présentent leurs résultats à la Société royale du Canada lors de sa séance du 31 mai 1896. Publié dans les *Mémoires* de la Société, leur texte décrit plusieurs aspects des nouveaux rayons, en particulier, leurs effets physiologiques. Dans tous les coins du monde, on a observé qu'une exposition prolongée causait l'assèchement de la peau, effet semblable à celui d'un coup de soleil. Cox et Callendar estiment que ces descriptions sont le fait d'observateurs de peu de réputation, leurs expériences n'ayant montré aucun effet physiologique, même après une exposition très prolongée. Enfin, ils ont étudié les propriétés germicides des rayons et trouvé qu'ils n'avaient aucun effet sur la croissance de cultures de bacilles. Ce n'est que quelques mois plus tard que des expériences plus précises confirmeront l'existence d'effets physiologiques nocifs liés à l'exposition aux rayons X.

Cox et Callendar s'attaquent aussi au problème de la nature des rayons X et tentent de mesurer leur vitesse. Reprenant la méthode qui avait permis au savant français Hyppolite Fizeau, en 1849, de mesurer la vitesse de la lumière, ils concluent que les rayons X ne peuvent être des atomes électrifiés en mouvement car la vitesse mesurée, plus de 200 km par seconde, est beaucoup trop grande. Il s'agit probablement, selon eux, d'un genre de mouvement dans l'éther : des méthodes plus raffinées montreront peut-être que la vitesse des rayons X est la même que celle de la lumière. Cette conclusion est intéressante car elle suggère que les rayons X sont des ondes transversales, comme la lumière, contrairement à l'opinion de Röntgen qui, à la fin de sa première communication, émettait l'hypothèse qu'il s'agissait de vibrations longitudinales de l'éther, milieu qui devait servir de soutien à la propagation de la lumière, comme l'air est le soutien à la propagation du son. Röntgen faisait alors écho à une théorie développée plusieurs années auparavant par le physicien anglais William Thomson, lord Kelvin, selon laquelle il devait exister des ondes longitudinales se propageant dans l'éther grâce aux propriétés élastiques de ce milieu. Cette notion d'éther, qui tient une place centrale dans la physique du XIXᵉ siècle, ne sera abandonnée que vers 1910, à la suite des travaux publiés sur la relativité par Albert Einstein en 1905.

Les rayons röntgen à Québec

À l'Université Laval, Mgr J.-C.-K. Laflamme, alors recteur et professeur de physique, fait lui aussi quelques expériences sur les rayons röntgen.

Dès le 12 février 1896, soit à peine une semaine après les essais de Cox, Laflamme prend ses premières photographies aux rayons X. Ces premiers essais ne sont pas réussis. Son ami Jules Guay, trésorier de la Société française de physique, lui écrit le 17 février suivant pour lui donner quelques précisions qui lui permettent par la suite d'obtenir d'excellents clichés[4].

Le professeur de Laval organise plusieurs séances publiques afin de montrer et d'expliquer ce nouveau phénomène. On y retrouve, entre autres, des étudiants et des professeurs de médecine, de même que quelques membres du clergé. Ainsi, une séance d'expériences a lieu dans la soirée du 21 avril 1896 ; un compte rendu, dans le numéro du 25 avril de *La Vérité*, nous apprend que « depuis quelques mois, nos lecteurs le savent, on photographie les os à travers les chairs, des pièces de monnaies placées dans un portefeuille » et que « Mgr Laflamme a obtenu de très belles photographies de ce genre qui sont exposées chez Livernois. La photographie au moyen de rayons X est déjà de l'histoire ancienne. » L'auteur de l'article décrit alors une invention de l'Américain Thomas Edison, le skiascope, appareil qui est simplement, continue le journal, « une boîte en carton noire au fond de laquelle il y a un papier imprégné de tungstate de calcium. À la lumière ordinaire vous ne voyez absolument rien dans la boîte... Mais éteignez les lampes, faites entrer un courant électrique de la bobine de Ruhmkorff dans un tube de Crookes, placez-vous devant ce tube et regardez de nouveau dans votre skiascope et vous serez émerveillé. Le fond qui était noir tout à l'heure, est maintenant fluorescent. Placez votre main entre le skiascope et le tube, aussitôt vous apercevez l'ombre des os. » Le journaliste vante ensuite les mérites de cette nouvelle découverte pour la médecine chirurgicale et conclut que le skiascope, «c'est sans conteste, la découverte la plus extraordinaire du siècle».

L'année suivante, Laflamme présente une conférence sur la nature des rayons X devant la Société médicale de Québec. Bien au fait de la question, il note que «malgré la valeur très grande qu'il convient de donner à l'opinion du professeur de Würzburg, l'opinion la plus commune est que les rayons X sont absolument analogues aux rayons lumineux ordinaires, mais que leurs longueurs d'onde sont comparables aux dimensions moléculaires[5]». Il exprime ainsi de façon très claire l'interprétation qui sera finalement retenue.

Si l'on est surpris par la rapidité avec laquelle les expériences de Röntgen sont reproduites à travers le monde et en particulier au Québec, il faut noter qu'on pouvait facilement

Le Macdonald Physics Building de l'Université McGill, construit grâce à la générosité du roi du tabac, W.C. Macdonald. (Archives de l'Université McGill)

se procurer les appareils nécessaires, un tube de Crookes et une bobine de Ruhmkorff, et que le cabinet de physique de l'Université Laval en possédait bien avant 1896. Il était donc relativement facile à quiconque possédait cet équipement rudimentaire de prendre des photographies aux rayons X.

Cependant, malgré la présence des instruments à l'Université Laval comme à McGill, les attitudes des professeurs dans les deux institutions diffèrent sensiblement. Même si Laflamme suit de près les développements de la physique, il ne se mêle pas de découvrir de nouvelles propriétés de la matière et s'affaire plutôt à diffuser les nouvelles découvertes. Ainsi, ses opinions sur la nature des rayons X sont communiquées à la société cultivée, mais non aux milieux scientifiques comme celui de la Société royale du Canada. Ses conférences renseignent les médecins sur les possibilités d'application des rayons X en médecine, mais ne débouchent pas sur une véritable collaboration entre physiciens et médecins. Par contre, les travaux de Cox et Callendar montrent un souci « d'étudier les conditions de production des rayons de Röntgen et les meilleures méthodes pour obtenir des photographies claires et rapides », comme l'indique Cox dans son rapport annuel de 1896 soumis au président de McGill. Les professeurs de McGill possèdent donc un programme de recherche précis et publient leurs résultats dans des revues de recherche comme la revue anglaise *Nature* ou les *Mémoires* de la Société royale du Canada, s'adressant spécifiquement à la communauté scientifique.

Les raisons de cette différence d'attitude face aux nouvelles découvertes scientifiques tiennent à la fois à la formation scientifique des individus et au niveau d'organisation de la recherche scientifique à cette époque. Laflamme, on l'a vu, a été formé au Séminaire de Québec et n'a jamais été initié à la recherche. Cox a lui aussi une formation d'enseignant et c'est plutôt Callendar qui introduit la recherche à McGill. Cette institution dispose alors du Macdonald Physics Building (fruit des largesses d'un millionnaire montréalais) qui est à l'époque un des laboratoires les mieux équipés du monde et dont l'une des fonctions, quoique la moins importante aux yeux des dirigeants de McGill, est la production de nouvelles connaissances. À cette fin, Cox et Callendar sont entourés de quelques assistants et étudiants diplômés, ce qui crée un climat stimulant pour la recherche. Rien de tel n'existe à l'Université Laval où l'essentiel de la tâche du professeur de physique consiste à dispenser un enseignement élémentaire de la physique aux étudiants de médecine et à ceux du Séminaire de Québec. Le reste du temps, le professeur est appelé à donner des conférences publiques sur l'actualité scientifique. En somme, le développement institutionnel de la physique à Laval rend difficile la mise en application d'un programme de recherche sérieux et encourage plutôt des activités de vulgarisation[6].

L'état de la physique au tournant du siècle

Comme il arrivait souvent aux scientifiques anglais qui avaient fait leurs preuves dans les colonies de l'Empire pendant quelques années, Callendar est rappelé dans la métropole en 1898 pour devenir professeur de physique au University College de Londres. À ce moment, Cox, toujours directeur du Département de physique, se tourne une fois de plus vers J.J. Thomson pour lui trouver un successeur. Thomson recommande le Néo-Zélandais Ernest Rutherford, un jeune chercheur plein d'enthousiasme et d'habileté. Le principal de McGill, William Peterson, et Cox font un voyage en Angleterre à l'été 1898 pour rencontrer Rutherford et lui décrire la situation au Macdonald Physics Building[7].

Quelques semaines plus tard, Rutherford apprend qu'on retient ses services et il s'empresse d'écrire à sa mère pour lui annoncer la bonne nouvelle. Après avoir mentionné qu'il est engagé surtout pour faire de la recherche, il lui présente les conditions salariales et écrit : « £ 500 [2500 $] n'est pas trop mal et comme le laboratoire de physique est le meilleur du monde dans son genre, je ne peux pas me plaindre[8]... » Pour la rassurer, il ajoute que la compétition dans les milieux scientifiques est telle que les gens sont prêts à enseigner pour seulement £ 200 par année, et ce pendant 10 ou 15 ans, avant d'obtenir un poste comme celui de McGill. Âgé de 27 ans seulement, Rutherford est très heureux de son nouvel emploi, surtout en raison de l'excellent laboratoire qui est mis à sa disposition et où, comme il l'écrit à sa fiancée, il sera pratiquement *the boss* car Cox ne dirige pas de recherches, mais fait surtout de l'enseignement.

Rutherford prend donc le bateau au début de septembre 1898 en compagnie de Cox et commence aussitôt à se préparer pour les cours qui débuteront en octobre.

Si les travaux de Callendar étaient à l'avant-garde au milieu des années 1880, ils sont déjà passés au second plan au tournant du siècle, alors que l'on étudie plutôt la propagation de l'électricité à travers les gaz. À l'automne 1895, lorsque Rutherford était arrivé au laboratoire Cavendish, Thomson l'avait invité à étudier avec lui les effets produits par le passage des rayons X à travers les gaz. Ensuite, il avait refait les mêmes expériences avec les rayons ultraviolets.

La découverte de Röntgen suscite aussi des travaux sur les effets photographiques des substances phosphorescentes. Cette piste de recherche conduit le physicien français Henri Becquerel à découvrir, en novembre 1896, que les sels d'uranium émettent des radiations semblables aux rayons X. Bien que la découverte suscite tout d'abord peu d'intérêt parce que l'on croit qu'il s'agit simplement d'une forme particulière de rayons X, elle cadre parfaitement avec le programme de recherche de Rutherford, qui étudie en effet les propriétés ionisantes de ces nouveaux rayons. C'est au cours de ces recherches que Rutherford découvre que l'uranium émet deux types de radiations. Il les nomme alpha et bêta, les premiers étant facilement absorbés et les seconds beaucoup plus pénétrants. À ce moment, on n'a aucune idée de la nature de ces rayonnements et la dénomination alpha et bêta ne fait qu'enregistrer une différence de comportement lors de l'absorption des rayons par des métaux. Ce n'est qu'à la fin de l'année 1899 et au début de 1900 que l'on reconnaîtra que les rayons bêta sont de même nature que les corpuscules découverts en 1897 par J.J. Thomson, c'est-à-dire des électrons. Quant au rayonnement alpha, Rutherford ne démontrera sa nature corpusculaire qu'en 1903.

Lorsque les travaux sur les radiations alpha et bêta de Rutherford paraissent dans la prestigieuse revue anglaise *Philosophical Magazine* en janvier 1899, un regain d'intérêt pour les « rayons de Becquerel », comme on les nomme alors, commence à se manifester après la découverte par les physiciens français Pierre et Marie Curie de deux nouveaux éléments émettant des rayonnements. Découverts respectivement en juillet et en décembre 1898, les nouveaux éléments chimiques sont baptisés polonium et radium[9]. À la suite de ces découvertes, plusieurs savants à travers le monde se mettent à étudier les propriétés des éléments radioactifs. La compétition entre chercheurs augmente alors rapidement, comme le note Rutherford dans une lettre à sa mère au début de 1902 : « Je suis maintenant occupé à écrire des articles pour publication et à faire de nouveaux travaux. Je dois continuer car il y a toujours du monde sur ma piste. Je dois publier mon présent travail aussi rapidement que possible de façon à rester dans la course ; les meilleurs coureurs sur cette voie de recherche sont Becquerel et les Curie à Paris, qui ont fait un grand nombre de travaux très importants dans le domaine des corps radioactifs au cours des dernières années[10]. »

Rutherford et la nouvelle théorie de l'atome

Lorsque Rutherford arrive à McGill, il est donc prêt à poursuivre ses recherches sur la radioactivité. La découverte de la radioactivité du thorium étant survenue en avril 1898, soit quelques mois avant son départ pour le Canada, l'étude du thorium est la première recherche qu'il entreprend à McGill. Son programme est si bien réglé qu'il a pris soin, avant son départ de Cambridge, de commander des sels d'uranium et de thorium de façon à pouvoir continuer ses travaux sans retard. À McGill, Robert Bowie Owens, professeur de génie électrique, se cherche justement un sujet de recherche ; Rutherford lui propose d'analyser les radiations émises par le thorium[11].

Owens commence ses recherches en mars 1899 et s'aperçoit rapidement que l'intensité de la radiation émise par le thorium varie fortement quand il y a un courant d'air ! Intrigué, Rutherford analyse cela de plus près et, après avoir effectué divers tests, conclut que le thorium émet des particules qui sont elles-mêmes radioactives pendant plusieurs minutes. Comme les radiations émises ionisent l'air environnant et que Rutherford sait que l'intensité de la radiation est proportionnelle au courant d'ions, il peut montrer que l'intensité des radiations émises par ce qu'il appelle « l'émanation » du radium suit une progression géométrique et qu'elle diminue de moitié au bout d'une minute. Aujourd'hui, les physiciens reconnaissent là le concept de « demi-vie » d'un élément radioactif, mais en 1899 rien n'est aussi clair. Il faudra attendre encore quelques années avant que Rutherford et ses collaborateurs ne réussissent à mettre de l'ordre dans les résultats de leurs travaux.

Continuant à analyser les propriétés de cette mystérieuse « émanation », Rutherford découvre qu'elle rend d'autres corps radioactifs. Il nomme donc ce nouveau phénomène « activité induite » et par la suite, convaincu qu'il s'agit d'un dépôt matériel, « dépôt actif ». Comme l'intensité de la radiation émise par ce dépôt actif diminue de moitié en onze heures, Rutherford croit que le phénomène est directement lié à l'émanation.

Préoccupé par trop de problèmes à la fois, il cherche à s'entourer de collaborateurs et réussit à s'adjoindre quelques étudiants de quatrième année du baccalauréat. Ainsi, Robert Kenning McClung travaille à déterminer l'énergie dépensée par les rayons X pour créer une paire d'ions dans un gaz. Harriet Brooks s'attache à trouver la nature, gazeuse ou autre, de l'émanation. C'est une course contre la montre car les Curie travaillent eux aussi à ce problème. En mai 1901, Rutherford peut présenter ses premiers résultats devant les membres de la Société royale du Canada, démontrant que l'émanation provenant du radium est un gaz. Il doit cependant mentionner que de leur côté les Curie ont obtenu le même résultat. En fait, Rutherford est un peu chanceux car sa conclusion, qui est juste, repose sur l'hypothèse inexacte que le poids atomique de l'émanation se situe entre 40 et 100. On saura plus tard que le poids de l'émanation est de 220. Comme il n'a pu analyser l'émanation du thorium à cause de sa trop rapide disparition, il suggère qu'elle est aussi un gaz à cause de sa rapide diffusion dans l'air. Pour que sa découverte soit bien connue de la communauté scientifique, il publie un résumé de son travail dans la revue anglaise *Nature*, largement lue par les scientifiques européens.

Rutherford doit maintenant déterminer la nature de l'émanation du gaz et préciser celle du dépôt actif. En ce qui concerne le premier point, il lui faut un chimiste pour déterminer la nature exacte du gaz en le faisant réagir avec divers composés chimiques. Frederick Soddy, un jeune chimiste anglais, travaillant

Les physiciens de McGill en 1905. On aperçoit, au centre, E. Rutheford, J. Cox et H.T. Barnes. (Archives de l'Université McGill)

à McGill comme démonstrateur depuis l'été 1900, accepte l'invitation de Rutherford. En octobre 1901, il abandonne son propre projet de recherche pour se consacrer entièrement à la détermination de la nature de l'émanation du thorium.

Après trois mois de travail et n'ayant pas réussi à faire réagir chimiquement l'émanation, Soddy conclut qu'elle doit faire partie de la nouvelle série des gaz inertes, découverte entre 1894 et 1901 par les savants anglais William Ramsay et lord Rayleigh. En plus de cette découverte importante, Soddy montre que la source de l'émanation n'est pas le thorium, mais quelque chose d'autre qu'il nomme thorium X.

Reprenant le travail après la pause des Fêtes de décembre 1901, Rutherford et Soddy découvrent que le thorium X qu'ils avaient isolé n'émet plus de radiation alors que le thorium a recommencé à produire de l'émanation! Se peut-il qu'ils aient mal effectué la séparation? De nouvelles expériences montrent que ce n'est pas le cas et que la radioactivité du thorium augmente bel et bien dans le temps alors que celle du thorium X diminue. C'est à partir de ce phénomène étrange que Rutherford et Soddy en arrivent à croire que le thorium X est produit par la transformation du thorium avec libération d'énergie.

Rutherford sait très bien qu'une telle affirmation remet complètement en cause «l'atome des chimistes» qui, lui, est immuable. Rutherford et Soddy rédigent donc, en avril 1902, un article où ils présentent prudemment leurs surprenantes conclusions. D'ailleurs, Rutherford, qui envoie le manuscrit au savant anglais William Crookes, précise que la production du thorium X est «indépendante des conditions physiques et chimiques» et qu'ils sont «conduits à la conclusion que le processus est subatomique. Même si évidemment il n'est pas conseillé de le dire trop directement à une Société de chimie, je crois que dans les éléments radioactifs nous avons un processus de désintégration ou de transmutation continue qui est la source de l'énergie dissipée en radioactivité[12]. » Rutherford insiste sur la source expérimentale de ces conclusions et ajoute: « monsieur Soddy et moi-même vous serions très obligés si vous pouviez faire quelque chose pour faciliter la publication de l'article si des difficultés s'élèvent contre nos vues 'atomiques' ». C'est donc avec la prudence d'un stratège que Rutherford prépare la présentation d'une théorie de l'atome qui bouleverse complètement les idées reçues jusque-là.

La théorie de Rutherford et Soddy évolue lentement, de concert avec les autres travaux de Rutherford. Ce n'est qu'en novembre 1902, après deux ans d'essais infructueux, que Rutherford finit par faire dévier les particules alpha dans des champs électrique et magnétique, mettant ainsi fin à une longue controverse à propos de la nature matérielle ou électromagnétique de cette particule. La découverte lui permet de modifier sa théorie en associant directement l'émission d'une particule alpha à la transformation du thorium en thorium X, alors que dans la première version de la théorie, les deux processus n'étaient pas liés. La nouvelle version de la théorie est publiée en 1903 et, en mars de la même année, Soddy quitte McGill pour rejoindre

William Ramsay en Angleterre. En juillet, les deux chimistes réussissent à confirmer la prédiction de Rutherford et Soddy selon laquelle le radium produit continuellement de l'hélium. On ne sait pourtant pas encore avec certitude que cet hélium est en fait la fameuse particule alpha. Dans ce sens, Rutherford écrit, dans une lettre à son nouveau chimiste collaborateur, l'Américain Bertram Borden Boltwood, de Yale : « Je suis certain que l'hélium est la particule alpha du radium... mais ce sera terriblement difficile de le prouver hors de tout doute[13]. » Ce n'est que trois ans plus tard, en 1908, que Rutherford, devenu professeur à Manchester, montrera finalement que l'hélium et la particule alpha sont une seule et même chose.

À l'été 1903, les physiciens français Pierre Curie et Albert Laborde découvrent que le radium émet de la chaleur et que la température de l'élément est toujours supérieure à celle de l'environnement immédiat. Cette conclusion suscite l'émoi des physiciens qui se demandent d'où peut provenir toute cette énergie. Rutherford n'est cependant pas alarmé car il est convaincu que sa théorie peut rendre compte de ce nouveau phénomène. En septembre 1903, il demande à son collègue Howard Turner Barnes, spécialiste de thermométrie formé par Callendar, de l'aider à mesurer l'énergie émise par le radium. Pour une fois, les deux traditions de recherche présentes à McGill, celle de Callendar et celle de Rutherford, se rencontrent. Un mois plus tard, les deux physiciens publient une note dans la revue *Nature* pour annoncer que la chaleur est provoquée par la dégradation de l'énergie cinétique des particules alpha. Ils refroidissent ainsi l'enthousiasme de ceux qui voyaient dans ce phénomène un cas de non-conservation de l'énergie.

De façon assez inattendue, Rutherford établit un lien entre cette énergie émise par le radium et l'âge de la Terre, ce qui relance un vieux débat. Un peu après le milieu du XIXe siècle, lord Kelvin remettait en cause les conclusions des géologues et biologistes selon lesquelles la Terre devait avoir plusieurs centaines de millions d'années. En bon physicien, Kelvin calcula à l'aide de la théorie de la chaleur, développée au début du siècle par le Français Joseph Fourier, que la planète ne pouvait avoir plus de 40 à 60 millions d'années en raison du processus de refroidissement progressif de la croûte terrestre[14].

Ce sont ces calculs que Rutherford remet en cause en disant qu'ils ne tiennent pas compte de la chaleur produite par les radiations émises dans le sol et que par conséquent la Terre ne se refroidit pas constamment, mais doit plutôt garder à peu près la même température, laissant ainsi à la vie plus de temps pour se développer. Rutherford va même plus loin en suggérant qu'une meilleure estimation de l'âge de la Terre pourrait être obtenue à partir d'une mesure du contenu en hélium des minerais d'uranium et de son taux de formation. Il ne travaille pas lui-même à ce problème, mais l'idée est lancée ; c'est son collaborateur Boltwood qui développe une première technique de mesure.

En novembre 1905, Boltwood écrit à Rutherford qu'il a obtenu un âge variant entre 92 et 570 millions d'années. L'année suivante, dans une version publiée des conférences qu'il avait prononcées à l'Université Yale, Rutherford peut écrire qu'il possède un échantillon de fergusonite âgé de 500 millions d'années ! Ainsi, et de façon inattendue, la nouvelle théorie de la radioactivité venait à la rescousse de la théorie de l'évolution qui avait besoin de ces millions d'années supplémentaires pour expliquer l'apparition des mammifères.

Le développement de la théorie de la désintégration de l'atome permet donc d'ordonner l'ensemble des phénomènes liés à la radioactivité ; Rutherford se met alors à rédiger un volume présentant de façon cohérente les développements survenus depuis 1896. Publié au début de 1904, sous le titre *Radio Activity*, il paraît en même temps que plusieurs autres sur le même sujet. D'ailleurs, Arthur Stewart Eve, collaborateur et biographe officiel du grand physicien, se souvient que « le volume de Rutherford sur la radioactivité fut préparé avec toute la vitesse possible de façon à devancer d'autres auteurs qui écrivaient sur le même sujet en Angleterre et ailleurs[15] ». Eve pensait probablement à Frederick Soddy qui lui aussi préparait un volume sur la radioactivité et qui parut peu de temps après celui de Rutherford. Étant donné le prestige de Rutherford, son volume connut un immense succès, et une deuxième édition (déjà remaniée !) paraissait l'année suivante.

Entre 1904 et 1907, année de son départ pour l'Angleterre, Rutherford reçut plusieurs chercheurs venus d'Allemagne, d'Angleterre ou des États-Unis pour travailler sous sa direction.

Parmi eux, on remarque Otto Hahn, qui obtiendra le prix Nobel de chimie en 1945 pour ses travaux sur la fission de l'uranium. Comme il importait alors de consolider l'édifice, les recherches portèrent principalement sur les «chaînes radioactives». Par exemple, on savait que le thorium émettait une particule alpha pour devenir le thorium X et que celui-ci produisait ensuite la fameuse émanation. Il fallait donc s'assurer que tous les intermédiaires étaient connus. C'est à cette tâche que Rutherford, ses collaborateurs ainsi que d'autres scientifiques à travers le monde entier allaient se consacrer dans les années suivantes.

En 1904, Rutherford reçoit la fameuse médaille Rumford décernée tous les deux ans par la Société royale de Londres à l'auteur de la découverte la plus importante effectuée au cours des deux années précédentes. À partir de ce moment, Rutherford est sollicité de toutes parts. Il est invité notamment aux universités Yale, Chicago et Illinois pour exposer ses théories sur l'atome.

Malgré toutes ses activités, Rutherford se sent assez isolé à McGill et espère toujours trouver un poste en Angleterre. À son arrivée à Montréal en 1898, il était très enthousiaste et voulait créer une «école» dans le style de celle de Thomson en Angleterre. Cependant les études supérieures en physique à McGill attirent peu d'étudiants : on préfère de loin un bon diplôme d'ingénieur qui assure un emploi sans trop de difficultés. Ainsi, entre 1901 et 1906, seulement trois diplômes de maîtrise sont décernés en physique, et, en 1905, il n'y a qu'un seul étudiant diplômé au département. Quant au doctorat, le premier sera décerné en 1909 et le deuxième en... 1926! Les ambitions de Rutherford sont donc loin d'être comblées. En septembre 1906, Arthur Schuster, alors professeur de physique à Manchester, lui écrit pour lui apprendre qu'il est prêt à prendre sa retraite s'il accepte de lui succéder. En janvier 1907, Rutherford annonce officiellement son départ. Un tel jour devait fatalement arriver et, en apprenant la nouvelle, H.T. Bovey, doyen de la Faculté des sciences appliquées, lui écrit : «Je suis vraiment navré qu'on en soit arrivé à ce point [...]. Je savais que la séparation devait arriver tôt ou tard et je dois vous dire franchement que je crois que vous avez pris une bonne décision[16].» L'année suivante, Rutherford recevra le prix Nobel de chimie pour ses recherches sur la désintégration des atomes.

Avant de quitter Montréal, en mai 1907, Rutherford avait

discuté avec Cox de son successeur éventuel et ils s'étaient mis d'accord sur William H. Bragg, alors professeur en Australie. Malheureusement, les problèmes financiers occasionnés par l'incendie de l'Engineering Building et d'une bonne partie du Medical Building empêchent la venue de Bragg à Montréal. C'est H.T. Barnes qui succède à Rutherford à titre de Macdonald Professor of Physics. Moins révolutionnaires que les travaux de son prédécesseur, ceux de Barnes occupent tout de même une place importante dans l'histoire du département. Disciple de Callendar, il s'inscrit dans la tradition de recherche plus appliquée, se spécialisant dans l'étude des propriétés physiques de la glace. Il s'entoure lui-même de quelques étudiants et, entre 1898 et 1907, le nombre de ses publications est comparable à celui de Rutherford. Comme lui, il publie un ouvrage important en 1906, *Ice Formation*. En 1928, il publiera un autre ouvrage qui résume l'ensemble de ses travaux, *Ice Engineering*.

Après le départ de Rutherford, les beaux jours de la physique à McGill sont passés. John Cox, directeur du laboratoire depuis 1890, annonce sa retraite vers la fin de 1907.

Les scientifiques et la Première Guerre mondiale

Au moment où éclate le premier conflit mondial, McGill est encore la seule université au Québec à disposer d'une infrastructure scientifique suffisamment développée pour contribuer efficacement à l'effort de guerre.

En physique, on l'a vu, l'Université compte déjà une bonne tradition de recherche. En chimie, la recherche ne prend son essor qu'après la création, en 1912, d'un département de chimie. Avant cette date en effet, l'enseignement se faisait d'abord en fonction des étudiants de médecine et de génie minier[17]. Sous la direction de Robert F. Ruttan, la recherche se développe rapidement dans les domaines de la chimie organique et de la chimie physique grâce notamment à l'arrivée, en 1916, d'Otto Maass, spécialiste de l'étude des forces moléculaires[18].

En juillet 1915, le gouvernement britannique met sur pied un département de recherche scientifique et industriel afin de mobiliser les ressources scientifiques du Royaume-Uni des

Otto Maass, professeur de chimie à McGill. (Archives de l'Université McGill)

colonies et des dominions. Comme les liens avec la mère patrie y ont toujours été très forts, les scientifiques des divers départements de McGill n'hésitent pas à mettre leurs connaissances au service des gouvernements canadien et britannique.

Ruttan est alors consulté sur les problèmes liés à la production de munitions. Son collègue F.W. Skirrow étudie les méthodes de production de l'acétone et d'acide acétique, produits chimiques nécessaires à la préparation du carburant employé par les Anglais. Des usines de production sont rapidement mises en place à Shawinigan et des milliers de tonnes de ces produits sont envoyés en Angleterre. Les étudiants en chimie apportent eux aussi leur contribution à l'effort de guerre en travaillant, pendant les périodes de vacances, dans les laboratoires des industries ou directement dans la production des munitions. Faute de pouvoir les importer, plusieurs métaux importants sont devenus rares et il faut développer de nouvelles méthodes de

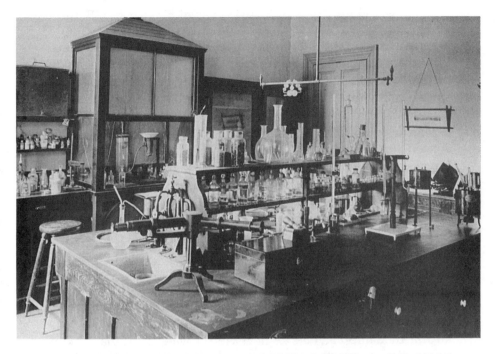

Laboratoire de recherche du professeur de chimie à McGill vers 1900. (Archives de l'Université McGill)

production industrielle[19].

En 1916, le directeur du Département de métallurgie, Alfred Stanfield, travaille à la production de métaux, tels le zinc et le cuivre, et à la mise sur pied d'une usine de production de magnésium aux chutes Shawinigan de façon à expédier le précieux métal en Angleterre. Pendant ce temps, E. Godfrey Burr et S.W. Werner, spécialistes en métallurgie, travaillent à la création d'un alliage cuivre-cadmium aux propriétés électriques et mécaniques requises pour la production de fil de téléphone devant être déployé sur les champs de bataille. La méthode de production de l'alliage étant originale, on la fait breveter aux États-Unis en 1917. La production industrielle de l'alliage se fait aux États-Unis sous la direction du professeur de McGill, S.W. Werner. Au cours des deux dernières années de la guerre, les chimistes effectuent aussi des recherches sur les gaz de combat, nouvelle arme utilisée par les Allemands en 1915.

Si les chimistes sont préoccupés par les armes chimiques employées par les Allemands, la véritable terreur est sans contredit le sous-marin. C'est le domaine où les physiciens entrent en jeu. Dès avant la guerre, Louis Vessot King, du Département de physique, effectuait des recherches dans le détroit de Belle-Isle sur la localisation des icebergs à l'aide d'émetteurs et de récepteurs d'ondes sonores. À l'été 1913, il travaillait pour le ministère de la Marine et des Pêcheries sur la détermination de l'intensité du son en fonction des diverses conditions météorologiques. Ce travail avait été abandonné au début de la guerre. King doit s'y remettre à l'automne de 1917, alors qu'il est devenu urgent de contrer les sous-marins allemands. En collaboration avec ses collègues, A. Norman Shaw, Étienne S. Bieler et D.C. Miller des États-Unis, il réussit à améliorer les techniques de détection sonore des sous-marins.

Ces techniques de détection sonore sont cependant rapidement surpassées par les méthodes électriques de détection. Robert William Boyle, un diplômé de McGill devenu professeur en Alberta, participe à ce projet, pour lequel il obtiendra plus tard la médaille Flavelle de la Société royale du Canada, « en reconnaissance particulière pour ses travaux sur la détection des sous-marins au cours de la dernière période de la guerre 1914-1918 ».

Comme en temps de guerre on ne peut se permettre de négliger des avenues possibles de développement, H.T. Barnes travaille un certain temps à un projet qui aujourd'hui peut sembler de la science-fiction. Il s'agissait d'un « canon à vortex » : en créant des tourbillons dans l'eau, on espérait réussir à déstabiliser les sous-marins et à faire dévier les torpilles. Barnes fabriqua d'abord un modèle réduit qui fonctionnait bien, mais on comprit très vite que pour être opérationnel, le poids de l'appareil devrait être immense ; le projet fut donc abandonné. Barnes étant un spécialiste des propriétés physiques de la glace, on le charge alors de déterminer le poids que les glaces peuvent supporter, troupes et équipements lourds devant souvent traverser des lacs gelés.

La mobilisation des chercheurs, au Canada comme dans tous les pays en guerre, constitue un tournant dans les relations entre les scientifiques et les militaires. Après quelques résistances, ces derniers en sont vite arrivés à la conclusion que la science pouvait avoir un rôle important sur les champs de bataille et que les chercheurs étaient plus utiles dans leurs laboratoires que dans les tranchées.

L'influence de la relativité et de la mécanique quantique

En 1919, le premier grand événement scientifique à survenir après la guerre est la vérification expérimentale de la relativité générale d'Einstein. L'événement est remarqué au Québec: on peut lire quelques articles sur les théories d'Einstein dans la *Revue trimestrielle canadienne*. Comme les scientifiques canadiens-français entretiennent des liens privilégiés avec la France, il ne faut pas se surprendre que la visite d'Einstein en France en 1922 ait donné lieu à plusieurs articles et revues de livres sur ce sujet dans la *Revue trimestrielle canadienne*. Le frère Robert, des Écoles chrétiennes, ancien élève de l'École polytechnique et professeur au Collège Mont-Saint-Louis, consacre un long article à « Einstein et la science », où il tente d'évaluer la portée de la théorie de la relativité. Se basant sur plusieurs volumes parus en France, ainsi que sur des articles de la *Revue des deux mondes*, il n'arrive toutefois pas à prendre position et ne peut s'empêcher d'écrire: « Mais vraies ou fausses, les idées nouvelles ont rajeuni la science [...] [et] amené l'homme à scruter avec plus d'attention l'œuvre divine, et peut-être qu'Einstein, s'il a le bonheur d'être croyant, sait, lui aussi, après Kepler et Newton, fléchir le genou devant l'Auteur des merveilles de la nature, dont nous ignorons tout malgré tant de travaux de génie[20]. »

Le frère Robert continue à suivre de près les développements de la physique dans les revues spécialisées comme *Philosophical Magazine* et ses positions sur la relativité s'affermissent. Concluant un article sur « le problème de l'atome », publié en 1925 dans la *Revue trimestrielle*, il écrit: « La relativité sort de son contact avec les atomes mieux vérifiée qu'auparavant et, sans qu'elle s'impose comme un dogme, il est de plus en plus difficile de négliger ses directions et ses lois. » La physique est pour le frère Robert surtout objet de vulgarisation et d'enseignement. Au début des années 1930, il publiera plusieurs manuels, dont *Astronomie élémentaire* et *Manipulations de physique élémentaire*.

La première génération de scientifiques canadiens-français à se consacrer à la recherche voit le jour avec la création, en 1920, de la Faculté des sciences de l'Université de Montréal et de l'École supérieure de chimie de l'Université Laval. Comme la pratique de la chimie n'a pas été grandement touchée par l'avènement des nouvelles théories et qu'une communauté de physiciens canadiens-français n'apparaîtra qu'au cours de la Seconde Guerre mondiale, il faut donc se tourner une fois de plus vers l'Université McGill pour voir comment les physiciens professionnels réagissent aux nouvelles théories qui ébranlent les conceptions classiques du monde physique.

Si la théorie d'Einstein est acceptée sans trop de réticences par les physiciens de McGill, qui y ont été initiés par les exposés de Harold Albert Wilson, un physicien britannique qui a succédé à Cox en 1909, la mécanique quantique, par contre, soulève quelques problèmes. En 1925, Louis Vessot King, qui a beaucoup d'influence sur ses collègues, s'oppose à la mécanique quantique développée par le physicien allemand Werner Heisenberg, car elle ne fournit pas un modèle concret de l'atome. King n'est pas seul à se méfier de cette théorie. C'est, jusqu'à un certain point, une caractéristique des physiciens formés selon la tradition britannique, où les modèles concrets jouent un rôle important dans la compréhension des phénomènes physiques. Ainsi, dans une lettre adressée à Arthur Stewart Eve, en septembre 1930, Rutherford écrit, à propos de William Watson qu'il suggérait pour un poste vacant à McGill : « Comme plusieurs d'entre nous, il est un peu critique de quelques aspects de l'état actuel de la mécanique ondulatoire où toutes les idées physiques sont disparues[21]. »

L'aspect particulièrement abstrait de la mécanique quantique incite King à développer une théorie où l'électron est considéré comme un ellipsoïde en rotation. King sait bien que ses travaux sont considérés comme marginaux et il ne peut faire connaître sa théorie qu'en la publiant à compte d'auteur. Le *Montreal Star* s'empare de la nouvelle et publie, dans sa livraison du 21 avril 1926, une entrevue avec le physicien de McGill sous le titre « Un professeur de McGill avance une nouvelle théorie de la structure de l'atome ».

Pendant que King développe sa théorie, John Stuart Foster, un jeune Canadien arrivé à McGill en 1924, se prépare à faire un séjour de six mois à Copenhague auprès de Niels Bohr. Spécialiste de l'étude des atomes soumis à des champs électriques — phénomène connu sous le nom d'effet Stark —, il a déjà contribué à la nouvelle mécanique quantique en mesurant l'intensité des raies spectrales émises par l'hydrogène et en montrant que les résultats confirment les calculs effectués avec les équations de la mécanique ondulatoire développées par le physicien autrichien Erwin Schrödinger. Toutefois, comme il n'est que professeur adjoint, il n'ose pas encore critiquer King ouvertement. S'adressant à Niels Bohr le 15 mars 1927, à propos de la possibilité de présenter ses travaux à Washington devant les membres de l'American Physical Society, il écrit : « Étant donné la situation présente à McGill, l'audience de Washington serait probablement plus sympathique[22]. » Un peu plus tard, le 5 mai 1927, il peut écrire à Bohr à propos de King : « L'opposition à la mécanique quantique est due à son influence ; elle est purement locale et probablement temporaire[23]. »

Foster avait raison. Deux ans plus tard, il commence à faire des exposés devant la Société de physique de McGill sur la mécanique quantique et sur la nouvelle philosophie qui l'accompagne, c'est-à-dire l'abandon de la causalité et des modèles concrets, ou visuels, de l'atome.

La présence de Foster à McGill relance l'activité du département, qui depuis la Première Guerre mondiale était plutôt stagnant. Entre 1926 et 1939, il dirige une vingtaine de thèses, principalement consacrées à l'étude de l'effet Stark.

Avec la découverte du neutron par le physicien anglais James Chadwick en 1932, les recherches mondiales en physique se tournent vers l'étude du noyau atomique et, à partir de 1935, Foster est conscient que ses travaux sur l'effet Stark ne sont plus au centre des intérêts des physiciens. Forcé de réorienter ses recherches, il songe à construire un cyclotron, nouvel appareil inventé quelques années auparavant pour accélérer des protons. La situation économique se prêtant mal à un tel investissement, le projet ne se réalisera qu'après la Seconde Guerre.

Une guerre de scientifiques

Au moment où éclate le second conflit mondial, l'Université Laval réussit à attirer à Québec le physicien italien Franco Rasetti. Engagé pour diriger le tout nouveau Département de physique, Rasetti, qui parle couramment français, s'adapte vite au milieu. À peine arrivé, il participe au septième congrès de l'Acfas, tenu à l'Université Laval en octobre 1939[24]. Il y présente ses travaux sur les mésotrons, cette composante pénétrante des rayons cosmiques. Il avait commencé ces recherches en Italie, en collaboration avec Enrico Fermi. Celles-ci le conduiront deux ans plus tard à mesurer pour la première fois la demi-vie des mésons, résultat qu'il présentera au congrès de l'Acfas d'août 1941 et qui sera rapidement publié dans la revue américaine *Physical Review*. Au même moment, le physicien français Pierre Auger et son équipe publient des résultats similaires dans les *Comptes rendus de l'Académie des sciences*. La compétition est féroce et il est important pour Rasetti et ses collaborateurs de publier dans des revues internationales d'importance.

Sous la direction de Rasetti, Laval met rapidement sur pied un groupe de recherche en physique nucléaire ; une dizaine d'articles sur le sujet paraissent entre 1940 et 1946. Les premiers collaborateurs de Rasetti, Christian Lapointe, Harold Feeny et Henri-Paul Kœnig, obtiendront d'ailleurs leur diplôme de docteur ès science au cours de la guerre pour leurs travaux sur l'absorption des neutrons et des mésotrons par différents métaux.

En juillet 1942, David Keys, professeur de physique à McGill et chargé de coordonner les efforts des divers départements de physique au Canada, écrit à Rasetti pour lui demander quelles sont les ressources dont le département dispose et qui pourraient servir l'effort de guerre. Ce dernier lui répond que le département se spécialise en spectroscopie et en physique nucléaire et qu'*a priori*, il a peu de chances d'être utile, étant donné la nature plutôt fondamentale de ses travaux. Il note que des spécialistes en communication et en ultra-sons seraient probablement ce dont Keys aurait besoin, mais que son département n'en forme pas.

À cette date, Rasetti ne se doute peut-être pas encore qu'on organise un laboratoire de recherche sur une pile atomique dans

Les membres du département de physique de l'Université Laval en 1945 : le directeur, Franco Rasetti, est deuxième à partir de la droite. (Collection Fernand Bonenfant)

une aile de l'édifice principal de l'Université de Montréal, mais il sait probablement que les Américains travaillent à un tel projet, dirigé à Chicago par son ami Enrico Fermi. Ainsi ses travaux, tout « fondamentaux » qu'ils soient, n'en auraient pas moins une certaine valeur pour l'équipe de Fermi et celle de Montréal. Mais pour Rasetti, la recherche est une activité noble et publique. Il n'accepte pas de travailler dans le secret et, une fois au moins, il refusera de collaborer à un projet patronné par General Electric en raison de son aspect confidentiel.

Les scientifiques de l'Université de Montréal sont eux aussi sollicités. Dès le mois de novembre 1939, Otto Maass, chargé par le CNR de coordonner les efforts de recherche en chimie, s'adresse à Georges-H. Baril, directeur de l'Institut de chimie. Baril et ses collègues offrent leur entière collaboration, mais déplorent que l'exiguïté de leurs locaux rue Saint-Denis limite sévèrement leur possibilité de contribuer à l'effort de recherche. Baril saisit d'ailleurs cette occasion pour rappeler au recteur, Mgr Olivier Maurault, l'urgence de parachever l'édifice sur la montagne, qui seul pourra permettre à l'Institut de chimie d'obtenir des laboratoires adéquats pour faire de la recherche.

Les chimistes de l'Université de Montréal en 1943: Léon Lortie, Paul Cartier, Roger Barré et Georges-H. Baril. (*L'Action universitaire*, 1956)

L'essor de la recherche en chimie-physique à l'Université de Montréal est directement relié aux demandes générées par la Seconde Guerre mondiale. Marcel Rinfret, jeune professeur à l'Institut de chimie, est ainsi amené à faire des recherches sur les caoutchoucs synthétiques. Le laboratoire qui ne servait jusque-là qu'à l'enseignement est transformé par les circonstances en laboratoire de recherche.

La contribution la plus importante à l'effort de guerre de la part des institutions francophones est sans doute celle du laboratoire de résistance des matériaux de l'École polytechnique de Montréal. À l'instar de l'Université Laval qui, en accueillant Franco Rasetti, tire profit des malheurs d'une Europe aux prises avec Hitler, l'École polytechnique a la chance d'engager en 1941 un métallurgiste luxembourgeois, francophone et catholique, Georges Welter. Assistant directeur de l'Institut de métallurgie

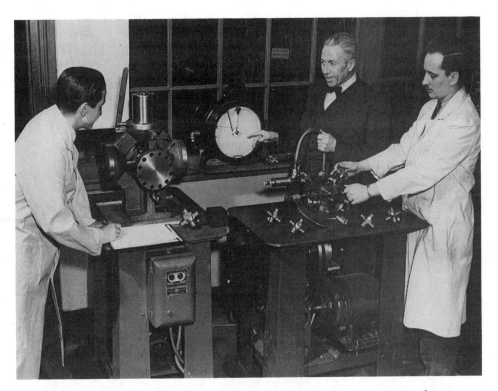

Georges Welter (au centre) au laboratoire de résistance des matériaux de l'École polytechnique en 1953. (Archives de l'Université de Montréal)

de l'École polytechnique de Varsovie, Welter a échappé de justesse à l'invasion de la Pologne par les Allemands. Dès son arrivée à Montréal, il met sur pied un laboratoire de recherche important et obtient un contrat du CNR pour étudier les problèmes de résistance au feu des ailes des avions de combat. Entre 1942 et 1945, il travaille avec cinq chercheurs d'origine polonaise à des problèmes d'aéronautique.

À la fin de la guerre, ce domaine de recherche est abandonné. Parmi les chercheurs, seul Boleslaw Szczeniowsky devient professeur permanent : les autres se trouvent un emploi aux États-Unis[25].

À l'Université McGill, les scientifiques sont eux aussi très actifs[26]. Dès 1941, John Stuart Foster est dépêché en tant qu'officier de liaison au Massachusetts Institute of Technology afin de collaborer au développement du radar. Ses collègues W.H. Watson et F.R. Terroux se penchent eux aussi sur les problèmes du radar et mettent au point de nouveaux types d'antennes. Au Département de chimie, le professeur Otto Maass agit comme directeur de la section sur la guerre chimique au ministère de la Défense nationale. Les chimistes travaillent à divers problèmes soumis à leur attention. Par exemple, à la demande de la Gendarmerie royale du Canada, ils s'occupent de déterminer la nature du papier employé pour contrefaire les coupons de rationnement et d'en préparer un nouveau, plus difficile à imiter.

D'autres projets plus importants consistent à mettre au point un papier bon conducteur d'électricité, nécessaire à la recherche sur le radar, ou un autre résistant à l'humidité. Les chimistes de McGill participent aussi aux travaux d'un comité conjoint Canada-États-Unis-Angleterre pour améliorer un explosif

Recherches sur le mal de mer à l'Institut neurologique de Montréal pendant la seconde guerre. (Archives de l'Université McGill)

très puissant, le RDX. Connu depuis le début du siècle, cet explosif était difficile à produire et très sensible. James H. Ross et Raymond Boyer, qui font partie du comité canadien sur les explosifs, se penchent sur le problème avec H.S. Sutherland et R.W. Schiessler et réussissent à mettre au point une nouvelle formule plus facile à produire. Les tests du nouveau RDX sont effectués au Centre de recherches pour la défense de Valcartier, situé près de Québec et mis sur pied en 1942 par le ministère de la Défense canadienne. En juillet 1942, la production industrielle débute dans les usines de Shawinigan Chemicals. La production démarre au rythme de 50 tonnes par mois et atteint 350 tonnes par mois à la fin des hostilités[27]. Selon un haut responsable des explosifs au gouvernement canadien, le RDX fut l'explosif le plus important pendant la guerre, à l'exception de la bombe atomique[28].

Les médecins et les biologistes mettent eux aussi leurs connaissances au service de la guerre. Les possibilités d'attaques bactériologiques ne pouvant être exclues, le ministère de la Défense nationale participe à une entente conjointe Canada-États-Unis et crée en 1942 une station de contrôle des maladies de guerre, située à la Grosse-Île, sur le fleuve Saint-Laurent[29]. Regroupant des chercheurs canadiens et américains, ce laboratoire concentre ses recherches sur le virus de la peste bovine, virus qu'il faut produire en grande quantité pour préparer un vaccin. La peste bovine est en effet une maladie mortelle pour les vaches, et les autorités craignent une attaque bactériologique qui mettrait en danger la réserve des aliments essentiels à la poursuite de la guerre. Du côté de la lutte contre les microorganismes humains, les docteurs Armand Frappier et Victorien Fredette étudient la valeur relative de plusieurs sérums antitoxiques et antibactériens[30].

En somme, les scientifiques de McGill, qui ont fait leurs premières armes au cours de la Première Guerre, se sont adaptés rapidement aux exigences de la Seconde. Quant à la communauté scientifique canadienne-française, elle fournit une contribution à la mesure de sa modeste taille.

Un laboratoire secret à l'Université de Montréal

Pendant la guerre, bien peu de Canadiens savent que Montréal abrite un des laboratoires les plus importants des nations alliées sur le plan stratégique. Ce laboratoire secret est logé à l'Université de Montréal et il a pour mission de construire un premier réacteur atomique, essentiel à la mise au point de la bombe atomique.

Découverte au début de 1939, la fission de l'uranium retient l'attention des scientifiques de plusieurs pays. En France, quelques mois avant le début de la guerre, l'équipe de Frédéric Joliot-Curie découvre que l'emploi de l'eau lourde comme modérateur permettrait l'usage d'uranium naturel comme combustible dans une pile atomique. Des mesures sont alors prises immédiatement par le gouvernement français pour acheter le seul stock d'eau lourde disponible sur le marché et produit par une usine de Norvège, soit environ 200 kg. Mais l'invasion de la France par les Allemands rend impossible la poursuite des travaux. Hans von Halban et Lew Kowarski décident alors d'atteindre l'Angleterre avec l'eau lourde, pendant que Joliot-Curie reste en France et se joint au mouvement de la résistance[31].

Pour leur part, les Anglais entreprennent leurs travaux sur la fission de l'uranium à l'été de 1939 et, ayant compris son intérêt militaire, forment un comité spécial en avril 1940, sous la direction de George P. Thomson. Un an plus tard, le comité conclut qu'il est possible de fabriquer une bombe atomique, ainsi qu'un réacteur, tout en faisant remarquer que le Canada possède beaucoup d'uranium. En septembre 1941, une équipe de recherche du nom de Tube Alloys est mise sur pied. Halban et Kowarski y sont intégrés, apportant leur expertise sur l'eau lourde. Au même moment, le comité recommande que l'équipe de Tube Alloys soit transférée aux États-Unis ou au Canada, vu les dangers qui menacent l'Angleterre[32].

Pendant l'année qui suit, les négociations entre les Britanniques et les Américains au sujet de la bombe achoppent sur deux points principaux: premièrement la sécurité (l'équipe anglaise étant jugée trop «cosmopolite») et, deuxièmement, le savoir-faire industriel (les Américains ne voulant pas divulguer les connaissances obtenues à forts coûts à des industries concurrentes comme l'Imperial Chemical Company, très présente dans l'équipe de Tube Alloys). À la fin de l'été 1942, un compromis est atteint : les Anglais installeront leur équipe au Canada, moyennant fourniture par les Américains de certains matériaux comme l'eau lourde et l'uranium métallique, nécessaires à la construction du réacteur[33]. Ironiquement, l'uranium américain proviendra de la raffinerie de Port Hope, en Ontario, et une partie de l'eau lourde sera produite en Colombie-Britannique!

Le gouvernement canadien accepte de participer au projet. C.J. Mackenzie, président du Conseil national de recherche du Canada, supervise le tout. En décembre 1942, on loue de l'espace dans l'édifice principal de l'Université de Montréal, encore en construction sur le flanc nord du Mont-Royal. L'équipe de Tube Alloys dirigée par Halban arrive au début de 1943 et les travaux débutent en mars.

En mai, l'équipe comprend une centaine de membres. Sur les 47 professionnels, on compte 20 Canadiens et 27 Anglais. En fait, ces « Anglais » représentent au moins une dizaine de nationalités et cet aspect « international » joue d'ailleurs un rôle dans le choix de Montréal comme site du laboratoire, les autorités jugeant plus facile de garder l'opération secrète dans une ville cosmopolite comme Montréal.

Des frictions subsistent toutefois entre les gouvernements britannique et américain, et il faut attendre la rencontre des trois chefs d'État à Québec, en août 1943, pour clarifier totalement la situation. Signé le 19 août à la Citadelle de Québec par Roosevelt et Churchill, en compagnie de Mackenzie King, l'Accord de Québec, comme on l'appelle depuis, assure enfin une collaboration complète et efficace au sein de l'équipe, administrée désormais par un comité tripartite. Dès les premières réunions de ce comité, au début de 1944, il est décidé de remplacer Halban par le physicien anglais John D. Cockroft à la tête de l'équipe.

L'année qui sépare le début des travaux de l'arrivée de Cockroft, en avril 1944, en est donc une de frustrations pour les scientifiques engagés dans le projet de Montréal. Selon le physicien George C. Lawrence, un membre canadien de l'équipe, « pendant cette période d'incertitude, la recherche à Montréal continuait à produire les données requises pour la construction du réacteur à eau lourde et à uranium, mais les objectifs du laboratoire, ses plans et ses espoirs, vacillaient à chaque discussion sur la collaboration avec les autorités des États-Unis[34] ».

Les travaux avancent malgré tout et donnent même lieu à des découvertes importantes. Ainsi, au cours de 1944, une nouvelle série d'éléments radioactifs semblable à celle du radium et du thorium est découverte grâce aux travaux de Pierre Demers, un des rares Canadiens français de l'équipe, consacrés à la préparation de plaques photographiques spéciales permettant d'enregistrer la trajectoire des particules émises par les noyaux atomiques. En dissolvant de l'uranium 233 dans l'émulsion photographique, on pouvait observer que les lignes produites par les particules apparaissaient par groupes provenant d'un centre, comme les rayons d'une roue. Cela signifiait que l'uranium 233 se désintégrait en séquence, d'autres atomes émettant chaque fois une particule alpha. D'autres chercheurs participèrent par la suite à l'identification des membres de la série et de certaines de leurs propriétés.

La plupart des travaux ont pour but d'amasser les informations nécessaires à la construction du réacteur. Bruno Pontecorvo, qui, avec Alan Nunn May, allait devenir l'un des premiers « espions atomiques », étudie le comportement des neutrons dans un système eau lourde-uranium naturel, alors que d'autres cherchent quelle configuration uranium-eau lourde serait plus efficace. On étudie aussi le comportement des neutrons dans le graphite, au cas où l'eau lourde manquerait. Pour leur part, les chimistes s'ingénient à trouver une méthode pour extraire le plutonium produit dans les barres d'uranium irradiées fournies par les Américains. Comme ces derniers ne veulent pas donner « leur » solution du problème, il faut tout reprendre à zéro. L'équipe canadienne étudie donc systématiquement trois cents solvants organiques disponibles sur le marché pour n'en retenir qu'une demi-douzaine, dont l'un sert finalement à la mise au point d'un procédé original.

Il est évident que la pile elle-même ne peut être construite sur le campus de l'Université de Montréal. On doit trouver un endroit approprié et le choix s'arrête sur Chalk River, situé à 190 kilomètres au nord-ouest d'Ottawa. Même si l'équipe anglaise avait commencé la course avec une bonne longueur d'avance sur les Américains en ce qui concerne les réacteurs à eau lourde, elle est quand même devancée: ceux-ci font fonctionner la première pile atomique en mai 1944. Celle de Chalk River n'est opérationnelle qu'à la fin de la guerre, en septembre 1945. C'est la première pile à fonctionner en dehors des États-Unis. À la fin de la guerre, l'équipe de Montréal se disperse et la recherche sur les piles atomiques continue à Chalk River. C'est là que l'Énergie atomique du Canada mettra au point le réacteur CANDU dans les années 1950 et 1960.

Guerre froide et espionnage scientifique

Au début du mois de septembre 1945, le premier ministre du Canada, William Lyon Mackenzie King, est aux prises avec une affaire d'espionnage scientifique. Igor Gouzenko, employé à l'ambassade soviétique à Ottawa, se présente au ministère canadien de la Justice et démontre, documents à l'appui, l'existence d'un réseau d'espionnage opérant pour le compte de l'Union soviétique. Sur le plan scientifique, les informateurs devaient fournir des renseignements sur les systèmes de radar mis au point au CNR, les explosifs étudiés au centre de Valcartier et les travaux atomiques en cours.

La guerre à peine terminée, une « guerre froide » entre les Russes et les Américains commence, dont l'« affaire Gouzenko » constitue un des premiers événements importants. Pour ne pas envenimer l'état déjà tendu des relations internationales, King discute de l'affaire avec le président des États-Unis et le premier ministre de Grande-Bretagne. Cependant, au début de février 1946, l'affaire est ébruitée par un journaliste américain et King se voit dans l'obligation d'agir. Il est d'ailleurs personnellement convaincu que les autorités américaines ont volontairement ébruité l'affaire de manière à éviter aux Américains l'odieux de lancer une campagne antisoviétique[35]. Le 15 février 1946, le ministre des Affaires étrangères annonce donc que plusieurs personnes ont transmis des renseignements secrets à l'ambassade d'une puissance étrangère et qu'une commission royale d'enquête est chargée d'étudier la question. Le communiqué tait le nom de l'ambassade pour des raisons diplomatiques, mais tout le monde devine qu'il s'agit de celle de l'Union soviétique. Au même moment, douze personnes sont arrêtées par la Gendarmerie royale du Canada. Les informations fournies par Gouzenko permettent aussi aux autorités britanniques d'arrêter Alan Nunn May, qui avait travaillé au laboratoire de Montréal, et de l'accuser d'avoir transmis aux Russes des quantités microscopiques d'uranium enrichi. May avoue et est condamné à dix ans de prison pour avoir enfreint la loi sur les secrets officiels[36].

La plupart des Canadiens arrêtés sont des scientifiques employés dans les laboratoires du Conseil national de recherche du Canada et six d'entre eux sont diplômés de McGill. Le plus connu est alors Raymond Boyer. Docteur en chimie et professeur adjoint au Département de chimie de McGill, il a joué un rôle important dans la mise au point de l'explosif RDX. De plus, en

Accusé d'espionnage pour le compte de l'Union soviétique, le chimiste Raymond Boyer est envoyé à son procès en mars 1946. (*Montreal Star*, Archives publiques du Canada, PA-129633)

mai 1945, il avait été élu président de la Canadian Association of Scientific Workers et était ainsi devenu suspect d'allégeance communiste aux yeux des autorités fédérales. D'abord apparue en Angleterre après la Première Guerre mondiale, cette forme de regroupement de scientifiques s'était retrouvée par la suite aux États-Unis et favorisait une planification nationale de la recherche scientifique et une syndicalisation des scientifiques, positions qui furent rapidement identifiées au «communisme»[37].

Arrêté le 15 février 1946, Boyer est accusé d'avoir transmis des renseignements secrets à propos du RDX par l'intermédiaire de Fred Rose, lors de rencontres à l'appartement de ce dernier, rue Clark à Montréal. Député fédéral de la circonscription de Montréal-Cartier, élu pour la première fois en 1943 et réélu en 1945, Rose est le seul représentant du Parti ouvrier-travailliste, identifié à la cause communiste au Canada.

Le témoignage de Boyer à la Commission royale d'enquête Kellock-Taschereau, en mars 1946, reflète bien l'attitude d'un grand nombre de scientifiques qui, à l'époque, sont convaincus de l'importance d'un échange complet d'information entre le Canada, les États-Unis, l'Angleterre et l'Union soviétique. Pour Boyer, ou son homologue britannique Alan Nunn May, les renseignements transmis ne constituaient pas de véritables «secrets», même si les gouvernements avaient interdit de les divulguer. Lors de son témoignage, Boyer insiste pour rappeler que la formule du RDX était connue depuis le début du siècle. De même, pour la bombe atomique et le traitement de l'uranium, plusieurs scientifiques étaient persuadés que les Russes trouveraient par eux-mêmes les formules assez rapidement. Il valait donc mieux selon eux collaborer dès maintenant pour améliorer l'état des relations internationales. En avouant presque candidement avoir transmis à Rose des informations, Boyer se reconnaissait ainsi coupable d'avoir enfreint la loi sur les secrets officiels et, lors du procès qui suivit le dépôt du rapport de la Commission royale d'enquête, il fut condamné à deux ans de prison[38].

En somme, la plupart des «espions atomiques» ne se considéraient nullement comme des espions, mais croyaient sincèrement avoir agi pour le bien de l'humanité. Sympathiques au régime soviétique, qui avait aidé les Alliés à gagner la guerre, ils ne pouvaient comprendre qu'on puisse refuser de partager les découvertes scientifiques faites pendant la guerre ; plusieurs attribuaient aux Américains cette hostilité injustifiée envers l'Union soviétique.

Le 14 mars, à la suite de l'interrogatoire de Boyer, Fred Rose est arrêté. Après avoir refusé de témoigner devant la Commission royale d'enquête au nom de l'immunité parlementaire, Rose est cité à son procès et condamné à six ans de prison.

Comme la moitié des savants arrêtés sont diplômés de McGill, l'université est pendant quelques mois la cible de critiques adressées par certains journaux et certains députés de l'Assemblée nationale. Commentant l'affaire Gouzenko en mars 1946, un journal anglophone de Québec note que les universités sont depuis longtemps des foyers de radicalisme et des centres d'endoctrinement. «Vous envoyez à McGill votre fils bon démocrate, écrit-on, et il en ressort un communiste international[39].» Mais dans l'ensemble, la presse canadienne considère les scientifiques et les ingénieurs engagés dans l'affaire Gouzenko davantage comme des victimes de leur ignorance politique que comme des espions à la solde d'une puissance communiste[40].

En route vers la Big Science

Les préoccupations de la guerre oubliées, Foster revient à McGill avec son projet de cyclotron en tête. Les autorités universitaires lui donnent le feu vert et, en octobre 1946, on inaugure officiellement le nouveau laboratoire avec son accélérateur de protons de 100 millions d'électrons-volts. L'événement est assez important pour que le grand physicien danois Niels Bohr, avec qui Foster n'a jamais cessé d'avoir des contacts, assiste à l'inauguration. Pour McGill, c'est le début d'une nouvelle période de prospérité sous la direction vigilante de Foster, qui ne prendra sa retraite qu'en 1960[41].

En 1945, l'Université de Montréal réorganise son institut de physique. Dirigé pendant vingt-cinq ans par le docteur J.-E. Gendreau, l'Institut avait jusque-là limité ses activités à

Deux lauréats du prix Nobel, le Danois Niels Bohr (deuxième à partir de la gauche) et l'Américain Ernest O. Lawrence (cinquième) examinent le cyclotron de McGill en 1946, en présence de J.S. Foster (premier à gauche). (*The Gazette*, Archives publiques du Canada, PA-159673)

l'enseignement. Un physicien français, Marcel Rouault, spécialiste de l'étude de la diffraction des électrons à travers les gaz, est nommé directeur et il s'entoure aussitôt de jeunes collaborateurs rompus aux exigences de la recherche scientifique. En 1946, il engage Pierre Demers qui, après avoir fait ses preuves au Laboratoire atomique de Montréal, accepte de poursuivre ses recherches au Département de physique. Au même moment, Rouault retient aussi les services de Paul Lorrain. Pendant la guerre, ce dernier avait fait des recherches sous la direction de John S. Foster à McGill, recherches qui lui permettront d'obtenir le doctorat en 1947. Ces deux jeunes professeurs-chercheurs introduisent à l'Université de Montréal des domaines de pointe

Le physicien Marcel Rouault (au centre) étudiant la diffraction des électrons dans les gaz à l'Université de Montréal. (*L'Action universitaire*, 1956)

de la recherche en physique. Demers perfectionne avec ses étudiants la technique des émulsions photographiques qui permet de mesurer la trajectoire et l'énergie de particules élémentaires. Pour ses expériences, il utilise le plus puissant accélérateur de particules connu : le cosmos. En envoyant ses plaques photographiques en ballon à une altitude d'une quinzaine de kilomètres, il a en effet accès aux rayons cosmiques de haute énergie qui parcourent l'espace interstellaire. Il présente régulièrement ses travaux et ceux de son équipe aux congrès annuels de l'Acfas et ailleurs. C'est à Montréal, en octobre 1947, que Demers rend publique la découverte, mentionnée précédemment, de sept nouveaux éléments de la série de

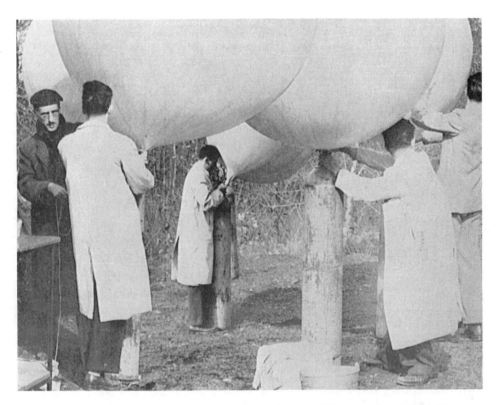

Le physicien Pierre Demers (premier à gauche), de l'Université de Montréal, se prépare à lancer des ballons emportant des émulsions photographiques servant à enregistrer les rayons cosmiques.

neptunium mis en évidence grâce à l'emploi de ses émulsions photographiques. En 1957, il publie un traité intitulé *Ionographie*, où il présente une synthèse de ses travaux et de ceux effectués à travers le monde dans le domaine des émulsions nucléaires.

Paul Lorrain pour sa part introduit au milieu des années 1950 une autre façon de faire de la physique nucléaire en construisant avec ses étudiants un accélérateur de protons de cinq cent mille électrons-volts, de type Cockroft-Walton. Il s'était initié à ce domaine de recherche lors d'un séjour de trois ans à l'Université Cornell à la fin des années 1940. Beaucoup plus modeste que le cyclotron de McGill, ce projet permet toutefois aux physiciens canadiens-français d'apporter leur contribution

Paul Lorrain dans son laboratoire de l'Université de Montréal. (Collection Paul Lorrain)

à cette spécialité en plein développement au Canada.

Au milieu des années 1950, le Département de physique de l'Université de Montréal rattrape le retard qu'il avait accumulé par rapport à l'Université Laval, où l'on avait connu un développement rapide sous la direction de Rasetti.

Le départ de Rasetti pour les États-Unis en 1947 rappelle une fois de plus la difficulté de faire de la recherche de pointe au Québec à cette époque. Rasetti affirme en effet devoir quitter Laval en raison de l'isolement trop grand de l'institution par rapport au centre de la communauté scientifique. En 1907, Rutherford avait invoqué les mêmes raisons pour expliquer son départ pour l'Angleterre.

Pour le remplacer, Rasetti suggère son ami et ancien collègue en Italie, Enrico Persico. Sous la direction de Persico,

Premier accélérateur de particules construit au Québec par des physiciens francophones : le Cockroft-Walton de l'Université de Montréal en 1955. (Collection Paul Lorrain)

le Département s'intéresse à la mise au point de spectromètres de masse et de sélecteurs d'électrons. Après le départ de Persico en 1950, la première génération de physiciens canadiens-français formée à Laval peut se prendre en main et la direction du département est confiée à Henri-Paul Kœnig, un des premiers étudiants de Rasetti. Au cours des années qui suivent, les domaines de recherches se diversifient. La tradition inaugurée par Persico se retrouve dans les travaux de Larkin Kerwin et Paul Marmet sur la spectrométrie électronique. En optique, les travaux d'Albéric Boivin sur la diffraction des ondes lumineuses sont à l'origine d'un axe important de recherche au sein du département. À partir du milieu des années 1960, le domaine de l'optique se transforme : l'étude et la construction de lasers prennent une place importante.

Les recherches dans ce département sont grandement stimulées par la mise au point, annoncée en janvier 1970, d'un nouveau laser fonctionnant à pression atmosphérique et au gaz carbonique, le laser CO_2-TEA. Inventé et mis au point par Jacques Beaulieu et son équipe du Centre de recherches pour la défense de Valcartier, ce laser est à l'origine d'une nouvelle

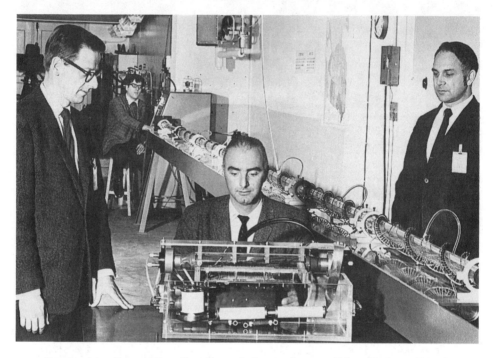

Le physicien Jacques Beaulieu (à gauche) et quelques collaborateurs au Centre de recherche pour la défense nationale à Valcartier vers 1970. (Collection Jacques Beaulieu)

génération de lasers à gaz carbonique[42]. Toujours au milieu des années 1960, la physique nucléaire expérimentale s'ajoute aux domaines de recherches du département. Claude Saint-Pierre, formé par Paul Lorrain à Montréal, se charge de la mise en place à Laval d'un accélérateur de type Van de Graaff d'environ six millions d'électrons-volts. Montréal renouvelle aussi son équipement en obtenant de Chalk River un accélérateur Tandem Van de Graaff pouvant accélérer des particules jusqu'à douze millions d'électrons-volts.

　　　Le développement rapide de la recherche au cours des années 1950 et surtout 1960 est essentiellement une conséquence

Inauguration du laboratoire de physique nucléaire de l'Université de Montréal en 1968 : René-J.-A. Lévesque, directeur du laboratoire, le recteur Roger Gaudry et le physicien américain Frederick Weiskopf examinent le dynamitron, qui sert à accélérer les protons. (Archives de l'Université de Montréal)

de la croissance exponentielle du nombre des inscriptions au niveau du premier cycle universitaire. En effet, l'engagement de nombreux professeurs détenant de plus en plus un diplôme de doctorat et désirant poursuivre des activités de recherche, en plus de leurs tâches d'enseignement, entraîne une diversification des domaines de recherche. C'est l'époque où chaque département voudrait offrir aux étudiants un éventail complet des spécialités de sa discipline. La physique de l'état solide, la chimie organique, la chimie physique, la biochimie sont des spécialités offertes par toutes les principales universités. Plus coûteuse, la physique nucléaire est tout de même étudiée dans les trois principales universités du Québec : McGill, Laval et Montréal. La physique des plasmas prend un certain essor à McGill, à l'Université de Montréal et au Département de génie électrique de l'Université

Laval, mais à partir des années 1970, l'INRS Énergie devient le principal centre de recherche au Québec dans ce domaine relié à la fusion nucléaire[43]. Enfin, l'astronomie et l'astrophysique se développent à l'Université Laval et à l'Université de Montréal, qui dirigent conjointement l'observatoire du mont Mégantic, construit au milieu des années 1970.

En mathématiques, la recherche ne prend son essor qu'au cours des années 1960, grâce à la croissance rapide d'un corps professoral plus spécialisé. Comme toujours, l'Université McGill avait pris un peu d'avance en engageant l'algébriste allemand Hans Zassenhaus en 1949[44] et en décernant deux ans plus tard un premier doctorat dans ce domaine. En 1950, c'est au tour de Jean-Marie Maranda d'obtenir un doctorat de McGill. Engagé ensuite par l'Université de Montréal, il participe avec Maurice L'Abbé et le statisticien Jacques Saint-Pierre à la mise en place d'un véritable département de mathématiques. Au milieu des années 1950, le département profite aussi de l'expérience de mathématiciens étrangers, tel le topologiste Ystvan Fary qui dirige le premier doctorat, décerné en 1956.

Cependant, c'est sous la direction de Maurice L'Abbé, qui a obtenu son doctorat de l'Université Princeton en 1951 et qui devient directeur du département en 1957, que la recherche s'organise vraiment. En 1962, il fonde le séminaire de mathématiques supérieures, qui permet à la jeune communauté mathématique de Montréal de recevoir chaque année des experts mondiaux de plusieurs spécialités mathématiques. Les professeurs et les étudiants peuvent ainsi s'initier aux domaines de recherches les plus récents et échanger des idées avec des chercheurs de haut calibre. L'effort du Département de mathématiques pour stimuler la recherche culmine en 1968 avec la création du Centre de recherche en mathématiques appliquées. Subventionné par le CNR et par le Conseil de recherche pour la défense, qui s'intéressent à l'essor des mathématiques appliquées, le Centre, dont les intérêts ne se limitent nullement aux aspects « appliqués » des mathématiques, devient rapidement un des principaux lieux de la recherche en mathématiques au Canada.

À l'Université Laval, la figure légendaire en mathématiques est sans conteste Adrien Pouliot. Ce n'est toutefois pas un chercheur, mais plutôt un animateur et un bâtisseur[45]. La recherche au sein du département ne débute vraiment qu'au milieu des années 1960, époque où le nombre de professeurs détenant un doctorat augmente rapidement. Le premier diplôme de doctorat est d'ailleurs décerné par le département en 1966. La croissance est modeste, mais soutenue, le département décernant dix diplômes de deuxième et un de troisième cycles entre 1964 et 1970.

Dans l'ensemble des disciplines scientifiques, la période s'étendant du milieu des années 1950 au milieu des années 1970 en est une de croissance exponentielle. Dans l'euphorie du moment, le développement se fait sans trop de planification, comme l'illustre la construction simultanée d'accélérateurs de particules à Québec et à Montréal. En fait, les notions de « planification nationale » et de « coordination interuniversitaire » n'apparaissent dans le vocabulaire des doyens et des recteurs qu'au cours de la seconde moitié des années 1970. Les coupures budgétaires, qui coïncident avec le renouvellement d'importants équipements de recherche, font alors prendre conscience de l'impossibilité de construire ou d'acheter les mêmes appareils coûteux pour chacune des universités québécoises. Pressées par une conjoncture économique défavorable, les universités doivent modifier leurs habitudes individualistes et compétitives, et multiplier les « programmes conjoints » pour éviter les « duplications », ces mots clés de la gestion universitaire des années 1980. Les coupures budgétaires touchent aussi la recherche de façon indirecte en limitant l'engagement de jeunes professeurs. Le vieillissement des appareils de recherche s'accompagne ainsi du vieillissement des chercheurs et de leurs programmes de recherche. C'est à ce problème complexe du renouvellement des chercheurs et des idées que fait face le milieu scientifique québécois des années 1980.

CONCLUSION

Depuis la découverte du Canada, les sciences ont joué des rôles multiples, évoluant sous la pression des forces historiques qui façonnaient la société elle-même. On chercherait en vain un fil conducteur, une « trame[1] », dans l'histoire des sciences au Québec : le progrès des idées et des institutions de la science est marqué par des temps morts et des reculs qui succèdent aux avancées, sans autres règles que celles que dictent les circonstances et le contexte. Tout au plus pouvons-nous distinguer dans cette histoire trois grandes périodes et les forces les plus générales.

La première période de l'histoire des sciences au Québec s'étend des premières explorations jusqu'au début du XIXe siècle. La nature des activités scientifiques y est principalement déterminée par le caractère colonial de la société et des institutions canadiennes. Sous le Régime français, puis au cours des premières décennies du Régime britannique, l'exploration et la cartographie du territoire constituent la première tâche des naturalistes et des savants. L'astronomie, par exemple, a un caractère essentiellement utilitaire, les observations servant surtout à déterminer la latitude et la longitude, à établir l'heure juste et à faciliter la navigation ou l'arpentage. Il arrive toutefois que l'observation de phénomènes célestes ne réponde pas uniquement à des nécessités pratiques, mais aussi à la curiosité de savants européens. C'est le cas des notes sur le transit de Vénus prises par Holland, à Québec, en 1769. De même, les différentes branches de l'histoire naturelle, la botanique en particulier, sont étudiées à la fois parce qu'elles présentent un intérêt pratique et qu'elles appuient le travail des savants européens aux prises avec des problèmes de classification des formes du vivant. En somme, les études scientifiques de cette époque n'échappent à des impératifs pratiques que lorsqu'elles se trouvent commanditées par quelque autorité européenne. Situation normale, propre aux sociétés coloniales, puisqu'il n'existe pas alors au Canada de cercle scientifique suffisamment large pour générer ses propres questions et encadrer le travail des naturalistes.

Une deuxième période s'ouvre à l'aube du XIXe siècle. Avec la croissance des villes et le développement de la bourgeoisie, on voit alors naître au Bas-Canada un intérêt nouveau, proprement culturel, pour les études scientifiques, en même temps que pour les arts et la littérature. Signes de cet intérêt, les sociétés savantes se multiplient, à Québec comme à Montréal. L'exemple est donné par les citoyens d'origine britannique, avec la Literary and Historical Society, les Mechanics' Institutes et la Natural History Society, mais les Canadiens français ne tardent pas à emboîter le pas. Parallèlement, les institutions d'enseignement se répandent à travers le Bas-Canada. Même si l'enseignement des collèges et des séminaires reste essentiellement dominé par les humanités gréco-latines et la littérature, les sciences n'y sont pas négligées. Dans certaines institutions, sous l'impulsion de professeurs de talent, tel Jérôme Demers au Séminaire de Québec, cet enseignement des sciences atteint même parfois un niveau comparable à celui de collèges européens et américains réputés. À partir de 1860, le programme des collèges progresse et se consolide, grâce à l'intervention de la Faculté des arts de l'Université Laval. Outre les sociétés savantes et les institutions d'enseignement, la grande presse et les premières revues de vulgarisation scientifique contribuent également à la diffusion des connaissances.

C'est au cours de cette deuxième période que l'on voit quelques naturalistes entreprendre des recherches originales et communiquer leurs résultats aux cercles scientifiques d'Europe et d'Amérique. Dès les années 1830, la géologie, dont l'importance économique est déjà universellement reconnue, a ses chercheurs et il est déjà question de créer une commission géologique. Pour les autres disciplines, la réforme de l'Université McGill et la création de l'Université Laval, au milieu des années 1850, assureront un cadre institutionnel. C'est là que la recherche, d'abord considérée comme une activité secondaire des professeurs d'université, trouvera peu à peu sa propre place.

La troisième période de l'histoire des sciences au Québec est celle de l'institutionnalisation de la recherche et de l'enseignement supérieur. Le phénomène se produit d'abord au Québec anglophone. À l'Université McGill, la croissance rapide de l'enseignement du génie, à partir de 1870, assure des auditoires nombreux aux cours de sciences. En effet, la chimie, la physique, les mathématiques et même l'histoire naturelle font partie de la formation de base des ingénieurs. Au début des années 1890, l'université anglophone entre dans une phase d'expansion rapide, facilitée par les dons de financiers et d'industriels montréalais, dont le plus célèbre est William Macdonald. De nouveaux édifices sont érigés et équipés des meilleurs instruments, afin d'accueillir de nouveaux professeurs. En physique, on recrute des scientifiques formés à Cambridge, alors un centre de recherche réputé. À McGill, ces professeurs poursuivent tout naturellement les recherches entreprises en Angleterre. Grâce à cette convergence de facteurs, la recherche en physique et en chimie fait tout à coup de grands progrès à McGill au tournant du XXe siècle.

Au Canada français, où les classes modestes de l'École polytechnique ne justifient pas le développement d'un solide enseignement des sciences pures et où les mécènes sont rares, on chercherait en vain un développement similaire dans les dernières années du XIXe siècle. Toutefois, en histoire naturelle quelques savants francophones font leur marque. C'est le cas notamment de l'abbé Ovide Brunet, en botanique, et de l'abbé Léon Provancher, en entomologie.

À partir de 1920, avec les débuts de l'enseignement spécialisé des sciences et l'essor de la recherche dans les universités francophones, le Canada français rejoint la tendance amorcée une génération plus tôt à McGill. La médecine est la première à se transformer, sous l'influence de praticiens qui ont parfait leur formation en France, où ils ont eu l'occasion de s'initier à la recherche clinique ou à la recherche dans des disciplines fondamentales comme la bactériologie. Le mouvement amorcé en médecine sera suivi peu à peu par les autres disciplines entre les années 1920 et le début de la Révolution tranquille. La création de la Faculté des sciences de l'Université de Montréal, en 1920, puis celle de la Faculté des sciences de l'Université Laval, en 1937, favorisent sensiblement l'essor de la recherche.

La première génération de scientifiques francophones, formés au cours des années 1920, est aussi à l'origine du mouvement visant à assurer plus de place aux sciences — et aux diplômés en sciences — dans l'enseignement secondaire. Le recrutement de professeurs-chercheurs à l'étranger, surtout en Europe, et les bourses d'études qui apportent à de jeunes Québécois un complément à leur formation dans les laboratoires européens et américains, constituent également des facteurs importants du développement de la recherche. La botanique, sous l'impulsion de Marie-Victorin, qui fait figure d'animateur et de chef de file, la bactériologie et la chimie sont les premières disciplines à être témoins de ce renouveau. Elles seront plus tard suivies de la physique et des mathématiques. À la fin de la Seconde Guerre mondiale, le Québec français, malgré des lacunes importantes, dispose des structures institutionnelles pour former des scientifiques dans la plupart des disciplines fondamentales.

Toutefois, la recherche manque encore d'envergure dans bien des domaines et il faudra attendre la Révolution tranquille avant que les germes de 1920 parviennent à maturité. À compter de 1960, la croissance exponentielle des inscriptions étudiantes justifie l'engagement de nouveaux professeurs, souvent mieux préparés que leurs prédécesseurs à des carrières de chercheurs. On voit alors se multiplier les programmes d'études avancées, de même que les laboratoires et les centres de recherche. Comme cela s'était produit au Canada anglais cinquante ans plus tôt, les besoins croissants de l'enseignement scientifique et technique fournissent l'impulsion nécessaire au développement de la recherche.

L'État, bien sûr, n'est pas resté étranger à cette évolution du système d'enseignement supérieur et de la communauté scientifique. Finançant la quasi-totalité de l'enseignement et la plus grande partie de la recherche scientifique, les gouvernements de Québec et d'Ottawa en sont également venus à jouer un rôle déterminant dans l'orientation du progrès des connaissances. Aujourd'hui, alors que l'innovation technologique semble la clé de la prospérité économique, le Québec, comme le reste du monde industrialisé, assiste à une intégration croissante de la recherche scientifique et de l'économie, intégration d'ailleurs appelée par les vœux unanimes des politiciens, des économistes et des entrepreneurs. Les protestations occasionnelles de scientifiques qui s'inquiètent de voir les sciences ainsi asservies aux impératifs de la production et de la concurrence, loin de ralentir le mouvement, ne servent qu'à mettre en évidence tout ce qui sépare l'idéal classique de la recherche pure et désintéressée des conditions économiques et sociales du progrès des sciences en cette fin du XXe siècle.

Cette périodisation de l'histoire des sciences au Québec sert de toile de fond à la discussion de trois grands problèmes historiques, auxquels notre étude permet d'apporter une ébauche de réponse : les influences étrangères sur le développement des sciences au Québec francophone, le rôle de l'Église catholique à l'égard des sciences et les rapports entre le tournant de 1920 et la Révolution tranquille.

Malgré la diversité des situations dans lesquelles se trouvent les scientifiques au cours des trois périodes esquissées, l'importance des réseaux internationaux apparaît nettement. Qu'auraient été Lafitau, sans les relations qu'entretenaient les Jésuites à travers le monde, de l'Europe jusqu'à l'Asie, ou encore Sarrazin, sans ses correspondants de l'Académie des sciences et du Jardin du roi ? Au XIXe siècle, l'intégration des naturalistes québécois aux circuits américains et européens est encore plus nette. Logan, Hunt et Dawson s'adressent véritablement au « monde scientifique ». Chez les francophones, Provancher, Laflamme et Brunet appartiennent également à des réseaux de naturalistes américains et européens. L'importance constante des réseaux internationaux, depuis les premières explorations et les premières recherches, indique à quel point il est nécessaire d'étudier l'histoire des sciences au Québec en référence avec toute l'histoire des sciences. À la différence peut-être des autres branches de l'histoire culturelle, l'histoire des idées et des institutions scientifiques est inconcevable sans de constantes références à la situation internationale. Cette constatation a pour première conséquence de nous obliger à envisager comme un problème les rapports entre les francophones et les anglophones dans le domaine des sciences depuis le début du XIXe siècle. Forte de son pouvoir économique, linguistiquement et culturellement mieux intégrée à l'Amérique du Nord, à même de profiter de l'hégémonie culturelle de l'Angleterre et des États-Unis, notamment dans le domaine des sciences, la communauté anglophone du Québec, nous l'avons vu, a régulièrement ouvert la voie dans les sociétés savantes, la presse de vulgarisation, l'enseignement scientifique et la recherche. Quel effet d'entraînement ces initiatives ont-elles eu sur les institutions francophones? Dans quelle mesure le progrès des sciences au Québec anglais a-t-il favorisé l'évolution des idées au Québec français? Des recherches sur ce sujet nous conduiraient peut-être à reconnaître que les institutions et la culture du Canada français ont été plus perméables qu'on ne l'a cru aux influences étrangères.

La question de l'attitude de l'Église catholique à l'endroit des sciences, tout aussi complexe que celle des influences culturelles étrangères, a également été embrouillée par les analyses et les jugements superficiels. L'épisode ultramontain a joué à cet égard un rôle déformant, laissant croire à plusieurs que le clergé avait abusé de son monopole sur l'éducation pour étouffer littéralement les sciences.

Ce monopole, il est vrai, dure plus d'un siècle, soit du milieu du XIXe siècle à 1960, période au cours de laquelle les institutions d'enseignement ne forment qu'un petit nombre de scientifiques et d'ingénieurs par rapport à des légions de prêtres, d'hommes de loi et de médecins. Pourquoi le clergé catholique francophone n'a-t-il pas tenté de briser le cercle vicieux de la dépendance économique nationale par l'éducation? Les capitaux manquant, n'était-il pas au moins possible de former des ingénieurs, des chimistes, des agronomes, des biologistes, etc., et de les laisser s'imposer peu à peu sur le marché du travail? Pourquoi n'avoir pas entrepris par l'éducation la reconquête économique du Québec? Les recettes de 1920 et de 1960 n'étaient-elles pas applicables dès le XIXe siècle?

Un point en tout cas est clair: l'Église ne s'est jamais formellement opposée au progrès des sciences, pas plus qu'au développement technologique et au progrès. Sans doute y avait-il dans le clergé une fraction conservatrice, attachée aux traditions et hostile aux changements sociaux comme à l'industrialisation. Sans doute quelques abbés ont-ils célébré l'idéal d'un Canada français exclusivement agricole et replié sur lui-même. Toutefois, à travers tout le XIXe siècle et une bonne partie du XXe, on chercherait en vain une condamnation des sciences par l'Église. Celle-ci semble avoir toujours pris soin de distinguer les sciences elles-mêmes des idéologies et des doctrines matérialistes qui s'en réclamaient. En 1885, par exemple, Mgr Laflèche lui-même, le redoutable champion des ultramontains, exhorte publiquement ses fidèles à se consacrer à l'étude des sciences naturelles[2]. Jusqu'à la Seconde Guerre, les scientifiques francophones les plus éminents sont presque tous des membres du clergé et travaillent au sein d'institutions catholiques.

Mais si l'Église ne se heurte jamais aux sciences pour des motifs idéologiques, son long monopole sur l'éducation et l'ensemble de son action sociale n'en ont pas moins été indirectement défavorables au progrès scientifique du Québec français. Dans la logique même d'une institution qui, sans être *contre* quelque chose, est fortement *pour* autre chose, l'Église a historiquement reproduit et défendu un système de valeurs où la maîtrise de la nature et la transformation matérielle du monde étaient loin d'occuper la première place, et administré un système d'éducation dont la mission première était d'alimenter les rangs du clergé plutôt que de préparer les jeunes gens à des carrières séculières. Une telle institution engendre, socialement, des effets pervers lorsqu'elle peut profiter d'une situation de monopole pour décourager toute initiative qui ne part pas d'elle. La lutte — longtemps victorieuse — de l'Église du Québec contre les tentatives de l'État et de mouvements laïcs en éducation, dans le domaine de l'enseignement technique ou dans celui de la formation des maîtres notamment, a indirectement retardé le développement des institutions scientifiques. Du milieu du XIXe siècle à la Révolution tranquille, les sciences ont simplement subi le contrecoup de l'opposition du clergé à la laïcisation de l'éducation.

Enfin, le développement des sciences au Québec français au cours du XXe siècle montre clairement que la modernisation de cette société commence bien avant 1960. La transformation de la base économique de la province, passant de l'agriculture et de l'exploitation des ressources premières à l'industrie manufacturière, l'urbanisation — à compter de 1921, la majorité des Québécois sont des citadins —, l'apparition de nouveaux groupes sociaux, liés aux nouveaux métiers industriels et aux services, se traduisent dès le premier quart du siècle par des pressions nouvelles sur le système d'éducation: à côté du programme des études classiques, qui devra bientôt s'adapter à son tour, apparaissent ceux des écoles techniques, des écoles commerciales et des écoles secondaires des commissions scolaires. L'enseignement universitaire des sciences se transforme à partir de 1920. Sous l'action de brasseurs d'opinion comme Marie-Victorin ou Adrien Pouliot, la communauté scientifique trace alors un programme de réforme et d'action qui l'inscrit au cœur de l'évolution de la société québécoise: développement de l'enseignement technique et scientifique, vulgarisation scientifique au moyen de la grande presse, de la radio et des mouvements de jeunesse, interventions des savants dans l'arène politique chaque fois que les circonstances le demandent, promotion des Canadiens français dans les carrières scientifiques et dans l'industrie, notamment via la nationalisation des ressources naturelles, multiplication des chercheurs dans toutes les disciplines, etc. Ce programme, énoncé et poursuivi dès les années 1930, est en bonne partie celui de la Révolution tranquille. Les historiens de la « modernisation du Québec », à la recherche de ruptures, devront tenir compte du mouvement scientifique qui prend son élan en 1920.

À côté de ces quelques problèmes, sur lesquels nos travaux nous permettent de jeter un peu de lumière, beaucoup d'autres restent dans l'ombre. L'histoire de la plupart des disciplines scientifiques est encore à faire. Il en va de même des institutions d'enseignement scientifique, mal connues pour la plupart: ni l'Université Laval ni l'Université de Montréal n'ont eu leur historien. Du côté anglophone, on ignore à peu près tout du niveau de l'enseignement des sciences dans les institutions d'enseignement secondaire. On connaît peu l'évolution des programmes de sciences dans les collèges classiques — particulièrement dans les collèges féminins — sous l'influence du mouvement scientifique de 1920 et des controverses déclenchées par Adrien Pouliot. Comment se sont modifiées, pour les femmes, les conditions d'accès aux carrières scientifiques? Enfin, les organisations scientifiques et les grands laboratoires industriels et gouvernementaux, presque tous nés depuis la

Seconde Guerre, n'ont pas été étudiés encore, sauf de rares exceptions.

Si l'histoire institutionnelle a ses lacunes, l'histoire des idées et de la culture en a peut-être davantage. Que sait-on des rapports entre les théories scientifiques et l'histoire des idéologies au Québec? Quel effet ont pu avoir les sciences sur les doctrines sociales, les idées politiques, les mouvements artistiques, etc.? L'histoire de la vulgarisation scientifique reste également à écrire, et, parmi tous les thèmes qui mériteraient de faire l'objet de recherche en histoire culturelle, citons celui des relations que le discours politique et social a tissées, depuis le XIXe siècle, entre les sciences, le progrès et la modernité au Québec.

Ces quelques indications devraient suffire à donner une juste idée du travail qui reste à accomplir pour que s'éclairent complètement les conditions sociales du progrès des sciences au Québec.

NOTES

INTRODUCTION

1. P.-J.-O. Chauveau, *L'Instruction publique au Canada*, Québec, 1876, p. 311.

CHAPITRE 1

1. Marcel Trudel, *Histoire de la Nouvelle-France. Les vaines tentatives 1524-1603*, Montréal, Fides, 1963, p. 13-15.
2. D.W. Thomson, *L'Homme et les méridiens*, vol. 1, Ottawa, Imprimeur de la reine, 1966, p. 47.
3. *La grande aventure de Jacques Cartier. Relation originale du voyage de Jacques Cartier au Canada*, Québec, 1934, p. 127, présenté par J.-Camille Pouliot.
4. *Ibid.*, p. 2.
5. *Ibid.*, p. 63.
6. Cité par Lionel Groulx, *La découverte du Canada. Jacques Cartier*, Montréal, Fides, 1966, p. 133.
7. *La grande aventure, op. cit.*, p. 127.
8. Cité par Henri Harrisse, *Découverte et évolution cartographique de Terre-Neuve*, Paris, 1900, p. 157.
9. *Ibid.*, p. 154.
10. *Ibid.*, p. 154.
11. A. Anthiaume, *Pierre Desceliers, père de l'hydrographie et de la cartographie françaises*, Société des Amys du Vieux Dieppe, 1926, p. 19.
12. Cité par Harrisse, *op. cit.*, p. 160.
13. *Ibid.*, p. 160.
14. Cité par J.-Rolland Pelletier, *Jean Bourdon (1601-1668)*, Québec, Société historique de Québec, Textes, n° 7, 1978, p. 7.
15. Cité par J.-Edmond Roy, « La cartographie et l'arpentage sous le Régime français », *Bulletin des recherches historiques*, vol. 1, février 1895, 2e livraison, p. 18.
16. R.G. Thwaites, *The Jesuits Relations and Allied Documents*, Cleveland, Burrows Brothers, 1896-1901, vol. 9, p. 136.
17. Sur Jean Bourdon, voir M.W. Burke-Gaffney, « Canada's First Engineer Jean Bourdon (1601-1668) », *Société canadienne d'histoire de l'Église catholique*, rapport de 1956, p. 87-104; et J.-R. Pelletier, *op. cit.*

18. Cité par D.W. Thomson, *op. cit.*, p. 54. Voir aussi Amédée Gosselin, *L'instruction au Canada sous le Régime français (1635-1760)*, Québec, 1911, p. 330. Sur Boutet, voir «Brevet d'ingénieur en la Nouvelle France pour le Sr Martin Boutet», *Bulletin des recherches historiques*, vol. 34, 1928, p. 47.

19. Cité par André Charbonneau, *Un cartographe de Québec au XVIIe siècle. Jean Baptiste Louis Franquelin*, mémoire de maîtrise en histoire, Université de Montréal, 1972, p. 30.

20. *Ibid.*, p. 30-31.

21. Cité par Louis-Philippe Audet, «Hydrographes du roi et cours d'hydrographie au Collège de Québec, 1671-1759», *Les cahiers des dix*, vol. 35, 1970, p. 14. Sur l'Académie des sciences, voir Roger Hahn, *The Anatomy of a Scientific Institution, The Paris Academy of Science, 1666-1803*, Berkeley, University of California Press, 1971.

22. Cité par A. Gosselin, *op. cit.*, p. 331.

23. *Ibid.*, p. 236. Voir aussi A. Charbonneau, *op. cit.*, p. 12; et D.W. Thomson, *op. cit.*, p. 56.

24. Pierre-Georges Roy, «Un hydrographe du Roi à Québec: Jean-Baptiste-Louis Frankelin», *Mémoires de la Société royale du Canada*, section 1, 1919, p. 50.

25. M.W. Burke-Gaffney, «Jean-Baptiste-Louis Franquelin», *DBC*, vol. 2, p. 236.

26. P.G. Roy, *op. cit.*, p. 57.

27. *Ibid.*, p. 54.

28. D.W. Thomson, *op. cit.*, p. 60.

29. Cité par M.W. Burke-Gaffney, *Hydrography at Quebec, 1659-1759*, Halifax, Saint Mary's University, 1959, p. 5.

30. Ernest Gagnon, *Louis Jolliet*, Montréal, Beauchemin, 1913, p. 241.

31. Cité par D.W. Thomson, *op. cit.*, p. 67-68.

32. Pierre-Georges Roy, «Jean Deshayes, hydrographe du roi», *Bulletin des recherches historiques*, vol. 22, mai 1916, p. 129-138.

33. Cité par L.-P. Audet, *op. cit.*, p. 27.

34. François de Dainville, *La géographie des humanistes*, Paris, Beauchesne, 1940, p. 436.

35. *Ibid.*, p. 434.

36. *Ibid.*, p. 441.

37. Cité par A. Gosselin, *op. cit.*, p. 334.

38. L.-P. Audet, *op. cit.*, p. 29.

39. Cité par Auguste Gosselin, «Les Jésuites au Canada. Le P. de Bonnécamps, dernier professeur d'hydrographie au Collège de Québec, avant la conquête (1741-1759)», *Mémoires de la Société royale du Canada*, section 1, 1895, p. 42.

40. Cité par Auguste Gosselin, «Encore le P. de Bonnécamps (1707-1790)», *Mémoires de la Société royale du Canada*, section 1, 1897, p. 97.

41. Peter Broughton, «Canadian Comet Discoveries», *Journal of the Royal Astronomical Society of Canada*, vol. 70, n° 6, 1976, p. 311-319.

42. R.G. Thwaites, *op. cit.*, vol. 46, p. 204; Marcel Trudel, *Histoire de la Nouvelle France. La Seigneurie des Cent-Associés. I Les événements*, Montréal, Fides, 1979, p. 263.

43. R.G. Thwaites, *op. cit.*, vol. 62, p. 104-106.

44. *Ibid.*, vol. 50, p. 68-78. Pour plus de détails sur les observations astronomiques, voir Peter Broughton, « Astronomy in Seventeenth-Century Canada », *Journal of the Royal Astronomical Society of Canada*, vol. 75, n° 4, 1981, p. 175-208.

45. Jean-Claude Dubé, *Claude-Thomas Dupuy. Intendant de la Nouvelle-France*, Montréal, Fides, 1969.

46. Cité par Roland Lamontagne, « La contribution scientifique de La Galissonière au Canada », *Revue d'histoire de l'Amérique française*, vol. 13, mars 1960, p. 513. Voir aussi, du même auteur, *La Galissonière et le Canada*, Montréal, Presses de l'Université de Montréal, 1962; et Lionel Groulx, *Roland-Michel Barrin de La Galissonière*, Québec, Les Presses de l'Université Laval, 1970.

47. R. Lamontagne, « La contribution scientifique de La Galissonière au Canada », *op. cit.*, p. 513.

48. Cité par A. Gosselin, « Les Jésuites au Canada », *op. cit.*, p. 27.

49. *Ibid.*, p. 28.

50. *Ibid.*, p. 40.

51. Cité par A. Gosselin, « Encore le P. de Bonnécamps », *op. cit.*, p. 98.

52. Dirk Struik, « Mathematicians at Ticonderoga », *The Scientific Monthly*, mai 1956, p. 236-240.

53. Cité par A. Gosselin, « Encore le P. de Bonnécamps », *op. cit.*, p. 100.

54. Yvan Lamonde, *La philosophie et son enseignement au Québec (1665-1920)*, Montréal, Hurtubise, 1980, p. 48-49.

55. *Ibid.*, p. 42.

56. Noël Baillargeon, *Le Séminaire de Québec de 1760 à 1800*, Québec, Les Presses de l'Université Laval, 1981, p. 178.

57. *Ibid.*, p. 182.

58. Claude Galarneau, « Copernic au Canada français : l'interdit, l'hypothèse et la thèse », *Revue d'histoire des sciences*, vol. 27, 1974, p. 330.

59. Stillman Drake, *Galileo at Work. His Scientific Biography*, Chicago, University of Chicago Press, 1978.

60. C. Galarneau, *op. cit.*, p. 331.

61. *Ibid.*, p. 331.

62. *Ibid.*, p. 331.

63. *Ibid.*, p. 331.

64. François de Dainville, « L'enseignement scientifique dans les collèges des Jésuites », *in* René Taton (sous la direction de), *Enseignement et diffusion des sciences en France au XVIIIᵉ siècle*, Paris, Hermann, 1964, p. 47-50. Voir aussi Pierre Brunet, *L'introduction des théories de Newton en France au XVIIIᵉ siècle — avant 1738*, Paris, Blanchard, 1931.

CHAPITRE 2

1. Cité par Claude de Bonnault, « La Galissonière et sa contribution à la

botanique du Canada », *Les botanistes français en Amérique du Nord avant 1850*, Paris, Colloques internationaux du CNRS, vol. 63, 1957, p. 171.

2. Cité par Roland Lamontagne, « La contribution scientifique de La Galissonière au Canada », *Revue d'histoire de l'Amérique française*, vol. XIII, n° 4, 1960, p. 516.

3. Jacques Rousseau, « La flore de la Nouvelle-France », appendice à une nouvelle édition de l'*Histoire véritable et naturelle de la Nouvelle-France* de Pierre Boucher, publiée par la Société historique de Boucherville en 1964.

4. Pierre Morisset, « Le contenu botanique de l'*Histoire naturelle des Indes occidentales* de Louis Nicolas », dans *Jardin botanique de Montréal, 1931-1981*, sous la direction de D. Barabé et S. Laliberté, numéro spécial du *Bulletin de la SAJIB*, 6, 3-4, 1982, p. 38-41. Voir aussi Arthur Vallée, *Michel Sarrazin*, Québec, 1927, p. 85.

5. Cité par Réjane Bernier, *Aux sources de la biologie*, Montréal, Presses de l'Université du Québec, 1975, p. 110.

6. Cité par Jacques Rousseau, « Sarrazin », *Dictionnaire biographique du Canada*, vol. II, p. 621.

7. Joseph-François Lafitau, *Mémoire présenté à son Altesse Royale, Mgr. le Duc d'Orléans, concernant la précieuse plante du ginseng de Tartarie, découverte en Canada*, Paris, 1718. Réédité par l'abbé Hospice-A. Verreau, Montréal, 1855, p. 38.

8. J. Rousseau, « Sarrazin », p. 625.

9. *Ibid.*, p. 622.

10. René-Antoine Ferchault de Réaumur, *Extrait de divers mémoires de M. Sarrazin* [...] *sur le rat musqué*, cité dans Léo Pariseau (sous la direction de), *Journal de l'Hôtel-Dieu de Montréal*, n° 6, nov.-déc. 1934, p. 388.

11. Ce manuscrit fut découvert par Mgr Choquette du Séminaire de Saint-Hyacinthe et transmis au frère Marie-Victorin en 1919. Celui-ci, au terme d'une enquête qui s'étendit sur 17 années, concluait qu'il était l'œuvre conjointe de Michel Sarrazin et de Sébastien Vaillant. Le manuscrit a été publié et annoté par Bernard Boivin, « La flore du Canada en 1708 », *Études littéraires*, vol. 10, n°s 1 et 2, avril et août 1977.

12. Cette *Description* constitue un appendice à l'*Histoire et description générale de la Nouvelle-France* que Charlevoix fait paraître à Paris.

13. Joseph-François Lafitau, *op. cit.*, p. 31.

14. Brian L. Evans, « Ginseng : Root of Chinese-Canadian Relations », *Canadian Historical Review*, vol. LXVI, n° 1, mars 1985, p. 1-26.

15. J.F. Lafitau, *op. cit.*, p. 33-35.

16. Cité par Bernard Boivin, « Gaultier », *Dictionnaire biographique du Canada*, vol. III, p. 731-739.

17. C. de Bonnault, *op. cit.*, p. 171.

18. *Ibid.*, p. 173.

19. Roland Lamontagne, *op. cit.*, p. 522.

20. Cité par Léo Pariseau, « Canadian Medicine and Biology under the French Regime », dans *A History of Science in Canada*, sous la direction de H.M. Tory, Toronto, Ryerson Press, 1939, p. 67.

21. Raymond P. Stearns, *Science in the British Colonies of America*, Urbana, University of Illinois Press, 1970, p. 529. Notre traduction.
22. C. de Bonnault, *op. cit.*, p. 171.
23. C. Skottsberg, «Linné, Kalm et l'étude de la flore nord-américaine au XVIIIe siècle», *Les botanistes français, op. cit.*, p. 179-187.
24. Roland Lamontagne, *La Galissonière et le Canada*, Montréal-Paris, Presses de l'Université de Montréal — Presses universitaires de France, 1962, p. 79.
25. R. Lamontagne, «La contribution scientifique de La Galissonière...», p. 509-510.
26. Michael Kraus, *The Atlantic Civilisation. Eighteenth Century Origins*, Ithaca, Cornell University Press, 1949, 2e éd. 1962, p. 162.
27. L'identité de l'annedda avec le cèdre blanc (*Thuja occidentalis*) a été établie en 1953 par Jacques Rousseau, «L'annedda et l'arbre de vie», *Revue d'histoire de l'Amérique française*, vol. 8, 1954, p. 171-211.
28. Jacques Rousseau, Guy Bethune et Pierre Morrisset, *Voyage de Pehr Kalm au Canada en 1749*, Montréal, Pierre Tisseyre, 1977, p. 85.
29. Joseph-François Lafitau, *Mœurs des Sauvages amériquains comparées aux mœurs des premiers temps*, tome 2, Paris, 1724, p. 375.
30. Jacques Rousseau, «Le folklore botanique de Caughnawaga», *Études ethnobotaniques québécoises*, Contributions de l'Institut botanique de l'Université de Montréal, n° 55, 1945, p. 7-74.
31. Cité par Gérard L. Fortin, «La pharmacopée traditionnelle des Iroquois, une étude ethnohistorique», *Anthropologie et sociétés*, 1978, vol. 2, n° 3, p. 121.
32. J.F. Lafitau, *Mœurs des Sauvages...*, p. 121.
33. Cité par Gérald L. Fortin, *op. cit.*, p. 123.
34. Alfred Métraux, «Les précurseurs de l'ethnologie en France du XVIe au XVIIIe siècle», *Cahiers d'histoire mondiale*, vol. 7, 1962-1963, p. 721-738.
35. J.F. Lafitau, *Mœurs des Sauvages*, tome 1, p. 34.
36. J.F. Lafitau, *Mémoire*, p. 19.
37. J.F. Lafitau, *Mœurs des Sauvages*, p. 5-6.
38. Louis-Armand de Lom d'Arce de Lahontan, *Les nouveaux voyages dans l'Amérique septentrionale*, suivi des *Mémoires de l'Amérique septentrionale*, La Haye, 1703. P.-F.-X. de Charlevoix, *op. cit.*

CHAPITRE 3

1. S. Holland, «Astronomical Observation...», *Philosophical Transactions of the Royal Society of London*, 59, 1769, p. 247-252 et 273-280.
2. APC, MG21, volume B 75-2, p. 60: lettre de Twiss à Haldimand, Londres, 1784.
3. *Direction pour la guérison du mal de baie Saint-Paul*, Québec, 1785; *Remarques sur la maladie contagieuse de la Baie Saint-Paul avec la description des symptômes et de la méthode d'en faire cure*, Montréal, Fleury Mesplet, 1787.
4. *Transactions of the Literary and Historical Society of Quebec*, 13, 1877-1878-1879,

p. 25. Voir également Ginette Bernatchez, « La Société littéraire et historique de Québec, 1824-1890 », *Revue d'histoire de l'Amérique française*, 35, 2, 1981, p. 179-192; Richard A. Jarrell, « The Rise and Decline of Science at Quebec, 1824-1844 », *Histoire sociale*, 10, 1977, p. 77-91.

5. Le compte rendu de cette soirée est donné dans le *Star and Commercial Adviser* de Québec, dans son édition du 25 mars 1829.

6. Lord Dalhousie, *The Dalhousie Journals*, publiés par Marjory Whitelaw, Ottawa, Oberon Press, 1981-1982, 3 vol., vol. III, p. 90-91. Notre traduction.

7. J. Hale, « Observations on the Crickets in Canada », *Transactions of the LHSQ*, vol. I, 1829.

8. Voir Marcel Lajeunesse, *Les Sulpiciens et la vie culturelle à Montréal au XIXe siècle*, Montréal, Fides, 1982.

9. APC, MG 24, B2, vol. I, p. 627, lettre du 13 mars 1826.

10. J.B. Meilleur, « Quelques-unes de nos plantes parmi les plus remarquables », *Le Naturaliste canadien*, 2, 1870, p. 239-241; 268-270; 329-340.

11. Archives du Petit Séminaire de Chicoutimi, Fonds Provancher. Lettre du 16 mars 1869. Voir aussi Raymond Duchesne, « Magasin de curiosités ou musée scientifique? Le Musée d'histoire naturelle de Pierre Chasseur à Québec (1824-1854) », *HSTC Bulletin. Revue d'histoire des sciences, des techniques au Canada*, Vol. VII, n° 2, mai 1983, p. 59-79.

12. « Rapport d'inventaire et estimation des objets d'histoire naturelle, productions principalement du Canada, dont M. Pierre Chasseur a formé collection », paru dans le *Journal de la Chambre* du 16 janvier 1836, Appendice O.O. Le travail de Meilleur parut également dans *Le Canadien* du 8 avril 1836.

13. *The British Dominions in North America*, Londres, 1832, vol. I, p. 252.

14. *Bibliothèque canadienne*, juillet 1825, p. 55.

15. « La lumière zodiacale », *La Minerve*, 3 février; *Le Canadien*, 6 février.

16. *La Minerve*, 6 mars 1837.

17. Benjamin Silliman, *Remarks on a Short Tour, between Hartford and Quebec*, New Haven.

18. *Journal de médecine de Québec*, 1827, p. 357.

19. *The St-Lawrence Survey Journals of Captain Henry Wolsey Bayfield 1829-1853*, volume I, publié par Ruth McKenzie, Toronto, Champlain Society, 1984, p. 236.

20. *Journal*, 1828-1829, p. 59-60.

21. *The Dalhousie Journals*, vol. III, p. 111. Notre traduction.

22. « Rapport des Commissaires [...] pour explorer la partie inculte du Pays entre la rivière Saint-Maurice et celle des Outaouais », *Journal de l'Assemblée*, Appendice au vol. 39, 1830.

23. Cité par J.-P. Tremblay, *À la recherche de Napoléon Aubin*, Québec, Presses de l'Université Laval, 1969, p. 150.

CHAPITRE 4

1. Ordonnance de Bigot du 12 juin 1750, citée par Sylvio Leblond, « La législation médicale du Régime français », dans *Trois siècles de médecine*

québécoise, Québec, Société historique de Québec, 1970, p. 28.

2. Barbara Tunis, « Medical Education and Medical Licensing in Lower Canada : Demographic Factors, Conflict and Social Change », *Histoire sociale/ Social History*, 14, 1981, p. 70.

3. *Le Canadien*, 5 juillet 1854. Cité par Sylvio Leblond, « Pierre-Martial Bardy », dans *Trois siècles de médecine québécoise*, p. 79.

4. Edmond Grignon, *En guettant les ours. Mémoires d'un médecin des Laurentides*, Montréal, Beauchemin, 1930, p. 219.

5. Michael Farley, Peter Keating et Othmar Keel, « La vaccination à Montréal dans la seconde moitié du XIXe siècle : pratiques, obstacles et résistances », dans *Sciences et médecine au Québec : perspectives sociohistoriques*, sous la direction de Marcel Fournier, Yves Gingras, Othmar Keel, Québec, IQRC, 1987.

6. *Journal de médecine de Québec*, 1er janvier 1827, p. 106. Cf. Othmar Keel et Peter Keating, « Autour du *Journal de médecine de Québec* : programme scientifique et programme de médicalisation (1826-1827) », dans *Critical Issues in the History of Canadian Science, Technology, and Medicine*, sous la direction de R.A. Jarrell et A.E. Roos, Ottawa, HSTC Publications, 1983, p. 101-134.

7. *Statuts*, I Guillaume IV, C. 27.

8. E.D. Worthington, *Reminiscences of Student Life and Practice*, Sherbrooke, 1897, p. 80.

9. Cité par Antonio Drolet, « Le magnétisme animal chez Lord Durham », dans *Trois siècles de médecine québécoise*, p. 145-153.

10. « Cours de chimie. Discours d'introduction », dans *Le répertoire national*, publié par James Huston, 2e édition, 1893, vol. 4, p. 169-184.

11. E.D. Worthington, *op. cit.* p. 19-20. Notre traduction.

12. E. Grignon, *op. cit.*, p. 186 et s.

13. André Lavallée, *Québec contre Montréal, La querelle universitaire 1876/1891*, Montréal, Presses de l'Université de Montréal, 1974.

14. À compter de 1877, Osler édite annuellement les forts volumes du *Montreal General Hospital Pathological Report*, qui contiennent les résultats des examens pathologiques.

15. *Actes du colloque médical sur l'histoire de la médecine au Canada*, publiés par la compagnie Schering, 1967.

CHAPITRE 5

1. « Outline of the Mineralogy, Geology, etc. of Malbay, in Lower Canada », p. 205-222.

2. « On the Geognosy of a Part of the Saguenay Country », 1829, p. 79-166.

3. « Notice on the Finding of Gold in Quebec », *Bulletin de la Société géologique de France*, 6, p. 104-105 ; « Discovery of Gold in Lower Canada », *American Journal of Science*, 28, p. 111-114.

4. Notre traduction.

5. C. Lyell, *Travels in North America in the Years 1841-1842*, 2 vol., Londres, 1845.

6. « On the Characters of the Beds of Clay immediately below the Coal-Seams

of South Wales», *Transactions of the Geological Society of London*, 6, 1841, p. 491-497.

7. Cité par B.J. Harrington, *Life of Sir William E. Logan*, Montréal, 1883, p. 180-181. Notre traduction.

8. Accompagné de cartes, l'ouvrage paraît d'abord en anglais, à Montréal, sous le titre de *Report on the Geology of Canada*. La traduction française paraît en 1864.

9. Cité par B.J. Harrington, p. 294-295. Notre traduction.

10. «On the so-called 'eozoonal rock'», *Q. Journal of the Geological Society of London*, 22, p. 185-218. Entre 1866 et 1881, King et Rowney seront les adversaires les plus acharnés d'*Eozoön*, faisant paraître au moins huit articles critiques sur le sujet.

11. C.F. O'Brien, «Eozoön Canadense: 'Dawn Animal of Canada'», *Isis*, 61, 1970, p. 206-223.

12. *Ver. Vartel. Naturk, in Württemberg*, 32, 1876, p. 132-155.

13. «Der Bau des *Eozoön canadense*», p. 175-192.

14. «Möbius on *Eozoön canadense*», p. 196-202.

15. Cité par B.J. Harrington, p. 327-328. Notre traduction.

16. *Chemical News*, 15, p. 315-317.

17. En 1956, le géologue F. Fritz Osborne a fait le point sur la controverse du Groupe de Québec: «Geology near Quebec City», *Le Naturaliste canadien*, 83, p. 157-225.

18. «Étude sur le venin de crapaud», *Le Naturaliste canadien*, 2, 7, 1870, p. 207-210, etc.

19. «Les minéraux canadiens», *Le Naturaliste canadien*, 9, 1877, p. 16-23, etc.

20. Lettre à Mgr Hamel, 5 août 1877. Citée par Raymond Duchesne, «Science et société coloniale: les naturalistes du Canada français et leurs correspondants scientifiques (1860-1900)», *History of Science and Technology in Canada Bulletin*, 18, mai 1981, p. 114-115.

21. «L'éboulis de Saint-Alban», *Proc. & Trans. of the Royal Society of Canada*, 12, V, 1895, p. 63-70; «Éboulement à Saint-Luc-de-Vincennes», *idem*, 2ᵉ série, 6, IV, 1900, p. 179-186.

22. Cité par R. Duchesne, *op. cit.*, p. 137, note 125.

23. *Le Canada français*, mai 1891, p. 288-292.

CHAPITRE 6

1. Cité par P. Thuillier, *Darwin et Co.*, Paris, 1984, p. 46.

2. *Ibid.*, p. 57.

3. *The Story of the Earth and Man*, Montréal, Dawson Bros., 1872, p. 318. Notre traduction.

4. Cité par Clifford Holland, «First Canadian Critics of Darwin», *Queen's Quarterly*, 88, 1, 1981, p. 103. Notre traduction.

5. Lettre de McCosh à Dawson, citée par W.R. Shea et John F. Cornell, dans l'introduction d'une nouvelle édition de *Modern Ideas of Evolution*, New York, Prodist, 1977, p. vii. Notre traduction.

6. Cité par Stanley B. Frost, *McGill University. For the Advancement of Learning (1801-1895)*, vol. I, Montréal, McGill/Queen's University Press, 1980, p. 225. Notre traduction.

7. *Modern Ideas of Evolution*, Londres, Religious Tract Society, 1890, p. 240. Notre traduction.

8. W. Couper, «Presidential Address», présentée aux membres de l'Entomological Society of Montreal le 4 mai 1875, reproduite dans un journal anglophone de Montréal, comme en fait foi une coupure de presse conservée dans les archives de la société, Département de biologie, Université Laval.

9. F.D. Adams, «Sir William Dawson», *Science*, 10, 1899, p. 910. Notre traduction.

10. ANQ, AP-G 102, Fonds abbé T.-E. Hamel; notes du cours de géologie de l'abbé Hamel, prises par L.-A. Déziel en 1867.

11. ASQ, M 980; notes du cours de géologie de l'abbé Laflamme, prises par F.-C. Gagnon en 1871.

12. Richard A. Jarrell, «L'ultramontanisme et la science au Canada français», dans *Sciences et médecine au Québec: perspectives sociohistorique*, sous la direction de Marcel Fournier, Yves Gingras, Othmar Keel, Québec, IQRC, 1987.

13. Philippe Pruvost, «La philosophie devant le libéralisme: une polémique», dans *Objets pour la philosophie*, sous la direction de Marc Chabot et André Vidricaire, Québec, Éditions Pantoute, 1983, p. 209-226.

14. Cités par P. Pruvost, p. 215 et 224.

15. «M. Charles Darwin, docteur en droit», *L'Abeille*, 11, 5, 1877, p. 19-20.

16. *Éléments*, p. 273.

17. «Discours présidentiel. La science et ses ennemis: le journalisme, le service civil et la politique», *Proceedings of the Royal Society of Canada*, 1887, p. XIV-XXII.

18. «De la certitude dans les sciences de l'observation», *Proceedings of the Royal Society of Canada*, 1891, p. 6.

19. P. Thuillier, *op. cit.*, p. 25.

20. *Éléments*, p. 226.

21. Cf. Albert de Lapparent, *Science et apologétique*, Paris, Bloud, 1905, et *Science et philosophie*, Paris, Bloud, 1913.

22. «Géologie», *Le Naturaliste canadien*, 4, 10, 1872, p. 307-313, etc.

23. *Ibid.*, p. 309-310.

24. Tardivel tire sa première salve dans *Le Canadien* du 29 mars 1879. La deuxième vient dans le même journal, le 10 septembre, valant à son auteur une réplique de Provancher dans *Le Courrier* et dans *L'Événement*. Puis le débat se poursuit dans *Le Canadien* (4 et 7 octobre 1879) et dans *Le Naturaliste canadien*.

25. Notamment, abbé F.-X. Burque, «Le Déluge mosaïque. Réponse à Monsieur Tardivel», *Le Naturaliste canadien*, 11, 10, 1879, p. 237-244; Provancher, «À propos du Déluge», *idem*, 11, 12, 1879, p. 281-296.

26. «La géologie et la révélation», conférence publique donnée à l'Université Laval par Mgr Hamel. Un compte rendu en a été donné par l'abbé Laflamme dans *L'Abeille* du 3 mars 1881.

27. *Le Naturaliste canadien*, 5, 8, 1876, p. 146-157.

28. Le début se trouve dans *Le Naturaliste canadien*, 10, 1878, p. 147-156.

29. *La pluralité des mondes habités*, Montréal, 1898, p. 399. Voir aussi Michael J. Crowe, *The Extraterrestrial Life Debate 1750-1900. The Idea of a Plurality of Worlds from Kant to Lowell*, Cambridge, Cambridge University Press, 1986. Crowe range l'œuvre de Burque dans la tradition des écrivains catholiques du XIXe siècle.

30. Archives du Petit Séminaire de Chicoutimi, Fonds Provancher: lettre du 14 décembre 1875.

31. *Petite faune entomologique du Canada. Précédée d'un traité élémentaire d'entomologie*, volume I *Les Coléoptères*, Québec, Darveau, 1877, p. 119.

32. *Ibid.*, p. 120.

33. Le début de cette série, intitulé « Le darwinisme », se trouve dans *Le Naturaliste canadien*, 16, 7, 1887, p. 107-111.

34. *Le Naturaliste canadien*, 9, 7, 1877, p. 224.

35. « Le darwinisme », p. 108.

36. *La vie, l'évolution, le matérialisme*, mémoire lu devant la Société royale du Canada, 1899, 37 p. Voir aussi: *L'antiquité de la Terre et de l'Homme*, mémoire lu devant la Société royale du Canada, 1899, 20 p.

37. Y. Lamonde, *La philosophie et son enseignement au Québec (1665-1920)*, Montréal, Hurtubise HMH, 1980, p. 236.

38. Abbé Louis-Adolphe Paquet, *La foi et la raison*, Québec, Demers, 1890, p. 82.

39. *La vie. Considérations biologiques*, Saint-Gabriel-de-Brandon, 1911.

40. Québec, 1913.

41. Archives du Petit Séminaire de Chicoutimi, Fonds Huard: 214-22, lettre du 31 mars 1913.

42. Une nouvelle édition paraît en 1884, à Québec, chez Langlais.

43. *American Journal of Science*, 2e série, 35, 1863, p. 445. Voir également Jacques Rousseau et Bernard Boivin, « La contribution à la science de la *Flore canadienne* de Provancher », *Le Naturaliste canadien*, 95, 6, 1968, p. 1499-1530.

44. Cf. *L'Abeille*, le journal du Séminaire, cité par Mgr Arthur Maheux, « L'abbé Ovide Brunet, botaniste, 1826-1876 », *Mémoires de la Société royale du Canada*, 54, 1960, p. 53-63.

45. Abbé Ovide Brunet, « Journal de voyage en Europe en 1861-1862 », *Le Canada français*, 26, 1938-1939, p. 591, etc.

46. *L'Abeille*, 24-25-26, 1861.

47. « On the Canadian Species of the Genus Picea », *Canadian Naturalist and Geologist*, nouvelle série, 3, 1868, p. 102-110.

48. *Cours élémentaire de botanique et flore du Canada à l'usage des maisons d'éducation*, Montréal, Geo. E. Desbarats, 1872, in-8° de 334 pages et de 46 planches. Le *Cours élémentaire*, paru en 1871, pouvait se vendre seul, sous forme de brochure de 62 pages et de 31 planches. L'abbé A.-J. Orban p.s.s. donna une seconde édition de l'ouvrage, avec des ajouts, en 1885.

49. D.P. Penhallow, *Daily Star*, mars 1885. Repris sous le titre « Jardins botaniques » dans les *Documents de la session*, 49-50, Victoria, 1886, p. 219-234.

50. « A Review of Canadian Botany from the First Settlement of New France

to the XIXth Century », *Transactions of the Royal Society of Canada*, IV, 1887, p. 45-61; «A Review of Canadian Botany from 1800 to 1895», *idem*, IV, 1897, p. 3-56.

51. Voir, par exemple, «Les plantes insectivores », *Le Naturaliste canadien*, 11, 1879, p. 203-211, «Quelques notes sur la fertilisation des plantes », *idem*, 12, 1881, p. 242-250.

52. La première édition paraît chez Darveau, à Québec, en 1862. L'ouvrage sera réédité, avec des modifications, en 1864, en 1874, en 1881 et en 1885.

53. Lettre de Cresson à Provancher, 10 novembre 1876. Citée par Raymond Duchesne, « Science et société coloniale: les naturalistes du Canada français et leurs correspondants scientifiques (1860-1900) », *History of Science and Technology in Canada Bulletin*, 18, mai 1981, p. 110.

54. Parus tous les trois à Québec, chez Darveau, respectivement en 1877, en 1878 et en 1879.

55. G. Chagnon, «L'Association entomologique de Montréal», *Le Naturaliste canadien*, 29, 1902, p. 101-102.

56. Propos rapportés par Georges Maheux, « Germain Beaulieu », *Le Naturaliste canadien*, 72, 1945, p. 229-234.

57. Germain Beaulieu, sous le pseudonyme d'Hugues Lambert, «À propos d'évolution», *Le pays*, 22 mars 1913.

58. Le critique est l'entomologiste américain Vernon L. Kellogg; voir *Science*, 9 janvier 1914.

59. J.M. LeMoine, «Thomas McIlraith, the Canadian Ornithologist», *Canadian Magazine*, 3, 1894, p. 91-94. Notre traduction.

60. La publication, à Québec, des six volumes des *Maple Leaves* s'échelonne de 1863 à 1906. Ces recueils contiennent de nombreux morceaux consacrés à l'histoire naturelle, en particulier à celle des oiseaux et des espèces sportives.

61. Voir, par exemple, la «Liste des cétacés, des poissons, des crustacés et des mollusques [...] du golfe St-Laurent, etc. », Rapport du Commissaire des Terres de la Couronne, *Documents de la session*, 1863, p. 113-129.

62. New York, Harper & Bros., 1896, 357 p. Le même auteur nous a donné également *The Fisheries of the Province of Quebec*, Québec, ministère de la Colonisation, des Mines et des Pêches, 1912, 206 p.

CHAPITRE 7

1. Claude Galarneau, *Les collèges classiques au Canada français*, Montréal, Fides, 1978, p. 95.

2. Yvan Lamonde, *La philosophie et son enseignement au Québec (1665-1920)*, Montréal, Hurtubise, 1980, p. 75.

3. Cité par Lionel Groulx, *L'enseignement français au Canada*, tome I, Montréal, Albert Lévesque, 1931, p. 49.

4. Claude Galarneau, «L'enseignement des sciences au Québec et Jérôme Demers», *Revue de l'Université d'Ottawa*, vol. 47, 1977, p. 84-94; et C. Galarneau, *op. cit.*, p. 188-189.

5. Mgr Olivier Maurault, *Le petit séminaire de Montréal*, Montréal, L.-J.-A. Derome, 1918, p. 66.
6. C. Galarneau, « L'enseignement des sciences... », *op. cit.*, p. 87.
7. *Ibid.*, p. 91-93.
8. Jean-Jacques Jolois, *J.-F. Perrault, 1753-1844 et les origines de l'enseignement laïque au Bas-Canada*, Montréal, Presses de l'Université de Montréal, 1969, p. 135.
9. *Ibid.*, p. 169.
10. Cité par J.-A.-I. Douville, *Histoire du collège-séminaire de Nicolet, 1803-1903*, tome I, Montréal, Beauchemin, 1903, p. 232.
11. Cité par A. Gosselin, « L'abbé Holmes et l'instruction publique », *Mémoires de la Société royale du Canada*, Section I, 1907, p. 158.
12. Léon Lortie, « Les mathématiques de nos ancêtres », *Mémoires de la Société royale du Canada*, vol. 44, 1955, Section I, p. 31-45.
13. *Les Mélanges religieux*, 6 août 1841, p. 59 ; 13 août, p. 106.
14. Voir par exemple : J.-A. Crevier, « Étude sur le venin de crapaud », *Le Naturaliste canadien*, 2, 1870, p. 207-210 ; J.B. Meilleur, « Le venin de crapaud », *Le Naturaliste canadien*, 2, 1870, p. 239-241.
15. Cité par O. Maurault, *op. cit.*, p. 74 et p. 80. Notre traduction.
16. Léon Pouliot, *Mgr Bourget et son temps*, tome 5, Montréal, Bellarmin, 1977.
17. Abbé Camille Roy, « L'abbé Louis-Jacques Casault, fondateur et premier recteur de l'Université Laval », *La Nouvelle-France*, 2, 1903, p. 209-222.
18. Honorius Provost, « Historique de la Faculté des Arts de l'Université Laval, 1852-1952 », *L'Enseignement secondaire*, 31-32, 1952.
19. David Gosselin, *Les étapes d'une classe au Petit Séminaire de Québec, 1859-1868*, Québec, 1908, p. 169.
20. Jean-François Gervais et Jean Hénaire, « L'enseignement des sciences dans les collèges classiques, XIXe et XXe siècles », *Recherches sociographiques*, vol. 15, 1974, p. 119-126. Voir aussi, de Léon Lortie, « Les sciences à Montréal et à Québec au XIXe siècle », *L'Action universitaire*, février 1936, p. 46-48 ; et « La trame scientifique de l'histoire du Canada », dans *Les Pionniers de la science canadienne*, Toronto, 1966, p. 3-35.
21. Cité par Jean-Paul Bernard, *Les Rouges, libéralisme, nationalisme et anticléricalisme au milieu du XIXe siècle*, Montréal, Les Presses de l'Université du Québec, 1971, p. 90. En 1869, c'est au tour de Rome de condamner l'Institut canadien.
22. Cité par J.-P. Bernard, *op. cit.*, p. 127.
23. *Le Pays*, 11 janvier 1868. Voir aussi J.V. Zoltvany, *Les libéraux, leur parti, leurs idées, 1867-1873*, mémoire de maîtrise, Université de Montréal, 1961.
24. Robert Gagnon, « Les discours sur l'enseignement pratique au Canada français, 1850-1900 », dans *Sciences et médecine au Québec : perspectives sociohistoriques*, sous la direction de Marcel Fournier, Yves Gingras, Othmar Keel, Québec, IQRC, 1987.
25. Stanley Brice Frost, *McGill University. For the Advancement of Learning*, vol. 1, 1801-1895, Montréal, McGill-Queen's, 1980, p. 174.
26. *Ibid.*, p. 188.

27. Louis-Philippe Audet, « La fondation de l'École polytechnique de Montréal », *Les cahiers des dix*, vol. 30, 1965, p. 154-155.

28. Paulette Smith-Roy, *L'Observatoire astronomique de Québec. Histoire et réminiscences (1850-1936)*, Québec, Commission des champs de bataille nationaux, 1983.

29. Malcolm M. Thomson, *The Beginning of the Long Dash. A History of Timekeeping in Canada*, Toronto, University of Toronto Press, 1978, p. 7 et s.

30. *Journal de l'instruction publique*, vol. I, 1857, p. 159.

31. Jean-Pierre Charland, *Histoire de l'enseignement technique et professionnel*, Québec, IQRC, 1982, p. 53-55.

32. Arthur Maheux, « P.-J.-O. Chauveau, promoteur des sciences », *Mémoires de la Société royale du Canada*, vol. 1 (4ᵉ série), 1963, section 1, p. 90-91.

33. Cité par A. Maheux, *op. cit.*, p. 95.

34. *Ibid.*, p. 96-97.

35. *Journal de l'Instruction publique*, vol. 15, nᵒˢ 1-2, 1871, p. 3.

36. A. Maheux, *op. cit.*, p. 91.

37. L.-P. Audet, *op. cit.*, p. 165.

38. *Ibid.*, p. 167.

39. *Ibid.*, p. 178.

40. *Ibid.*, p. 177.

41. *Ibid.*, p. 168.

42. Cité par W.F. Ryan, *The Clergy and Economic Growth in Quebec, 1876-1914*, Québec, Presses de l'Université Laval, 1966, p. 233.

CHAPITRE 8

1. *L'École technique de Montréal. 1912 : Prospectus général : 1913*, p. 7.

2. Jean-Pierre Charland, *Histoire de l'enseignement technique et professionnel*, Québec, IQRC, 1982, p. 123-127.

3. Errol Bouchette, *L'indépendance économique des Canadiens français*, nouvelle édition précédée d'une étude de Rodrigue Tremblay, Montréal, La Presse, 1976, p. 19.

4. *Annuaire de l'Université Laval*, 1920-1921, p. 279-281.

5. Georges Gauthier, « Notre enseignement », *L'Action française*, vol. 2, mai 1918, p. 206.

6. « Notices biographiques et bibliographiques sur les anciens présidents de l'Acfas », *Annales de l'Acfas*, vol. 3, 1937, p. 137.

7. *Ibid.*, p. 140.

8. Robert Rumilly, *Le frère Marie-Victorin et son temps*, Montréal, Frères des Écoles chrétiennes, 1949, p. 89.

9. Georges-H. Baril, « La Faculté des sciences. Vingtième anniversaire de sa fondation », *Annales de l'Acfas*, vol. 7, 1941, p. 193.

10. Francine Descarries-Bélanger, Marcel Fournier, Louis Maheu, « Le Frère Marie-Victorin et les 'petites sciences' », *Recherches sociographiques*, vol. 20, janvier-avril 1979, p. 25.

11. R. Rumilly, *op. cit.*, p. 93; Arthur Maheux, « La souscription de 1920 », *Le Naturaliste canadien*, vol. 73, septembre-octobre 1946, p. 289-293.

12. Adrien Pouliot, « La Faculté des sciences », *La revue de l'Université Laval*, vol. 6, janvier 1952, p. 378-382; Elphège Bois, « Histoire d'un ancien de la première promotion », *Le Naturaliste canadien*, vol. 73, septembre-octobre 1946, p. 283-288.

13. « Alexandre Vachon », *Mémoires de la Société royale du Canada*, 1953, p. 99-105.

14. Raymond Duchesne, « D'intérêt public et d'intérêt privé : l'institutionnalisation de l'enseignement et de la recherche scientifiques au Québec (1920-1940) », dans *L'Avènement de la modernité culturelle au Québec*, sous la direction d'Yvan Lamonde et Esther Trépanier, Québec, IQRC, 1986, p. 210 et s.

15. Errol Boucher, « Les anciens de la Faculté des sciences », *Revue trimestrielle canadienne*, vol. 17, 1931, p. 398-411.

16. R. Duchesne, *op. cit.*, p. 200.

17. « Rapports annuels des sociétés affiliées », *Annales de l'Acfas*, vol. 2, 1936, p. 20-47.

18. Frère Marie-Victorin, « Dix ans après. La première décade de la Société canadienne d'histoire naturelle », *Revue trimestrielle canadienne*, vol. 20, 1934, p. 26-36.

19. Raymond Duchesne, « L'Acfas depuis 1923 : pour l'avancement et la diffusion du savoir au Québec », dans *L'Acfas à travers 50 congrès*, Montréal, Acfas, 1982, p. 71-106.

20. « L'Institut scientifique franco-canadien », *Revue trimestrielle canadienne*, vol. 13, 1927, p. 196-211; vol. 16, 1930, p. 86-87.

21. « Après la bataille, les œuvres de paix », *Le Devoir*, 25-26 septembre 1936.

22. Georges Préfontaine, « Les comédiens de la science », *Opinions*, vol. 3, janvier 1932, p. 3.

23. *Le Devoir*, 7 octobre 1936.

24. Hermas Bastien, « L'Institut scientifique franco-canadien », *L'Action universitaire*, avril 1940, p. 5-20.

25. R. Rumilly, *op. cit.*, p. 166.

26. Marie-Victorin, « La province de Québec, pays à découvrir et à conquérir », *Le Devoir*, 25 septembre 1925. Reproduit dans Marie-Victorin, *Pour l'amour du Québec*, recueil présenté par Hermas Bastien, Sherbrooke, Éditions Paulines, 1971, p. 40.

27. Adrien Pouliot, « Les sciences dans notre enseignement classique », *L'Enseignement secondaire*, octobre 1929, p. 25.

28. Cité par R. Rumilly, *op. cit.*, p. 174.

29. Claude Galarneau, *Les collèges classiques au Canada français*, Montréal, Fides, 1978, p. 223.

30. Marie-Victorin, « Dans le maelström universitaire », *Le Devoir*, 31 mai 1932.

31. Georges Maheux, « Le Frère Marie-Victorin. Le savant. Son œuvre », *Regards*, vol. III, n°s 8-9, mai-juin 1942, p. 339-340.

32. Marie-Victorin, « Histoire de l'Institut botanique de l'Université de Montréal, 1920-1940 », *Contributions de l'Institut botanique de l'Université de Montréal*, n° 40, 1941, p. 58-61.

33. Marie-Victorin, « La science et notre vie nationale », *Annales de l'Acfas*, vol. V, 1939, p. 143.
34. *Ibid.*, p. 147.
35. *Ibid.*, p. 144.
36. Cité par Louis-Philippe Audet, « Jacques Rousseau », *Les cahiers des dix*, n° 35, Montréal, 1971, p. 10.
37. R. Rumilly, *Histoire de la Société Saint-Jean-Baptiste de Montréal*, Montréal, L'Aurore, 1975, p. 548.

CHAPITRE 9

1. J.-E. Gendreau, « Le problème économique et l'enseignement scientifique supérieur », *L'Action française*, vol. 6, novembre 1921, p. 642-657.
2. *Rapport annuel du CNR*, Ottawa, 1930-1931, p. 149-152.
3. Marie-Victorin, « Après la bataille, les œuvres de paix », *Le Devoir*, 25-26 septembre 1936.
4. *Annales de l'Acfas*, 1937, p. 69.
5. « Pour un institut de géologie », *Le Devoir*, 27-28-29 janvier 1937.
6. Robert Rumilly, *Le frère Marie-Victorin et son temps*, Montréal, Frères des Écoles chrétiennes, 1949, p. 295.
7. Alain Stanké et Jean-Louis Morgan, *Ce combat qui n'en finit plus. Un essai sur la vie et l'œuvre du Dr Frappier*, Montréal, Éd. de l'Homme, 1970, p. 121.
8. *Annales de l'Acfas*, 1936, p. 60.
9. E. Minville à Joseph Bilodeau, 10 novembre 1937. Fonds de l'Office provincial des recherches, archives du ministère de l'Industrie et du Commerce.
10. *Ibid.*
11. Henri Roy, « Discours présidentiel », *Annales de l'Acfas*, 1941, p. 167.
12. *Ibid.*
13. *Mémoire de l'Acfas à la Commission Tremblay*, 1954, p. 8.
14. Sur la crise universitaire canadienne, voir le *Rapport de la commission royale d'enquête sur l'avancement des arts, des lettres et des sciences au Canada*, Ottawa, Imprimeur du roi, 1951.
15. *Rapport de la Commission royale d'enquête sur les problèmes constitutionnels*, Québec, 1956, vol. 1, p. x.
16. A. Tremblay, *Contribution à l'étude des problèmes et des besoins de l'enseignement dans la province de Québec*, Annexe 4 au Rapport de la Commission Tremblay, Québec, 1955.
17. M. Fournier, « L'institutionnalisation des sciences sociales au Québec », *Sociologie et Sociétés*, vol. 5, n° 1, 1973, p. 53.
18. *Étude statistique des dépenses pour fins de recherche et de développement technique*, Québec, ministère de l'Industrie et du Commerce, 1964.
19. *Rapport du Comité d'étude sur l'enseignement agricole et agronomique*, Québec, 1961.

20. *Rapport du comité d'étude de l'information technique et scientifique*, Québec, 1963.
21. L.-P. Audet, *Bilan de la réforme scolaire au Québec 1954-1969*, Montréal, PUM, 1969; sous la direction de M. Lajeunesse, *L'Éducation au Québec, 19e-20e siècles*, Montréal, Boréal Express, 1971.
22. *Mémoire de la Chambre de commerce du Québec à l'Honorable Maurice Duplessis*, février 1958, p. 30.
23. *Mémoire sur la recherche*, octobre 1959. Annexé au mémoire de la Chambre à la Commission Parent en 1962.
24. P. Garigue, *Actualité économique*, vol. 35, n° 4, 1959, p. 557-565.
25. Conseil d'orientation économique, Procès-verbal de la réunion du 16 juin 1961, Archives du ministère de l'Industrie et du Commerce.
26. *Rapport du Conseil d'orientation économique: Année 1964*, Québec, 1964.
27. Arrêté ministériel n° 1948, du 6 octobre 1965, concernant la formation d'un «Comité d'organisation de la recherche scientifique».
28. Rapport du «Comité d'organisation de la recherche scientifique», *Esquisses d'un conseil des recherches et d'un centre des recherches*, 1965.
29. *Pour une politique scientifique*, Montréal, Acfas, 1966.
30. *Rapport du Conseil supérieur de l'éducation, Année 1965*, p. 229-234.
31. *Ibid.*, p. 233.
32. Massue Belleau, «La recherche scientifique: enfin le Québec s'en occupe», *Magazine Maclean*, vol. 6, n° 5, 1966, p. 20.
33. Charles H. Davis et Raymond Duchesne, «De la culture scientifique à la maîtrise sociale des nouvelles technologies, 1960-1985», *Questions de culture*, 10, 1986, p. 123-150.

CHAPITRE 10

1. Les «petites sciences» désignaient à cette époque les sciences naturelles. Ce terme a souvent été critiqué vivement par Marie-Victorin. Voir notamment «La province de Québec, pays à découvrir et à conquérir», *Le Devoir*, 25 septembre 1925.
2. Luc Chartrand, «Marie-Victorin super-star», *Québec Science*, juillet 1981, p. 33.
3. R. Rumilly, *Le frère Marie-Victorin et son temps*, Montréal, Frères des Écoles chrétiennes, 1949.
4. Selon l'expression de Marie-Victorin lui-même.
5. Août 1936, p. 235-237.
6. Cité dans *Pour l'amour du Québec*, recueil de textes de Marie-Victorin compilés par Hermas Bastien, Sherbrooke, Éditions Paulines, 1971, p. 67-68, 70.
7. Marie-Victorin, «Notes sur deux cas d'hybridisme naturel», *Le Naturaliste canadien*, vol. 39, n° 12, juin 1913, p. 188.
8. Cité par V.-A. Huard, «Ce qu'il en coûte d'être anti-transformiste», *Le Naturaliste canadien*, 40, n° 7, janvier 1914, p. 100. Notre traduction.
9. Archives du Petit Séminaire de Chicoutimi, Fonds Huard; 214-22: lettre du 31 mars 1913.

10. *The Gazette*, 30 janvier, 9 février, 6 septembre, 17 septembre, 5 octobre, 8 novembre 1928; *La Patrie*, 16 avril 1929.

11. *Memoirs of the American Academy of Arts and Science*, 15, 3, 1925, p. 237-242.

12. Marie-Victorin, « Le dynamisme dans la flore du Québec », *Contributions de l'Institut botanique de l'Université de Montréal*, n° 13, 1929.

13. Cité par Hermas Bastien, *op. cit.*, p. 26.

14. La publication en 1950 par l'abbé Louis-Eugène Otis de *La doctrine de l'évolution* (Montréal, Fides, 1950) est un indice de cette progression. Otis est professeur de philosophie au Séminaire de Chicoutimi. Son ouvrage, favorable au transformisme, se consacre aussi bien aux dimensions scientifiques que philosophiques et théologiques du problème. Il reçoit un accueil assez favorable.

15. Paul-Émile Léger, *Les origines de l'homme*, Montréal, Fides, 1961, p. 10.

16. Voir J.-C. Guédon, « Du bon usage de la vulgarisation : Marie-Victorin et les petites sciences », *Questions de culture*, 1, 1981, p. 104.

17. Cité par Jules Brunel, « Le frère Marie-Victorin, 1885-1944 », *Revue canadienne de biologie*, vol. III, n° 4, nov. 1944, p. 385.

18. Marie-Victorin, « *Dracæna cubensis* », *Contributions de l'Institut botanique de l'Université de Montréal*, n° 43, 1942, p. 9.

19. Pierre Dansereau, « La tradition botanique à Montréal », *Culture*, vol. 17, 1956, p. 381.

20. Georges Préfontaine, « La nouvelle Station biologique du Saint-Laurent et l'étude de l'estuaire laurentien », *Revue trimestrielle canadienne*, vol. 18, n° 10, 1932, p. 176.

21. *Ibid.*, p. 177.

22. *Ibid.*, p. 180.

23. En 1975, le nombre de doctorats y atteint 141 en écologie et 138 en sciences de l'environnement. Voir Camille Limoges, « De l'économie de la nature aux écosystèmes : l'histoire de l'écologie esquissée à grands traits », *Spectre*, déc. 1980, p. 9-14.

24. Pierre Dansereau, « The Varieties of Evolutionary Opportunity », *Revue canadienne de biologie*, vol. 11, n° 4, 1952, p. 305-388.

25. Pierre Dansereau, « La tradition botanique à Montréal », *Contradictions et Biculture*, Ottawa, Éditions du Jour, 1964, p. 78.

26. N.Y., Ronald Press, 1957.

27. Pierre Dansereau, « Les structures de végétation », *Finistevra Revista Portuguesa de geografia*, vol. III-6, 1968.

28. D'après une interview avec l'un des auteurs en décembre 1984.

29. Manuscrit de Pierre Dansereau, *Description sommaire des recherches et contributions*, Archives UQAM.

30. Une lettre ouverte de l'écologiste militant québécois Michel Jurdant à Pierre Dansereau illustre cette divergence de vues; voir Michel Jurdant, *Le défi écologiste*, Montréal, Boréal Express, 1984.

31. Cité par Robert Gagnon, *La mobilisation des compétences : la protection de l'environnement à la Baie James*, mémoire de maîtrise, Université de Montréal, décembre 1983.

32. Michel Jurdant, J.L. Bélair, Vincent Gérardin et Jean-Pierre Ducruc, *L'inventaire du Capital-Nature*, Série de la classification écologique du territoire, Ottawa, Environnement Canada, 1977.
33. Marcel Fournier, « Les scientifiques et la politique », *Possibles*, vol. 7, n⁰ 1, 1982, p. 182.

CHAPITRE 11

1. Cf. Harvey Cushing, *The Life of Sir William Osler*, Oxford, 1925; sous la direction de Maude Abbott, *Sir William Osler Memorial Number*, Toronto, Bulletin no IX of the International Association of Medical Museums, 1926.
2. Édouard Desjardins, « Deux personnalités de la médecine à Montréal », *L'Union médicale* 87, 1957, p. 9-11; Albert LeSage, « Le centenaire de la Faculté de médecine de l'Université de Montréal, 1843-1943 », *idem*, 72, 1943, p. 993-1031.
3. Charles-Marie Boissonnault, *Histoire de la Faculté de médecine de Laval*, Québec, Presses de l'Université Laval, 1953.
4. « Programme. Phase nouvelle », *L'Union médicale*, 29, 1900, p. 323.
5. Voir Raymond Duchesne, « D'intérêt public et d'intérêt privé : l'institutionnalisation de l'enseignement et de la recherche scientifiques au Québec (1920-1940) », dans *L'Avènement de la modernité culturelle au Québec*, sous la direction de Yvan Lamonde et Esther Trépanier, Québec, IQRC, 1986, p. 210 et s.
6. Albert LeSage, « Le 40ᵉ anniversaire de la Société médicale de Montréal », *L'Union médicale*, 69, 1940, p. 1149.
7. « Premier congrès de l'Association », *L'Union médicale*, 31, 1902, p. 296 et s. G.-A. Bergeron et J.-B. Jobin, « Influence de la culture française sur l'enseignement de la médecine au Canada », *Médecine de France*, 85, 1957, p. 14-16.
8. Louis-Charles Simard, « Le docteur Pierre Masson », *L'Union médicale*, 1954, p. 194-195.
9. Hans Selye, *From Dream to Discovery: On Being a Scientist*, New York, McGraw-Hill, 1964; *The Stress of my Life: A Scientist Memories*, Toronto, McClelland & Stewart, 1977.
10. « Quelques notes historiques sur la Faculté de médecine de l'Université Laval », *Le Laval médical*, 9, 7, 1944, p. 453-459.
11. Louis Berger, « La Faculté de médecine et la recherche », *Le Naturaliste canadien*, 73, 9-10, 1946, p. 335-341.
12. S.B. Frost, *McGill University: For the Advancement of Learning, 1895-1971*, volume II, Montréal, McGill/Queen's, 1984, p. 43 et s.
13. Donald O. Hebb et Woodburn Heron, *Effects of Radical Isolation upon Intellectual Function and the Manipulation of Attitudes*, Defence Research Board, Department of National Defence, Rapport n⁰ HR 63, Canada, octobre 1955, p. 22.
14. John Marks, *The Search for the « Manchurian Candidate »*, New York, Times

Books, 1979.

15. Luc Chartrand, « La filière psychiatrique canadienne », *Québec Science*, décembre 1980, p. 34-40.
16. Wilder Penfield, *Mémoires*, Montréal, Stanké, 1978.
17. *Ibid.*, p. 203.
18. *Ibid.*, p. 361.
19. W. Feindel, « The Contributions of Wilder Penfield and the Montreal Neurological Institute to Canadian Neurosciences », dans *Health, Disease, and Medicine. Essays in Canadian History*, sous la direction de C.G. Roland, Toronto, Hannah Institute for the History of Medicine, 1984, p. 347-358.
20. Marcel Cadotte, « Le docteur Félix-Hubert d'Hérelle », *Cahiers de la Société historique de Montréal*, 3-5, 1, 1981, p. 3-5; Pierre Lépine, « Notes nécrologiques de Félix d'Hérelle », *Annales de l'Institut Pasteur*, mai 1949, p. 457-460.
21. Alain Stanké et Jean-Louis Morgan, *Ce combat qui n'en finit plus*, Montréal, Éditions de l'Homme, 1970.
22. Origène Dufresne, « L'Institut du radium », *L'Action universitaire*, 1935, p. 5.
23. Marcel Fournier, « Entre l'hôpital et l'université : l'Institut du cancer de Montréal », *Sciences et médecine au Québec : perspectives sociohistoriques*, sous la direction de Marcel Fournier, Yves Gingras et Othmar Keel, Québec, IQRC, 1987.
24. M.G. Bourassa et C. Goulet, « L'évolution de la recherche à l'Institut de cardiologie de Montréal », *L'Union médicale*, 108, 10, 1979, p. 1128-1138; Alain Jacques, *Paul David. L'Institut de cardiologie de Montréal*, Montréal, Laporte, 1986.

CHAPITRE 12

1. Yves Gingras, « The Institutionalization of Scientific Research in Canadian Universities : The Case of Physics », *Canadian Historical Review*, vol. 67, n° 2, 1986, p. 181-194.
2. H.A.M. Snelders, « Callendar, Hugh Longbourne », *Dictionary of Scientific Biography*, vol. IV, New York, Scribner's, 1971, p. 19-20.
3. Otto Glasser, *Dr W.C. Röntgen*, Illinois, Charles C. Thomas Publishers, 1945, p. 57.
4. René Bureau, « La physique et l'électricité à l'Université Laval au temps de Monseigneur J.-C.-K. Laflamme », *Le Naturaliste canadien*, vol. 79, n° 12, décembre 1952, p. 330-345.
5. Voir *L'Union médicale*, vol. 26, avril 1897, p. 271.
6. Yves Gingras, « La réception des rayons X au Québec : radiographie des pratiques scientifiques », *Sciences et médecine au Québec : perspectives sociohistoriques*, sous la direction de Marcel Fournier, Yves Gingras et Othmar Keel, Québec, IQRC, 1987.
7. Lewis Pyenson, « The Incomplete Transmission of a European Image : Physics at Greater Buenos Aires and Montreal, 1890-1920 », *Proceedings of*

the American Philosophical Society, vol. 122, n° 2, 1978, p. 105.

8. A.S. Eve, *Rutherford*, London, Cambridge University Press, 1939, p. 57. Notre traduction.

9. Eugénie Cotton, *Les Curie et la radioactivité*, Paris, 1963, p. 38.

10. A.S. Eve, *op. cit.*, p. 80. Notre traduction.

11. Le nombre d'études consacrées aux travaux de Rutherford est énorme. Nos principales sources sont John L. Heilbron, «Physics at McGill in Rutherford's Time», *in* Mario Bunge et William R. Shea (sous la direction de), *Rutherford and Physics at the Turn of the Century*, New York, Science History Publication, 1979, p. 42-73; Thaddeus J. Trenn, «Rutherford in the McGill Physics Laboratory», *ibid.*, p. 89-109; Thaddeus J. Trenn, *The Self-Splitting Atom. The History of the Rutherford-Soddy Collaboration*, Londres, Taylor and Francis, 1977; Alfred Romer, *La découverte de l'atome*, Paris, Payot, 1962.

12. Norman Feather, *Lord Rutherford*, Londres, Priory Press, 1973, p. 88. Notre traduction.

13. Lawrence Badash, *Rutherford and Boltwood. Letters on Radioactivity*, New Haven, Yale University Press, p. 107. Notre traduction.

14. Lawrence Badash, «Rutherford, Boltwood, and the Age of the Earth : The Origin of Radioactive Dating Techniques», *Proceedings of the American Philosophical Society*, vol. 112, n° 3, 1968, p. 157-169.

15. A.S. Eve, *op. cit.*, p. 101. Notre traduction.

16. N. Feather, *op. cit.*, p. 111. Notre traduction.

17. Stanley B. Frost, *McGill University. For the Advancement of Learning*, vol. II, Montréal, 1984, p. 35.

18. G.S. Whitby, «Ten Years of Chemical Research at McGill», *Canadian Chemistry and Metallurgy*, vol. 11, 1927, p. 115-119.

19. S.B. Frost, *op. cit.*, p. 103-106; et R.C. Fetherstonhaugh, *McGill University at War: 1914-1918, 1939-1945*, Montréal, McGill University Press, 1947, p. 74-92.

20. Frère Robert, «Einstein et la science», *Revue trimestrielle canadienne*, vol. 8, 1922, p. 319-350.

21. Cité par Yves Gingras, «La physique à McGill entre 1920 et 1940: la réception de la mécanique quantique par une communauté scientifique périphérique», *History of Science and Technology in Canada Bulletin*, n° 17, janvier 1981, p. 30.

22. *Ibid.*, p. 26.

23. American Institute of Physics: correspondance scientifique de Bohr; Foster à Bohr, 5 mai 1927.

24. *Annales de l'Acfas*, vol. 6, 1940, p. 81.

25. Jean-Marie Desroches et Robert Gagnon, «Georges Welter et l'émergence de la recherche à l'École polytechnique de Montréal, 1939-1970», *Recherches sociographiques*, vol. 24, janvier-avril 1983, p. 33-54.

26. S.B. Frost, *op. cit.*, p. 225-229; R.C. Fetherstonhaugh, *op. cit.*, p. 200-212.

27. D.J. Goodspeed, *A History of the Defence Research Board*, Ottawa, Queen's Printer, 1958, p. 74-81.

28. S.B. Frost, *op. cit.*, p. 227.

29. D.J. Goodspeed, *op. cit.*, p. 153-155.
30. Wilfrid Eggleston, *Scientists at War*, Londres, Oxford University Press, 1950, p. 231.
31. Bertrand Goldsmith, *Le complexe atomique*, Paris, Fayard, 1980, p. 41.
32. Margaret Gowing, *Dossiers secrets des relations atomiques entre les Alliés*, Paris, Plon, 1965, p. 155-190.
33. Wilfrid Eggleston, *Canada's Nuclear Story*, Toronto, Clark Irwin, 1965, p. 50-51.
34. George C. Lawrence, « Canada's Participation in Atomic Energy Development », *Bulletin of the Atomic Scientists*, vol. 3, n° 10, 1947, p. 326. Notre traduction.
35. Paul Dufour, « 'Eggheads' and Espionage: The Gouzenko Affair in Canada », *Revue d'études canadiennes*, vol. 16, n°s 3-4, 1981, p. 189.
36. Paul Dufour, *Les 'Eggheads' et l'espionnage: les réactions des scientifiques américains, canadiens et britanniques à l'affaire Gouzenko de 1946*, mémoire de maîtrise, Université de Montréal, 1979, p. 37-38.
37. *Ibid.*, p. 47-48.
38. Robert Bothwell et S.L. Granatstein, *The Gouzenko Transcripts*, Ottawa, Deneau Publishers, 1983. Le témoignage de Boyer est reproduit aux pages 245-269.
39. *Quebec Chronicle Telegraph*, 18 mars 1946, cité par P. Dufour, *op. cit.*, p. 43.
40. P. Dufour, *op. cit.*, p. 43.
41. Jerry Thomas, « John Stuart Foster, McGill University, and the Renaissance of Nuclear Physics in Montreal, 1935-1950 », *Historical Studies in the Physical Sciences*, vol. 14, 1983, p. 357-397.
42. Jean-Marc Fleury, « Laser québécois, un succès éblouissant », *Québec Science*, vol. 12, n° 3, nov. 1973, p. 32-38.
43. *Annales de l'Acfas*, vol. 36, supplément 1969. Voir aussi Cyrias Ouellet, *La vie des sciences au Canada français*, Québec, ministère des Affaires culturelles, 1964, p. 55-75.
44. S.B. Frost, *op. cit.*, p. 342.
45. Danielle Ouellet, *Adrien Pouliot. Un homme en avance sur son temps*, Montréal, Boréal, 1986.

CONCLUSION

1. Léon Lortie, « La trame scientifique de l'histoire du Canada », dans *Les pionniers de la science canadienne*, sous la direction de G.F. Stanley, Toronto, University of Toronto Press, 1966, p. 3-35.
2. Mgr L.-F. Laflèche, « Encouragement à l'étude des sciences naturelles », *Le Naturaliste canadien*, 15, 1885, p. 59-60.

BIBLIOGRAPHIE SOMMAIRE

ALLARD, Michel, sous la direction de, *L'Hôtel-Dieu de Montréal 1642-1973*, Montréal, Hurtubise HMH, 1973.

AUDET, Louis-Philippe, *Le frère Marie-Victorin, éducateur*, Montréal, Éd. de l'Érable, 1942.

BAILLARGEON, Noël, *Le Séminaire de Québec de 1760 à 1800*, Québec, Presses de l'Université Laval, 1981.

BEAUDOIN, Louis, sous la direction de, *La recherche au Canada français*, Montréal, Presses de l'Université de Montréal, 1968.

BERGER, Carl, *Science, God, and Nature in Victorian Canada*, Toronto, University of Toronto Press, 1983.

BERNARD, Jean-Paul, *Les Rouges. Libéralisme, nationalisme et anticléricalisme au milieu du XIXᵉ siècle*, Québec, Presses de l'Université du Québec, 1971.

BOIVIN, Bernard, *La flore du Canada en 1708. Étude d'un manuscrit de Michel Sarrazin et Sébastien Vaillant*, Ottawa, Agriculture Canada/Provancheria nᵒ 9, 1978.

————, *Survey of Canadian Herbaria*, Québec, Herbier Louis-Marie (U.Laval)/Provancheria nᵒ 10, 1980.

BROWN, J.J., *Ideas in Exile. A History of Canadian Invention*, Toronto, McClelland/Stewart, 1967.

CHARLAND, Jean-Pierre, *Histoire de l'enseignement technique et professionnel*, Québec, IQRC, 1982.

DALE, John H., *Hydroelectricity and Industrial Development. Quebec 1898-1940*, Boston, Harvard University Press, 1957.

DAWSON, J.W., *Fifty Years of Work in Canada*, Londres, Ballantyne, Hansen & Co., 1901.

DROLET, Antonio, *Les bibliothèques canadiennes, 1604-1960*, Ottawa, Cercle du livre de France, 1965.

DUCHESNE, Raymond, *La science et le pouvoir au Québec, 1920-1965*, Québec, Éditeur officiel, 1978.

DUMESNIL, Thérèse, *Pierre Dansereau, l'écologiste aux pieds nus*, Montréal, Nouvelle Optique, 1981.

EGGLESTON, Wilfrid, *Scientists at War*, Toronto, Oxford, 1950.

————, *Canada's Nuclear Story*, Londres, Harrap Research Pub., 1966.

————, *National Research in Canada. The National Research Council, 1916-1966*, Toronto, Clarke-Irwin, 1978.

FETHERSTONHAUGH, R.C., *McGill University at War, 1914-1918, 1939-1945*, Montréal, McGill University Press, 1947.

FOURNIER, Marcel, *L'entrée dans la modernité, sciences, culture et société*, Montréal, Éditions Albert Saint-Martin, 1986.

FOURNIER, Marcel, Yves GINGRAS et Othmar KEEL, sous la direction de, *Sciences et médecine au Québec: perspectives sociohistoriques*, Québec, IQRC, 1987.

FROST, S.B., *McGill University: For the Advancement of Learning*, vol. I 1801-1895, vol. II 1895-1971. Montréal, McGill/Queen's University Press, 1980 et 1984.

GALARNEAU, Claude, *Les collèges classiques au Canada français*, Montréal, Fides, 1978.

GERBOD, Paul, *La vie quotidienne dans les lycées et collèges au XIXe siècle*, Paris, Hachette, 1968.

GOODSPEED, D.J., *A History of the Defence Research Board of Canada*, Ottawa, Queen's Printer, 1958.

GROULX, Lionel, *Roland-Michel Barrin de La Galissonière*, Québec, Presses de l'Université Laval, 1970.

HARRIS, R.S., *A History of Higher Education in Canada, 1663-1960*, Toronto, University of Toronto Press, 1976.

HUARD, V.-A., *La vie et l'œuvre de l'abbé Léon Provancher*, Québec, Garneau, 1926.

JARRELL, R.A. et A.E. ROOS, sous la direction de, *Critical Issues in the History of Canadian Science, Technology and Medicine*, Ottawa, HSTC Publications, 1983.

JARRELL, R.A. et N.R. BALL, sous la direction de, *Science, Technology, and Canadian History*, Waterloo, Wilfrid Laurier University Press, 1980.

JOLOIS, J.-J., *J.-F. Perrault (1753-1844) et les origines de l'enseignement laïque au Bas-Canada*, Montréal, Presses de l'Université de Montréal, 1969.

LAGRAVE, Jean-Paul de, *Fleury Mesplet (1734-1794), imprimeur, éditeur, libraire, journaliste*, Montréal, Patenaude, 1985.

LAJEUNESSE, Marcel, *Les Sulpiciens et la vie culturelle à Montréal au XIXe siècle*, Montréal, Fides, 1982.

LAMONDE, Yvan, *Les bibliothèques de collectivités à Montréal*, Québec, Bibliothèque nationale, 1979.

————, *La philosophie et son enseignement au Québec, 1665-1920*, Montréal, Hurtubise HMH, 1980.

LAMONTAGNE, Roland, *La Galissonière et le Canada*, Paris et Montréal, Presses universitaires de France et Presses de l'Université de Montréal, 1962.

LAVALLÉE, André, *Québec contre Montréal. La querelle universitaire, 1876-1891*, Montréal, Presses de l'Université de Montréal, 1974.

LAVALLÉE, Madeleine, *Marie-Victorin, un itinéraire exceptionnel*, Montréal, Héritage, 1983.

LEBEL, Marc, Pierre SAVARD et R. VÉZINA, *Aspects de l'enseignement au Petit Séminaire de Québec (1765-1945)*, Québec, Société historique de Québec, 1968.

LEVERE, T.H. et R.A. JARRELL, sous la direction de, *A Curious Field-Book. Science and Society in Canadian History*, Toronto, Oxford University Press, 1974.

LORTIE, Léon et Adrien PLOUFFE, sous la direction de, *Aux sources du présent*, Toronto, Royal Society of Canada, 1960.

MARIE-VICTORIN, frère, *Pour l'amour du Québec*, textes rassemblés par Hermas Bastien, Sherbrooke, Éditions Paulines, 1971.

————, *Histoire de l'Institut botanique, 1920-1940*, Montréal, Institut botanique, 1941.

O'BRIEN, C.E., *Sir William Dawson. A Life in Science and Religion*, Philadelphie, American Philosophical Society, 1971.

OUELLET, Cyrias, *La vie des sciences au Canada français*, Québec, ministère des Affaires culturelles, 1964.

OUELLET, Danielle, *Adrien Pouliot. Un homme en avance sur son temps*, Montréal, Boréal, 1986.

PENFIELD, Wilder, *No Man Alone : A Neurosurgeon's Life*, Boston, Little Brown, 1977.

PIGHETTI, Clelia, *Scienza e colonialismo nel Canada Ottocentesco*, Florence, Leo S. Olschki Editore, 1984.

RUMILLY, Robert, *Le frère Marie-Victorin et son temps*, Montréal, Frères des Écoles chrétiennes, 1949.

RYAN, W.F., *The Clergy and Economic Growth in Quebec*, Québec, Presses de l'Université Laval, 1966.

SHORTT, S.E.D., sous la direction de, *Medicine in Canadian Society. Historical Perspectives*, Montréal, McGill/Queen's University Press, 1981.

SINCLAIR, Bruce, R.N. BALL et J.O. PETERSEN, sous la direction de, *Let Us Be Honest and Modest : Technology and Society in Canadian History*, Toronto, Oxford University Press, 1974.

SOCIÉTÉ ROYALE DU CANADA, *Fifty Years Retrospect, 1882-1932*, Ottawa, Société royale du Canada, 1931.

STANLEY, G.F.G., sous la direction de, *Pioneers of Canadian Science*, Toronto, Royal Society of Canada, 1966.

STEARNS, Raymond P., *Science in the British Colonies of America*, Urbana, Unversity of Illinois Press, 1970.

STRUIK, Dirk J., *The Origins of American Science*, New York, Cameron Ass., 1957.

TATON, René, sous la direction de, *Enseignement et diffusion des sciences en France au XVIIIe siècle*, Paris, Hermann, 1964.

THOMSON, Don, *L'homme et les méridiens*, 2 vol., Ottawa, Information Canada, 1966 et 1973.

THOMSON, Malcolm M., *The Beginning of the Long Dash : A History of Timekeeping in Canada*, Toronto, University of Toronto Press, 1978.

TORY, H.M., sous la direction de, *The History of Science in Canada*, Toronto, Ryerson, 1939.

TREMBLAY, Jean-Paul, *À la recherche de Napoléon Aubin*, Québec, Presses de l'Université Laval, 1967.

VALLÉ, A., *Un biologiste canadien : Michel Sarrazin, 1659-1739*, Québec, Proulx, 1927.

WARRINGTON, C.J.S. et R.V.V. NICHOLLS, *A History of Chemistry in Canada*, Toronto, Isaac Pitman & Sons, 1949.

YON, Armand, *L'abbé H.-A. Verreau, éducateur, polémiste, historien,* Montréal, Fides, 1946.

YOUNG, E.G., *The Development of Biochemistry in Canada,* Toronto, University of Toronto Press, 1976.

ZASLOW, Morris, *Reading the Rocks. The Story of the Geological Survey of Canada, 1842-1972,* Ottawa, Macmillan, 1975.

*

En plus de ces ouvrages généraux, le lecteur pourra consulter l'essai bibliographique de Raymond DUCHESNE, « Historiographie des sciences et des techniques au Canada », *Revue d'histoire de l'Amérique française,* vol. 35, n° 2, septembre 1981, p. 193-216, et *A Bibliography for Courses in the History of Canadian Science, Technology and Medicine,* deuxième édition révisée, HSTC Publications, Thornhill, 1983, compilée par Richard A. **JARRELL,** et Arnold E. ROOS.

INDEX

TABLE DES MATIÈRES